D0319693

Het Darwin-mysterie

John Darnton

Het Darwin-mysterie

Karakter Uitgevers B.V.

Oorspronkelijke titel: The Darwin Conspiracy
© 2005 by Talespin, Inc.
Vertaling: Erica Feberwee
© 2007 Karakter Uitgevers B.V., Uithoorn
Omslag: Björn Goud
Opmaak binnenwerk: ZetSpiegel, Best

ISBN 978 90 6112 385 9
NUR 332

Zevende druk, mei 2010

Voor Bob

De geschiedenis is rijk aan slinkse wegen,
Aan sluw gewrochte doorgangen en verbanden,
Bedriegt met gefluisterde ambities,
En verlokt ons door ijdelheid.
T.S. Eliot

1

De boot was nog maar een stipje aan de horizon toen Hugh hem in de gaten kreeg. Met in zijn kielzog een brede bocht van wit schuim naderde hij het eiland. Hugh legde een hand boven zijn ogen, maar de felle schittering van de zon op het water verblindde hem alsnog. Met zijn ogen tot spleetjes geknepen tuurde hij in de verte. De ochtendzon had al voldoende kracht om door de heiigheid heen te dringen en een baan van glanzend goud op het water te toveren.

Waar Hugh ook keek, overal was de lucht gevuld met vogels, die in duikvlucht en dan weer bijna loodrecht omhoogschietend bezig waren hun ontbijt bij elkaar te vissen, begeleid door een kakofonie van rauwe kreten. Het moesten er honderden zijn, besefte Hugh: schreeuwende zwaluwstaartmeeuwen, bruine sternen, jan-van-genten, die met vis in hun snavel terugvlogen naar hun nest. Een fregatvogel achtervolgde een meeuw en trok hem aan zijn staart, waarop zijn slachtoffer krijsend zijn snavel wijd opensperde. Met een fraaie spiraalduik plukte de fregatvogel vervolgens de vangst van de meeuw uit de lucht. Het was een staaltje acrobatisch geweld waar Hugh allang niet meer van opkeek.

De boot bleek een panga te zijn, en dat was wel iets wat hem verbaasde. Tenslotte verwachtte hij de nieuwe voorraden pas over een paar dagen. Ingespannen tuurde hij naar het donkere silhouet van de bestuurder. Te oordelen naar diens houding – de manier waarop hij zich schrap zette tegen de wind, met een arm naar achteren op het gas – moest het Raoul zijn.

Hugh liet zijn canvas gereedschapstas naast het mistnet op de grond vallen en begon aan de afdaling. De zwarte rotsen waren wit en grijs gestreept door de guano, en omdat er geen wind stond, stonk het hele eiland naar de vogelmest, die de lava bovendien glibberig maakte. Hugh wist echter precies waar hij zijn voeten moest neerzetten. De hitte drukte als een loden last op zijn schouders.

Toen hij de voet van het klif bereikte, was Raoul al gearriveerd. Hij manoeuvreerde het zacht deinende bootje zodanig dat het op korte afstand bleef van de aanlegplaats, een smalle richel die door de golven om de paar seconden even onder water werd gezet.

'*Amigo!*' riep Raoul, grijnzend achter zijn donkere brillenglazen.

'Hé, cowboy!' Hugh hoestte om zijn keel te schrapen; het was lang geleden dat hij voor het laatst iemand had gesproken.

Raoul droeg een korte broek van gesteven kaki en een donkerblauwe trui met het logo van het Galápagos National Park op de linker-borstzak. Een Yankees-pet stond zwierig schuin op zijn hoofd.

'Ik kom alleen maar even langs,' zei hij. 'Heb je nog nieuws?'

'Nee, niet echt.'

'Ik dacht jij bent onderhand he-le-maal stapelkierewiet.' Zijn Engels was bijna perfect, maar soms formuleerde hij wat merkwaardig.

'Nou, nog niet helemaal. Maar ik ben wel een eind op weg.'

'Hm. Hoe is het met de *ermitaño*?'

'Met de wat?'

'De ermitaño,' herhaalde Raoul. 'Hoe zeg je dat?'

'Heremiet.'

Raoul knikte en nam hem onderzoekend op. 'Hoe gaat het?' vroeg hij toen opnieuw.

'Prima,' loog Hugh.

Raoul wendde zich af. 'Ik heb twee *chimbuzos* meegenomen.' Hij gebaarde met zijn kin naar twee vaten met water die hij aan de bank in het midden van het bootje had vastgebonden. 'Als je me even helpt, kunnen we ze aan land zetten.'

Hugh sprong in de boot, maakte een van de vaten los en hees het op zijn rechterschouder. Het was zo zwaar dat hij bijna zijn evenwicht verloor en begon te wankelen als een dronken zeeman. Het scheel-de niet veel of hij was in het water gevallen.

'Nee, niet zo,' zei Raoul. 'Je zet ze gewoon overboord en je duwt ze naar de mat. Dan klim je aan land en je trekt ze uit het water.'

De mat – voluit 'de deurmat' – was de bijnaam die de onderzoekers aan de rotsachtige richel hadden gegeven. Raoul, die diepe bewonde-ring had voor hun werk, verrichtte inmiddels al zo lang hand- en spandiensten, dat hij hun taaltje had overgenomen.

Uiteindelijk slaagde Hugh erin de twee vaten aan wal te krijgen en ze naar het begin van het pad te slepen. Tegen de tijd dat hij terug-kwam, liep het zweet tappelings langs zijn lichaam.

'Heb je zin om even aan land te komen?' vroeg hij, maar hij wist het antwoord al. Het water was te diep om voor anker te gaan – meer dan vijfentwintig meter – en als Raoul de panga aanlegde, zou het bootje door de golven te pletter worden geslagen tegen de rotsen. 'Nee, ik kan niet blijven. Zoals ik al zei, ik kom alleen maar even dag zeggen. Hoe gaat het met die gekke vogels van je? Krijgen ze onderhand nog geen dorst?'

'Nou, ze hebben het wel zwaar met de hitte. Sommige maken het niet lang meer, denk ik.'

Raoul schudde zijn hoofd. 'Hoe lang heeft het nou al niet geregend?'

'Vandaag is de tweehonderdzoveelste dag. De tweehonderdvijftigste, als ik het goed heb.'

Raoul floot tussen zijn tanden, schudde in een fatalistisch gebaar opnieuw zijn hoofd en stak een sigaret op.

Ze praatten nog wat over het onderzoek. Raoul was altijd benieuwd naar de vorderingen. In een volgend leven was dat wat hij wilde doen, had hij eens gezegd: in de natuur bivakkeren en vogels bestuderen. Hugh kon niet nalaten te denken dat Raoul een volstrekt verkeerd beeld had van de werkelijkheid; dat hij geen idee had van de eenzaamheid, de vermoeienissen, de verveling en de eindeloze kringloop der extremen: de brandende hitte overdag en de kou 's nachts, wanneer de temperatuur veertig graden daalde en je zo lag te rillen in je slaapzak dat je niet kon slapen, hoe uitgeput je ook was. Dingen konden soms heel aanlokkelijk en dynamisch lijken, tot je er werkelijk mee aan de slag ging.

'Trouwens, ik hoor dat je gezelschap krijgt,' zei Raoul nonchalant. 'Er zijn nog twee onderzoekers onderweg.'

'Ja... dat heb ik ook gehoord.'

Raoul keek hem vragend aan.

'Via de satfoon,' verklaarde Hugh. 'De satelliettelefoon. Ze hebben me eergisteren gebeld. Ik schrok me dood toen dat ding ging.'

'Zijn het mensen die je kent?'

'Nee, ik geloof het niet. Trouwens, ik ken eigenlijk niemand van het hele project.'

'Hoe heten ze?'

'Geen idee.'

'Heb je dat niet gevraagd?'

'Nee.'

Raoul zweeg even en nam hem opnieuw onderzoekend op. '*Hombre*, gaat het wel goed met je? Eerlijk gezegd zie je er niet zo best uit.'

'Hoezo? Ik voel me prima.' Het bleef even stil. 'Bedankt voor je bezorgdheid.'

'Nou ja, je bent ook zo'n bleekscheet.'

Dat was een grapje. Hugh was inmiddels zo vaak verbrand en weer gebruind, dat zijn huid eruitzag als gelooid leer. Zijn lippen waren, ondanks het vet dat hij erop smeerde, gezwollen en gebarsten, en zijn wenkbrauwen witblond gebleekt.

'Denk je dat je het aankunt om dit paradijs met anderen te delen?'

'Absoluut,' zei Hugh, maar het klonk niet echt overtuigd.

Raoul draaide zich om en staarde in de verte. Aan de horizon was de donkere omtrek van een snel varend schip te zien, gevolgd door een slurf van meeuwen.

'De *Neptune*,' zei hij. 'Met een nieuwe lading toeristen voor de Betoverde Eilanden.'

'Wie dat heeft bedacht, verdient een lintje,' zei Hugh. De schaduw die over Raouls gezicht trok, verried dat hij zich gekwetst voelde. Het verbaasde Hugh telkens weer hoe diepgeworteld het Ecuadoraanse nationalisme was. Dus hij glimlachte, alsof hij maar een grapje had gemaakt.

'Het betekent in elk geval meer werk voor mij.' Raoul haalde zijn schouders op. 'Tja, *tengo que trabajar*.' Hij tikte zijn sigaret weg, ver over het wateroppervlak, en stak vanaf zijn heup vluchtig een hand op. '*Ciao*.'

'Ciao. En bedankt voor het water.'

'Denk erom dat je het niet allemaal achter elkaar opdrinkt.' Grijnzend keerde Raoul de panga, hij startte de motor en schoot er met zo'n vaart vandoor dat de boeg als een surfplank uit het water kwam. Hugh keek hem na tot de panga om de hoek van het eiland was verdwenen.

Toen zeulde hij de *chimbuzos* een voor een het pad op dat zich over de zuidwand van de vulkaan slingerde, langs het kamp, naar de bodem van de krater, waar het in theorie een graad of twee koeler was dan op de rest van het eiland... in theorie. Op hete dagen had hij gezien dat de jan-van-genten zelfs hier van de ene gewebde poot op de andere wiebelden, gehinderd door de zinderende hitte van de rotsgrond.

Hij keek op zijn horloge. Shit! Al bijna zeven uur. Hij had het mistnet helemaal vergeten, terwijl hij nota bene had gezien dat hij beet had. Er zat in elk geval een vogel in, dat wist hij zeker. En misschien waren het er wel twee. Dus hij moest zich haasten om ze te bevrijden, voordat ze bezweken onder de toenemende ochtendhitte. Enkele maanden eerder, toen hij er nog niet zo handig in was, had hij daardoor een vogel verspeeld. Als je de diertjes op de juiste manier behandelde, waren ze verrassend veerkrachtig, maar als je een fout maakte, als je ze te lang in het mistnet liet hangen, waren ze broos als jonge twijgen. Hij had het incident in het logboek vermeld, zonder toelichting, met slechts één, door hemzelf bedacht woord: *ornithocide*.

Op het hoogste punt van het eiland was het zo mogelijk nog heter dan elders. Hij pakte zijn gereedschapstas en inspecteerde het net. Er waren inderdaad twee vogels in verstrikt geraakt, twee kleine, donkere lijfjes die sidderden onder zijn aanraking. Hij pakte de eerste en hield hem tegen zijn borst, terwijl hij behendig de zwarte draden losmaakte, die zo dun waren dat de dieren erdoor werden verrast. Bij het ontwarren van veren en draden kwam er plotseling een herinnering bij hem op: de lange zomeravonden waarop hij vroeger als kind badminton speelde en de shuttle voorzichtig uit het net haalde, wanneer het plastic vogeltje daarin belandde.

Nu pas zag hij de kleur van de vink: zwart gevlekt met grijs en stoffig wit. Een cactusvink, *Geospiza scandens*; geen verrassing, het was een soort die hier heel veel voorkwam. Hij hield het diertje stevig in zijn linkerhand en tilde het op, om het beter te kunnen bekijken. De diepbruine oogjes keken terug, het bonzen van het kleine hartje kietelde de binnenkant van zijn hand. Hugh controleerde de ringen – een groene en een zwarte om de linkerpoot, een blauwe om de rechter – en zocht het diertje op in het registratieboek. Nummer ACU-906. Een eerdere onderzoeker had er een bijnaam bij geschreven – *Smakkerd* – in een rond, meisjesachtig, Amerikaans aandoend handschrift.

Ook al zat hij hier al maanden, het lukte Hugh nog steeds niet meer dan een stuk of tien vinken, compleet met hun bijnamen, te herkennen. Eigenlijk alleen de vogels die voortdurend in de buurt van het kamp bleven. Onderzoekers gingen er prat op dat ze een band met de dieren opbouwden, had hij inmiddels begrepen. Ze vertelden trots dat de beestjes op rotsblokken rond het kamp zaten en ratelden in één adem zo'n dertig of veertig bijnamen af. 'Voor je het weet, ken je ze allemaal,' had Peter Simons, een legende op het gebied van veldonderzoek, hem bij het afscheid bemoedigend in het vooruitzicht gesteld. 'Dan hoef je alleen je arm maar uit te strekken, en ze komen erop zitten.' Dat was in elk geval wel waar gebleken. Hugh was in zijn eerste week op het eiland aangenaam verrast geweest toen tijdens het opmeten van een kleine vink, een ander vogeltje op zijn blote knie was komen zitten. Het diertje had hem aandachtig aangekeken, met zijn kopje scheef, van de ene naar de andere kant. Op dat soort momenten leken de vogeltjes hem nieuwsgierig en intelligent. Bij andere gelegenheden – bijvoorbeeld toen hij had vergeten het deksel op de koffiepot te doen en een vogeltje er bijna in was gedoken en verdronken – kon hij nauwelijks tot een andere conclusie komen dan dat ze onnozel waren.

Dat was nog vóór het vertrek van Victor geweest. Aanvankelijk had hij het alleenzijn als een opluchting ervaren – de eenzaamheid was wat hij zocht, als deel van zijn boetedoening – maar naarmate de weken zich aaneenregen tot maanden, werd de zelfverkozen afzondering hem bijna te veel. En toen de verwachte regens uitbleven en het lava-eiland veranderde in een zwarte koekenpan, midden op de oceaan, had hij zich soms afgevraagd of hij dit wel volhield. Maar natuurlijk hield hij het vol. En eigenlijk had hij dat altijd geweten. Als het om pure wilskracht, om doorzettingsvermogen ging, was hij sterk. Zijn zwakte lag ergens anders, in zijn hart, in zijn gevoel.

Hij trok een schuifmaat uit, mat de vleugel van de vogel en schreef de maten in het registratieboek, dat in de loop der jaren smoezelig was geworden, gezwollen door vocht, ook al was de kaft waterbestendig. De vogel verstijfde toen hij de maten van de snavel nam. De snavel, daar draaide het om: lengte, breedte, hoogte. Sinds 1973, toen Simons en Agatha, zijn vrouw, hier met hun onderzoek waren begonnen, hadden generaties studenten de barre omstandigheden getrotseerd om duizenden en nog eens duizenden snavels te meten en de bedoeling te doorgronden van de minieme variaties.

Zodra Hugh de vogel losliet, vloog hij weg en landde een paar meter verder op een cactus, waar hij zijn verenpak opschudde. Nadat Hugh de gegevens van de tweede vogel had genoteerd, liep hij naar de noordrand van het eiland om de vallen te controleren. Al van een afstand kon hij zien dat er niet een was dichtgeklapt, dus hij liep terug naar het kamp voor zijn ontbijt: waterig roerei op basis van poeder en slappe koffie van gemalen bonen die hij al eerder had gebruikt. Vervolgens klom hij opnieuw naar het hoogste punt van het eiland, waar hij uitzicht had over het blauwgroene water, wild en onrustig door de verraderlijke stromingen. Dit was zijn vaste plek geworden; de door de zon verwarmde, gladde rotsen vormden als het ware een troon waar hij precies in paste en vanwaar hij mijlenver voor zich uit kon kijken.

Darwin had het goed gezien. Hij vond er hier ook niets aan.

Soms praatte Hugh tegen zichzelf. Of – en dat was zelfs nog vreemder – soms wist hij niet of hij iets hardop had gezegd of alleen maar had gedacht. De laatste tijd waren zijn innerlijke monologen merkwaardig onsamenhangend, vooral tijdens de lange uren dat hij werkte in de brandende zon. Half afgemaakte gedachten schoten door zijn hoofd, zinnen die zich telkens herhaalden, vermaningen, observaties gericht aan zichzelf, soms in de tweede persoon, bijvoorbeeld: *Als je op zoek was naar de hel, dan ben je hier aan het juiste adres.*

En hij was inderdaad op zoek geweest naar de hel. Dat leed geen enkele twijfel. Zelfs de naam van het eiland, *Sin Nombre*, had hem meteen aangesproken.

Had hij gemeend wat hij tegen Raoul had gezegd? Was hij er klaar voor om dit oord – dit paradijs, voegde hij er in gedachten schamper aan toe – met anderen te delen?

Ze kwamen tien dagen later. De bevoorradingsboot was zo zwaar beladen met eten, instrumenten, gereedschappen en wat er verder nodig was, dat hij diep in het water stak. In het felle zonlicht kon Hugh weinig onderscheiden, alleen dat er drie mensen aan boord waren. Zijn pols versnelde, diep vanbinnen nam een gevoel van rusteloosheid bezit van hem. Jezus, waarom was hij zo nerveus? Hij inspecteerde het kamp, keek ernaar alsof hij het voor het eerst zag: zijn tent, de plastic borden, de zakken houtskool, de voorraden onder een dekzeil. Het leek allemaal zo klein, verschoten en gebleekt door de brandende zon. Niks aan te doen, dacht hij, terwijl hij afdaalde naar de deurmat om de versterkingen op te wachten.

Toen de panga vlak bij het eiland was, bracht een van de mannen aan boord zijn handen aan zijn mond. 'Ahoy! Robinson Crusoe! Wat een verrassing!' Zijn Engelse accent verried dat hij afkomstig was uit de betere kringen.

Hugh grijnsde bij wijze van antwoord; weinig oprecht, maar tot meer was hij niet in staat.

Toen zag hij dat er een vrouw op de voorsteven zat, met een rol touw in haar handen. Hij was geschokt; dit had hij niet verwacht. Glimlachend wierp ze hem de lijn toe, die hij door de ijzeren ring haalde die in de rots was verankerd. De man aan het roer hing twee autobanden die fungeerden als stootwillen over de zijkant, en Hugh strekte zijn arm zo ver mogelijk uit om de vrouwelijke passagier aan land te helpen.

'Elizabeth Dulcimer,' stelde ze zich voor. 'Zeg maar Beth.'

Hugh schudde haar de hand. 'Ik ben Hugh.'

'Dat weet ik,' antwoordde ze met een stralende glimlach. 'Hugh Kellem.'

Ze keerde zich weer naar de boot om te helpen met uitladen. Een slanke verschijning met lange, gebruinde benen, gekleed in een wit T-shirt, een korte kaki broek en gymschoenen. Haar donkere haar, dat glansde als zijde, waaierde uit over haar rug. Haar bewegingen waren soepel, ongedwongen. De klep van haar pet overschaduwde haar gezicht; PELIGRO stond erop, en op de achterkant, in kleinere letters NEW ORLEANS.

De Engelsman sprong uit de boot, die daardoor hevig begon te deinen. 'Nigel,' stelde hij zich voor, grijzend en met bulderende stem. Hij was groot, zwaargebouwd, zijn blozende gezicht werd omlijst door lang blond haar. Zijn safari-jack had aan de voorkant vier zakken, aan een ketting om zijn hals hing een plastic etui met een vergrootglas. Bij zijn begroeting – met heftig pompend handen schudden – kreeg Hugh vluchtig een visioen van kleine vinken die volledig verdwenen tussen de dikke, stompe vingers.

Terwijl Nigel langs de rotswand omhoogkeek, verscheen er een zweem van twijfel op zijn gezicht.

'Oké, de spullen moeten uiteindelijk toch naar boven. Dus laten we dat meteen maar doen.'

Geen goed teken, dacht Hugh. Hij is hier nog geen twee minuten, en hij begint al orders uit te delen. Zijn blik gleed naar Beth, die hem opnieuw een stralende glimlach schonk.

Het duurde geruime tijd voordat ze alle voorraden naar het kamp hadden gebracht. Ze moesten drie keer lopen en legden de spullen op drie stapels: een voor hem, een voor haar, en een voor de keuken. Toen het karwei was geklaard, zweetten ze als pakpaarden, dus ze installeerden zich in het kamp om op adem te komen.

'Zo,' zei Nigel ten slotte, terwijl hij – duidelijk teleurgesteld – om zich heen keek. 'Ik weet niet waarom, maar ik had er meer van verwacht. Al die generaties studenten die ons zijn voorgegaan... Je zou toch denken dat ze er inmiddels wel wat van gemaakt hadden. Ze hadden tenslotte niks anders aan hun hoofd dan vogels... vogels en seks, natuurlijk. Dat kun je trouwens wel ruiken.' Hij snoof diep. 'Allemensen, en niet zo zuinig ook!'

'Dat is guano.'

'Wat het ook is, er is duidelijk stront aan de knikker.' Nigel grinnikte om zijn eigen grapje.

'Ach, je went eraan,' zei Hugh. 'Ik ruik het al niet meer.'

Nigel keek hem aan, toen keerde hij zich naar zee. 'Je hebt hier in elk geval wel een fantastisch uitzicht,' zei hij. 'Welk eiland is dat?'

'Santiago. Een van de grootste.' Hugh wees naar de andere eilanden en gaf van elk een korte beschrijving. 'Voor je het weet ken je ze allemaal.'

'Ja, dat geloof ik graag.' Nigel aarzelde even. 'Wat is er eigenlijk precies gebeurd met die vent met wie je hier samen was... Hoe heet hij ook alweer, Victor? Is hij ziek geworden?'

'Ja, die zijn ze komen halen. Hij had een of andere maagkwaal.'

'Aha. En sindsdien zit je hier alleen?'

'Ja. Zes maanden, nee, misschien al wel acht. Ik ben de tel kwijtgeraakt.'

'Hm. Nou, maak je geen zorgen, de reddingstroepen zijn gearriveerd.' Hij bracht een hand naar zijn mond, deed alsof hij op een trompet blies en verraste Hugh – onaangenaam – door hem op de rug te slaan. Toen stond hij op, en begon onzeker zijn weg te zoeken tussen de rotsblokken, op zoek naar de beste plek om zijn tent op te zetten. Die stond in een mum van tijd, compleet met luifel en luchtgaten aan de zijkanten. Veel mooier dan die van Hugh. Beth koos een plek aan de zijkant van het kamp. Haar tent was een knusse tweeslaper.

Toen Nigel weer tevoorschijn kwam, had hij een rugzak bij zich. 'Trouwens, dat was ik bijna vergeten,' zei hij. 'Ik heb nog post voor je.'

Hugh herkende de envelop. Het retouradres was van een bedrijf, op de voorkant stond zijn naam in grote, krachtige drukletters. Hij voelde dat zijn wangen begonnen te gloeien alsof hij klappen had gekregen: de brief kwam van zijn vader.

'Bedankt.' Hij vouwde de envelop dubbel en stopte hem in zijn achterzak.

Na het avondeten zaten ze rond het kampvuur, op de afgezaagde boomstronken die van San Isabel hierheen waren gebracht. Hugh had de twee nieuwkomers het eiland laten zien; een vermoeiende en merkwaardige ervaring, om anderen rond te leiden langs de vaste punten in zijn kleine wereldje: de bodem van de krater, de droge, verdorde struiken, de voor het merendeel verlaten nesten, de vallen met stukjes banaan als lokaas.

'Hoeveel vinken zijn er nog niet geringd?' had Nigel gevraagd.

'Zes,' had Hugh geantwoord. 'En ze zijn razend slim. Ik denk niet dat je ze te pakken krijgt.'

'Dat zullen we dan nog wel eens zien.'

Hugh had last van zijn maag; hij was het niet meer gewend vlees te eten, maar Nigel had twee enorme biefstukken meegenomen, die hij had gebakken in olie en als pannenkoeken om en om had gegooid. Vervolgens had Beth een flesje Johnnie Walker Black tevoorschijn gehaald en hun alle drie een flinke borrel ingeschonken. Hugh voelde de whisky nog branden in zijn keel, terwijl hij onderuitzakte om de rook en de vonken na te kijken die opstegen in de duisternis.

'Volgens mijn berekening is deze droogte hard op weg een record te vestigen,' zei Nigel, nadat hij de helft van zijn whisky had achterovergeslagen. 'Klopt dat? Wanneer was die laatste droogteperiode ook alweer?'

'In 1977,' zei Hugh.

'En hoe lang heeft die geduurd? Een jaar?'

'Vierhonderdtweeënvijftig dagen,' zei Beth. Ze zat op de grond, met haar rug tegen de boomstronk geleund, haar bruine benen opgetrokken naast zich. Het vuur bescheen haar hoge jukbeenderen; haar ogen, omlijst door haar zwarte haar, glansden.

Nigel floot. 'En hoe lang duurt deze periode inmiddels al?' Hij keek Hugh aan.

'Tweehonderdvijfendertig dagen.'

'Dat is goed voor het onderzoek.'

'Dat wel, maar slecht voor de vogels.'

'Wat is tot dusverre het effect geweest?'

'Er zijn te weinig zaden. Er wordt weinig gepaard. Sommige kuikens

16

zijn in het nest gestorven. Voor zover ze nog in leven zijn, zijn ze lusteloos, en sommige zijn er wanhopig slecht aan toe.'

'Om welke gaat het dan? Waarin zit 'm het verschil? Heeft het te maken met de afmetingen van hun snavel?'

'Zeg, doe me een lol!' zei Beth. 'Hij is geen student die tentamen bij je komt doen.'

'Rustig maar. Ik vind het niet erg,' zei Hugh. Sterker nog, hij vond het prettig dat hij erover kon praten. 'De *fortis* hebben het slecht, vooral de kleinste. Dat komt door hun snavel. Er ligt genoeg *tribulus* maar daar kunnen ze niks mee. Je ziet dat ze het proberen: ze pikken het op, draaien het om en laten het dan weer vallen. Sommige nemen hun toevlucht tot ander voedsel, met name een kruid dat *chamaesyce maculata* heet. De bladeren scheiden een witte, kleverige, melkachtige vloeistof af. Dat spul zit de vogels in de weg, dus ze schuren met hun kop langs de rotsen. Met het gevolg dat ze kaal worden. En dat leidt er weer toe dat ze een zonnesteek oplopen. Je ziet ze overal dood op de grond liggen; kleine, kale vinken.'

'En de volgende generatie?'

'Het is nog te vroeg om daar iets over te zeggen, maar het gaat ongetwijfeld net als na de laatste droogteperiode. De vogels die overleven, zijn de dieren met de grootste snavels. En dat zal zo blijven tot er een jaar met zware regenval komt. Dan zul je plotseling een groot aantal vinken met kleine snavels zien.'

'Darwins levende laboratorium,' zei Nigel met de stem van een dorpsomroeper. 'Komt allen en ziet hoe de natuurlijke selectie dagelijks wonderen verricht. Hoe gaat het in zijn werk? Hoe formuleerde de grote geleerde het?' Hij hield zijn hoofd licht naar achteren, alsof hij probeerde het zich te herinneren, maar het gemak waarmee hij vervolgde, verried dat hij de tekst uit zijn hoofd kende. '*De natuurlijke selectie is bij wijze van spreken dag en nacht over de hele wereld op zoek naar de kleinste afwijkingen. Ze verwerpt de slechte en bewaart de goede en werkt zo, in stilte en ongemerkt, wanneer of waar zich maar de gelegenheid voordoet, aan de verbetering van elk levend wezen in relatie tot zijn omgeving.*'

De manier waarop Nigel met zijn kennis te koop liep, stoorde Hugh niet. De whisky verwarmde hem en stemde hem welwillend. Hij keek naar Beth, aan de andere kant van het vuur, maar haar gezicht verried niet wat ze dacht.

'Maar Darwin snapte het natuurlijk niet helemaal. Tenminste, toen hij hier was,' vervolgde Nigel. 'Tenslotte deed hij al zijn specimens bij elkaar, alle vinken die hij op de verschillende eilanden had gevonden. Ze gingen allemaal in dezelfde zak. Uiteindelijk smeekte hij FitzRoy om zijn vinken te mogen zien, zodat hij die als vergelijkingsmateriaal kon gebruiken.'

'Dat klopt,' zei Beth.

'En in *De reis van de Beagle* staat maar één zin die zou kunnen worden uitgelegd als een voorzichtige verwijzing naar de theorie.'

'Dat heb ik ook horen beweren.'

'Nou ja, ere wie ere toekomt. Uiteindelijk is 't hem gelukt, maar hij heeft er wel de tijd voor genomen.' Nigel keek naar Hugh. 'Hoe ben je hier zo toe gekomen?' vroeg hij. 'Waardoor heeft Darwin je belangstelling weten te wekken?'

De vraag werd als een handschoen in de ring gegooid. Hugh werd er volledig door verrast. Wat moest hij zeggen? Hoe kon hij ook maar enigszins onder woorden brengen wat hij voelde? Er was veel wat hij in Darwin bewonderde: zijn methodische exactheid, het jongensachtige enthousiasme waarmee hij zijn experimenten uitvoerde (zoals het inzetten van een fagot om erachter te komen of aardwormen konden horen!), zijn zoektocht naar feiten en niets dan feiten, en zijn bereidheid die te volgen, waarheen ze ook leidden... desnoods tot aan zijn knieën door de zee van het hellevuur. Wat hij echter boven alles in Darwin bewonderde, was zijn vermogen in eonen te denken; niet in eeuwen of millennia maar in hele tijdperken. Hij verlengde als het ware de tijd, rekte die zoveel mogelijk uit, onderzocht cataclysmische gebeurtenissen in slow motion. Wanneer Darwin een bergketen bestudeerde, kon hij zich voorstellen dat de aardkorst op die plek heel langzaam omhoog was gekomen. Of hij stuitte hoog in de Andes op mariene fossielen, en had een beeld van de antediluviaanse zeebedding die deze fossielen daar had gebracht. Het was een bewijs van zijn uitzonderlijke gaven dat Darwin zo ver terug kon kijken, dat hij de bewegingen zichtbaar wist te maken van de oneindig kleine wielen van kans en verandering, zoals Galileo door zijn telescoop de omwentelingen van de planeten bestudeerde. En het was een bewijs van Darwins dapperheid dat hij zijn eigen leven afzette tegen de eonen die aan hem vooraf waren gegaan; dat hij durfde te erkennen dat hij leefde in een universum zonder God;

dat hij zijn eigen nietigheid durfde toe te geven. Vooral dat laatste had Hugh merkwaardig troostrijk gevonden: de nietigheid van de mens.

'Ik voel me vooral aangesproken door zijn vermogen op de lange termijn te denken,' antwoordde hij ten slotte.

Nigel keerde zich naar Beth. 'En jij?'

Hugh boog zich naar voren, benieuwd naar haar antwoord.

Beth nam een grote slok whisky. 'Ik voel me aangesproken door het feit dat hij hierheen kwam en de binnenlanden in trok, met maar één boek in zijn bagage.'

'Namelijk...'

'*Het paradijs verloren*, van Milton. Hij heeft het op dit eiland gelezen, hij heeft nagedacht over wat hij hier zag, en vervolgens heeft hij die twee op de een of andere manier bij elkaar gebracht.'

'Wat wil je daar precies mee zeggen?' vroeg Nigel.

'Hij vond de Hof van Eden, hij at van de boom der kennis, en veranderde in een klap de wereld.'

'Aha. "En ze beseften dat ze naakt waren en ze bedekten zich." Maar ik begrijp wat je bedoelt; zo moet het paradijs er hebben uitgezien.'

'Dat weet ik nog zo net niet,' zei ze. Een paar minuten later krabbelde ze overeind, rekte zich uit, strekte als een ballerina haar armen boven haar hoofd en liep naar haar tent; een stille figuur die verdween in de duisternis.

De twee mannen zwegen, en nu Nigel eindelijk was gestopt met praten, ervoer Hugh zijn aanwezigheid als drukkend. Het duurde echter niet lang of Nigel verbrak de stilte alweer.

'Het is boeiend om haar op die manier over Darwin te horen praten.' Hij gebaarde met zijn hoofd naar de plek waar Beth had gezeten. 'Het gerucht gaat dat ze familie van hem zou zijn. Een verre verwantschap. Via een betovergrootmoeder of zoiets.'

'Maar ze is Amerikaanse,' zei Hugh.

'Ja, het klinkt onwaarschijnlijk. Daar heb je gelijk in. Het is ook maar een gerucht. Sommige mensen hebben dat, die verzamelen dit soort legendes om zich heen. En legendarisch is ze zeker.'

'In welk opzicht?'

'Door haar cv. Cambridge, Londen, de Verenigde Staten. Bovendien is ze verbijsterend mooi... Nou ja, dat hoef ik je niet te vertellen. Ze heeft alles gelezen, alles gedaan. Ze is getrouwd geweest met Martin

Wilkinson, echt een briljante kerel. Hij had werkelijk alles mee: studeerde geschiedenis aan St. John's College in Oxford, haalde de hoogste beoordelingen voor zo ongeveer alle denkbare onderwerpen, van goede familie, de hele wereld lag aan zijn voeten. Maar hij heeft problemen, lijdt aan depressies. Een ongelooflijk schrijver en causeur, maar geestelijk instabiel. Hij kwam in een neerwaartse spiraal terecht. Ze zijn uit elkaar. De scheiding is geruime tijd het gesprek van de dag geweest.'

'En jullie… hoe lang kennen jullie elkaar?'

'O, al heel lang. Maar na de scheiding is het contact wat intensiever geworden.'

'Aha. Dus jullie… jullie doen leuke dingen samen?'

'Ach, ik wil niet in bijzonderheden treden, dus laten we het daar maar op houden.'

'Hm. Ik ben bang dat er in dat opzicht hier niet veel te beleven valt.'

Ze vervielen in stilzwijgen, en de stilte maakte Hugh bewust van het effect van de whisky. Hij verontschuldigde zich en stond op. 'Maak je geen zorgen over het vuur,' zei hij. 'Je kunt het rustig aan z'n lot overlaten. Er is hier niks wat in brand kan vliegen.' Terwijl hij naar zijn tent liep, merkte hij genietend dat het lopen hem moeite kostte. Drank had toch beslist zijn aangename kanten. Hij draaide zich om en keek naar Nigel, een logge, donkere gedaante op zijn boomstronk.

'Trouwens, je doet er verstandig aan je laarzen aan de tentpaal te hangen. Ik wil niet in bijzonderheden treden, maar het stikt hier van de schorpioenen… in het "paradijs".'

Toen hij in zijn slaapzak kroop, voelde hij de brief in zijn zak. Nou, dat kon er ook nog wel bij! Hij knipte zijn zaklantaarn aan en maakte de envelop open. Het vertrouwde handschrift had toch altijd iets confronterends, maar hij voelde zich voldoende verdoofd om te lezen wat zijn vader had geschreven, om onder ogen te zien dat hij hem voor de zoveelste keer had teleurgesteld. Niet dat zijn vader dat met zoveel woorden zou schrijven, maar Hugh was er een meester in geworden om tussen de regels door te lezen.

2

Charles Darwin zadelde zijn lievelingspaard en reed in volle vaart naar Staffordshire, naar het landgoed van Josiah Wedgwood. Hij meed de dorpen met hun straten van kinderkopjes en hun zwart-met-witte huizen in tudorstijl. In plaats daarvan nam hij de land-weggetjes, langs hoge hagen, door velden die roze zagen van de zuring, wit van de meizoentjes. Eenmaal in het bos, op het pad dat tussen hoge essen en beuken door voerde, spoorde hij zijn paard aan tot een volle galop, zodat de wind die langs zijn gezicht streek zijn ogen deed tranen.

Tweeëntwintig was hij, en hij had zich zijn leven lang nog niet zo el-lendig gevoeld. En dan te bedenken dat hij nog maar een week eer-der volmaakt tevreden was geweest, zich koesterde in de lof van Adam Sedgwick, de beroemde geoloog op Trinity College in Cam-bridge. Samen hadden ze de ravijnen en rivierbeddingen van Noord-Wales verkend, en het was een glorieuze expeditie geworden. Bij thuiskomst had de brief met het aanbod hem opgewacht, als een bliksemschicht bij heldere hemel die zijn leven voorgoed had kun-nen veranderen en zin had kunnen geven. Maar het was hem niet ge-gund geweest. Zijn verwachtingen, plotseling zo hooggespannen, waren vrijwel onmiddellijk de bodem ingeslagen. Het was onver-draaglijk! Hoe moest hij daarmee verder leven? Hij keek naar de grond, die als een vage schim onder hem voorbijtrok, naar de zwarte aarde en het onkruid dat deze uitbraakte. Het zou zo simpel zijn... Hij hoefde zich maar uit het zadel te laten glijden, langs de zwoe-gende flank van Herodotus, en zich te laten vertrappen door de stampende hoeven.

Van een afstand bood de jeugdige Darwin bepaald geen slechte aan-blik. Hij was een beetje gezet, maar duidelijk een volleerd ruiter. Zijn bewegingen waren soepel, volledig afgestemd op de lange passen van het paard. Bij zijn opvoeding op The Mount, het familiebezit in Shrewsbury, had de heilige drie-eenheid van de landadel als leidraad gefungeerd: rijden, jagen, vissen. Van dichtbij bleek dat hij, gekleed in landelijke bruintinten en met zijn hoge laarzen, nauwelijks aanspraak kon doen op het predicaat knap, in de traditionele zin van het woord. Daarvoor was hij te zwaargebouwd. De indruk die hij maakte, was vooral ontwapenend. Hij had een hoog voorhoofd, kastanjebruin haar dat zijn gezicht omlijstte in de vorm van keurig verzorgde bakkebaarden, vriendelijke, bruine ogen, een enigszins preutse mond en een flinke neus, die hij zelf veel te groot vond. Hij was gevat en ad rem, maar nooit scherp of oneerbiedig zoals Erasmus, zijn oudere broer. De lichte vorm van stotteren die zijn spraak ontsierde, had hij geërfd van de kant van zijn vader. Tot dusverre was zelfs de beloning van zes stuivers, als hij zonder haperen 'witte wijn' kon zeggen, niet voldoende geweest hem over zijn gebrek heen te helpen. Toch werd hij algemeen beschouwd als een plezierige verschijning, een fatsoenlijke vent, onopvallend, maar open en beminnelijk. Ooit zou hij een prima echtgenoot zijn, was hem van verschillende kanten verzekerd.

Maar schijn bedriegt. Niemand wist hoe diepgeworteld de ambities waren die hij koesterde. En behalve zijn studievrienden kenden maar weinigen zijn passie voor de natuurlijke historie. Al zolang hij zich kon herinneren, ging daar zijn grote belangstelling naar uit; in elk geval sinds de dag waarop zijn vader, Robert Waring Darwin, hem twee tamelijk beduimelde boeken had gegeven, die ooit van een andere Charles waren geweest, de oudere broer van zijn vader, die al op jonge leeftijd, als student in de medicijnen, een tragische dood was gestorven. Het ene boek ging over insecten, het andere over *de natuurlijke geschiedenis van wateren, grondsoorten, gesteenten, fossielen en mineralen, met hun kenmerken, hun geneeskrachtige eigenschappen en hun medicinale toepassingen.* De passie was in zijn hart geworteld, had bezit genomen van zijn hele wezen. Het was zijn liefde voor de natuur waardoor hij de colleges anatomie in Edinburgh verzuimde, om op schelpenjacht te gaan langs de Firth of Forth en om lange middagen rond te zwerven buiten de muren van Christ's College in Cambridge, op verkenning door het landschap, waar hij bomen van hun bast ontdeed en op palen van hekken en omheiningen hamerde, op zoek naar insecten.

Een stoet van mentoren vulde zijn gretige brein met niet alleen theorie, niet alleen kennis van de natuur, maar ook met gevóél voor al wat leefde. Dat maakte Sedgwick zo inspirerend. Hij was een romanticus – hij vertelde over zijn zwerftochten door de heuvels van het

Lake District met zijn vriend, William Wordsworth – en hij maakte het vooruitzicht de geheimen van de natuur te ontsluieren tot iets meeslepends. In Wales, waar ze onderzoek hadden gedaan naar het ontstaan van de diverse geologische lagen, had hij buitengewoon interessante stenen verzameld, die hij in de uitpuilende zakken van zijn lange, zwarte mantel stopte, waarop hij zijn armen ophief naar het baldakijn van takken, hoog boven zijn hoofd, en grapte dat hij het gewicht nodig had 'om te zorgen dat ik met beide benen op de grond blijf in het aangezicht van zoveel schoonheid'. Charles dacht terug aan een andere gelegenheid: aan het diner in de Colwyn Inn, waarbij de grote geleerde, gezeten achter een bord schapenvlees en een kroes bier, had verklaard dat hun expeditie zou leiden tot wezenlijke veranderingen op de nationale geologische kaart en dat hij, Charles, briljant werk had geleverd. De beginnend natuurvorser bloosde van trots en zelfvertrouwen. Het gevoel was zo sterk, en tegelijkertijd zo zeldzaam, dat hij besefte iets dergelijks nooit in de aanwezigheid van zijn vader te hebben ervaren.

Nu was hij op weg naar Maer Hall, waar hij hoopte dat de patrijzenjacht althans iets van het vernietigende gevoel van teleurstelling zou verzachten. In zijn zak zat een verzegelde envelop voor zijn oom Jos. Behalve een recept voor 'terpentijntabletten', die een heilzame uitwerking hadden op de spijsvertering, had zijn vader een brief bijgesloten, waarin hij afkeurend sprak over de laatste dwaasheid van zijn zoon, het plan van een 'ontdekkingsreis' met de *Beagle*, het schip dat door de Admiraliteit op een verkenningsreis van twee jaar rond de wereld zou worden gestuurd. De kapitein – Robert FitzRoy, een avontuurlijke, temperamentvolle aristocraat – was op zoek naar een metgezel van goede komaf om tijdens zijn reis de verveling te verdrijven en hem te onthalen op geanimeerde gesprekken. Het wereldje van geleerden en hoogleraren in Cambridge had de jeugdige Darwin als de perfecte kandidaat naar voren geschoven. John Henslow, de eminente hoogleraar plantkunde, die Charles tijdens hun wandelingen langs de Cam als zijn protégé was gaan beschouwen en die hem had geïntroduceerd bij zijn beroemde vrijdagavondontvangsten, had hem aanbevolen tegenover George Peacock, een wiskundige op Cambridge die connecties onderhield met Francis Beaufort, de invloedrijke hydrograaf van de Admiraliteit.

En zo was de uitnodiging in het brievenrek in de royale hal van The Mount terechtgekomen. Terwijl Charles de brief las begonnen zijn handen te beven, zijn ademhaling versnelde, en hij zwoer ter plekke dat hij de uitnodiging zou aannemen. Hij had echter buiten zijn vader gerekend, die het ene na het andere bezwaar had aangevoerd. Wat was dit voor zinloos, roekeloos plan? Het kon niet anders of er waren al diverse kandidaten vóór hem aangeschreven, die voor de eer hadden bedankt. Zou het niet schadelijk zijn voor zijn carrière als hij besloot zich aan ambachtelijk werk te wijden? Werd het niet eindelijk tijd voor het maken van definitieve keuzes, nadat hij al zo vaak van studie was veranderd?

Charles kon het niet opbrengen zich tegen zijn vader te verzetten. Voor hem was de dokter een reus, in meer dan alleen de letterlijke zin van het woord; maar met zijn een meter vijfentachtig en een gewicht van ruim honderdvijfentwintig kilo was Robert Darwin voor de meeste mensen een imposante verschijning. Toen de jonge Charles hem nog regelmatig op zijn ronden vergezelde, werd hij zo strak tegen de ijzeren bank in het rijtuig gedrukt, dat hij amper kon ademhalen. Zijn moeder, Susanna, herinnerde hij zich nauwelijks meer. Ze was gestorven toen hij acht was, en de enige beelden die hij aan haar bewaarde, waren die van de donkere kamer waarin ze wekenlang ziek had gelegen, en van de zwarte fluwelen jurk die ze had gedragen toen ze was opgebaard. Hij was grootgebracht door zijn vader, of eigenlijk door zijn twee oudere zusters, terwijl dokter Darwin aan het roer stond van het gezin; een afstandelijke figuur die zijn kinderen tijdens het diner vergastte op urenlange monologen. Op zijn negende werd Charles naar een internaat gestuurd. Ondanks alles hield hij van zijn vader en wist hij dat zijn vader ook van hem hield. Vandaar het onoplosbare probleem: hij stelde zijn vader voortdurend teleur, terwijl niets hem zoveel waard zou zijn als diens goedkeuring. Twee jaar eerder, toen hij was gestopt met zijn studie medicijnen aan de universiteit van Edinburgh – hij had er niet tegen gekund; de operaties zonder verdoving, het bloed, de grafschenners die de lijken verschaften voor de lessen anatomie – had de blik van teleurstelling in de ogen van zijn vader hem geraakt tot in het diepst van zijn ziel. En hij zou zijn woorden nooit vergeten: 'Je geeft alleen maar om schieten, honden en het vangen van ratten, en je zult jezelf en je hele familie te schande maken.'

Met een bezwaard gemoed had Charles dan ook aan Henslow geschreven dat hij de positie op de *Beagle* niet kon aannemen. Toch was misschien nog niet alles verloren, dacht hij terwijl hij zijn paard tot grotere snelheid aanspoorde, hoewel de hals en de flanken van het dier al donker zagen van het zweet. Zijn vader had de deur niet helemaal dichtgegooid, maar op een kier laten staan na zijn bezwaren te hebben aangehoord. 'Als je iemand met gezond verstand weet te vinden die je adviseert te gaan, heb je mijn zegen.' En wie had meer gezond verstand dan oom Jos, de zwager en tevens de neef van de dokter? Een man met een kalme gevatheid, hoffelijk en wellevend. Hij stond aan het hoofd van het Wedgwood-imperium, gesticht door zijn vader. Zijn advies had het gezag van de moderne ondernemerswereld, met de ijzersmelterijen en door stoom aangedreven machines van de Midlands. Charles had grote bewondering voor zijn oom en koesterde zich in diens kameraadschap. Hij was graag op Maer Hall, het met boeken gevulde landgoed, waar de lach van zijn neef en zijn nichten weerklonk en waar de welwillende patriarch zorgde voor een warme sfeer. Maer Hall verschilde zo van The Mount, dat Charles het de bijnaam 'kasteel van het geluk' had gegeven.

Hij droeg Herodotus over aan een staljongen en betrad de ruime hal, terwijl de honden luid blaffend om hem heen sprongen. De meisjes, Fanny en Emma, slaakten kreetjes van verrukking, en zijn neef, Hensleigh, zes jaar jonger dan Charles, sloeg hem joviaal op de schouder. Oom Jos was dolgelukkig hem te zien, maar zag onmiddellijk aan zijn gezicht dat hij uit zijn doen was. Charles vertelde hem over de voorgestelde reis en overhandigde de brief van zijn vader, waarmee zijn oom zich terugtrok in zijn studeerkamer om in alle rust te kunnen lezen wat de dokter had geschreven. Het duurde niet lang of oom Jos kwam weer tevoorschijn, met het voorstel te gaan jagen. Samen zwierven ze over de heide, voornamelijk zwijgend, met hun geweer comfortabel rustend in de kromming van hun arm. Charles miste zeven van de negen patrijzen. Zelfs zijn schot was niet wat het moest zijn, dacht hij, en hij legde slechts twee knopen in het koord aan zijn jas, een voor elke vogel die hij had neergeschoten. Bij hun terugkeer tegen het eind van de middag gonsde heel Maer Hall van het aanbod dat hem was gedaan, en zelfs de andere logés waren het erover eens dat hij een dergelijke uitnodiging niet kon laten lopen.

'Kom mee. Ik wil dat je me precies vertelt wat de bezwaren van je vader zijn,' stelde oom Jos voor, en hij ging hem voor naar de studeerkamer. Charles schreef braaf acht punten op en gaf die aan zijn oom. Deze fronste met gespeelde ernst zijn voorhoofd en behandelde ze een voor een, ze ontzenuwend met de vaardigheid van een advocaat in de Old Bailey.

'Wat vind je? Zullen we je vader schrijven?' Gezeten achter een reusachtig bureau van mahoniehout uit de Nieuwe Wereld, stelde hij een knappe weerlegging op, waarbij hij elk bezwaar omkeerde en veranderde in een positieve overweging. Daarbij knipoogde hij van tijd tot tijd naar zijn neef, die zelf de juiste toon niet kon vinden. Ten slotte doopte Charles zijn pen in de inktpot en begon met aarzelende hanenpoten te schrijven:

Beste Vader

Ik vrees dat ik u nogmaals ongemakkelijke gevoelens moet bezorgen... Het gevaar lijkt mij en de Wedgwoods niet groot. De kosten kunnen nauwelijks een bezwaar zijn, en ik denk dat ik mijn tijd, door thuis te blijven, niet beter zou kunnen besteden. Maar denk niet dat ik zo gebrand ben op deze reis, dat ik ook maar één moment zou aarzelen me bij uw aanvankelijke afwijzing neer te leggen, als u verwacht dat u zich daarover, na een korte periode van gewenning, ongemakkelijk zult blijven voelen...

De brieven werden gepost, waarna de zaak tot laat in de avond werd besproken onder het genot van snuiftabak na het diner. Eenmaal in bed kon Charles de slaap niet vatten. Zijn gedachten dwaalden weer naar de reis, terwijl hij uit zijn raam op de tweede verdieping naar buiten keek, naar de tuin met irissen, lobelia's en dahlia's, en naar het meer dat baadde in het maanlicht. Bestond er een kans dat hij het aanbod van de reis alsnog zou kunnen aannemen? De reis zou hem in staat stellen zijn kennis van de geologie en de zoölogie dramatisch uit te breiden, om nog niet in kaart gebrachte rotsformaties te zien en specimens te verzamelen in delen van de wereld die nooit eerder door mannen van de wetenschap waren bezocht. Hij werd gegrepen door de lust om te zwerven... Henslow en hij hadden hun fantasie al de vrije loop gelaten en plannen gemaakt voor een reis naar de Canarische Eilanden! Hoe tam leek een dergelijke reis ineens vergeleken bij de mogelijkheid die hem nu werd geboden! Het zou zijn laatste avontuur worden, voordat hij zou besluiten zich te vestigen en een gezin te stichten, ongetwijfeld ergens in de provincie, als predikant van een plattelandsgemeente.

Hij besefte echter dat dit avontuur niet zonder gevolgen zou blijven. De wereld van de natuurwetenschappen breidde zich razendsnel uit, nieuwe ontdekkingen vonden voortdurend hun weg naar de musea, en met een reis als deze kon een jonge wetenschapper zijn naam vestigen. Hij had gezien hoe onderzoekers en ontdekkingsreizigers bij hun terugkeer als helden werden ontvangen, gefêteerd in de met marmer en dure houtsoorten verfraaide clubs, hoe bij diners in de voornaamste huizen in Kensington en Knightsbridge de bankiers en industriëlen aan hun lippen hingen, omdat hun eigen leven hun plotseling saai en eentonig leek, hoe de vrouwen de sprekers boven bokalen van geslepen kristal bewonderende blikken toewierpen. Zijn hart snakte naar roem, zoals een plant tijdens droogte snakt naar regen.

Hij moest denken aan wat oom Jos die avond had gezegd, bij de gloed van het vuur in de gothische haard. 'Ik zie je nog voor me als klein jongetje. Je was een jaar of tien, elf, en je vertelde de meest fantastische verhalen. Pure verzinsels! Tijdens je omzwervingen door de omgeving zag je zogenaamd allerlei zeldzame vogels, en dan kwam je naar huis rennen om te vertellen dat je een buitengewoon exotische spreeuw had ontdekt. Het spreekt vanzelf dat wij allemaal perplex stonden. Ik ontdekte echter iets merkwaardigs: je begon met die verhalen in dezelfde periode dat je in de gaten kreeg dat je vader geïnteresseerd was in ornithologie. Dus ik raadde hem aan geen aandacht aan je verhalen te besteden, en waarachtig, toen was het snel afgelopen. Volgens mij wilde je gewoon een goede beurt maken bij je vader en kwam je daarom met die verzinsels.'

De woorden van zijn oom hadden een gevoelige snaar geraakt. Sindsdien was hij veranderd, en zijn ontluikende liefde voor de wetenschap had geleid tot een grenzeloze bewondering voor wat hij om zich heen zag. Maar hij bekeek de waarheid zoals een plattelandsdominee God beschouwde: als een hoger abstract wezen dat bij gelegenheid kon worden herschapen om een afgedwaalde parochiaan terug te brengen in de schoot van de Kerk. Zijn gedachten gingen naar zijn vader; een strenge, onbuigzame figuur. Als Charles deze reis zou kunnen maken, als hij specimens naar huis zou kunnen sturen en bij terugkeer lezingen zou kunnen geven voor de Royal Society of Londen, wat zou hij zich dan gerechtvaardigd voelen in zijn passie... Al die jaren van vogels schieten en insecten zoeken zouden dan eindelijk vrucht hebben afgeworpen. En wat zou zijn vader trots op hem zijn!

De volgende morgen stond Charles vroeg op, en hij was al aan het jagen toen een bediende hem een boodschap kwam brengen van zijn oom. Ze moesten onmiddellijk naar The Mount, om samen met zijn vader te praten. De zaak was te belangrijk en te dringend om ook maar enig uitstel te dulden. Ze namen een sjees en reden zo snel als ze konden, hobbelend over het ruwe terrein, zodat ze even voor het middaguur stilhielden voor het huis op de heuvel, met uitzicht op een bocht in de rivier de Severn. Daar troffen ze dokter Darwin alleen in de salon, genietend van een kop thee en ogenschijnlijk diep in gedachten verzonken. 'Ik heb jullie brieven ontvangen,' was alles wat hij zei, met somber gefronste wenkbrauwen. Toen oom Jos Charles gebaarde dat hij hen alleen moest laten, zwierf hij de tuin in, waar hij niets anders kon doen dan ijsberen tussen de bloembedden. Vijftig minuten later werd hij weer naar binnen geroepen en vertelde zijn vader hem plechtig en met een ernstig gezicht dat hij van gedachten was veranderd. Onder luidruchtig gnuiven van oom Jos op de achtergrond kreeg Charles te horen dat hij toestemming had om te gaan. 'Vooropgesteld dat deze reis nog steeds is wat je wilt.'

Charles kon zich nauwelijks beheersen. Stamelend sprak hij zijn dank uit jegens zijn vader, aanzienlijk minder welsprekend dan hij zou hebben gewild, toen stormde hij naar boven. Daar ging hij achter zijn cilinderbureau zitten en schreef haastig een brief aan Beaufort, waarin hij verklaarde *het een eer te vinden en dolgelukkig te zijn het aanbod te kunnen aannemen.* Later, toen hij op de binnenplaats hartelijk afscheid nam van zijn oom, vroeg hij hoe deze 'dit wonder' tot stand had weten te brengen.

'Ach, dat was niet zo moeilijk,' antwoordde Jos, duidelijk in zijn nopjes. 'Ik heb alleen maar gezegd dat, gezien je interesses, deze reis niet anders dan heilzaam zou kunnen zijn voor je carrière. Van alle middelen die een jongeman ter beschikking staan om zich te onderscheiden, biedt een dergelijke reis veruit de hoogste garantie op succes.'

Charles dineerde die avond met zijn vader en Erasmus, die bij wijze van uitzondering thuis was. In de hal schudde zijn broer hem de hand en klopte hem op beide schouders, hem gelukwensend met de manier waarop hij 'de koe' had 'gemolken': een van zijn favoriete uitdrukkingen om aan te geven dat het was gelukt de zuinige heer des huizes geld uit de zakken te kloppen.

Aan tafel was de conversatie geforceerd luchtig, alsof er niets bijzonders was gebeurd. Dokter Darwin was ongewoon zwijgzaam. Charles kon het echter niet laten naar de aanstaande reis te verwijzen. 'Ik zou wel verduiveld slim moeten zijn om aan boord van de *Beagle* meer uit te geven dan mijn toelage,' opperde hij voorzichtig. Zijn vader schonk hem een flauwe glimlach. 'Ach, ik hoor van iedereen dat je verduiveld slim bent,' luidde zijn repliek.

Na het eten gooide Charles wat spullen in een tas, hij schudde zijn vader plechtig de hand, omhelsde Erasmus en na een paar uur vertrok hij die nacht om drie uur met de snelste koetsverbinding naar Cambridge, waar hij zijn intrek nam in het Red Lion Hotel.

Toen hij de volgende morgen bij Henslow op de stoep stond, was deze verrast hem te zien, en ook niet weinig jaloers, zoals de geoloog toegaf. Starend naar het tapijt bekende Charles' mentor dat hij even had overwogen zelf op het aanbod in te gaan, maar de blik van afschuw op het gezicht van zijn vrouw had hem snel van dat idee afgebracht. Hij kon haar een 'voortijdig weduwschap', zoals hij het noemde, niet aandoen.

Terwijl mevrouw Henslow de twee mannen drie-in-de-pan serveerde, voerden ze een geanimeerd gesprek. Charles' enthousiasme was zo besmettelijk, dat Henslow een atlas uit de studeerkamer ging halen. Op dat moment ging de bel. Het was een boodschapper, die een brief kwam bezorgen.

Henslow scheurde de envelop open, las de brief en verbleekte. Toen liet hij zich op een stoel vallen en streek in een theatraal gebaar over zijn voorhoofd.

'Toch geen slecht nieuws?' vroeg Charles.

'Deze boodschap is van kapitein FitzRoy. Hij is me erg dankbaar voor mijn pogingen hem te helpen bij het vinden van een metgezel voor zijn reis met de *Beagle* en hij hoopt dat ik niet te veel moeite heb gedaan, want het probleem is inmiddels opgelost. Het schijnt dat hij de positie aan een vriend heeft gegeven.'

Charles was met stomheid geslagen.

3

In de dagen daarop ontwikkelden ze een soort routine, waarbij ze de taken en het veldwerk onderling verdeelden. Hugh moest toegeven dat de werkdruk hierdoor aanzienlijk minder was geworden. Ze kookten om beurten – Nigel bleek talent te hebben en wist telkens weer nieuwe sausjes te bedenken – en hetzelfde gold voor het doen van de was. Toen het op de tweede dag Hughs beurt was, liep hij met het bundeltje kleren naar de deurmat, waar hij de was eerst in zout water zonder zeep dompelde, en daarna uitspoelde in een plastic bak met zoet water. Geamuseerd zag hij dat er ook twee witte slipjes bij zaten – niemendalletjes met een smalle strook katoen bij wijze van kruis – en toen hij de kleren uitspreidde om te drogen, legde hij de slipjes op het hoogste rotsblok, waar ze stralend wit schitterden in de zon.

Het werk aan het project ging ook sneller. Ze rouleerden in teams van twee: de een ving de vogels en nam de maten, de ander noteerde de gegevens. Beth was erg handig met de vinken; haar kalme manier van doen leek de diertjes op hun gemak te stellen. Ze lieten zich rustig door haar vasthouden, en sommige vlogen niet eens weg nadat ze haar hand had geopend. In plaats daarvan bleven ze op haar handpalm staan, wiebelend van het ene op het andere pootje om hun evenwicht te bewaren. Al snel noemde Nigel haar 'Sint Francisca'.

Op de vierde dag gingen ze zwemmen, waarbij ze van de deurmat doken. Beth trok haar topje uit en legde het op een rotsblok. Hugh probeerde niet naar haar borsten te kijken, maar ze leek totaal niet verlegen en negeerde Nigels gewaagde opmerkingen.

Hugh droeg het grootste deel van de tijd alleen een korte broek en wandelschoenen, zodat zijn slanke lichaam zich goudbruin had gekleurd. Nigel liep in een bermuda met een dun wit T-shirt dat al snel nat was van het zweet en waaronder zijn dikke, roze buik zichtbaar was. Hij bewoog zich over de rotsen met de onbeholpen gang van iemand die te dik is. Na het avondeten genoot hij ervan om bij het vuur te zitten en honderduit te praten. Hugh keek naar Beth en vroeg zich af wat ze dacht. Eenmaal in zijn tent begon hij weer te masturberen, iets wat hij beschouwde als een bewijs dat zijn kracht bezig was terug te keren. Toen hij op een nacht opstond om te plassen, zag hij dat Beth bij Nigel in de tent zat. Het schijnsel van de petroleumlamp wierp hun schaduwen op het tentdoek; hij zag hun bewegende silhouetten, een arm die werd opgeheven, hoorde zachte stemmen, en wendde zich haastig af.

Nigel begon hem al snel op de zenuwen te werken, maar wanneer het hem te erg werd, ontvluchtte Hugh zijn gezelschap door naar de noordkant van het eiland te zwerven. Daar kon hij zich in alle eenzaamheid terugtrekken; aan het eind van de wereld, zoals hij zich dat voorstelde. Hij had de plek vier maanden eerder ontdekt, tijdens een achtervolging van een van de ongrijpbare vinken. Na een vruchteloze jacht tussen dorre, onvolgroeide struiken en verweerde cactussen was hij uiteindelijk terechtgekomen bij twee grote rotsblokken, waaronder een pad langs het klif bleek af te dalen. Door heel zorgvuldig houvast te zoeken voor zijn handen en voeten was hij erin geslaagd naar beneden te klauteren. Na een meter of tien was hij aangeland op een rotsachtige richel van misschien twee meter breed. Vandaar liep het klif loodrecht naar beneden; ver beneden hem beukte de oceaan op de rotsen, een fontein van fijne druppels opwerpend.

Beth had een hele stapel boeken meegebracht en hem er ook een gegeven: een roman geschreven door W.G. Sebald. Tijdens de lange middaguren, wanneer het te heet was om te werken, nam hij het boek mee naar de richel. Als er al wat wind stond, vond hij daar de meeste verkoeling. Soms voelde hij zich bijna vredig, terwijl hij zat te lezen en te mijmeren, regelmatig opkijkend naar de uitgestrekte watervlakte en naar de donkere schaduwen die de wolken daarop schilderden, reusachtige, verschuivende poelen van grijsgroen, diepblauw en zwart.

Op de ochtend van de eerste dag van de derde week vroeg Beth aan Hugh of hij haar wilde meenemen naar zijn 'geheime plek'.

'Prima,' zei hij prompt; iets te snel, was zijn tweede gedachte. Hij wist niet zeker of hij die geheime plek wel met anderen wilde delen.

'Hoe eh... hoe weet je dat ik een geheime plek heb?' vroeg hij.

'Op zo'n klein eiland bestaan er geen geheimen.'

'Daar zou ik maar niet zo zeker van zijn.'

De rest van de ochtend werkten ze zij aan zij aan een zadentelling.

Beth had met touw en pinnen die ze in de grond had geslagen, een vierkante meter afgezet, waar ze het zand door een zeef liet lopen, de zaden determineerde met behulp van een handboek en ze vervolgens op een witte doek legde. Hugh was een klein eindje verderop met hetzelfde bezig. Het grootste deel van de tijd werkten ze zwijgend; als een al jaren getrouwd stel in de achtertuin, dacht hij onwillekeurig. De zon stond brandend aan de hemel, een laaiende hittebron die hem deed baden in het zweet. Toen hij met zijn duim over zijn ribben krabde, ontstond er een vochtige, vuile streep. Beth kwam overeind, strekte haar armen en liet zich toen weer op haar hurken zakken, met haar rug naar hem toe. De rand van haar korte broek week een beetje, waardoor hij het zweet naar haar bilspleet kon zien druppelen. Zijn hoofd bonsde, bloed suisde door zijn oren onder de brandend hete zon.

Na het middageten gingen ze op weg. Nigel bleef in het kamp, om zijn tent schoon te maken. Hij had een kleine ventilator op batterijen geïnstalleerd en de radio afgestemd op de BBC. Het nieuws dat uit het apparaat schalde – terroristische aanvallen, politieke verwikkelingen, aids in Afrika – leek afkomstig uit een andere wereld.

Meeuwen cirkelden boven hun hoofd, lieten zich zweven op de thermiekbellen, maar verder bewoog er niets in de stilte van de middag. Ze kwamen bij de rotsblokken aan de rand van het klif, en hij begon aan de afdaling, met zijn lichaam dicht tegen de rotswand gedrukt. Beth zette haar handen op haar heupen en keek op hem neer, aandachtig registrerend waar hij zijn handen en voeten neerzette. Toen hij anderhalve meter was gevorderd, kwam ze achter hem aan, gebruikmakend van dezelfde handgrepen en voetsteunen. Ze hadden ruim vijf minuten nodig om de richel te bereiken; het was voor het eerst dat hij besefte hoe inspannend de afdaling was.

Eenmaal beneden ging ze naast hem zitten, met haar rug tegen de rotswand. Glimlachend streek ze haar haar uit haar gezicht. 'Ik begon even te twijfelen of dit wel zo'n goed idee was, daarboven,' zei ze, maar hij wist dat ze het niet meende.

Ze boog naar voren om langs de steile wand naar het water in de diepte te turen. Toen leunde ze weer achterover, met haar wenkbrauwen opgetrokken in gespeelde geschoktheid. Het was hoog tij, de branding stortte zich met volle overgave op de rotsen, verdween in de holte onder het klif en trok zich amper een seconde later weer terug, waardoor het leek alsof er buiswater uit het eiland werd gepompt. In de verte, waar de stromingen zich lieten gelden, werden de rusteloos kolkende golven bekroond door kammen van wit schuim.

'Dus hier ga je naartoe om alles te ontvluchten,' zei ze.

'Ja.'

'Daar kan ik me wel iets bij voorstellen; het lawaai, het vuil, de drukte.'

'Nigel.'

Ze keek hem vluchtig aan, fronste even haar wenkbrauwen.

Ze praatten over het eiland, over het onderzoek, en ten slotte – voor het eerst – over andere dingen. Hij vroeg haar naar haar persoonlijke omstandigheden; wat haar had doen besluiten naar het eiland te komen. Ze zat in kleermakerszit, haar ellebogen rustten op de binnenkant van haar dijen.

'Waarom ik naar dit eiland ben gekomen...' begon ze op een toon alsof ze een raadsel ging vertellen. 'Eens even denken. Waar moet ik beginnen?'

Ze was opgegroeid in het Amerikaanse Midwesten, vertelde ze, en hoewel ze het er aanvankelijk heerlijk had gevonden, was ze zich tijdens haar schooltijd geleidelijk aan steeds minder op haar plaats gaan voelen, bijna een paria. Uiteindelijk ontsnapte ze naar Harvard, als enige uit haar klas. Ze studeerde af, ging naar Cambridge, specialiseerde zich in evolutionaire biologie en vond een baan in Londen. Toen het leven daar haar niet meer kon boeien, schreef ze zich in voor het project. Voordat ze wist wat haar overkwam, zat ze op het eiland, op het punt om dertig te worden.

'Ik had een beetje het gevoel alsof ik op een doodlopende weg zat,' zei ze. 'Dat is eigenlijk de reden waarom ik hier ben. Om even weg te zijn van alles. Om over dingen na te denken.'

'En je ouders?'

'Die zitten nog in Minneapolis. Ze zijn allebei leraar. We hebben veel contact. Tenminste, dat hadden we, voordat ik hier kwam.'

Ze zwegen even.

'Ik hoorde dat je getrouwd bent geweest,' zei Hugh ten slotte.

Ze schrok en keek hem doordringend aan. 'Dat heeft Nigel je verteld.'

'Ja.'

'Oké, ik ben getrouwd geweest. In Engeland. Het huwelijk was een vergissing. Dat heb ik eigenlijk van meet af aan geweten. Ik heb geprobeerd het vol te houden, maar het werkte gewoon niet. We wisten er geen van beiden een succes van te maken, zoals dat heet. Natuurlijk hadden we onze goede momenten, maar die werden altijd weer gevolgd door slechte, en uiteindelijk kregen de slechte de overhand.'

'Nigel zei dat je man depressief was.'

'Hij praat inderdaad wel erg veel, hè?' Ze schudde haar hoofd. 'Mijn man leed aan depressies, maar het was niet zijn schuld dat we uit elkaar zijn gegaan. De schuld lag bij ons allebei.'

Ze staarde voor zich uit, naar de oceaan. Hugh keek naar haar hand die vlak bij de zijne op de richel rustte. Hij was zich sterk bewust van haar aanwezigheid, alsof ze zorgde voor een elektrische lading in de lucht.

'Ik zou niet zoveel over mezelf moeten praten,' zei ze ten slotte. 'Jammer dat Nigel zijn mond niet kon houden.'

'Ach, zoals je zei, hij praat erg veel.'

'Dat is waar, maar hij is een goed mens.'

Ze vroeg Hugh naar zijn jeugd, naar wat hij in de achtentwintig jaar van zijn leven had gedaan.

'Niet zo veel, ben ik bang. Ik ben opgegroeid in Connecticut, in een klein stadje in Fairfield County. Toen ik jong was, vond ik het heerlijk om buitenaf te wonen. Kamperen in de bossen, honkbal, padvinderij, liften naar het strand, noem het allemaal maar op. Na de middelbare school ging ik naar kostschool, in Andover, als voorbereiding op de universiteit. Aanvankelijk deed ik het heel aardig, maar uiteindelijk viel ik buiten de boot. In mijn laatste jaar, een maand voor de afsluitende examens, werd ik van school gestuurd...'

'Waarom? Wat had je gedaan?'

'Ach, dat viel eigenlijk wel mee. Ze hadden in Andover vier grondregels, zoals ze dat noemden. Om te vieren dat ik was toegelaten op Harvard heb ik ze in één weekend alle vier overtreden: ik ben van de campus gegaan, ik heb gedronken. Ik had het presentieboek getekend in het studentenhuis, dus ze betrapten me ook op liegen. De vierde grondregel ging om oneerbaar gedrag. Daar werd ik ook van beschuldigd. Ik heb nog protest aangetekend, maar het mocht niet baten.'

35

'En toen?'

'Toen ben ik op de trein naar huis gestapt. Het was de langste reis van mijn leven. Toen ik thuiskwam voelde ik me het zwarte schaap van de familie. Mijn vader kon het nauwelijks opbrengen me aan te kijken.'

'En Harvard?'

'Daar was ik niet meer welkom. Ik heb het later nog een keer geprobeerd, maar tevergeefs. Dus uiteindelijk ben ik naar de universiteit van Michigan gegaan.'

Hij vertelde over zijn ouders; over zijn vader, een succesvolle advocaat in New York, en over zijn moeder, die verliefd werd op een ander toen Hugh veertien was.

'Dus daarom ging je naar kostschool,' zei ze.

'Ja.'

'Daar zul je het niet gemakkelijk mee hebben gehad.'

'Nee, zeker niet. Ze was amper twee jaar bij ons weg, toen ze is overleden. Ze woonde samen met een ander, en het was de bedoeling dat ze zouden gaan trouwen. Maar toen is ze plotseling overleden. Totaal onverwacht. Aan een aneurysma. Ze zat in bed haar haar te kammen, en het volgende moment was ze dood.'

'Wat deed dat met jou?'

'Ik vond het vooral verwarrend. En ik hield mezelf voor dat het een straf was van God.'

'Maar dat geloofde je niet echt.'

'Nee.'

'Dus je bent grootgebracht door je vader?'

'Daar komt het wel op neer.'

'Is hij ooit hertrouwd?'

'Ja. Drie jaar geleden.'

'Dus als puber, als tiener, groeide je op zonder vrouw in huis.' Het was een constatering, geen vraag.

Merkwaardig, dacht hij, zo had hij er nooit over nagedacht. 'Ja, dat klopt.'

'Heb je een goede band met je vader?'

Hij dacht over de vraag na. De moeilijkste vraag van allemaal. 'Ach, hij is geen slechte vader, misschien een beetje afstandelijk. Maar hij dronk te veel. Inmiddels is hij gestopt, maar... Ik weet het niet... Hij leefde in zijn eigen wereld... Na zijn werk liet hij zich meedrijven op een zee van alcohol. Ik kon nooit met hem praten, niet echt open-hartig. Ik kon hem nooit vertellen wat ik voelde. Namelijk dat ik al-tijd het idee had dat ik hem teleurstelde. Dat ik hem in de steek had gelaten.' Dat was nog heel voorzichtig uitgedrukt, dacht hij.

'Het klinkt eerder andersom. Merkwaardig hoe kinderen de neiging hebben zichzelf de schuld te geven, alsof de verantwoordelijkheid voor wat er gebeurt, bij hen ligt.'

Hij bromde iets onverstaanbaars.

'Heb je broers of zusters?' vroeg ze.

Onwillekeurig schrok hij. 'Nee.' Niet meer.

Hij overwoog over iets anders te beginnen, maar verwierp de ge-dachte. Dus hij haalde diep adem.

'Ik had een broer, een oudere broer. Maar hij is omgekomen... bij een ongeluk.'

'O, wat verschrikkelijk! Hoe is dat gebeurd?'

'Tijdens het zwemmen. Het is een lang verhaal.' Hij zweeg even. 'Ik vertel het je ooit nog wel eens. Maar niet nu.'

'Oké.'

Het bleef weer even stil tussen hen.

Toen pakte ze zijn hand. 'Je hebt in je leven wel een hoop verdriet te verwerken gekregen,' zei ze.

'Het was niet de bedoeling om met een litanie van ellende aan te komen zetten.'

'Natuurlijk niet. Ik heb er zelf naar gevraagd. En het verklaart een hoop.'

'Zoals?'

'Waarom je hier bent, op een eiland aan het eind van de wereld, moe-derziel alleen... tenminste, tot wij kwamen.'

'Ja, en ik ben blij dat jullie er zijn.'

'Ik ook.'

Plotseling wilde hij zijn arm om haar heen slaan en haar kussen. Toen hij haar aankeek, besefte hij dat zij hetzelfde wilde.

Maar ze hield hem tegen. 'Dat kunnen we niet maken,' zei ze, terwijl ze haar hand op zijn arm legde. 'Vanwege Nigel.'

Ze besloten terug te gaan. Eenmaal boven stak hij haar zijn hand toe, om haar het laatste stuk omhoog te helpen. 'Welkom terug in de werkelijkheid!' zei hij toen ze weer naast hem stond.

Die nacht in zijn slaapzak dacht hij aan alles wat hij uit zijn verhaal had weggelaten. Het belangrijkste had hij onvermeld gelaten: dat zijn grote broer alles voor hem was geweest, de spil van zijn zonnestelsel. Hij had niet alleen naar hem opgekeken, hij had op hem gerekend om te overleven. Al die nachten, na het vertrek van hun moeder, wanneer ze hun ouweheer uit zijn stoel moesten hijsen om hem naar bed te brengen; *jij neemt zijn benen, ik pak hem onder zijn armen.* De keren dat ze 's avonds zijn broer gingen ophalen van basketbaltraining; de auto die zigzagde over de weg, terwijl hij zich op de achterbank zo klein mogelijk maakte, vurig wensend dat er geen ongelukken van kwamen. En dan de opluchting wanneer ze bij de sporthal waren en zijn broer het stuur overnam, ook al kwam hij net boven het dashboard uit en reed hij met vijfentwintig kilometer per uur naar huis. Dat plotselinge warme, veilige gevoel.

Wat hij ook niet had verteld, was dat zijn broer niet alleen vijf jaar ouder was, maar ook groter, sneller, beter in alles. Hij kon harder rennen, verder springen, hoger reiken. Hij was de perfecte zoon, haalde altijd mooie cijfers, was klassenvertegenwoordiger op de middelbare school, schreef een wekelijkse column in de plaatselijke krant. Voor Hugh was hij de norm, maar tevens het onbereikbare ideaal: lang, knap, atletisch gebouwd. Op het honkbalveld was hij een natuurtalent, aanvoerder van zijn team, en wanneer hij een strakke bal naar het verreveld sloeg en langs de honken raasde, keek Hugh onopvallend opzij, om de bijna hongerige blik in de ogen van zijn vader te zien.

'Kom op, Hugh, laten we een balletje gooien!' De geur van gemaaid gras in de achtertuin, de schaduwen die donkerder werden tegen het eind van de zomerdag, het gezoem van cicaden. Ze gooiden de bal heen en weer, grondballen, hoge ballen, strakke ballen. 'En nou een harde, vlak over mijn hoofd.' Hij rende weg, draaide zich om, keek over zijn schouder en dook om de bal te vangen. Het brandende, tintelende gevoel wanneer een worp recht in het leren kommetje van zijn handschoen belandde. 'We zijn bijna aan het eind gekomen van de negende inning, met alle honken bezet, hier komt de worp... Het is een verre, hoge bal... Kan hij hem vangen... Terug... Terug... Jaaaaaaa, hij heeft hem! Dat is de genadeslag voor de Yankees. Ze zijn uitgespeeld.'

Het lukte Hugh uiteindelijk ook om in het team te komen, maar hij zat het grootste deel van de tijd op de bank. Af en toe speelde hij als rechtsvelder, eenzaam op die uitgestrekte lap gras, waar hij voor elke worp even zijn hand op zijn konijnenpootje legde: 'God, laat de bal alsjeblieft niet hierheen komen. Maar als dat toch gebeurt, als het echt niet anders kan, maak dan alsjeblieft dat ik hem vang.' Of toen hij had beloofd de krantenwijk van zijn broer over te nemen en toen de tas met kranten zo zwaar was dat hij niet kon fietsen zonder om te vallen. Hij probeerde de kranten onder het zadel te proppen en om het frame van de fiets, maar niets hielp. Bovendien drong de tijd, hij moest naar de wedstrijd, dus hij raakte in paniek, gooide zijn fiets in de struiken en vergat de hele krantenwijk. 'Hoe ging het?' vroeg zijn broer later. Geschokt hield Hugh zijn adem in. Het was al donker toen ze naar de fiets op zoek gingen, met zijn vader hoofdschuddend achter het stuur. Hij had er al een paar te veel op en was chagrijnig.

De satelliettelefoon kwam tot leven en produceerde een aanhoudend, ergerlijk gerinkel. Hugh ging zo op in zijn herinneringen dat het even duurde voordat hij besefte wat er aan de hand was. Toen nam hij haastig op. De stem aan de andere kant klonk ijl en ver weg, de afstand zorgde voor vertraging.
'Kan ik Beth Dulcimer spreken? Neemt u me niet kwalijk dat ik u nog zo laat bel, maar het gaat om een spoedgeval.' De stem klonk jeugdig, met een Amerikaans accent.
Hugh schoot zijn korte broek aan en liep met de telefoon het kamp door, op blote voeten zijn weg zoekend over de rotsgrond. De as van het vuur gloeide nog. Hij deed de flap van haar tent open, bukte zich en kroop naar binnen.
Ze schrok bijna onmiddellijk wakker, schoot overeind en keek hem aan, eerst ongerust, toen – omdat ze de situatie verkeerd beoordeelde – met een flauwe glimlach. Haar ogen waren dik van de slaap. Hij legde uit wat er aan de hand was, gaf haar de telefoon en kroop de tent uit. Buiten kon hij haar horen praten, haar stem klonk warm, maar nerveus. Toen hijgde ze geschokt, en ze slaakte een kreet.
Nigel kwam aanstormen vanuit de duisternis en dook de tent in. 'Wat is er?' hoorde Hugh hem vragen. 'Wat is er aan de hand?'
Hugh stak een petroleumlamp aan, pookte het vuur op en zette koffie. Toen hij haar een mok kwam brengen, keek ze hem met betraande ogen aan. Haar moeder was plotseling overleden, vertelde

ze. Aan een hartaanval. Verdwaasd dronk ze haar koffie, met een blos op haar wangen.

'Ik moet naar huis,' zei ze. 'Zo snel mogelijk. Meteen morgen.'

De volgende ochtend pakte ze haar spullen. Een panga zou haar komen halen. Nigel ging met haar mee. Hij kon haar op een moment als dit niet alleen laten, legde hij uit. Als ze dat wilde, ging hij ook mee naar Minneapolis, voor de begrafenis. Vanuit haar tent belde ze haar vader. Hugh en Nigel konden haar zachtjes horen huilen en keken elkaar aan met een gevoel van machteloosheid.

'Ik vind het afschuwelijk om je in de steek te laten,' zei Nigel. 'Ook al weet ik zeker dat het project meteen vervanging stuurt. Daar hoef je je geen zorgen over te maken.'

'Dat weet ik,' antwoordde Hugh. Maar dat was wel het laatste waarover hij zich zorgen maakte.

Tijdens het ontbijt at ze nauwelijks iets, hoewel Nigel zich uitsloofde en wafels bakte. Haar gezicht stond bleek, afgetobd, maar het verdriet maakte haar zelfs nog mooier, dacht Hugh, en hij schaamde zich voor de gedachte.

Tegen tien uur kwam de panga. Ze boog zich naar Hugh en kuste hem met een verdrietige, vluchtige glimlach op de wang. Hij omhelsde haar, toen hielp hij haar het pad af met haar spullen. Op de deurmat schudde hij Nigel de hand. Het leek slechts een kwestie van minuten, toen waren ze verdwenen, zonder zelfs maar een blik achterom te werpen. De meeuwen die de panga hadden gevolgd, kwamen terug en begonnen weer om het eiland te cirkelen, op zoek naar vis.

Het was een merkwaardig gevoel weer alleen te zijn, merkwaardig en tegelijkertijd vertrouwd. Toch kon hij zich er niet toe brengen de normale routine te hervatten; hij zette zelfs het mistnet niet op. In plaats daarvan ging hij op zijn vaste rots zitten, uitkijkend over de oceaan. Ineens was alles anders komen te liggen. Het evenwicht van zijn langdurige eenzaamheid was verstoord, voorgoed ongedaan gemaakt, besefte hij. Het was onmogelijk door te gaan alsof er niets was gebeurd.

Een uur later belde hij via de satelliettelefoon het hoofdkwartier van het project en vroeg naar Peter Simons. 'Ik trek aan de noodrem,' zei hij, in het vakjargon van de onderzoekers.

Onmiddellijke evacuatie – zonder dat er vragen werden gesteld, of in elk geval zo min mogelijk vragen – maakte deel uit van de overeenkomst. Toch kon Simons het niet laten naar zijn beweegredenen te vragen: 'Wat zijn je plannen?'

De emoties waren te heftig, besefte Hugh. Dat maakte het hem onmogelijk te zeggen wat hij hoopte, namelijk dat deze hele beproeving althans nog ergens goed voor zou zijn; dat hij daardoor in staat zou zijn de verliezen die hij had geleden een plaats te geven, en het vermorzelende gevoel van falen van zich af te zetten. Zijn eigen antwoord verraste hem.

'Ik denk erover om te gaan afstuderen,' zei hij. 'Niet met veldwerk, maar via research. Misschien iets met Darwin. Met jouw hulp natuurlijk, als je daartoe bereid bent.'

Simons verklaarde zich bereid.

De leiding van het project hield woord. Er kwamen twee studenten, een stelletje, ergens begin twintig, gretig om ervaring op te doen. Hugh leidde hen rond en vertelde alles waarvan hij dacht dat ze er hun voordeel mee konden doen. Op de ochtend van zijn vertrek liep hij naar de noordkant van het eiland, waar hij op de richel ging zitten en een uur roerloos voor zich uit staarde. Toen pakte hij gehaast zijn spullen. Het enige wat hij meenam, was een plunjezak, voornamelijk gevuld met boeken. De studenten liepen met hem mee, reikten hem vanaf de deurmat de zak aan en zwaaiden hem uit, blij dat ze alleen waren.

'Dus je hebt er eindelijk genoeg van, hè?' riep Raoul, boven het gejank van de motor uit.

'Ja, laten we het daar maar op houden.'

'Ben je blij dat je weggaat?'

'Ik ben blij dat ik ergens naartoe ga.'

'O ja, waarheen dan?'

'Naar Engeland.'

'Ga je je baard scheren wanneer je weer terug bent in de bewoonde wereld?'

'Dat denk ik wel.'

'*Hombre*, je ziet er goed uit.'

Hij was verrast dat te horen. Net zoals het hem verraste dat hij iets van hoop voelde opkomen. Zijn verblijf op het eiland was niet helemaal voor niets geweest en hij hoefde zich nergens voor te schamen. Er waren er genoeg geweest die hadden opgegeven. Hij had volgehouden en de continuïteit van het project bewaakt.

Terwijl de panga met brullende motor wegstoof, keek hij achterom naar Sin Nombre. De vogels die boven het eiland cirkelden, vingen met hun vleugels het licht op en weerkaatsten het, vlekken van zilver en asgrijs, zich wentelend in de stralen van de zon. Ineens besefte hij dat hij elk rotsblok, elke kloof op het eiland kende als zijn broekzak, maar dat hij in de lange periode die hij er had doorgebracht, was vergeten hoe het er als geheel uitzag. Het was symmetrisch, zag hij tot zijn verrassing: de rotswanden doken aan alle kanten in eenzelfde hoek naar beneden; als een mierenhoop, dacht hij onwillekeurig.

Van een afstand leek het klein en donker, een uitgebrande vulkaan, omringd door de eindeloze oceaan.

4

Het leven was als een kaartspel, peinsde Charles. Drie dagen na de verpletterende teleurstelling waarbij al zijn hoop de bodem was ingeslagen, was hij tot zijn eigen verbazing te gast bij de Admiraliteit in Whitehall, waar hij in een fraai gelambriseerd kantoor vol met scheepsklokken en chronometers tegenover het met vilt beklede bureau zat van niemand minder dan kapitein Robert FitzRoy. Hij wist niet zeker waarom hij was ontboden, maar het nerveuze gevoel in zijn maag vertelde hem dat er nog altijd een kans bestond dat hij als een potentiële reisgenoot werd beschouwd. Hij begon te vermoeden dat de 'vriend' een soort rookgordijn was; een ontsnappingsmogelijkheid voor deze merkwaardige, charmante man tegenover hem, voor het geval dat Charles ongeschikt werd bevonden. Dat alles gaf hem het gevoel dat hij een test moest doorstaan. Hij deed zijn uiterste best een ontspannen indruk te maken, want de kapitein was duidelijk bezig zich een oordeel over hem te vormen: de donkere ogen namen hem van tijd tot tijd doordringend op, en Charles had de indruk dat vooral zijn neus de aandacht trok.

FitzRoy was weliswaar pas zesentwintig – slechts vier jaar ouder dan Darwin – maar hij maakte een zelfverzekerde indruk; een man die wist wat er in de wereld te koop was. Een slanke verschijning, met donker haar, lange bakkebaarden en een adelaarsneus. Zijn stem verried dat hij het gewend was orders uit te delen, en het gezag dat hij uitstraalde, steeg ver uit boven zijn leeftijd. Daarnaast was hij levendig, rijk aan verbeelding en – in de ogen van Charles het belangrijkste – een toegewijd beoefenaar van de natuurwetenschappen. Henslow had Charles goed voorbereid. FitzRoy was bij de marine als een komeet omhooggeschoten, ongetwijfeld ten dele dankzij zijn aristocratische connecties: hij stamde af van een van de kinderen die werden geboren uit de buitenechtelijke relatie tussen Charles II en Barbara Villiers. Bovendien profiteerde hij van wat door de Admiraliteit fijngevoelig een 'vacature wegens overlijden' werd genoemd, een verwijzing naar het feit dat de vorige kapitein van HMS *Beagle* zich een kogel door het hoofd had gejaagd. Voor de van God verlaten kust van Vuurland had hij een pistool met parelmoeren kolf tegen zijn slaap gezet, nadat hij een laatste boodschap in het scheepsjournaal had gekrabbeld: *met de mens sterft ook zijn ziel.*

'Voor de thuisreis kreeg FitzRoy het commando over het schip,' aldus Henslow. 'Volgens alle bronnen kweet hij zich goed van zijn taak, zeker gezien het feit dat de bemanning hardnekkig vasthield aan de overtuiging dat de geest van de dode kapitein nog aan boord rondwaarde.' Henslow had even gezwegen en vervolgens zijn gedachtegang hardop vervolgd: 'Over zelfmoord gesproken, je herinnert je ongetwijfeld dat er iets meer dan tien jaar geleden een roemloos einde kwam aan de carrière van lord Castlereagh, toen die zichzelf de strot doorsneed. Castlereagh was een oom van FitzRoy. De arme knaap was toen pas vijftien. Het lijkt erop dat zelfdoding een soort rode draad is in zijn leven. Het zou me niet verbazen als dat de reden is waarom hij behoefte heeft aan wat gezelschap op zee. Tenslotte kan hij als kapitein niet met de lagere officieren verkeren.' Charles kon echter niet zeggen dat de man tegenover hem een melancholieke indruk wekte. Integendeel. Zijn ogen – bijna vrouwelijk met hun lange wimpers – glinsterden, zijn stem klonk opgewekt terwijl hij de verzorgde staat en de schoonheid roemde van de *Beagle*, die in Plymouth opnieuw werd opgetuigd, en het harde, maar vrije leven op zee. De reis zou twee jaar gaan duren, maar dat was slechts een schatting. Het was bepaald niet ondenkbaar dat het schip pas na drie of zelfs vier jaar huiswaarts zou keren. Het voornaamste doel van de expeditie was het in kaart brengen van de kust van Zuid-Amerika, aldus de kapitein. Daarnaast was het de bedoeling over de hele wereld chronologische metingen te doen om de reeds bestaande cartografische gegevens te kunnen verfijnen.

'Waarom Zuid-Amerika?' vroeg Charles, bijna ademloos van opwinding.

'De zeeën zijn er verraderlijk voor de scheepvaart, dankzij krachtige stromingen en onvoorspelbare winden. De Admiraliteit wil bijgewerkte kaarten, de beste die we kunnen leveren, waarop elke kreek, elke baai, elke inham tot in de kleinste bijzonderheden staat aangegeven.' Hij dempte samenzweerderig zijn stem. 'De handel neemt toe, begrijpt u wel, vooral met Brazilië. De dagen van Spanje zijn geteld, en we moeten onze vlag laten zien, de havens openhouden voor onze schepen. De Falklandeilanden zijn Brits gebied. In Argentinië is de toestand voortdurend onrustig. De Amerikanen proberen ook voet aan de grond te krijgen in het gebied, en wij hebben al een eskader oorlogsschepen voor de kust van Rio liggen.'

Charles beschouwde de wending die het gesprek nam als een goed teken. Hij was echter geschokt toen FitzRoy plotseling achterover leunde en zonder verband met het voorafgaande vroeg of het klopte dat hij een kleinzoon was van Erasmus Darwin, de beroemde medicus, filosoof en 'vrijdenker'... met de nadruk op 'vrij'. Charles kon dit alleen maar bevestigen.

'Als filosoof zegt hij me niets,' zei de kapitein op een toon die geen tegenspraak duldde. 'Zijn *Zoönomia* vond ik niet om door te komen. Al die nadruk op de wetten van de natuur en de verandering van de soorten... het is jakobijns als je het mij vraagt, en het komt gevaarlijk dicht bij ketterij. Vindt u ook niet dat het afbreuk doet aan de onbetwistbare wijsheid die ons met de Bijbel is gegeven? Het besef dat elke tor, elk blad, elke wolk het werk is van de Oorspronkelijke Schepper?'

'Ik ben bepaald geen atheïst, als dat uw vraag is,' antwoordde Charles met grote stelligheid. 'Ik denk niet dat een soort wijzigingen kan ondergaan en evolueren tot een andere soort, ondanks de duidelijke overeenkomsten. Ik geloof in het Goddelijk Gezag. En ik denk dat een reis zoals u die beschrijft, heel goed zou kunnen dienen om de lessen van de Bijbel kracht bij te zetten. Hoewel ik daaraan moet toevoegen, dat ik de laatste tijd steeds meer neig naar de overtuiging dat de wereld zoals wij die hebben geërfd diverse opeenvolgende stadia heeft doorgemaakt, elk met zijn eigen duidelijk onderscheiden flora en fauna.'

'Aha!' FitzRoy sloeg met zijn platte hand op tafel. 'Net wat ik dacht! Dus u bent het niet eens met wat bisschop Paley betoogt aan de hand van het voorbeeld van de Horlogemaker.'

'Het tegendeel is het geval, sir. Ik heb Paleys *Natural Theology* drie keer gelezen, en ik geloof in de Horlogemaker. Ik heb alleen vragen over de nieuwheid van het horloge. Want ziet u, ik houd me graag bezig met de langetermijneffecten van de tijd.'

FitzRoy sprong op en begon door zijn kantoor te ijsberen. 'De wereld is oud, dat klopt,' zei hij. 'We kennen de scheppingsdatum: vierentwintig oktober, in het jaar 4004 voor Christus. En ik ben ervan overtuigd dat we een overvloed aan bewijzen van de Zondvloed zullen vinden.'

'Daar twijfel ik niet aan.'

'Kijk eens aan!' verklaarde FitzRoy spontaan. 'U bent een man naar mijn hart. U komt rond uit voor uw opvattingen, maar u blijft tegelijkertijd trouw aan het Heilige Woord. We zullen heel wat te bepraten hebben in mijn bescheiden hut, Whig en Tory, op de hoge zeeën verwikkeld in een strijd der intellecten. Ha!'

En zo kreeg Charles alsnog het aanbod om mee te gaan.

Hij was al op weg naar de deur toen FitzRoy hem vroeg of het waar was wat Henslow hem eens had verteld; namelijk dat Charles ooit een kever in zijn mond had gestopt. Dat klopte inderdaad. Charles vertelde hoe hij, als student, twee ongewone kevers onder een steen had aangetroffen. Hij had ze haastig opgepakt, in elke hand een. Toen er een derde op het toneel verscheen, stopte hij een van de twee kevers in zijn mond, om ook de derde te kunnen pakken. Prompt echter verkrampte hij van pijn: het in het nauw gedreven diertje in zijn mond had een bijtende vloeistof afgescheiden.

'Geloof het of niet, maar ik heb dagen niet kunnen eten!' zei hij, terwijl het gelach van FitzRoy weerkaatste tegen de muren.

'Ha!' riep de kapitein bulderend. 'Dat hoeft u in de tropen niet te proberen. Daar zal het eerder andersom zijn, en wordt u door een kever opgeslokt.'

De joviale houding van de kapitein gaf Charles de moed op zijn beurt een vraag te stellen. 'Vergeeft u me mijn vrijpostigheid, maar ik had de indruk – of misschien heb ik het me verbeeld – dat u buitensporig geboeid was door mijn neus. Klopt dat?'

'Dat klopt inderdaad,' luidde het antwoord. 'Ik ben namelijk frenoloog en ik laat me leiden door de beginselen van de fysionomie. Ziedaar de verklaring van mijn belangstelling voor uw proboscis. En ik moet zeggen, die doet u geen recht. Het heeft even geduurd voordat ik besefte hoe misleidend de vorm van uw reukorgaan is. Want u bent wel degelijk te vertrouwen.'

De volgende dag ontmoetten ze elkaar weer en gebruikten ze het middagmaal in FitzRoys club aan Pall Mall. Opnieuw maakte de kapitein op Charles een krachtige indruk. Soms leek het alsof de rollen waren omgedraaid – nu was het FitzRoy die zich zorgen maakte dat Charles zich alsnog zou terugtrekken. Terwijl ze met een glas cognac bij het haardvuur zaten, boog FitzRoy zich naar Charles toe en legde vluchtig zijn hand op diens arm. 'Uw vrienden zullen u ongetwijfeld waarschuwen dat er in de hele schepping geen brutere schepselen bestaan dan kapiteins op de grote vaart. Ik weet niet hoe ik u van het tegendeel moet overtuigen, ik hoop alleen dat u bereid bent tot een experiment.'

'Bij de goden, tot wel duizend experimenten!' riep Charles enthousiast.

'Laten we hopen dat het zover niet hoeft te komen.'

FitzRoy leek vluchtig verdiept in een sombere gedachte, toen vervolgde hij: 'Kunt u ermee leven als ik u tijdens het diner verzoek de hut te verlaten, omdat ik er af en toe behoefte aan heb alleen te zijn?'

Charles haastte zich hem gerust te stellen. 'Dat is geen enkel probleem.'

'Als we op deze manier met elkaar omgaan, verwacht ik dat we het goed kunnen vinden samen. Zo niet, dan wensen we elkaar waarschijnlijk de hel toe.'

FitzRoy nam geen blad voor de mond bij zijn beschrijving van de ontberingen van de reis: de beperkte ruimte aan boord, het smaakloze eten, de ruwe zeeën, de gevaarlijke stormen rond Kaap Hoorn, de gevaren van de expedities over land in Zuid-Amerika. Maar met elk nieuw gevaar dat hij opsomde, raakte Charles er stelliger van overtuigd dat de *Beagle* zijn bestemming was; iets wat FitzRoy intuïtief leek te hebben aangevoeld.

Uiteindelijk dempte de kapitein zijn stem en bekende hij dat hij ook een persoonlijk belang had bij de expeditie. Op zijn vorige reis naar Vuurland had hij drie wilden meegenomen, als gijzelaars in ruil voor een gestolen sloep. Die wilde hij nu terugbrengen, met de bedoeling een christelijke voorpost te vestigen op de door stormen geteisterde kust van hun geboorteland.

'Misschien hebt u iets van deze onderneming gehoord?'

'Dat heb ik inderdaad,' antwoordde Charles.

Sterker nog, het was bijna ondenkbaar dat hij er níét van zou hebben gehoord, want de indianen waren in Londen maandenlang het gesprek van de dag geweest. Ze waren zelfs aan het hof ontvangen, en volgens de verhalen waren ze erg in de smaak gevallen bij de koningin.

'Ik juich uw plannen van harte toe. Een christelijke voorpost zal ongetwijfeld talloze zeelui het leven redden wanneer hun schip vergaat.'

'Reken maar!' verklaarde FitzRoy met een klap op zijn dij.

Ze werden het eens over de reiskosten – dertig pond per jaar als vergoeding voor de maaltijden – en stelden een lijst op van wat Charles nodig zou hebben: onder andere twaalf katoenen overhemden, zes stevige broeken, drie jassen, laarzen, wandelschoenen, leerboeken Spaans, een handleiding taxidermie, twee microscopen, een geologisch kompas, netten, potten, alcohol en allerlei instrumenten en gereedschappen voor het vangen en conserveren van specimens.

Daarop gingen ze de stad in om vuurwapens te kopen. Londen was bezig vol te stromen voor de kroningsplechtigheid van William IV en koningin Adelaide, die de volgende dag zou plaatsvinden. Uit alle ramen hingen vlaggen, overal brandde feestelijke gasverlichting en alle gebouwen waren versierd met kronen en ankers en de letters WR, als eerbetoon aan de nieuwe koning. Charles kon er niet echt van genieten, daarvoor was hij veel te opgewonden over de aankoop van een paar gloednieuwe vuursteenpistolen en een geweer. Hij gaf opdracht de wapens te bezorgen in zijn hotel en kon de verleiding niet weerstaan de winkelbediende te vertellen dat ze zouden worden gebruikt in de wildernis van Zuid-Amerika. Later die dag schreef hij zijn zuster Susan, met het verzoek bij de wapensmid in Shrewsbury reservehanen, slagveren en kruitstampers te bestellen.

Toen FitzRoy was vertrokken kocht Charles in een impuls een plekje langs de kroningsroute. De volgende dag installeerde hij zich langs de Mall, tegenover St. James's Park, en keek vol ontzag toe terwijl de koninklijke stoet voorbijtrok, een ogenschijnlijk eindeloos lint van in livrei gestoken dienaren, schitterend in karmozijn en goudbeslag. Toen de koninklijke koets langsreed, zag hij de koning, en hij verbeeldde zich dat de monarch hem vluchtig toeknikte. Zijn hart zwol van trots op het Britse rijk. Wat was het toch geweldig om Engelsman te zijn! Toen brak er echter onrust uit tussen de toeschouwers aan de overkant van de straat. Ze verdrongen elkaar en duwden elkaar van de stoep om beter te kunnen zien, waarop gardesoldaten te paard kwamen aanstormen om de orde te herstellen. De paarden steigerden en schopten nietsontziend met hun achterbenen. Toen de rust was weergekeerd, lag er een gewonde op straat, die roerloos in de goot bleef liggen, tot een rijtuig hem kwam oppikken. Twee dienders gooiden hem als een zak aardappels in de koets.

Die avond wandelde Charles tussen de menigte over het Embankment. Hij keek naar het vuurwerk boven de Theems, fonteinen van rood en blauw en wit die de Houses of Parliament verlichtten en in sierlijke bogen neerdaalden op de majestueuze bruggen en het koude, zwarte water. Plotseling kwam er mist opzetten, waardoor het geklepper van de paardenhoeven werd gedempt en waardoor groepjes mensen verdwenen en weer verschenen in de nevelige flarden. Charles had het bijna bovennatuurlijke gevoel alsof het allemaal voor hem werd georganiseerd, een magische toneelvoorstelling die de volgende dag zou eindigen met zijn vertrek. Zijn tred was licht en veerkrachtig. Hij omhelsde het opwindende en verrukkelijk eenzame gevoel dat hij anders was dan alle mensen om hem heen; een gevoel, besefte hij, terwijl zijn hart sneller begon te slaan, dat werd veroorzaakt door de uitzonderlijke wetenschap dat spoedig zijn hele leven – en misschien hijzelf – voorgoed zou veranderen.

Het was 8 september, 1831.

5

Het hoofd van de *Manuscripts Room* van de universiteitsbibliotheek in Cambridge liet Hugh geruime tijd wachten terwijl hij de papieren op zijn bureau doorbladerde.

'Hebt u een goede biografie van Charles Darwin?' vroeg Hugh toen hij eindelijk opkeek.

De bibliothecaris aarzelde even, alsof hij twijfelde of hij op de vraag zou reageren. Toen zei hij hooghartig: 'Al onze biografieën over Darwin zijn "goed", zoals u dat noemt.'

'Mooi zo,' zei Hugh. 'Dan wil ik ze graag állemaal.'

Een jongeman die achter de bibliothecaris stond, bracht zijn hand naar zijn mond en hinnikte zacht.

'Kijk eens aan. En hoe wenst u die te ontvangen?'

'Op alfabetische volgorde.'

'Op titel?'

'Op schríjver.'

Vijf minuten later stond er een stapel van ruim een meter hoog op de plank met af te halen boeken. Hugh vulde de ontvangstbewijzen in en liep met de boeken naar een tafel in een hoek, waar hij zich achter zijn buit verschanste als een piloot in zijn cockpit.

Omdat hij nog steeds last had van een jetlag, had hij die ochtend veel te lang geslapen. Nadat hij wakker was geschrokken, had hij zich in vliegende vaart aangekleed en was hij de trap af gerend, naar de salon van het pension aan Tenison Road, waar hij een kamer had betrokken. Voordat ze zijn geld aanpakte, had de hospita hem twee keer gewaarschuwd dat hij werd geacht geen gasten op zijn kamer te ontvangen. Op de tafel tegen de muur stond een pot sterke thee. Hij dronk gejaagd een kop, at een scone en haastte zich naar buiten. Er viel een druilerige motregen. Dit was pas zijn derde dag in Cambridge, maar hij had zich al aangewend een inschuifbare paraplu bij zich te steken. Bij de bibliotheek, een reusachtig bruin bakstenen pakhuis, opgetrokken rondom een enorme centrale toren, had de brief van Simons, compleet met het briefhoofd van Cornell, het beoogde effect gehad: hij had een lezerskaart gekregen, een identiteitsbewijs compleet met foto, alsmede toegang tot de uitgestrekte ruimte op de derde verdieping.

Hij werkte zich door de stapel boeken heen, las hier en daar een passage, maar omdat hij niet wist waarnaar hij zocht, kon zijn onderzoek nauwelijks methodisch worden genoemd. Na twee uur vroeg hij om meer materiaal; hij leverde opnieuw zijn briefjes in, en kreeg zonder plichtplegingen dunne, bruine enveloppen en kleine blauwe dozen overhandigd: manuscripten, aantekeningen en schetsen die Darwins hand verrieden, boeken en tijdschriften in de kantlijn voorzien van aantekeningen en uitroeptekens. Ten slotte keek hij wat van Darwins brieven door. Het waren er duizenden en nog eens duizenden. Sommige, geschreven op de *Beagle*, waren smoezelig en verfomfaaid door de lange zeereis; hij hield ze onder zijn neus en verbeeldde zich dat hij de geur van zeewind en zout water nog kon ruiken. In andere, van later datum, geschreven in zijn studeerkamer, verzocht hij uiterst bescheiden om specimens, om gegevens van duivenfokkers en wetenschappers die zich bezighielden met het onderzoek naar zeepokken, of hij putte zich uit in lovende bewoordingen, duidelijk bedoeld om de geadresseerde te bewegen tot het schrijven van een recensie van een van zijn boeken.

Hugh kamde al het materiaal uit, op zoek naar iets wat mogelijk duidde op een achterliggend mysterie, een aanwijzing die licht zou kunnen werpen op Darwins methode van werken of op het moment waarop hij tot de definitieve formulering van zijn theorie was gekomen. Er kwamen echter geen geheimen aan het licht, alleen weetjes op het gebied van de natuurlijke historie, een uiteindelijk verlaten theorie over de gezichtsuitdrukkingen bij de aap, een onbeduidende roddel over een rivaal; kortom, de nederige bouwstenen van het dagelijks leven van een natuurwetenschapper.

Hugh besefte dat het zinloos was. Om bij de piloot te blijven: hij vloog blind.

Toen hij even na enen in de cafetaria van de bibliotheek zat te lunchen, verscheen er een jongeman met een dienblad aan zijn tafeltje.

'Vindt u het goed als ik aanschuif?'

Hugh herkende hem meteen: het was de hinnikende man uit de Manuscripts Room. Hoewel hij geen behoefte had aan een gesprek, klapte hij het boek dicht dat hij zat te lezen en knikte. De bibliotheekassistent was een magere verschijning, met fijngetekende gelaatstrekken. Hij had de neiging zijn hoofd permanent een beetje schuin te houden, als een aandachtig luisterende hond. Op zijn kin, net onder zijn lip, zat een plukje haar dat Hugh een ongemakkelijk gevoel bezorgde.

'Wat is dat?' vroeg hij, wijzend op het boek dat Hugh had dichtgeklapt.

'*De Reis van de Beagle.*'

'O, ik dacht dat u dat onderhand wel gelezen zou hebben.'

'Dat heb ik ook. Ik lees het nog eens.'

De jongeman pakte zijn mes en wijdde zich aan een plak vlees, gedrenkt in jus.

'Mag ik vragen met wat voor onderzoek u bezig bent?'

Hugh was niet van plan zich bloot te geven, maar hij kon niets bedenken wat diepzinnig genoeg klonk. 'Dat ligt nogal gevoelig. Ik wil iets met Darwin doen. Vandaar dat ik in het beschikbare materiaal op zoek ben gegaan. Helaas kan ik niet echt iets vinden wat aanleiding geeft tot verder uitdiepen. Tenminste, nog niet. Dus ik maak me een beetje zorgen over mijn scriptie.' Hij glimlachte enigszins lamlendig. Er school meer waarheid in zijn woorden dan zijn bedoeling was geweest.

'Tussen twee haakjes, ik ben Roland Damon.' De assistent stak zijn hand uit boven de twee dienbladen; een roerend, onbeholpen gebaar. Hugh pakte de uitgestoken hand. 'Hugh,' stelde hij zich voor. 'Hugh Kellem.'

'Ben je Amerikaan?'

'Ja.'

'Waar kom je vandaan?'

'New York. Althans, uit de buurt van New York. Connecticut, om precies te zijn.'

'O, dat ken ik heel goed. Ik heb er een jaar voor een uitwisseling gezeten, tijdens mijn studie. In New Canaan. Ik vond het er geweldig. Het leven op een Amerikaanse *high school* is een paradijs voor pubers. Ik was lid van alle clubs en ik stond vijf keer met mijn foto in het jaarboek. Dat zeg ik alleen omdat er een wedstrijd was wie er het vaakst in wist te komen; erg Amerikaans, dat soort dingen.'

Hugh glimlachte. Wat moest hij daarop zeggen?

'Dus je hebt...' begon Ronald voorzichtig. 'Wat heb je gedaan? Zijn brieven doorgekeken?'

'Ja, zoiets.' Er bleef hier niet veel geheim, dacht Hugh.

'Dat hebben al zo veel mensen gedaan,' zei Roland. 'Darwin heeft veertienduizend brieven geschreven, en daarvan hebben we er hier negenduizend. Ik wed dat ze stuk voor stuk minstens honderd keer gelezen zijn.'

'Dat is dan inmiddels honderdeneen keer.'

'Misschien zou je op zoek moeten gaan naar iets nieuws. Er zijn maar dertig pagina's bewaard gebleven van het oorspronkelijke manuscript van *De Oorsprong*. Waarvan wij er negentien hebben, tussen twee haakjes. Je zou kunnen proberen in elk geval een deel van de ontbrekende pagina's boven water te krijgen.'

Hugh leefde meteen op. 'Zo te horen ben je aardig op de hoogte.'

'Dat kan ook niet anders. Ik werk hier al acht jaar. Je moet toch iets doen om de tijd door te komen.' Hij zweeg even, keek Hugh aan en vervolgde toen: 'Je zou ook op zoek kunnen gaan naar de manuscripten van Darwin en Wallace uit 1858, van hun presentatie bij de Linnean Society. Die zijn namelijk nooit gevonden. Geen van de bestaande collecties heeft ze in haar bezit.'

'Waar zou jij beginnen, als je in mijn schoenen stond?'

'Ergens bij een ander archief. Misschien dat van zijn uitgever. Overal behalve hier. De grond is hier al zo vaak omgeploegd, dus je hoeft er niet op te rekenen dat je nog iets vindt. Darwin is omhuld met zo veel raadsels en mysteries,' vervolgde Roland met lichte stemverheffing. 'Waarom concentreer je je daar niet op?'

'Noem eens een voorbeeld.'

'Nou, we hebben het hier over een vent die de hele wereld rond reist en allerlei avonturen beleeft – hij rijdt nota bene met de *gauchos* in Zuid-Amerika! – maar uiteindelijk komt hij thuis en is hij de deur niet meer uit te branden. Dat is toch raar? En dan al die ziektes. Je kunt het zo gek niet bedenken of hij heeft het gehad. Die man was een wandelende ziekenboeg. Dat is ook niet normaal. En dan heeft hij een theorie ontwikkeld waarmee hij de hele wereld op z'n kop gaat zetten en die hem eeuwige roem oplevert, maar hij wacht tweeentwintig jaar met publiceren. Dat is op z'n zachtst gezegd vreemd, of niet soms?'

Natuurlijk vond Hugh het ook vreemd, maar dat gold voor de meeste wetenschappers die zich met Darwin hadden beziggehouden. Dat was nu juist een van de aspecten die Darwin als onderwerp aantrekkelijk maakten. Het feit dat de grote geleerde ook een gewoon mens bleek te zijn.

'Iedereen put zich uit in excuses waarom hij zo lang heeft geaarzeld. Zijn vrouw was een diepgelovig mens. Hij wist dat hij met zijn theorie de muren van Jericho zou doen vallen. Hij had tijd nodig om al zijn gegevens te ordenen. Zijn eigen lichaam kwam in opstand tegen zijn werk. Wat een gelul! Zelfs al had hij een móórd gepleegd, dan zou iedereen nog met verzachtende omstandigheden komen aandragen.'

Het ontging Hugh niet dat Roland steeds flirteriger werd naarmate hij langer aan het woord was. Dus hij was niet echt verrast toen zijn tafelgenoot hem enkele suggestieve vragen stelde over zijn sociale leven en vroeg wat hij in zijn vrije tijd deed. Hij wees de toenaderingspoging zo vriendelijk mogelijk af, want hij begon Roland aardig te vinden.

'Trouwens,' vervolgde die. 'Volgens mij had Darwin ook een behoorlijk excentrieke kant.'

'Wat bedoel je?'

'Nou, om te beginnen was hij geobsedeerd door hermafrodieten. Hij stuitte voortdurend op zeepokken met twee penissen en dat vond hij diep schokkend. Hij gruwde van het hele idee. Volgens mij was hij er bang voor, omdat er in zijn familie veel onderling werd getrouwd. Later zag hij natuurlijk in de hermafrodieten het bewijs dat de natuur in staat is tot het produceren van mutanten, wat een belangrijke bouwsteen was voor zijn theorie.'

'Hoe weet je dit allemaal?'

'Omdat het onderwerp me interesseert. En dan heb ik het niet over Darwin, maar over hermafrodieten.'

Hugh barstte in lachen uit.

'Hugh! Het is niet waar!'

De vrouwenstem klonk ergens achter hem, het accent duidde op de oostkust, omgeving New York. Hij herkende de stem onmiddellijk en verstijfde, van schrik en van angst voor wat er ging komen. Langzaam draaide hij zich om, maar het groepje dat door de poort van Burlington House kwam, tekende zich af als een verzameling silhouetten af tegen de zonnige binnenplaats, dus hij zag haar niet meteen. Toen klonk haar stem opnieuw. 'Wat doe jij hier?'

Hij kuste Bridget luchtig op de wang, en even deed zich een ongemakkelijk moment voor toen hij zich terugtrok en zij zich verder naar voren boog om hem ook op de andere wang te kussen.

Ze was ouder geworden, was zijn eerste gedachte. Haar wangen waren wat vleziger dan vroeger, waardoor haar gezicht breder leek. Haar blonde haar was dunner dan hij zich herinnerde. Zijn eerste indruk ebde echter weg toen hij in haar ogen keek en daarin de vertrouwde mengeling las van vriendelijk en gereserveerd. Ze was als een zuster van wie hij vervreemd was geraakt. Terwijl het toch allemaal niet zo lang geleden was: zes jaar. Hij had haar voor het laatst gezien op de begrafenis, maar toen had hij het nauwelijks kunnen opbrengen met haar te praten. Trouwens, met niemand. Ze had hem een brief geschreven – ze wilde dat ze contact hielden – maar hij had er niet op geantwoord. Hij vroeg zich in die tijd niet af hoe anderen zich voelden; was alleen maar bezig met zijn eigen verdriet. Trouwens, dat was nog steeds zo, besefte hij.

Ze keek hem afwachtend aan, en het drong tot hem door dat hij nog geen antwoord had gegeven op haar vraag.

'O, ik moest hier even zijn.' Hij gebaarde naar de zware houten deur die hij net achter zich had dichtgetrokken.

'In Londen, bedoel ik.'

'O, ik overweeg wat research te gaan doen. En jij? Wat doe jij hier?'

'Ik woon hier, weet je nog wel?'

'Ja, natuurlijk. Dat heb ik van mijn vader gehoord. Maar ik bedoel nu, hier.'

'Ik ben naar de Hogarth-tentoonstelling geweest.' Ze draaide zich om en gebaarde met haar hoofd in de richting van de Royal Academy. 'Wat zit daar?' drong ze aan, met een blik op de deur waar hij net uit was gekomen.

'Niks bijzonders. De Linnean Society.'

'En wat heb jij te zoeken bij de Linnean Society?' Ze was nog niets veranderd; zo kende hij haar: volhouden tot ze kreeg wat ze wilde.

'Ik wilde wat meer weten over Darwin. Het is een onderwerp dat me interesseert.'

Bridget keek hem opnieuw onderzoekend aan, met opgetrokken wenkbrauwen. Het maakte hem nerveus.

'Dus ik dacht dat ik maar eens een kijkje moest nemen bij de Society. Natuurlijk is dit niet de plek waar Darwin en Wallace destijds hun theorie hebben gepresenteerd. De Linnean Society is sindsdien verhuisd en... Nou ja, Darwin was er zelf niet eens bij. Hij was weer eens ziek.'

Waarom ratelde hij maar door, vroeg hij zich af, ook al wist hij het antwoord natuurlijk maar al te goed. Hij was nerveus, maar daar wilde hij niet aan denken.

'Hoe dan ook, ze hebben een goeie verzameling portretten. Kijk, ik heb een paar kaarten gekocht.'

Hij gaf haar twee reproducties van tien bij vijftien, van schilderijen die hij net had gezien. De ene was een portret van Darwin, enigszins gebogen alsof het gewicht van de hele dwaze wereld op zijn schouders drukte, als een zwaarmoedige Jehova met zijn lange witte baard en donkere jas. Op de andere kaart stond Wallace, ontspannen gezeten in een stoel naast een schilderij van een tropisch oerwoud. Op zijn knie rustte een boek met daarin een afbeelding van een heldergroene vlinder, zijn ogen achter het stalen brilletje schitterden.

'Niet bepaald de dolle tweeling,' merkte Bridget op, terwijl ze een van de kaarten opensloeg. Aan de binnenkant stond een reproductie van een koperen gedenkplaat ter ere van het honderdjarige jubileum:

CHARLES DARWIN
en ALFRED RUSSEL WALLACE
presenteerden hun opvattingen over
DE OORSPRONG DER SOORTEN
DOOR NATUURLIJKE SELECTIE
Tijdens een bijeenkomst van de Linnean Society
Op 1 juli 1858   1 juli 1958

'Laten we ergens iets gaan drinken,' zei Bridget abrupt. 'Volgens mij kun je wel een borrel gebruiken.' Hij probeerde een excuus te bedenken, maar ze had haar arm al door de zijne geschoven en loodste hem Piccadilly Circus op, terwijl ze ingespannen om zich heen tuurde.

'Geen pub te bekennen,' zei hij. 'Dat mankeert nooit als je er een nodig hebt.'

'En voor zover ik me herinner, is dat bij jou bijna altijd het geval.'

Hij had de indruk dat hij steeds nadrukkelijker het accent uit New Jersey, waar ze was geboren, door haar licht zangerige Engels heen hoorde.

Ze besloten genoegen te nemen met een klein restaurant. Hugh liep naar een tafeltje aan het raam, waar de voorbijgangers voor afleiding konden zorgen. Er kwam een serveerster met een wit schortje naar hen toe. Hugh bestelde een biertje, Bridget een sherry, in onvervalst Engels.

'Wanneer ben je van nationaliteit veranderd?' vroeg hij. 'Ik bedoel, is er een moment aan te geven waarop je de grens tussen Amerikaans en Engels bent gepasseerd?'

'Erg grappig. Als je doelt op die twee zoenen, dan kan ik je vertellen dat iedereen die hier maar lang genoeg woont, dat doet.'

'Ja, maar jij deed het meteen. Volgens mij al in de rij bij de taxi's op Heathrow.'

'Dat noemen ze hier de *queue*.'

'Ik hoor het al, je bent niets veranderd. Nog even scherp als altijd.'

'Ik heb meer de indruk dat jíj nooit veranderd bent.'

Hij ging er niet op in. Ze moest eens weten hoezeer hij was veranderd.

'Sinds wanneer ben je gefascineerd door Darwin?'

'O, dat weet ik niet precies. Ik ben nog steeds zoekende.'

'Waarnaar? Naar wat je wilt worden als je later groot bent?'

'Zoiets, ja.'

'Ik heb gehoord dat je als barkeeper hebt gewerkt. En daarna ben je naar het westen getrokken, is het niet? Om appels te plukken, boswachter te spelen, dat soort vreselijk puberale baantjes?'

Hij liet zich niet uit zijn tent lokken, maar nam een slok van zijn bier.

'En uiteindelijk ben je naar het buitenland gegaan... hoe heet het daar ook alweer? Een van de Galápagoseilanden.'

'Sin Nombre.'

'Precies! Geen wonder dat ik er niet op kon komen. Is Darwin daar soms ook geweest?'

'Nee, het is maar een klein eiland. Ze zijn er met een researchproject bezig. Het gaat om de Darwinvinken. Ze worden gemeten – de lengte van hun snavels, dat soort dingen – om te kijken in hoeverre dieren zich aanpassen aan veranderende omstandigheden.'

'Oké, dus je hebt vogelsnavels gemeten. En dat was je afstudeerproject?'

'Ja. Alleen, ik heb mijn tijd niet volgemaakt. Het was behoorlijk zwaar; geestelijk, bedoel ik. Deprimerend zelfs. Dus ik ben ermee gestopt.'

'Je bent ermee gestopt? Wat bedoel je? Dat het een mislukking is geworden?'

'Zo zou je het kunnen noemen.'

'Dus je bent niet afgestudeerd?'

'Nee, nog niet. Ik heb overleg gepleegd met mijn studiebegeleider, op Cornell, en gezegd dat ik hierheen wilde, in de hoop dat ik iets met Darwin zou kunnen doen.'

'Oké.'

'Het probleem is dat er al zoveel over hem is geschreven. Het is nauwelijks voor te stellen dat je nog met iets nieuws weet te komen, laat staan iets wereldschokkends.'

'Hm-m.' Ze zweeg, maar dat duurde niet lang. 'Je vader zal wel blij zijn dat hij al dat geld heeft uitgegeven aan je studie.'

Hij keek haar doordringend aan. Ze was altijd prat gegaan op haar gevoelloosheid, en enige arrogantie kon haar ook niet worden ontzegd. Ze had het recht hem als een oudere zuster van advies dienen, had ze altijd gevonden. Hij verwachtte dat ze nu elk moment over zijn broer kon beginnen.

'Zoveel heeft het niet gekost. Niet te vergelijken met Harvard.' Het was een zwakke tegenzet, besefte hij, en ze ging er niet op in.

'Hoor eens, Hugh…' Ze boog zich naar voren. 'Voor zover ik heb begrepen, dobber je nog altijd stuurloos rond. Je bent nu… wat is het… dertig?'

'Achtentwintig.'

'Achtentwintig. Denk je ook niet dat het tijd wordt om…'

'Tijd om wat? Om het achter me te laten, bedoel je?'

'Ja, dat bedoel ik inderdaad. Dat hebben anderen ook gedaan.'

'Zoals jij.'

'Zoals ik.'

'Wat bedoel je met "voor zover ik heb begrepen"? Van wie? Met wie praat je over dat soort dingen?'

'O, met allerlei mensen. De wereld is een dorp.'

Hij keek naar haar trouwring. Ook dat had zijn vader hem verteld.

'Inderdaad, ik ben getrouwd. En ik ben redelijk tevreden.' Ze zweeg even. 'Ik zal niet zeggen dat ik niet af en toe aan je broer denk; sterker nog, ik denk váák aan hem. Maar het leven gaat door. Dat bedoel ik niet harteloos, je moet gewoon realistisch zijn. De wereld draait door. Misschien een cliché, maar dat is het niet voor niets. Want het is waar. Je moet door met je leven.'

'Dat besef ik, maar… Nou ja, voor mij ligt het anders.'

'Omdat je altijd hebt gedacht dat hij beter was dan jij. En omdat je je verantwoordelijk voelt voor zijn dood.'

Hij was met stomheid geslagen, kon geen woord uitbrengen. Waarom had hij zich ook laten meetronen? Hij had meteen geweten dat hij er verkeerd aan deed.

'Het spijt me dat ik het zeg, Hugh. Maar iemand moet het doen. Je moet zien dat je eroverheen komt. Het is absurd om jezelf de schuld te geven. Je kon er niets aan doen! Helemaal niets! Dat weet iedereen.'

'Iedereen was er niet bij. Ik wel.'

Terwijl hij het zei, begon de film met de beelden uit zijn geheugen weer te lopen: de rotsen, de waterval, de schaduw van het vallende lichaam en de poel van luchtbellen die zo'n merkwaardige aanblik bood in de schacht zonlicht.

Hij wilde dat ze verder sprak, al was het maar om de beeldenstroom te onderbreken, en ze stelde hem niet teleur.

'Met zelfbeklag kom je nergens. Bovendien is het erg onaantrekkelijk, zeker bij iemand als jij. Je bent jong. En je bent een leuke vent om te zien. Wat heet, van alle vrouwen die ik ken, was minstens de helft verliefd op je.'

Hij verlangde naar het eind van deze hereniging. 'Waar waren ze toen ik ze nodig had?' vroeg hij met een vluchtige glimlach. Toen keek hij op zijn horloge.

'Moet je weg?' vroeg ze.

'Ja, zo.' Hij nam een slok van zijn bier, in het besef dat hij er nog wel een zou willen. Maar nog liever wilde hij hier weg.

'Waarom heb je mijn brief nooit beantwoord?' vroeg ze.

Even overwoog hij te doen alsof hij hem nooit had ontvangen. Maar dat soort leugens werkte niet bij haar. Ze zou hem meteen doorzien en er niet eens op ingaan, alsof het niet de moeite waard was er ook maar één woord aan vuil te maken.

'Ach, ik weet 't niet. Ik denk omdat ik het er niet meer over wilde hebben. Omdat ik het uit mijn gedachten wilde zetten.'

'En dus ben je midden in de oceaan op een eiland gaan zitten. Moe-

derziel alleen. Nee, dát is een goeie manier om afleiding te zoeken.'
'Blijkbaar niet, want het werd geen succes.'
'Nee, dat verbaast me niets.'
Hij besloot het over iets anders te hebben. 'Vertel eens wat over je man. Hoe heet hij?'
'Erik. En hij is erg slim. Hij werkt in de City. We hebben een appartement aan Elgin Crescent.'
'Oké. Kinderen?'
'Nee.'
'En jij? Werk jij ook?'
'Ik heb de tijd aan mezelf.' Ze leunde naar achteren in haar stoel en wreef met haar duim over haar ring in een dubbelzinnig gebaar. Er viel een stilte, en hij besloot dat hij niet degene zou zijn die het zwijgen verbrak.
'En je vader?' vroeg ze na een halve minuut. 'Hoe is het daarmee?'
'Hij is hertrouwd.'
Ze trok haar wenkbrauwen op.
'Met Kathy. Volgens mij is ze de juiste vrouw voor hem. Ze zijn inmiddels al een jaar of drie samen.'
'Echt waar? Dat verbaast me. Hij is tenslotte al die jaren alleen geweest, vanaf dat... Hoe lang is het geleden dat je moeder wegging?'
'O, heel lang. Ik was nog een puber.'
'En kun jij het een beetje vinden met Kathy?'
'Ja hoor, dat gaat best. Trouwens, zo vaak zie ik ze niet. Ik geloof dat ze het goed hebben samen, maar ik zou niet durven beweren dat ze een ander mens van hem heeft gemaakt.'
'Hij was nooit het gevoelige, aanhankelijke type.'
'Nee. Maar hij heeft nooit meer een druppel gedronken. En ik heb de indruk dat hij oprecht zijn best doet zich betrokken te tonen, ook naar mij toe. Volgens mij is het Kathy die hem die kant uit duwt. Hij dringt er voortdurend op aan dat ik mijn studie weer oppak. Dus ik heb me op de evolutionaire biologie gestort, voor een deel om van het gezeur af te zijn, maar uiteindelijk bleek ik het nog leuk te vinden ook.'
Hugh zei niet wat hij dacht; namelijk dat zijn vader ook tot op zekere hoogte in het reine had weten te komen met het verleden en was 'doorgegaan met zijn leven' zoals Bridget dat noemde, maar dat hij nog altijd geloofde dat zijn vader hem nooit had vergeven en dat ook

nooit zóú doen. Sommige dingen, daar kwam je nu eenmaal nooit overheen.

Hij zag aan Bridgets gezicht dat haar iets dwarszat. Ten slotte boog ze zich over de tafel en dempte ze haar stem tot een vertrouwelijk gefluister. 'Hugh, er zijn dingen waar zelfs jij niets van weet. Ik weet niet of je ze zou móéten weten, maar misschien zou het helpen. Misschien zou het er allemaal een beetje gemakkelijker door worden.'

'Allemachtig, Bridget! Kun je misschien iets minder cryptisch zijn?'

'Nee, dat kan niet. Maar misschien moet je je wat meer openstellen om over sommige dingen anders te gaan denken.'

'Wat bedoel je daar in godsnaam mee? Als je me iets te zeggen hebt, doe dat dan gewoon!'

'Misschien doe ik dat uiteindelijk ook wel. Maar ik moet er eerst over nadenken.'

'Zoals je wil.' Hij zette zijn glas neer en stond op. 'Het spijt me, maar ik moet er nu echt vandoor.'

'Nee, het spijt mij. Het was niet mijn bedoeling spelletjes te spelen. Dat doe ik ook niet. Ik hoop dat je dat beseft. Daarvoor is het allemaal te belangrijk.'

'Ongetwijfeld, ook al heb ik geen idee waar je het over hebt.'

Hij betaalde, en tegen de tijd dat ze bij de deur waren, was haar gebruikelijke vastberadenheid teruggekeerd. Ze stond erop zijn telefoonnummer te noteren. Hij zocht zijn zakken af, vond het papiertje met het nummer van het pension in Cambridge en las het voor terwijl zij het invoerde in haar PalmPilot.

Ze zou hem voor een etentje uitnodigen, zei ze. 'En dan moet je me beloven dat je komt.'

'Misschien. Ik zal erover nadenken.'

Op de stoep voor het restaurant boog ze zich naar hem toe, en ze kuste hem op beide wangen, waarbij ze verklaarde hoe blij ze was dat ze elkaar tegen het lijf waren gelopen. Toen draaide ze zich abrupt om en liep de straat uit. Haar hakken tikten op het plaveisel. Ze leek wat breder op de heupen dan vroeger, en hij vroeg zich vluchtig af of ze soms zwanger was.

Hoe zou het zijn geweest als ze een kind van mijn broer had verwacht? Wat voor kinderen zouden ze hebben gekregen? Al dat krachtige DNA bij elkaar, zijn genie en haar gedrevenheid. Dat zou hebben geleid tot kleine godjes in de wieg, bijna te volmaakt voor deze wereld.

Al die tijd dat we met elkaar hebben gesproken, hebben we zijn naam niet een keer genoemd, dacht hij toen.

Dus deed hij het in gedachten alsnog: Cal.

Cal, Cal, Cal.

Hij zag het huis onmiddellijk, Albemarle Street nummer 50. Een discreet in de gevel geplaatste bronzen plaquette vermeldde de naam van de eigenaar: JOHN MURRAY, UITGEVER. Hugh deed een stap naar achteren om langs de gevel van het achttiende-eeuwse herenhuis omhoog te kijken. Het was vijf verdiepingen hoog, een roomwit met dieprood geschilderd smeedijzeren hek leidde naar de indrukwekkende voordeur. De ramen op de eerste verdieping waren voorzien van hoge, smalle luiken. De neutrale gevel van de naburige NatWest bank benadrukte de schilderachtige aanblik.

Hugh probeerde zich de drommen belangstellenden voor te stellen, bijna twee eeuwen eerder, die spreekkoren aanhieven naar de ramen, in de hoop de eerste canto's van Byrons *Don Juan* te bemachtigen. Of de koerier die door Jane Austen was gestuurd om een zorgvuldig verpakt manuscript van *Emma* af te leveren. Of de broze figuur van Darwin, vroeg oud, met hoge hoed, die steun zocht bij de reling terwijl hij de treden beklom, om te komen praten over weer een nieuwe druk van *De Oorsprong*.

Hugh had van tevoren gebeld voor een afspraak. De archivaris zou hem 'met alle plezier' ontvangen – hoewel de manier waarop ze het zei daarmee in tegenspraak leek – en merkte nadrukkelijk op dat ze zijn verzoek 'intrigerend' vond in zijn 'spontaniteit'. Hij negeerde haar sarcasme en zei dat hij er 'nu onmiddellijk' aan kwam, zodat ze er niet meer onderuit kon.

Onderweg werd hij bestormd door herinneringen aan Cal. Zijn oudere broer was jaren eerder een Rhodes Scholar geweest in Oxford, waar hij verliefd was geworden op de wetenschap. Hugh, die net van Andover was weggestuurd, zat een jaar in Parijs en stapte regelmatig op de ferry voor een bezoekje aan Engeland. Ze spraken een tijd en een plaats af – Piccadilly, de Tower, de pub vlak bij Downing Street 10 – en het gebeurde regelmatig dat ze elkaar verrasten door incognito te arriveren: met afgewend gelaat, de kraag omhoog (Cal had zelfs eens een belachelijke, harige pruik opgezet). Samen gingen ze dan op kroegentocht door Londen en namen ze de laatste trein naar Oxford, waar Hugh – volledig gevloerd – de nacht doorbracht op de bank in Cals kamer.

Het had iets bevrijdends om in het buitenland te zijn; twee zwervers uit de Nieuwe Wereld die rondhingen in Europa en bekentenissen uitwisselden (op de een of andere manier konden ze zo ver van huis openhartiger, eerlijker met elkaar praten). Het leeftijdsverschil van vijf jaar deed er niet meer toe. Hugh herinnerde zich die periode als een tijd van intimiteit en eindeloze mogelijkheden. Hij durfde het niet tegen zijn broer op te nemen als het om meisjes ging, want hij was ervan overtuigd dat Cal onweerstaanbaar was. Dus troostte hij zich met de contrasten: zijn broer was de ernstige van hen beiden, hij de grappige; zijn broer degene met verantwoordelijkheidsbesef, hij de rebel. Hij rookte Gauloises, liet zijn sigaret nonchalant tussen zijn lippen hangen, sprak vloeiend Frans, droeg een zwarte coltrui en had altijd een exemplaar van *Oorlog en vrede* in zijn rugzak.

En toen ontmoette Cal Bridget, die met een vriendin door Europa trok.

'Ik wil dat je haar leert kennen. We komen naar Parijs. Een hele week alleen maar wijn drinken, rondhangen in musea en doen alsof ik van Franse poëzie hou.' Het was een heerlijke week geworden! Met de verplichte baguette en kaas op de Quai Voltaire. Het boerenhuisje van Marie Antoinette in het park van Versailles. Verdwalen in de bossen van Fontainebleau. Een tocht door de catacomben, zelfs de riolen, van Parijs. Hugh escorteerde Ellen, Bridgets vriendin, die na drie dagen vertrok. Iets waar hij bepaald niet rouwig om was. Vanaf dat moment waren zij drieën onafscheidelijk. Op de laatste dag liet Cal hen alleen om dronken te worden in een Algerijnse bar, maar vooral, zoals hij het formuleerde: 'Omdat het tijd wordt dat jullie elkaar leren kennen.' Geen geflirt, het was een volstrekt nieuwe sensatie voor hem. Hij mocht haar onmiddellijk, misschien hield hij zelfs van haar, omdat zij van Cal hield en Cal van haar. Merkwaardig hoe hij zich onmiddellijk bij haar op zijn gemak voelde, vertrouwd, alsof hij erbij hoorde. Een grote zus bij zijn grote broer. Een drie-eenheid. Ze hadden het gevoel alsof ze de hele wereld aankonden.

Waar was al die dynamiek, al die onstuimigheid gebleven? Was daar voorgoed een einde aan gekomen op die noodlottige zomermiddag?

De receptioniste, die in een glazen hokje in de hal zetelde, stuurde hem langs een sierlijk gedraaide trapleuning naar een wachtruimte: een kleine kamer onder een glazen koepel. Hij stond op toen de archivaris binnenkwam, een jonge vrouw in een tweed mantelpakje.

'Goedemiddag,' zei ze stralend.

'Goedemiddag, ik ben u buitengewoon erkentelijk dat u...' Hij zweeg abrupt toen hij hoorde dat zijn woorden werden versplinterd. Merkwaardige echo's buitelden door de kamer. Een schijf die boven zijn hoofd aan het plafond hing, deed zijn stem als het ware van richting veranderen, besefte hij.

De archivaris glimlachte. 'Een kleine verrassing voor onze gasten,' merkte ze op.

Ze verontschuldigde zich door te zeggen dat de uitgeverij op het punt stond te verhuizen, en terwijl ze hem voorging over de fraai gewelfde trap, moesten ze regelmatig een stap opzij doen voor stapels kartonnen dozen. Ze kwamen langs een buste van Byron, met daarboven een reeks portretten in zware, donkere tinten, gevat in brede, goudkleurige lijsten. Hugh las de namen die eronder stonden: Osbert Lancaster, Kenneth Clark, John Betjeman. Er waren wel vijf of zes John Murrays.

'Dat schilderij komt uit het bezit van Darwin.' De archivaris duidde met haar blik een portret aan van John Murray III, die in een zelfverzekerde pose achter een schrijftafel zat. 'Hij nam in 1843 de leiding over en loodste de uitgeverij in de richting van de wetenschap, omdat daar zijn voornaamste belangstelling lag. Hij publiceerde Darwin, Lyell, David Livingstone en natuurlijk de beroemde reishandboeken. De eerste in hun soort en van meet af aan erg populair. Het waren de reishandboeken die zorgden voor brood op de plank.'

Ze kwamen door een salon aan de achterkant van het gebouw, waar de muren waren behangen met zwaar, goudkleurig papier; uit Japan, 1870, aldus de archivaris. Uiteindelijk betraden ze een kantoor dat stampvol stond met dozen en ordners. De archivaris legde uit dat de uitgeverij was overgenomen door een groter bedrijf en ging verhuizen naar het hoofdkwartier.

'Dus het brood op de plank werd uiteindelijk toch minder,' merkte Hugh op.

Ze kon er niet om lachen. Hugh haalde de aanbevelingsbrief van Simons tevoorschijn, die ze twee keer doorlas.

'Al onze belangrijke papieren over Darwin zijn opgeborgen in een geheim archief, en dat is niet toegankelijk voor buitenstaanders,' verklaarde ze ten slotte. 'We hebben wel een paar dozen met minder belangrijk materiaal hier in een opslagruimte staan. Die kunt u vanzelfsprekend doorkijken, hoewel ik betwijfel dat u er iets van belang in zult aantreffen. Het zijn voornamelijk financiële paperassen, rekeningen, facturen, dat soort dingen.'

Hugh dacht aan de obsessieve manier waarop Darwin zijn boekhouding bijhield. Toen hij eens te ziek was om alle inkomsten en uitgaven met de vereiste zorgvuldigheid bij te houden, had hij zijn vrouw, Emma, toestemming gegeven de boekhouding van hem over te nemen. Een kasverschil van zeven pond was genoeg geweest om ervoor te zorgen dat hij de boekhouding daarna nooit meer uit handen had gegeven.

De archivaris maakte hem duidelijk dat hij het beschikbare materiaal niet zomaar mocht inzien. Ze ging hem voor naar de grote salon, waar hij onder observatie zou worden gehouden terwijl hij zijn research deed. Langs de muren van het weelderig ingerichte vertrek stonden glazen vitrines met boeken, met daarboven portretten die elk leeg stukje muur bedekten. Hugh herkende de hoge, smalle luiken die hij vanaf de straat had gezien.

De archivaris beduidde hem plaats te nemen aan een ronde, met vilt bedekte tafel. Op de vloer eronder lag een Perzisch tapijt. Er werd een doos binnengebracht en naast zijn stoel gezet. Hugh kreeg de waarschuwing alleen potlood te gebruiken voor het maken van aantekeningen. Een vertegenwoordiger van de uitgeverij zou aan het bureau bij het raam komen zitten.

De archivaris aarzelde met weggaan. Hugh had de indruk dat haar nog iets dwarszat. Misschien had hij zich niet voldoende dankbaar getoond. 'Ik waardeer het buitengewoon dat u me hiertoe in de gelegenheid stelt,' zei hij dan ook.

'Ach, daar zijn we voor. We zorgen voor onze schrijvers, zelfs na hun dood.' Ze zweeg even en vervolgde toen: 'U moet wel beseffen dat er in deze kamer in bijna tweehonderd jaar niets is veranderd. En dat u in goed gezelschap verkeert. Southey, Crabbe, Moore, Washington Irving, sir Arthur Conan Doyle, Madame de Staël. Daar...' ze wees naar het middelste raam '... daar werd sir Walter Scott in 1815 voorgesteld aan lord Byron. En hier...' ze gebaarde naar een haard met een marmeren schoorsteenmantel '... hier werden de memoires van lord Byron na zijn dood verbrand. Dat leek het beste voor alle betrokkenen. Vooral voor lady Byron.'

Dus dat was het: hij was niet voldoende onder de indruk geweest van zijn omgeving.

Na die toelichting liet ze Hugh alleen. Hij keek de kamer rond, om alles in zich op te nemen, en terwijl hij daar nog mee bezig was, kwam er een andere medewerkster van de uitgeverij binnen, die stijfjes aan een bureau bij het raam ging zitten, vanwaar ze af en toe opkeek terwijl hij de doos openmaakte en het materiaal begon door te nemen.

De archivaris had gelijk: er leek weinig bij te zitten dat voor een onderzoek van belang zou kunnen zijn. Het merendeel van het materiaal bestond uit zakelijke paperassen en rekeningboeken: verkoopafrekeningen, royaltyverklaringen, vertaalovereenkomsten, grootboeken, dat soort dingen. Hughs belangstelling begon al snel af te nemen.

Hij was een uur bezig toen hij uiteindelijk op een rekeningboek stuitte met daarin lange kolommen cijfers, in keurige, kleine letters, geschreven met zwarte inkt: gespecificeerde onkosten. Hij pakte het boek bij de rug en bladerde het door. Het duurde niet lang of de bladzijden met kolommen maakten plaats voor een reeks blanco pagina's. Tegen het eind van het boek bleken de bladzijden tot zijn grote verbazing opnieuw te zijn volgeschreven. Het was hetzelfde vloeiende, fijne handschrift als uit het begin van het boek, en het vulde het papier als een film die op een wit scherm werd geprojecteerd.

Hugh bekeek het handschrift nauwkeurig. Het was duidelijk oud; de schrijfstijl meisjesachtig, maar sierlijk en duidelijk leesbaar. Een zee van letters, zinnen. De *a*'s en *o*'s en *e*'s helden elegant naar voren, als golven op weg naar de kust. De *b*'s en *l*'s en *t*'s deden hem met hun lange, schuine staken denken aan zeilen.

De eerste aantekening begon met een datum.

6

4 januari 1865

Papa heeft me dit boek cadeau gedaan ter ere van het nieuwe jaar, om er mijn boekhouding in bij te houden, een taak die trouw moet worden vervuld. Ik zal in nauwkeurige kolommen verslag doen van mijn uitgaven (die jammerlijk erg karig zijn) en deze aftrekken van mijn toelage, tot ik uitkom op het magische getal nul, waarop Papa mijn maandelijkse bedrag weer zal aanvullen. Dit boekje gaat echter nóg een doel dienen, maar dat is een geheim dat alleen ik ken. Ik ga het gebruiken als dagboek, om er mijn diepste persoonlijke gedachten en observaties in op te schrijven, vooropgesteld dat ik ze boeiend genoeg vind. Daarbij bid ik dat dit dagboek niet in verkeerde handen valt, want dat zou wel eens een beschamende ervaring kunnen zijn.

Ik heb namelijk heel veel persoonlijke gedachten en niemand aan wie ik die kan vertellen; al helemaal niet aan die lieve Mama, die geen kwade gedachte over haar medemens zou kunnen verdragen, en ook niet aan Etty, want ook al is mijn zuster bijna vier jaar ouder dan ik, ze is in mijn ogen niet vier jaar wijzer. Ik zal mijn persoonlijke dagboek verborgen houden door het achter in dit rekeningboek te schrijven. Mijn verwachting is dat het onaangeroerd onder de klep van mijn schrijftafel zal blijven liggen, slechts gelezen door mij en door niemand anders. Misleiding ligt in de Natuur opgesloten, zegt Papa, en daar kunnen we allemaal van leren.

Sinds Papa beroemd is, ontvangen we hier in Down House een ware stroom van bezoekers, van wie vele een verre reis hebben gemaakt om hier te komen. Ik geniet erg van deze bezoeken, niet alleen omdat de meeste gasten mensen van opmerkelijke distinctie zijn – moderne denkers en wetenschappers die dankzij hun werk zelf al bijzondere specimens zijn – maar ook omdat ze zorgen voor de afleiding waaraan ik zo dringend behoefte heb.

Op de ochtend van een dag waarop er bezoek wordt verwacht, zet iedereen zijn beste beentje voor en draagt zijn steentje bij. We zijn net als het leger dat zich gereedmaakt op te trekken naar de Krim. Mama bestiert met kalm gezag het huishouden. Mevrouw Davies is druk en luidruchtig in de weer met haar potten en pannen, zodat de geuren van gekruid lamsvlees en gepofte aardappelen spoedig het huis vullen, helemaal tot aan de bediendevertrekken. Parslow zet de wijn gereed in de bestekruimte naast de eetkamer. Comfort, de tuinman, spant de paarden in en rijdt met de brik naar Orpington om de gast of gasten te halen (meestal zijn ze met meer dan een). Sinds ik achttien ben, moet ik een crinoline dragen en me strak laten inrijgen (je reinste marteling; zestig centimeter rond het middel, en geen centimeter meer). Het gevolg is dat ik nauwelijks lucht krijg en me amper kan bewegen, terwijl ik niets liever doe dan vrij en ongebonden door de velden rennen en me verstoppen in de bossen en leemkuilen. Etty hoeft geen corset te dragen, uit consideratie met haar tere constitutie.

Kortom, iedereen is druk in de weer, behalve die arme Papa, die doorgaans is gedwongen met maagklachten het bed te houden, in afwachting van de gezelligheid waaraan hij zich noodgedwongen zal moeten onderwerpen.

De bedrijvigheid leidt tot de indruk – al is het maar zolang de middag duurt – dat de Darwins een normaal en tevreden gezin zijn. In sommige opzichten zijn we dat ook, hoewel er momenten zijn waarop ik me bewust ben van iets ongewoons, iets eigenaardigs te midden van alle vrolijkheid en wellevendheid. Wat het is dat eraan mankeert, weet ik niet. Maar een oplettend waarnemer die in ons midden zou plaatsnemen aan de grote tafel, zou horen dat het gelach soms geforceerd klinkt, en als hij even scherpzinnig zou zijn als sommige van onze moderne schrijvers uit Mudie's Library, zoals mevrouw Gaskell of meneer Trollope, dan zou hij de oorzaak daarvan weten op te sporen. We zijn niet zoals we ons tegenover onwetende buitenstaanders voordoen. Soms heb ik het gevoel dat onze pogingen tot vrolijkheid en goed gastheerschap slechts toneelspel zijn.

6 januari 1865

Papa is zoals altijd de spil van ons huis en ons gezin. Ik heb echter het gevoel dat zijn stemmingswisselingen erger zijn geworden in de zes jaar sinds het verschijnen van *De Oorsprong*. Hij trekt zich vaak uren achtereen terug in zijn studeerkamer, maar niet zoals vroeger... uren waaraan ik zulke dierbare herinneringen bewaar. Dan ging hij volledig op in het bestuderen van zeepokken – of een van zijn andere interesses – en reed hij in zijn stoel op wielen tevreden heen en weer. Regelmatig kwam hij naar buiten voor een snuifje zwarte tabak uit de pot in de hal, en wanneer een van ons, kinderen, de studeerkamer kwam binnen stormen, om te vragen om een liniaal of een speld, keek hij nieuwsgierig op, zonder zich ooit te storen aan de onderbreking. Nu verstopt hij zich urenlang, waardoor het bijna lijkt alsof hij ons gezelschap mijdt. Hoe ik ook mijn best doe, ik kan niet bedenken wat de reden zou kunnen zijn van zijn sombere buien.

Toen ik drie dagen geleden op zoek was naar een kleefpleister, waagde ik het erop bij hem om een hoekje te kijken. Hij zat in zijn zwart leren stoel, gevuld met paardenhaar, en was zo verdiept in zwaarmoedige gedachten dat hij schrok – als een hert in het bos – toen ik hem iets vroeg. Hij kwam uit zijn stoel en vroeg op strenge toon waarom ik hem besloop. Zo had hij 'nooit een moment rust', bulderde hij, en in die trant ging hij door. Zelfs toen ik de deur allang weer had gesloten, kon ik hem in de hal nog tekeer horen gaan. Het was zo erg dat Camilla, die Horace Duits leert, haar les onderbrak en boven aan de trap verscheen, vanwaar ze duidelijk ongerust naar beneden keek.

Nog niet zo lang geleden heeft Papa Parslow opdracht gegeven om een kleine ronde spiegel aan het raamkozijn te bevestigen. Daardoor kan hij vanuit zijn stoel het bordes aan de voorkant van het huis in de gaten houden. Toen we hem ernaar vroegen, vertelde hij ons dat hij op die manier de postbode kan zien aankomen, maar ik heb mijn twijfels bij die verklaring. Volgens mij gaat het hem erom te zien wie zich als bezoeker meldt, zodat hij kan bepalen of hij wel of niet thuis geeft. Wat me zorgen baart, is dat hij zich daarbij niet laat leiden door de onwil om te worden gestoord tijdens zijn werk, maar door iets wat veel dieper zit, iets verontrustends.

Papa's gezondheid toont ook geen enkele verbetering. Integendeel, die is de laatste tijd alleen maar slechter geworden. Hij braakt tegenwoordig twee of drie keer per dag en klaagt regelmatig over zijn maag en over winderigheid, waardoor hij zo sterk ruikt dat hij weigert te reizen. Behalve aan een slechte spijsvertering lijdt hij ook aan duizelingen, flauwtes en hoofdpijnen. Op sommige dagen zit hij onder het eczeem. Die arme Mama is een ware Florence Nightingale geworden en offert zich op om hem op alle uren van de dag thee te brengen, zijn rug te wrijven, hem voor te lezen in de hoop zijn zenuwen te kalmeren en hem van zijn kwalen af te leiden. Hij heeft een soort watercloset in zijn studeerkamer laten aanleggen, een bekken in een platform op de grond, verborgen achter een halfhoge muur en een gordijn, amper drie meter van zijn hoek met kostbare boeken en kleine laatjes. Het watercloset is voor noodgevallen; daardoor kan hij opspringen uit zijn stoel, zijn schrijfplank opzijschuiven en zich naar het closet haasten om te braken. Bij het horen van het geluid, dat werkelijk verschrikkelijk is, verzamelen de bedienden zich in de hal en kijken ze elkaar nerveus aan. Alleen Parslow heeft toestemming naar binnen te gaan om hulp te bieden. Soms moet hij Papa overeind helpen en hem – slap en bleek en druipend van het zweet – de trap op dragen naar zijn kamer.

11 januari 1865

Al zolang ik me kan herinneren is Papa ziek. Wanneer hij het bed moet houden, is het alsof er een lijkwade over het huis is neergedaald en durven we alleen nog maar heel zacht te praten. Volgens Mama is zijn werk de oorzaak van de aanvallen, de inspanning van het nadenken over natuurwetenschappelijke onderwerpen en problemen. Om haar vermoeden kracht bij te zetten, vertelt ze dat de eerste aanval – inmiddels bijna dertig jaar geleden – zich voordeed toen hij definitief vorm gaf aan zijn theorie over de verandering van de soorten en de natuurlijke selectie. Daarna heeft hij zijn ontdekking tweeëntwintig jaar geheim gehouden en zijn dagboekaantekeningen alleen besproken met enkele vrienden en collega's, zoals sir Charles Lyell, de geoloog, en meneer Hooker, de botanicus van Kew Gardens, en hij heeft erover gecorrespondeerd met meneer Asa Gray van Harvard.
Stel je dat eens voor, zegt Mama, de jarenlange druk van al dat getheoretiseer. Geen wonder dat Papa zich tot dokter Gully wendde, die met hydrotherapie wonderen schijnt te verrichten. Ik heb hem

eens vergezeld naar Malvern en was geschokt te zien hoe gewillig Papa zich onderwierp aan ijskoude baden en aan de marteling van het steenkoude 'druiplaken' waarmee hij werd omwikkeld, met de bedoeling het bloed van het ene orgaan naar het andere te sturen.

Ik heb zelf een theorie ontwikkeld om Papa's voortdurende ongesteldheid te verklaren, door te inventariseren bij welke gelegenheden de klachten het hevigst zijn. Het blijkt dat zulks niet alleen het geval is wanneer zich een gebeurtenis voordoet die verwijst naar het ontstaan van de theorie. Papa had bijvoorbeeld een ongewoon hevige en langdurige braakaanval in 1858, na de ontvangst van die verschrikkelijke brief uit Nederlands Oost-Indië, waarin meneer Alfred Russel Wallace zijn bijna identieke theorie presenteerde. De overeenkomsten waren zo sterk, tot in de kleinste bijzonderheden, dat Papa kreunend uitbracht dat diverse zinsneden als kop zouden kunnen dienen van de hoofdstukken in zijn eigen boek. Na ontvangst van de bewuste brief verzamelde Papa al zijn krachten om zijn theorie over de natuurlijke selectie openbaar te maken. Daarbij ging hij akkoord met de oproep van meneer Huxley en anderen, om de twee verhandelingen – de zijne en die van meneer Wallace – gelijktijdig te presenteren in een bijeenkomst van de Linnean Society. Papa werkte vreselijk hard om te zorgen dat *De Oorsprong* zo snel mogelijk in druk kon verschijnen en raakte daardoor volkomen uitgeput, en hij slaagde er maar amper in de taak te voltooien. Kort' daarna werd hij echter pas werkelijk ziek, niet toen er vraagtekens werden gezet bij de theorie zelf, maar toen zijn prestatie in twijfel werd getrokken vanwege het toeval dat er sprake was van twee auteurs. Die nare Richard Owen, die ervan droomt hoofd te worden van een nieuw Museum of Natural Science en die zich heeft ontpopt als een van de grootste kwaadsprekers, schijnt tijdens een diner aan Eaton Place te hebben gezegd: 'Is er iets zo onvoorstelbaar als een kind met twee vaders?' Waarop hij – tot vermaak van alle aanwezigen – liet volgen: 'Zeker wanneer een van beide vaders een aap is?'

Ik begrijp niet waarom mensen zo reageren, zelfs al is meneer Wallace tot een soortgelijke theorie gekomen. Misschien moet het toeval juist worden gezien als een bewijs van de geldigheid, want wanneer een overtuigend idee zich eenmaal heeft aangediend, kan het niet anders of meer mensen gaan ermee aan het werk. Dat geldt zeker voor de theorie van de natuurlijke selectie, die immers zo schitterend is door haar eenvoud. Waar het om gaat, is dat Papa de zware taak op zich heeft genomen dit gedachtegoed presentabel en begrijpelijk te maken. Hij is zo gevoelig. Ik weet dat hij de hele controverse verafschuwt, inclusief de spotprenten in *Punch* en die afschuwelijke tekeningen in *Vanity Fair*. Het maakt hem hevig van streek te moeten constateren dat meneer Wallace weinig lof toege-zwaaid heeft gekregen en dat sommige mensen schijnen te denken dat hij zich ongepast heeft gedragen om te voorkomen dat meneer Wallace zou delen in de eer.

Ik zou willen dat Papa weer ging reizen, want volgens mij bestaat er geen betere remedie voor zwaarbeproefde zenuwen dan het ver-leggen van de horizon. Hij kan zich er echter nauwelijks meer toe zetten naar Londen te gaan en weigert hardnekkig zelfs maar te overwegen het Kanaal over te steken, hetgeen merkwaardig lijkt voor iemand die als jongeman de hele wereld heeft rondgereisd en zoveel wonderbaarlijke avonturen heeft beleefd. Nog niet zo lang geleden kwamen drie van zijn oude scheepsmaten op de *Beagle* voor het weekeinde naar Down House, maar Papa maakte zich zo van streek dat hij amper tien minuten in hun gezelschap kon door-brengen. Na het bezoek kwam mijn broer Leonard Papa in de tuin tegen, en ze wandelden samen over het grasveld. Volgens Leonard onderbrak Papa plotseling hun gesprek en wendde hij zich met zo'n angstaanjagende uitdrukking op zijn gezicht af, dat Leonard diep onder de indruk was. 'Het kwam ineens bij me op dat het wel leek alsof hij het leven moe was en naar de dood verlangde,' ver-telde Leonard me later.

20 januari 1865

Ik had gehoopt te kunnen schrijven dat het leven in Down House er voor ons allemaal gelukkiger op was geworden. Dat heeft helaas niet zo mogen zijn. Ons huis lijkt wel een herstellingsoord. Papa heeft de hydrotherapie op eigen gelegenheid hervat en gaat daarbij zelfs zover dat hij gebruikmaakt van het tuinhuisje dat John Lewis een jaar of vijftien geleden op het terrein van Down House heeft ge-bouwd. Een ingenieuze constructie, vlak bij de put, met op het dak een klein torentje dat ruim twintig liter water kan bevatten. Papa kleedt zich uit en trekt aan een touw, waarop het water met grote kracht op hem neerdaalt. Horace en ik gaan soms bij het huisje staan, en dan horen we zulk hijgen en kreunen dat het wel lijkt alsof degene daarbinnen stervende is. Na vijf minuten wachten haast Papa zich weer naar buiten, volledig gekleed, maar zo ijskoud en ellendig dat een van ons doorgaans voorstelt hem te vergezellen op zijn ronden over de *Sandwalk*, het pad waarover hij wandelt om na te denken. Het is speciaal voor Papa aangelegd, aan het eind van de tuin achter ons huis.

Twee dagen geleden had ik ruzie met Papa. Ik was toevallig in zijn studeerkamer en pakte de ploertendoder van zijn vaste plekje op de schoorsteenmantel. Ik zeg ploertendoder, maar het is weinig meer dan een opgerold stuk draad van misschien dertig centimeter lang, met een metalen knop aan beide uiteinden, zwaar genoeg om als nuttig gereedschap te dienen of om in geval van nood een dier af te weren. Papa heeft hem bewaard als aandenken aan zijn tijd in Zuid-Amerika, omdat hij hem tijdens zijn expedities daar altijd aan zijn riem droeg. Plotseling kwam Papa de studeerkamer binnen, en toen hij zag wat ik in mijn hand hield, kreeg ik de wind van voren. Hij had me gewaarschuwd dat ik daar niet aan mocht komen, zei hij, maar ik weet zeker dat hij daar nooit iets over heeft gezegd. Toen herhaalde hij zijn beschuldiging dat ik een 'kleinzielige spion' was, wat ik erg kwetsend en volstrekt onverdiend vond. Ik legde de ploertendoder terug en zei niets, tot ik langs hem heen naar de deur liep, waar ik me met een ruk omdraaide en hem een grote mond gaf door te zeggen dat ik hem onredelijk en onaangenaam vond. Etty hoorde dat en vertelde het aan Mama, die zei dat ik onmiddellijk mijn verontschuldigingen moest aanbieden, of ik ging zonder eten naar bed. Ik koos voor het laatste en bracht de avond in mijn kamer door, waardoor ik alle gezelligheid in de salon misliep. Om mezelf af te leiden probeerde ik het nieuwe boek van die wiskundige te lezen – *De Avonturen van Alice in Wonderland* – maar ik was zo van streek, dat ik me aanvankelijk niet kon concentreren. Uiteindelijk bezweek ik echter voor zijn betoverende woorden. Soms voel ik me net als Alice. Dan is het alsof ik niet op mijn plaats ben in deze wereld; alsof ik ook in een konijnenhol ben gevallen. Er zijn momenten waarop ik me een reus voel en dingen zie die de men-

73

sen om me heen ontgaan, maar op andere momenten ben ik niet groter dan een muis en moet ik me haastig uit de voeten maken om te voorkomen dat er op me wordt getrapt.

22 januari 1865

Ik heb mijn vader eens horen beweren dat 'een goede wetenschapper een speurder is, op het spoor van de Natuur'. Ik mag dan geen wetenschapper zijn, maar hoe belachelijk het misschien ook klinkt, ik denk dat ik een uitstekende speurder zou zijn.

De eerlijkheid gebiedt me te zeggen dat ik heb gespioneerd, ook al is dat niet het woord dat ik zelf zou gebruiken. Ik maak me daaraan schuldig omdat ik het niet kan laten wanneer mijn nieuwsgierigheid eenmaal is geprikkeld. Ik vind niets zo heerlijk als, wanneer er gasten zijn, in een donker hoekje wegkruipen en onopvallend meeluisteren naar wat er wordt gezegd. Dat is de enige manier om erachter te komen wat er in de wereld omgaat, en beslist boeiender dan de *Edmonton Review* of *The Times*. Zo hoorde ik over de schokkende zaak van Peter Barratt en James Bradley, die dat arme kleine jongetje hebben vermoord, Georgie Burgess; ze dwongen hem zich uit te kleden, dreven hem een beek in en sloegen hem met stokken tot hij niet meer bewoog. Een van de gasten merkte op dat de twee jongens nog zo klein waren, dat ze amper boven de steiger uit kwamen, en een ander zei dat hij blij was dat ze tot vijf jaar tuchtschool waren veroordeeld.

Het fijnste is het wanneer de mannen zich verzamelen in de biljartkamer, want het hoekje naast de bank is de perfecte plek om me te verstoppen. Bovendien gaan ze zo op in hun spel, dat ze mij vergeten. In de zomer laten ze vaak de ramen open staan, om frisse lucht binnen te laten, en dan ga ik buiten naast de bloembak met sleutelbloemen en dotters zitten. Daar hoorde ik over de Opstand in India, een paar jaar geleden; volgens meneer Huxley was de narigheid begonnen doordat de patroonhulzen waarvan de Indiase soldaten de punt af moesten bijten, waren ingesmeerd met varkensvet of iets wat ik niet helemaal begreep. En deze week hoorde ik Papa zeggen dat de oorlog tussen de Confederatie en de noordelijke staten in Amerika leidde tot problemen in Jamaica. 'De negers kunnen elk moment tegen ons in opstand komen,' aldus Papa. Maar meneer Thomas Carlyle vertrouwde erop dat gouverneur Eyre er wel in zou slagen de vrede te bewaren.

Blijkbaar is Papa voor de noordelijke staten. Ik weet dat hij slavernij een gruwel vindt – ik heb hem horen vertellen over de discussies die hij met kapitein FitzRoy over dat onderwerp heeft gevoerd – en ik ben ervan overtuigd dat hij het liefst zou zien dat het instituut over de hele wereld zou worden uitgebannen. Maar ik heb hem ook horen zeggen dat hij de zuidelijke Amerikanen beschouwt als een verfijnd, aristocratisch volk, dat qua opvattingen en ontwikkeling dicht bij de Engelsen staat, in tegenstelling tot de onbeschaamde en vulgaire noorderlingen. Een overwinning van het Zuiden zou betekenen dat de katoen voor onze fabrikanten duurder wordt. Wanneer ik Papa zo hoor praten, denk ik onwillekeurig dat hij in zijn hart eigenlijk voor het Zuiden kiest.

25 januari 1865

Ik ben tot de conclusie gekomen dat ik buitengewoon bekwaam ben in het ontdekken van andermans geheimen. Het is eenvoudigweg een gave die me in de schoot is geworpen, net zoals Etty vlug is met woorden en George talent heeft voor rekenen.

Toen we nog klein waren, kwamen onze neefjes en nichtjes op feestdagen regelmatig op bezoek, en met ons hele troepje namen we bezit van Down House om te 'buten'. Dat was een spel waarbij we ons door het hele huis en zelfs in de tuin zo goed mogelijk verstopten. Ik was altijd de eerste die erin slaagde de anderen te vinden, maar de laatste die zelf werd ontdekt. Vaak hield ik me in mijn tijdelijke holletje meer dan een uur verborgen, terwijl mijn hart sloeg als dat van een vogeltje en ik luisterde naar het geroep van de anderen, gefrustreerd dat ze me niet konden vonden. Soms bleef ik verborgen tot de schaduwen langer werden en het spel allang was gestaakt. Wanneer ik dan eindelijk in de verlichte opening van de achterdeur verscheen, ging er een luid gejuich op.

Het geheim was je te verplaatsen in de gedachten van de andere spelers, ontdekte ik. Wanneer je eenmaal vermoedt waar die zich gaan verbergen, is het niet moeilijk om zelf een plek te vinden die bij de anderen niet eens zou opkomen. Het is geen truc om een meester in het verbergen te zijn. Het is een vermogen, verwant aan intuïtie. Als ik me volledig concentreer en diep nadenk, kan ik mezelf in de gedachten van anderen verplaatsen, heb ik gemerkt. En dat betekent weer dat ik kan anticiperen op wat anderen zullen doen en denken.

Zelf heb ik een aantal geheimen die ik aan geen levende ziel zou durven bekennen. Een daarvan betreft een zoon (ik zal zijn naam niet noemen) van sir John Lubbock, die we soms bezochten op zijn landgoed High Oaks toen ik nog geen jonge vrouw was; toen ik nog niet 'onwel' was geworden, zoals Mama het noemt. Samen met de zoon van sir John glipte ik het huis uit, en we renden over de velden naar een oude walnotenboom die door de bliksem was getroffen; een enorme stomp die wel zeven meter hoog oprees en door de natuur was uitgehold. We deden alsof de boom ons huis was en speelden er vader en moedertje, waarbij we dingen deden die me nog doen blozen als ik eraan terugdenk. Ik vond bijvoorbeeld goed dat hij me op de wang kuste, wanneer hij zogenaamd naar zijn werk ging, en een paar keer zijn we zelfs nog verder gegaan, zij het natuurlijk nooit zo ver dat het me achteraf heeft berouwd. Maar wanneer ik hem zie in de kerk, voel ik me gegeneerd. Omdat Mama niet in de geloofsbelijdenis gelooft, keren we ons af van het altaar wanneer de gemeente die uitspreekt, met als gevolg dat we naar de kerkgangers kijken. Ik heb hem een paar keer op wel heel uitdagende blikken betrapt, die mijn gezicht deden gloeien. Hij mag dan van adellijke komaf zijn, hij gedraagt zich bepaald niet als een heer door me aan een dergelijke beproeving te onderwerpen. Hoewel, nu ik toch eerlijk ben, ik moet bekennen dat ik niet helemaal afkerig ben van de gevoelens die hij in me wekt.

28 januari 1865

Mama en ik hebben vanmorgen een lange wandeling gemaakt, want al is het hartje winter, het is ongewoon zacht voor de tijd van het jaar. Hoewel het een stralende dag was, voelde ik dat Mama me iets moest vertellen wat haar bedrukte, en toen we het bosrijke gebied ten zuiden van Down House naderden, begon ze met zachte stem te praten. Ze zei dat Papa's gezondheid weliswaar iets was verbeterd, maar niet in de mate waarop ze had gehoopt. En ze had het gevoel dat mijn gedrag, dat ze 'oneerbiedig' noemde, zijn toestand verergerde. Ze zei dat ik een voorbeeld moest nemen aan Etty, en merkte op dat mijn zuster met haar 'goede gedrag' nooit aanleiding geeft tot bezorgdheid. Integendeel. Etty is slechts een bron van vreugde voor Papa en helpt hem zelfs bij zijn werk door zijn manuscripten te proeflezen.

Ik vrees dat ik bokkig reageerde. Er zijn heel wat terreinen waarop Henrietta een voorbeeld aan mij kan nemen, zei ik. En ik wees in het bijzonder op Etty's fysieke welzijn, want ze is net als Papa en wordt bezocht door allerlei kwalen. De appel valt niet ver van de boom. Papa heeft haar ooit naar Moor Park gestuurd, voor hydrotherapie, en sinds ze opnieuw een inzinking heeft gekregen op Eastbourne, is ze net als Papa altijd ziek, zodat ze voortdurend alle aandacht krijgt. Papa verwent haar en zoekt haar op in haar slaapkamer, om met een bezorgd gezicht te informeren naar haar gezondheid. Met als gevolg dat Etty talrijke privileges geniet, zei ik beschuldigend. Hierop werd Mama boos en vroeg ze me een voorbeeld te geven. Ik antwoordde dat we speciaal voor Etty naar Torquay waren gegaan, omdat de zeelucht zo goed voor haar was; dat ze de reis had gemaakt in een speciaal slaaprijtuig en dat ze bij het baden in zee gebruik had mogen maken van een door paarden getrokken wagentje, zoals de dames uit de hoogste klasse dat tegenwoordig doen. Mijn moeder was niet onder de indruk. 'Je zou dankbaar moeten zijn dat je gezond bent,' zei ze. 'In plaats van je zuster de behandeling te misgunnen die haar zou kunnen genezen of in elk geval haar lijden zou kunnen verzachten.' Daarop deed ik er het zwijgen toe.

Ik weet dat Papa en Mama meer van Etty houden dan van mij. Ze zeggen voortdurend hoe knap ze is, hoe flatteus een japon haar staat en dat ze ooit een geweldige echtgenote zal zijn. Mij geven ze dat soort complimenten nooit. Toen ik klein was, zeiden ze al dat ik me niet gedroeg zoals het een dame betaamt, omdat ik het heerlijk vond om te rennen en op een plank van de trap af te glijden. Ze vonden het ook maar niets dat ik uit het raam van de kinderkamer in de moerbeiboom klom. Dat was jongensachtig gedrag, zei Mama. Wanneer Etty en ik verkleedpartijtje speelden met kleren uit de oude kist, trok Etty altijd een lange jurk van Mama aan, met een parelsnoer, en ik doste me het liefst uit als zeerover of ontdekkingsreiziger. Ik mocht dan een halve jongen zijn, ik werd volledig als meisje behandeld en genoot niet dezelfde privileges als mijn broers, die naar de Clapham School mochten. In plaats daarvan kreeg ik les aan huis. Dus het is duidelijk dat ik aan alle kanten in het nadeel was, ook al durf ik dit tegenover niemand te bekennen, uit angst de indruk te wekken dat ik te veel aan mezelf denk.

Toen we tegen het eind van onze wandeling de rivieroever naderden, ontdekte ik een grote kever die haastig onder een boomstronk verdween. Even overwoog ik erachteraan te gaan en hem mee te nemen voor Papa. Als kind was ik beter in het vangen van larven en insecten dan Etty, en zelfs beter dan mijn vijf broers. Als ik daar nu aan terugdenk, krijg ik bijna tranen in mijn ogen. Nog zie ik de blik in Papa's ogen wanneer ik mijn kleine smoezelige handje opendeed om hem mijn bijzondere vondst te geven. En ik herinner me hoe hij me knuffelde en me zijn Diana noemde, godin van de jacht. Achteraf gezien waren dat de gelukkigste momenten van mijn jeugd.

7

Op de dag dat de *Beagle* eindelijk de haven uit voer, brachten Charles en kapitein FitzRoy de middag door in een taveerne, waar ze zich te goed deden aan schapenvlees en champagne. Vervolgens roeiden ze tot voorbij de golfbreker om aan boord te gaan. Zoals het schip vóór hen uit het water rees, bood het een fraaie aanblik, terwijl het statig door het Kanaal voer, volledig opgetuigd, de zeilen bollend in een stevige bries. Charles was verbaasd over zijn eigen gevoelens, want de aanblik deed hem niets. Waar bleef de verwachte opwinding? Na maanden van uitstel en na twee vergeefse afvaarten ging zijn grote avontuur eindelijk beginnen, en het enige wat hij voelde, was angst. Een onheilspellend voorgevoel deed hem huiveren; op de een of andere manier vreesde hij dat het hele avontuur een gruwelijke wending zou nemen en zou eindigen in een ramp.

Het duurde niet lang of het voorgevoel nam een menselijke vorm aan. Terwijl hij uit de roeiboot stapte en zijn voet op de touwladder zette, zag hij boven zich een vertrouwd gezicht dat met een zweem van weerzin op hem neerkeek. Hij verstijfde. McCormick! Dat was wel de laatste die hij wilde zien.

Welke wrede beschikking van het lot had ervoor gezorgd dat hij zijn grote reis ging maken met Robert McCormick aan boord? Hij had vernomen dat de scheepsarts van de *Beagle* naar die naam luisterde, maar gehoopt dat het niet de McCormick was die hij in Edinburgh had leren kennen: een kleinzielige, ambitieuze uitslover. Ze hadden samen dezelfde colleges geologie gevolgd, die door iedereen in Charles' omgeving werden verafschuwd, omdat ze net zo droog waren als de bodemmonsters in kleine glazen flesjes die de studenten moesten bestuderen. McCormick was echter het type dat informatie verwarde met kennis, en hij genoot dan ook van de colleges, waarbij hij uitvoerig aantekeningen maakte. Charles had hem gedeballoteerd als kandidaat-lid van een wetenschappelijk genootschap, en dat had bij McCormick kwaad bloed gezet. Dus de antipathie was wederzijds.

Tegen de tijd dat Charles aan boord klom, was McCormick verdwenen. Charles liep enigszins onvast naar zijn hut op het achterdek. Onderweg kwam hij Philip Gidley King tegen, de zeventienjarige adelborst met wie hij de hut zou delen. Kings vader was tijdens de vorige reis kapitein geweest op het zusterschip van de *Beagle*.

'Eindelijk! We zijn op weg!' zei Charles.

'Aye, aye, sir!' De jongeman nam zijn pet af. Een aardige knul – naar eigen zeggen een vurig aanhanger van lord Byron – maar niet echt sprankelend intellectueel gezelschap.

Aan de andere kant van het dek ontdekte Charles luitenant John Wickham, die rechtstreeks onder de kapitein stond.

'Dat is een verduivelde berg instrumenten en gereedschap die u aan boord hebt laten brengen!' donderde Wickham, maar hij grijnsde terwijl hij het zei.

Charles had nog met niemand aan boord een vertrouwensband opgebouwd, ook al koesterde hij sympathie voor Augustus Earle, een kunstenaar die door FitzRoy was ingehuurd voor het maken van impressies tijdens de reis, en voor George James Stebbing, die net als Earle en hijzelf niet tot de bemanning behoorde maar tot taak had de tweeëntwintig chronometers te onderhouden. Daarvoor was een speciale hut gereserveerd, waar de instrumenten in houten kisten waren opgehangen aan kompasbeugels. De houten kisten waren op hun beurt ingebed in een kist met zaagsel.

De jongere officieren waren ruige, ongezeglijke lieden met wie Charles geen enkele affiniteit voelde. Tijdens een luidruchtig feest op de wal hadden ze er alles aan gedaan om te zorgen dat Charles zich slecht op zijn gemak voelde. Ze bedienden zich welbewust van zeemansjargon, zodat hij niet begreep waarover ze het hadden, en joegen hem de stuipen op het lijf met verhalen over de koude rukwinden voor de kust van Vuurland. Achteraf nam Wickham Charles terzijde. 'Ach, het zijn geen slechte jongens,' zei hij, trekkend aan zijn pijp. 'Ze weten niet goed hoe ze u in de hiërarchie moeten plaatsen. U bent geen officier, maar een passagier in de traditionele zin van het woord bent u ook niet. En vergeef me dat ik het zeg, maar het feit dat u zoveel met de kapitein optrekt en regelmatig de maaltijd met hem gebruikt, maakt het er niet beter op. Bovendien spreekt u het Engels van de hogere kringen, en dat is voor de jongens een andere taal.'

Charles liep naar zijn hut en keek om zich heen in de ruimte van drie

bij drie meter. In het midden stond de 'grote tafel', die door de land-
meters zou worden gebruikt wanneer ze Zuid-Amerika bereikten.
Daarboven bevonden zich de haken voor zijn hangmat. De hut was
zo klein en compact dat hij de tafel kon aanraken wanneer hij zijn
arm over de rand van de hangmat liet hangen. Aan stuurboordkant
stonden kisten met daarin honderden boeken. Tegen de waterdichte
afscheiding aan de kant van de voorsteven bevond zich een wastafel,
met daarnaast een vitrine met instrumenten en een ladekast. Pal
daarvoor verhief zich de omvangrijke, eikenhouten bezaansmast, die
de hut doorboorde als een reusachtige, uit de hemel gevallen boomstam.

Er werd op de deur geklopt. Toen hij opendeed, stond hij tot zijn
verrassing oog in oog met McCormick. De scheepsarts had een fles
rum onder zijn arm.

'Het leek me gepast u op de traditionele manier welkom te heten aan
boord.'

Enigszins ongemakkelijk schudden ze elkaar de hand. Charles haalde twee glazen tevoorschijn, die McCormick royaal volschonk.
Toen gingen ze zitten, en ze dronken elkaar toe, waarna McCormick
de glazen opnieuw vulde.

'Op een behouden vaart,' zei hij. 'Zo te zien is de bemanning nuchter... een onverwacht genoegen.'

'Inderdaad. Zegt u dat wel.'

In de voorgaande vijf weken was de *Beagle* tot drie keer toe uitge-
varen maar door winterse stormen telkens weer gedwongen terug te
keren. Op de enige morgen met volmaakt weer om het ruime sop te
kiezen – de dag na Kerstmis – was de bemanning na het feest van de
vorige dag nog te dronken geweest om ook maar iets te doen.

Charles nam een grote slok rum, zette zijn glas op tafel en keek de
scheepsarts aan. McCormick was een jaar of tien ouder dan hij, een
benige, pezige verschijning met een lang gezicht en een hoog voorhoofd. De nerveuze glimlach die veelvuldig om zijn lippen speelde,
toonde twee rijen puntige tanden, waarvan de witheid werd benadrukt door een zwarte puntbaard. Charles vroeg zich af of FitzRoy
de scheepsarts ook had beoordeeld aan de hand van zijn frenologi-
sche criteria.

McCormick leek een poging te doen tot een ontspannen gesprek. 'Ik
kon maar niet besluiten of mijn hut blauwgrijs of spierwit moest

worden. Uiteindelijk heb ik gekozen voor wit. Dat is rustgevender, denkt u ook niet?' Hij keek om zich heen. 'De kapitein heeft niet op geld gekeken, zie ik,' zei hij enigszins humeurig. 'Alles uitgevoerd in het fraaiste mahonie. Hij heeft heel wat veranderingen laten aanbrengen en het schip daardoor aanzienlijk verbeterd. Het dek is verhoogd, er zijn bovenramen en patrijspoorten toegevoegd.' McCormick legde zijn hand op de bezaansmast. 'En dit natuurlijk. De mast is ook nieuw.'

'Dat heb ik begrepen,' antwoordde Charles, die inmiddels voorzichtig nipte van zijn rum. 'Het is een buitengewoon robuuste kleine brik, vindt u niet? Compact en goed uitgerust.'

'Brik is niet de juiste benaming. Niet nu het schip is uitgerust met een bezaansmast. Daardoor wordt het een bark. Een brik heeft maar twee masten, beide vierkantgetuigd, en met een gaffelzeil aan de hoofdmast. Een bark heeft drie masten, met het gaffelzeil aan de bezaansmast.'

'Aha.'

McCormick had nog niets van zijn pedantheid verloren.

'Toch hoorde ik een zeeman die het had over 'een brik als een doodskist',' hield Charles vol.

'Ach, nogmaals, de benaming is onjuist, maar de reputatie klopt, en is maar al te verdiend. Dit soort schepen heeft de neiging op een al te ruwe zee te zinken. Ze steken te diep, begrijpt u wel, en daardoor lopen ze gemakkelijk onder. Vooral wanneer de dolboorden zijn dichtgemaakt.'

'Laten we hopen dat het zo ver niet komt,' zei Charles, die last begon te krijgen van de rum.

'Daar sluit ik me volledig bij aan.'

McCormick schonk de glazen nog eens vol, hoewel Charles gebaarde dat hij genoeg had gehad.

'Ik moet zeggen, ik ben jaloers op uw accommodatie,' zei de scheepsdokter. 'Maar wat ziet u er ineens beroerd uit!'

Charles voelde zich ook beroerd. Hij proefde de smaak van maagzuur in zijn keel, en het was alsof zijn maag de deining van het schip volgde. Diep vanbinnen voelde hij een hevige misselijkheid opkomen, en dat gevoel verspreidde zich in golven door zijn hele lichaam. Plotseling schoot hij overeind, waarbij hij zijn stoel omvergooide en McCormick opzijduwde. Zodra hij zich over de wastafel boog, begon hij te kokhalzen, en met de ene na de andere golf braaksel zag hij stukjes schaap en andere resten van zijn laatste maaltijd in het porseleinen bekken belanden. Hevig zwetend en kreunend zocht hij wanhopig houvast bij de bezaansmast, die hij omklemde als een drenkeling in een stormachtige zee.

'Misschien kan ik maar beter gaan,' zei McCormick. Vanuit betraande ooghoeken zag Charles dat de scheepsarts zich weg haastte, met zijn vingers om de hals van de halflege fles.

Met veel moeite slaagde Charles erin de hangmat op te hangen, waarbij hij – zoals FitzRoy hem had aangeraden – de bovenste la van de kast opendeed om ruimte te maken voor zijn voeten. Met een zucht ging hij liggen, opnieuw volgens de instructies van de kapitein: hij ging eerst in het midden zitten en vervolgens zwaaide hij zijn benen omhoog. Toen hij eenmaal horizontaal lag, lukte het hem bijna zichzelf ervan te overtuigen dat hij zich iets beter voelde.

Vijf minuten later kwam King binnenstormen. Met het enthousiasme van de jeugd deed hij verslag van de gebeurtenissen aan dek.

'Niet om het een of ander…' zei hij toen. Hij snoof, zijn blik gleed naar de wastafel. 'Wat ruikt hier zo verschrikkelijk?' Bij het zien van de twee glazen pakte hij er een op en rook eraan. 'U hebt toch geen rum gedronken? Dat is heel slecht voor u, zeker zolang u nog geen zeebenen hebt. Wie daar niet ziek van wordt, wordt nergens ziek van. Alleen dwazen en schurken drinken rum wanneer ze voor het eerst de zee op gaan.'

Toen zag hij het braaksel in de wastafel, en omdat hij een beste jongen was, pakte hij een lap en maakte de boel schoon.

Ook al was hij nog steeds ziek, Charles waagde zich die avond toch aan dek. Het was koud, en hij voelde zich zo ellendig dat hij maar een paar minuten buiten bleef. De volle maan toverde gele rimpelingen op het water. Charles keek naar de wolken die oplichtten wanneer ze langs de bleekgele schijf raasden. In de verte ontdekte hij de Eddystone Lighthouse. De vuurtoren verdween langzaam maar zeker uit het zicht, en toen de laatste aanblik van zijn geliefde Engeland was verdwenen, keerde Charles met een bezwaard gemoed terug naar zijn hut.

De volgende morgen bleef Charles in zijn hangmat liggen en probeerde hij door pure wilskracht het gevoel van misselijkheid te verdringen, terwijl de *Beagle* over een woeste zee koers zette naar de Golf van Biskaje. Hij vreesde dat de misselijkheid geen tijdelijke kwaal zou blijken te zijn. Sterker nog, hij was van meet af aan bang geweest voor zeeziekte, en nu de beproeving hem had getroffen, wist hij niet wat hij moest doen om ervan af te komen.

De narigheid begon in zijn maag en waaierde uit als een kwaadaardig schepsel; als een octopus die zijn tentakels ontvouwde, of als een microscopisch organisme dat minuscule eitjes in zijn bloedstroom deed belanden, die op hun beurt zijn organen binnen drongen en dreigden zijn hersens uit te schakelen.

Hij kende de symptomen maar al te goed. Die hadden hem dreigend voor ogen gezweefd tijdens het eindeloze wachten tot het schip in Plymouth uit het droogdok zou komen. Het vooruitzicht van zeeziekte was zo'n kwelling voor hem geweest dat hij zweren in zijn mond had gekregen en aan zulke hartkloppingen was gaan lijden, dat de stellige overtuiging bij hem had postgevat dat zijn hart het zou begeven. Niet bepaald het vreugdevolle, langverwachte vertrek dat hij zich had voorgesteld.

Hij sprak zichzelf bemoedigend toe. De reis mocht dan onder een ongelukkig gesternte zijn begonnen, de situatie zou ongetwijfeld verbeteren. Hij zou de kans krijgen specimens te vangen en zich op zijn werk te storten... Daarvoor was hij tenslotte meegegaan. En uiteindelijk zou het schip aanleggen in verre, tropische havens, waar hij planten en dieren zou bestuderen die nog bijna geen sterveling had gezien. Trouwens, was Tenerife niet de eerste haven waar ze zouden binnenlopen? Het reisdoel waarvan Henslow en hij hadden gedroomd terwijl ze gebogen zaten over de avonturen van Von Humboldt. Ach, die beste brave Henslow. Hij zou al zijn ervaringen nauwkeurig en uitvoerig op schrift moeten stellen, zodat hij er Henslow later alles over kon vertellen.

Plotseling voelde Charles dat het schip op een nieuwe, duizelingwekkende manier begon te deinen. Het was alsof de hut drie meter de diepte in dook en vervolgens werd vastgegrepen en omhooggezwaaid. Charles voelde zich opgetild, weggeslingerd, als een hoge boogbal bij cricket. Op de top van de boog dook het schip weer een golf in, en even later voelde hij een verpletterende dreun – de bal die neerkwam op de *green*. Hij moest opnieuw braken en lag meer dan tien minuten op de grond onder de wastafel, tot niets in staat.

Ten slotte krabbelde hij overeind, hij hield met één hand de hangmat stil en slaagde erin weer te gaan liggen. Amper had hij zijn hoofd neergelegd, of er ontstond commotie aan dek. Het geschuifel van voeten, gevolgd door een afgrijselijk geluid. Een zwiepend, herhaald knallen zoals Charles dat nooit eerder had gehoord, en daarna een luide, uitzinnige kreet. Vijf tellen later klonk het knallende geluid opnieuw, en weer werd het gevolgd door een kreet. Dit bleef zich herhalen tot de kreten overgingen in gesnik en uiteindelijk wegstierven tot een zielig, bijna kinderlijk gejammer. Toen begon het hele ritueel weer van voren af aan.

Op dat moment ging de deur open en King kwam de hut binnen. Charles werkte zich moeizaam overeind. 'Wat is er in vredesnaam aan de hand?' vroeg hij.

'Een geseling,' antwoordde de adelborst. 'Vier leden van de bemanning worden gestraft voor hun bandeloosheid met Kerstmis. De kat met negen staarten is uit de kast gehaald. Opdracht van de kapitein.'

Charles was vervuld van afschuw. 'Hoeveel slagen krijgen ze?' vroeg hij.

'O, dat verschilt. De meesten krijgen er vijfentwintig wegens vechten en dronkenschap. De scheepstimmerman krijgt er vierendertig omdat hij zonder verlof van boord is gegaan. Davis eenendertig omdat hij zijn plicht heeft verzaakt. En dan die ouwe Phipps. Die heeft er echt alles aan gedaan: vierenveertig wegens dronkenschap, brutaliteit en omdat hij zonder verlof van boord is gegaan. U kunt beter voortmaken als u nog wat wil zien.'

Charles liet zich weer zakken in de hangmat, zijn hoofd tolde, zijn maag verkrampte. Een gevoel van wanhoop en moedeloosheid nam bezit van hem. Wat stond hem nog allemaal te wachten op dit deinende kabinet vol gruwelen? Waar was hij aan begonnen toen hij zijn handtekening zette?

Weggerukt uit zijn geliefde Shropshire, dat bloeiende paradijs van weiden en vogels, was hij beland in een nachtmerrie van bloed en geweld, als een van Miltons engelen die uit de hemel was verbannen en, steeds lager cirkelend, Lucifer volgde in een verschrikkelijke val.

Die avond verliet Charles zijn hut opnieuw. Het was nog vroeg, maar vanwege een hardnekkige mist werd het schip omhuld door duisternis. Het zicht was slecht. Ondanks dat ontdekte hij, lopend langs de langgerekte sloep die omgekeerd op steunbalken rustte, een verre figuur, verdekt opgesteld achter het voorkasteel. McCormick! Steun zoekend bij de sloep – hij had zich de soepele gang van de zeelui nog niet eigen gemaakt – liep Charles naar de andere kant van het schip. McCormick was het voorkasteel binnen gegaan. Hij stond over iets heen gebogen, en zijn houding verried achterbaksheid. Blijkbaar inspecteerde hij de kast die FitzRoy hier had laten neerzetten voor Darwins specimens.

Grote goden, dacht Charles. Hij bespioneert me!

Terwijl hij dichterbij kwam, schraapte hij luidruchtig zijn keel en keerde hij zich naar de zee, om uit te kijken over het water. Het was duidelijk dat McCormick schrok. Hij richtte zich haastig op en zocht houvast aan de reling. Even bleef het stil, maar toen McCormick zichzelf weer in de hand had, begon hij gejaagd te praten.

'Er is tijd nodig om een schip van onder tot boven te verkennen. Ik doe niet anders, maar ik heb nog steeds niet alles gezien.'

Charles knikte en nam hem wantrouwend op.

'Voelt u zich weer wat beter?' vroeg McCormick.

'Een beetje,' loog Darwin.

'Het is verbazingwekkend hoe ellendig je je kunt voelen als je last hebt van zeeziekte.'

'Zegt u dat wel.'

McCormick zweeg even, toen vroeg hij zonder overgang: 'Bent u of uw familie al lang bevriend met de FitzRoys?'

'Integendeel, we kenden elkaar niet eens.'

'O. Ik dacht dat u misschien bepaalde banden onderhield,' zei McCormick op kruiperige toon.

De twee mannen staarden naar de mist en zwegen meer dan een minuut.

Ten slotte schraapte McCormick zijn keel, en hij schonk Charles een nerveuze glimlach. 'Misschien is het verstandig de zaak nu maar vast ter sprake te brengen, voordat er later onplezierige misverstanden ontstaan,' zei hij. 'Zoals u ongetwijfeld weet, ben ik hier in mijn capaciteit als scheepsarts. Als zodanig ben ík officieel de aangewezen persoon om de taken van de naturalist aan boord voor mijn rekening te nemen. Ik heb begrepen dat u interesses koestert, of voorkeuren, hoe u het maar wilt noemen, die op datzelfde vlak liggen, namelijk het domein der natuurwetenschappen...'

'Inderdaad. Dat is volkomen juist.'

'... en dus lijkt het me een goede gedachte, in het belang van alle be-trokkenen, van de harmonie aan boord, en – wat natuurlijk het aller-zwaarst moet wegen – in het belang van de opdracht die dit schip heeft uit te voeren...'

'Vooruit, man. Kom ter zake.'

'Heel goed, de zaak is deze: ik zou graag uw erkenning willen dat ik als eerste verantwoordelijkheid draag voor het verzamelen, classifi-ceren en verschepen van alle specimens. Daarvoor word ik door de overheid betaald, ook al zou ik natuurlijk buitengewoon gelukkig zijn als u me wilt assisteren...'

'Assisteren! U bent niet goed bij uw hoofd! Ik peins er niet over u te assisteren en mijn recht op verzamelen af te staan. Nog liever ver-kocht ik mijn ziel aan de Duivel!'

McCormick keek hem geschokt aan. 'U kunt niet van me verwachten dat ik mijn aanspraken opgeef,' zei hij. 'Er heeft een briefwisseling plaatsgevonden. Als scheepsarts heb ik het recht een verzameling aan te leggen, die ik vervolgens ter beschikking zal stellen aan de overheid.'

'Dan zit er niets anders op dan dat we ieder onze eigen weg gaan. We leggen ieder een verzameling aan en doen ons best daarbij zo volle-dig mogelijk te zijn. Daarnaast proberen we, zolang we aan boord zijn, de wellevendheid in acht te nemen.'

McCormick richtte zich in zijn volle lengte op – nog altijd een kop kleiner dan Charles – en keek zijn rivaal aan. 'Akkoord. Ik hoop dat u beseft dat mijn voorstel goed was bedoeld. Het kwam voort uit het oprechte verlangen conflicten te vermijden. Ik zou aan boord niet de onplezierigheid willen meemaken die uw relatie met dokter Grant kenmerkte. Dit is tenslotte maar een klein schip.'

Charles, die zich nog altijd vasthield aan de reling, kookte. Waar haalde McCormick het lef vandaan die buitengewoon krenkende episode aan te halen? Als beschermeling van Robert Grant, de voor-aanstaande bioloog, had Charles een kleine, maar belangwekkende ontdekking gedaan, namelijk de manier waarop een op zeewier le-vende zoöfyt genaamd *flustra* zich vermenigvuldigde. Zijn mentor had hem echter het zwijgen opgelegd en vervolgens zelf een verhan-deling over het onderwerp gepubliceerd. Na te zijn verslagen door een jaloerse wetenschappelijke rivaal had Charles gezworen dat hij zoiets nooit meer zou laten gebeuren.

McCormick draaide zich op zijn hakken om en beende haastig weg. Als hij ook maar één moment denkt dat ik een tweede keer als een geslagen hond afdruip, dan vergist hij zich deerlijk, dacht Charles, terwijl hij enigszins onvast terugliep naar zijn hut.

De volgende dag werd Charles uitgenodigd om in de hut van de kapitein te dineren. Hoewel hij nauwelijks tot eten in staat was, nam hij de uitnodiging aan, zich bewust van zijn plicht om FitzRoy afleiding te bezorgen.

Tot zijn verrassing bleek de hut van de kapitein kleiner dan de zijne, ook al was de inrichting voornamer, met een sofa, een echte kooi om in te slapen, een klein bureau en een bovenraam.

Aan bakboordzijde was een tafel gedekt voor twee, compleet met een fles wijn die werd gekoeld in een zilveren emmer gevuld met zeewater.

FitzRoy gebaarde Charles hartelijk te gaan zitten en schonk hem een glas wijn in, dat Charles met de moed der wanhoop en vervuld van weerzin naar zijn mond bracht. Terwijl ze een stilzwijgende toost uitbrachten, nam de kapitein hem onderzoekend op. Bij Charles rees de ontmoedigende gedachte dat hem geestelijk de maat werd genomen gezien de beproevingen die nog voor hen lagen, en hij vroeg zich angstig af of hij beantwoordde aan de verwachtingen van de kapitein. 'Ik vraag me af of u begrijpt dat geselen aan boord van een schip tot de noodzakelijkheden behoort,' merkte FitzRoy zonder omwegen op. 'Ik waag me aan de stelling dat u geschokt was door wat er gisteren is gebeurd.'

Niet voor het eerst verbaasde Charles zich over FitzRoys vermogen om in zijn ziel te kijken, en hij gaf eerlijk toe dat de kapitein gelijk had met zijn vermoeden.

'Toch ben ik niet van plan me te verontschuldigen voor mijn handelwijze. Persoonlijk verafschuw ik lijfstraffen, maar er zijn te veel grove naturen die alleen daarmee kunnen worden beheerst, vooral onder de lagere klassen. Het spijt me dat ik het moet zeggen, maar als we onze plicht naar behoren willen uitoefenen, vormen lijfstraffen een onmisbaar instrument voor het leiderschap.'

'Maar is er geen andere methode denkbaar om de discipline te handhaven? Een andere manier om uw wil op te leggen en het respect van de bemanning af te dwingen?'

'Ha! U zult al snel tot de ontdekking komen dat toegeeflijkheid en een zachte hand op zee uit den boze zijn, m'n beste. Anders dan uzelf zijn er geen *Whigs* aan boord, en ik voorzie dat u in een vliegende storm al snel bereid zult zijn uw overgevoeligheid overboord te zetten en in te ruilen voor mijn strikte en vastberaden opvattingen.' FitzRoy gaf met een vluchtige glimlach te kennen dat het onderwerp hiermee was afgedaan, zonder dat er aan zijn kant sprake was van ook maar enige rancune.

De houding van FitzRoy was voor Charles voortdurend reden tot verwarring. Het leed geen twijfel of de kapitein behandelde hem met consideratie en voelde zich verantwoordelijk voor zijn welzijn. Hij zag erop toe dat het Charles aan niets ontbrak, beval hem het ene na het andere boek aan en drukte hem op het hart zich geen zorgen te maken: mocht de reis hem te ruw worden, dan kon Charles in de eerstvolgende haven van boord gaan. Ik ga nog liever dood dan dat ik de vernedering moet ondergaan terug te keren naar Engeland, zei Charles tegen zichzelf.

Er waren echter ook momenten dat de kapitein erop gebrand leek de zachte kanten van Charles met wortel en tak uit te roeien. Momenten waarop hij er geen misverstand over liet bestaan dat hij mannelijkheid en stoïcisme verwachtte in het aangezicht van ontberingen – zo wilde hij bijvoorbeeld geen klacht horen over zeeziekte – en dat hij onvoorwaardelijke gehoorzaamheid eiste. Charles deed zijn best hem niet teleur te stellen. De kapitein was zo belezen, zo wereldwijs en zo zelfverzekerd in alles wat hij deed.

'Hebt u Lyells *Grondbeginselen van de Geologie* gelezen?' vroeg Charles, om het over iets anders te hebben.

'Jazeker!' antwoordde FitzRoy met bulderende stem. 'Een geweldig boek. De verschijning van het tweede deel wordt over een paar maanden verwacht, en ik heb opdracht gegeven het naar Buenos Aires te laten sturen.'

Over de tafel heen keek Charles hem aan. Zelfs na al deze weken bleef FitzRoy een raadsel voor hem. Soms was hij een en al hartelijkheid en jovialiteit en bruiste hij van de energie. Dan weer liet hij zich meeslepen door zijn gewelddadige natuur. Zijn vrolijkheid kon in een oogwenk worden verjaagd door een kille blik in zijn ogen, zelfs terwijl de glimlach nog om zijn mond speelde.

Die ochtend had Charles een van de officieren met een veelbetekende knipoog aan een collega horen vragen of er die ochtend hete koffie was rondgedeeld. Later had King hem uitgelegd dat daarmee het humeur van de kapitein werd bedoeld, die vooral 's ochtends de neiging had uit zijn slof te schieten, wanneer hij dreigend over het dek liep, op zoek naar een rondslingerend stuk touw of een slecht gelegde knoop.

Charles was er zelf getuige van geweest hoe onvoorspelbaar en licht ontvlambaar FitzRoy kon zijn. Terwijl ze inkopen deden in Plymouth was de kapitein woedend geworden op een winkelier, die weigerde een stuk serviesgoed terug te nemen. Om zijn gram te halen had hij de man genadeloos een lokaas voorgehouden door te informeren naar de prijs van een volledig servies, maar de nooit beoogde aanschaf vervolgens uit nijd afgeblazen. Eenmaal buiten had hij last gekregen van zijn geweten – al even grillig als zijn kwaadaardigheid – en had hij zich tegenover Charles verontschuldigd. Deze moest regelmatig denken aan Henslows waarschuwing dat de kapitein zuchtte onder de vloek van een suïcidale vorm van zwaarmoedigheid.

Charles at welbewust langzaam en probeerde zijn slechte eetlust te maskeren door het doorgekookte, geconserveerde rundvlees heen en weer te schuiven over zijn bord en stukken ervan te verstoppen onder het lemmet van zijn mes. Zijn soep liet hij onaangeroerd.

Hij voelde dat FitzRoy alweer spijt had van zijn bombastische tirade, en inderdaad vroeg de kapitein even later op vriendelijke toon: 'Laten we het niet meer over misdaad en straf hebben. Vertelt u me liever of uw accommodatie naar wens is en of de reis tot dusverre beantwoordt aan uw verwachtingen.'

'O ja. Zeker,' antwoordde Charles. 'Hoewel…' Zijn stem stierf weg.

'Wat wilde u zeggen? Neem geen blad voor de mond,' drong FitzRoy haastig aan.

'Er is iets wat ik onder uw aandacht moet brengen, zij het met tegenzin.'

'Zoals ik al zei, neemt u alstublieft geen blad voor de mond.'

'Het gaat om de scheepsarts, McCormick. Ik heb het voorrecht – als dat het juiste woord is – hem te kennen. We hebben enkele jaren geleden korte tijd samen gestudeerd.'

'Inderdaad, McCormick. Ik weet wie u bedoelt. Tenslotte heb ik hem zelf aangenomen. Wat is er met hem?'

'Hij schijnt in de veronderstelling te verkeren dat alleen hij het recht heeft specimens te verzamelen. Zoals u weet, is verzamelen ook mijn grote passie, dus ik vrees dat hierdoor het risico bestaat van een conflict.'

FitzRoy gooide zijn servet op tafel en pakte Charles bij zijn pols. 'Maakt u zich geen zorgen. Zolang ik kapitein ben van dit schip, hebt u in dit opzicht de absolute voorrang. U hoeft het maar te zeggen, en ik zet hem volledig op non-actief.'

'Nee, dat is buitengewoon vriendelijk van u, maar dat lijkt me niet nodig. Ik ben ervan overtuigd dat het geen kwaad kan wanneer hij een eigen verzameling aanlegt, op voorwaarde dat duidelijk is dat ik de officiële naturalist ben aan boord van de *Beagle* en dat de verantwoordelijkheid voor de taken die uit die functie voortvloeien, volledig bij mij ligt.'

'Maar natuurlijk! Het is me volkomen duidelijk. Ik geef u mijn woord dat het zal gaan zoals u het wilt. En alles wat u verzamelt, wordt op kosten van Zijne Majesteit naar een door u te bepalen adres verscheept.' In zijn uitbundigheid voegde FitzRoy eraan toe: 'Ongeacht aantal en gewicht.'

Charles was overweldigd door zijn generositeit. Hoe had hij ooit kunnen twijfelen aan de standvastigheid van de kapitein? Wat een geweldige man was FitzRoy!

De emoties als gevolg van hun plotselinge overeenstemming brachten beide mannen enigszins in verlegenheid, en FitzRoy begon dan ook haastig over een ander onderwerp.

'Ik denk dat ik een soort omgekeerde naturalist zou kunnen worden genoemd,' merkte hij op. 'Zoals u weet – daar hebben we het over gehad – vervoert de *Beagle* ook een verzameling specimens van mij persoonlijk. Om precies te zijn drie. Ook al gaat het mij niet om het verzamelen, maar streef ik ernaar ze terug te brengen naar hun natuurlijke habitat.'

'Inderdaad. Dat is me bekend,' zei Charles, enigszins ongemakkelijk door de manier waarop de kapitein over de door hem ontvoerde wilden sprak. Vanaf het moment dat hij aan boord was gestapt, waren de drie Vuurlanders nauwelijks uit Charles' gedachten geweest. Hij had slechts één keer een vluchtige glimp van hen opgevangen; in Plymouth, waar ze per stoompakketboot waren gearriveerd en onmiddellijk waren afgevoerd naar Weakley's Hotel. Ze hadden een vreemde aanblik geboden, drie donkere verschijningen met brede gezichten, helemaal volgens de Engelse mode gekleed, compleet met zwarte paraplu's. Ze werden op een holletje gevolgd door de missionaris, die zich vrijwillig had aangeboden om de missiepost aan het eind van de wereld te gaan leiden: Richard Matthews, bijna nog een kind met zijn lange haar, vol vuur om Gods woord te verspreiden, en met zijn bijbel onder zijn regenjas, om te voorkomen dat die nat werd.

Charles verontschuldigde zich met een buiging en terwijl hij terugliep naar zijn hut, haalde hij in gedachten zijn schouders op en kwam hij tot de conclusie dat de goede eigenschappen van de kapitein ruimschoots opwogen tegen de slechte. Een innerlijke stem waarschuwde hem echter op zijn hoede te blijven.

Twee dagen later ontmoette Charles voor het eerst Jemmy Button, de vijftienjarige Vuurlander, die buitengewoon extravert was en razend populair bij de bemanning. Zwaaiend in zijn ziekbed, even ellendig als altijd, was Charles in een diepe slaap gevallen, waaruit hij met een ruk wakker schoot toen hij voelde dat iemand met een vinger over zijn koortsige voorhoofd streek.

Hij kon zijn ogen bijna niet geloven. Op amper dertig centimeter boven zich ontwaarde hij een buitengewoon vreemde verschijning, een gezicht zo donker als pek, met een spatelvormige neus en wijd uit elkaar staande ogen, die onderzoekend op hem neerkeken. Terwijl Jemmy langzaam zijn hand terugtrok en een stap naar achteren deed, nam Charles hem aandachtig op. Hij droeg een zwarte overjas, een vest met twee rijen knopen, een lange broek, gepoetste laarzen en een wit overhemd waarvan de kraag omhoog werd gehouden door een zwarte das. Kortom, op en top een Engelsman.

Er verscheen een verwrongen grijns op Jemmy's gezicht, maar Charles besefte al snel dat hij daarmee medelijden bedoelde uit te drukken. Ten slotte opende de wilde zijn mond, en hij zei met dreunende stem, heel langzaam en met gevoel: 'Ach, arme, arme kerel!'

8

Hugh kon het nog steeds niet geloven. Wat een buitenkans! Het dagboek was als een godsgeschenk, een rijpe vrucht die hem onverwacht in de schoot was geworpen. Het had even geduurd voordat hij besefte wat het was; nogal onnozel, dacht hij toen hij het eenmaal doorhad. Terwijl hij naar het handschrift staarde, had hij vluchtig overwogen dat de tekst misschien afkomstig was van iemand bij de uitgeverij; dat een redacteur of iemand die research deed, gedachteloos wat in het rekeningboek had zitten krabbelen. maar het keurige handschrift was duidelijk heel oud. Hugh klapte het boek dicht en bestudeerde de kaft. Het zag er zo onschuldig uit, een eenvoudig rekeningboek. In de rechter benedenhoek was met dezelfde zwarte inkt het cijfer 1 geschreven en omcirkeld.

Hij sloeg het boek weer open, las de eerste alinea, toen de hele bladzijde – er werd gesproken over 'Down House' en 'sinds Papa beroemd is' – en plotseling was daar de openbaring, een *coup de foudre*, als een deur die plotseling openvloog. Sterker nog, een reeks van openbaringen en deuren die wijd opengingen. De tekst was gedateerd... *1865*, stond erboven... het handschrift was authentiek! Dit was een dagboek, bijgehouden door een van Darwins kinderen!

Hij las verder, verbijsterd, ademloos. De manier van formuleren, de beschrijvingen, de namen... het leek allemaal echt. Hij bestudeerde het handschrift: rond, elegant en vrouwelijk. De schrijver van het dagboek was een vrouw; ze had het erover dat ze een crinoline moest dragen, en ze schreef over haar zuster, Etty. Hugh dacht even na. Toen wist hij wie de schrijfster moest zijn: Elizabeth Darwin, ook wel Lizzie genoemd, Darwins tweede dochter. Dit moest haar handschrift zijn. Wat was er over haar bekend? Hugh pijnigde zijn geheugen. Wat hij recent had gelezen, had weinig nieuwe informatie opgeleverd. Lizzie was de andere dochter, de dochter die eigenlijk niemand zich nog herinnerde. 'Verdwenen in de geschiedenis,' was de formulering die bij hem opkwam. Hij probeerde te inventariseren wat hij wist. Darwin had tien kinderen gehad (voor iemand die altijd ziek was, had hij het niet slecht gedaan, peinsde Hugh). Drie van de tien stierven al op jonge leeftijd, onder wie de kleine Anne van tien, wier dood haar vaders hart had gebroken.

In zijn opwinding kwamen de namen een voor een naar boven, niet noodzakelijk in chronologische volgorde: William en George, Francis en Leonard, dan was er nog een zoon van wie hij zich de naam niet kon herinneren, en Henriette, ieders oogappel en lieveling. Het was Etty die de manuscripten van haar vader las en bewerkte, en het was ook Etty die net als haar vader voortdurend ziek was. De volmaakte Victoriaanse vrouw van goede komaf, die ook het hoogste ideaal van de Victorianen wist te bereiken: het huwelijk. Lizzi daarentegen was in alle verwikkelingen van het grote gezin met een beroemde vader verloren geraakt. Hoe was het haar vergaan? Was zij ooit getrouwd?

In gedachten luisterde Hugh geboeid naar Lizzies stem. Hij bewonderde haar vindingrijkheid om het dagboek in het volle zicht te verstoppen, net als in *De Gestolen Brief*, van Edgar Allen Poe. De list was een succes gebleken, het boek was verborgen gebleven. Hoe lang? Hij maakte razendsnel de rekensom en rondde af op zo'n honderdveertig jaar. Al die tijd was er niemand geweest die het had gelezen. Hij was de eerste die op de geheime tekst was gestuit!

Terwijl hij verder las, keek hij van tijd tot tijd naar zijn oppasser, die nog altijd stijfjes aan het bureau voor de openslaande deuren zat. Ze leek haar uiterste best te doen hem te negeren, als een suppoost in een museum die niet de indruk wil wekken dat hij je daadwerkelijk in staat acht de Renoir te stelen. Maar daar was hij wel dégelijk toe in staat, besefte hij. Lizzies sluwheid werkte inspirerend, en hij pakte hier en daar wat papieren op, schoof ze nonchalant heen en weer. Ondertussen begon hij te rationaliseren: een uitgever die de memoires van Byron verbrandde, was een angsthaas, een zwakkeling, en verdiende deze schat niet. Hij vroeg zich af wat hem te doen stond. Moest hij het dagboek stelen of niet? Misschien moest hij het gewoon een tijdje lenen… dát was de oplossing. Hij kon altijd een manier bedenken om het later terug te brengen. Misschien kon hij gewoon zeggen dat het tussen zijn eigen papieren was geraakt.

Er ging een telefoon, en hij schrok. De vrouw bij het raam nam op, voerde op gedempte toon een kort gesprek en keerde zich toen naar Hugh. 'Het spijt me verschrikkelijk, maar vanwege de verhuizing sluiten we vandaag extra vroeg.' Hij had het dagboek nog lang niet

uit. 'Ik ben bang dat ik u nog maar vijf minuten de tijd kan geven.'
Vijf minuten, meer had hij niet nodig. Hij herschikte zijn papieren,
legde een stapel recht vóór zich, trok daarachter zijn overhemd omhoog en schoof het dagboek eronder, waarna hij het stevig veran-
kerde achter zijn riem. Nonchalant maakte hij nog wat aantekeningen. Ten slotte raapte hij zijn spullen bij elkaar, hij schonk de vrouw
bij het raam een afwezige glimlach, bedankte haar en liep de kraken-
de, houten trap af, de voordeur uit. Eenmaal buiten ademde hij diep
de koele middaglucht in. Hij had het gevoel alsof hij zojuist met de
kroonjuwelen de Tower van Londen uit was gelopen.

Met nog maar een paar minuten speling arriveerde Hugh op King's
Cross. Daar sprong hij uit de taxi en zette het op een rennen om de
trein naar Cambridge te halen. In een van de tweedeklaswagons liet
hij zich op een plek bij een raam vallen, op hetzelfde moment dat de
trein zich in beweging zette. Aan de andere kant van het glas schoten palen in een loom tempo voorbij, toen houten schuren, kolen-
bergen en de smerige achtergevels van flats langs het spoor. Hoewel
het pas eind van de middag was, begon het al donker te worden.
Hij werd zo in beslag genomen door zijn gedachten, dat hij nauwelijks oog had voor zijn omgeving. De wagon zat zo goed als vol, en
hij was zich bewust van de mensen om hem heen – ergens aan de
rand van zijn belevingswereld – maar negeerde hen. Hij nam de rugzak van zijn schouders en zette hem op zijn schoot. Toen hij op het
canvas klopte, voelde hij het dagboek, de dikke kaft met de afgeron-
de hoeken. Opnieuw was daar die kick, dat tintelende gevoel van opwinding.
Terwijl hij door het raampje naar de vallende duisternis staarde was
hij zich vaag bewust van wat er buiten langsschoot en van de ondui-
delijke weerkaatsing van het inwendige van de wagon. Hij dwong
zichzelf de inventaris op te maken van zijn gevoelens. De opwinding
die het dagboek bij hem wekte, was niet helemaal zuiver, besefte hij.
Die had ook een duistere kant. Want hij kon de gedachte niet van
zich afzetten dat deze ontdekking het begin zou kunnen zijn van een
grootse carrière. Het dagboek zou kunnen leiden tot hevige commotie onder Darwin-deskundigen. Ook al zou het geen aanleiding
zijn om de bestaande opvattingen radicaal bij te stellen – 's mans ex-
centriciteiten en ziektes waren legendarisch – was het dagboek toch

een getuigenis vanuit de kring van zijn gezin. Hugh vroeg zich af hoe accuraat het was. Het schetste het vertrouwde beeld van Darwin als pater familias, maar het portret was complexer, genuanceerder... en niet louter positief. Lizzie leek te suggereren dat de oude wetenschapper zich begroef in zijn gezin, dat hij als een soort toevluchtsoord beschouwde. Zelfs de geringste sociale activiteit kon aanleiding zijn voor een aanval van hypochondrie, die het hele huishouden op z'n kop zette... of beter gezegd, overdekte met een lijkwade van somberheid. Bovendien leken zijn driftigheid en zwaarmoedigheid monumentale vormen te hebben aangenomen. Wat te denken van die kwestie met de ploertendoder? Of van het spiegeltje om bezoekers te begluren? Of van Leonards opmerking dat Darwin zo uit zijn doen leek na een bezoek van zijn oude scheepsmaten? Lizzie wist het wel spannend te maken. Hugh kreeg een visioen van de kapitein uit *Schateiland*. In het boek van Robert Louis Stevenson zat de oude kapitein op zijn kamer in de herberg angstig te wachten op het getik van het houten been van Long John Silver.

Ach, niemand is voor zijn kamerdienaar een held, luidde het gezegde. Hij herinnerde zich de repliek: dat de kamerdienaar niet in staat is de held te herkennen.

Hij probeerde zich Lizzie voor te stellen: jong, nog geen twintig, in een jurk met hoge kraag, terwijl ze in haar dagboek zat te schrijven bij het koude, winterse licht dat door het raam naar binnen viel. Of misschien zat ze in bed, met haar rug tegen de muur, gehuld in een lange, katoenen nachtjapon, terwijl een kaars grillige schaduwen op de muur wierp. Hij stelde zich voor hoe ze ingespannen nadacht om de woorden te vinden die uiting gaven aan haar verwarrende gevoelens. Ze had stralende ogen, die haar intelligentie verrieden... en ineens zag hij haar écht, en keek hij daadwerkelijk in haar ogen, die zijn blik beantwoordden. Geschokt hield hij zijn adem in, en hij probeerde de dagdroom af te schudden, maar haar ogen waren er nog steeds, weerkaatst in het donkere raam van de trein. Toen hij zich geschrokken begon om te draaien, voelde hij een hand op zijn arm.

'Ik vroeg me al af wanneer je me in de gaten zou krijgen,' zei Beth. Hij kon zijn ogen niet geloven. Ze schonk hem een mysterieuze glimlach, als van een sfinx.

'Beth. Allemachtig! Wat doe jij hier?'

'Ik ben op weg naar Cambridge. En jij?'

'Ik ook.' Even was hij met stomheid geslagen. 'Hoe lang zit je hier al?' vroeg hij ten slotte.

'Iets langer dan jij. Je liep vlak langs me heen toen je binnenkwam. Volgens mij was je in een soort trance.'

'Sorry. Ja. Eh, ik weet het niet. Ik was in gedachten verzonken.'

'Dat was je aan te zien. Ik had je bijna niet herkend. Wat is er met je baard gebeurd?'

'O, die heb ik afgeschoren.'

'Een nieuwe look voor een nieuw leven?'

'Ja.' Hij glimlachte vluchtig, een beetje spottend. 'Ik begin met de kleine dingen – het leven – en daarna ga ik verder met wat echt belangrijk is, zoals mijn haar.'

'Aha.' Ze keek hem onderzoekend aan. 'Nou ja, je ziet er in elk geval niet meer uit als een kluizenaar. Een stuk gewoner, minder extreem. Wat ik eigenlijk wil zeggen, is dat je er goed uitziet.'

'Jij ook.'

Ze zag er écht goed uit, in een spijkerbroek, een zwarte trui met een laag uitgesneden, ronde hals, en met haar haar opgestoken.

Hij schudde zijn hoofd. 'Het is verbijsterend... dat ik je zomaar tegen het lijf loop,' zei hij.

'Zeg dat wel. De laatste keer dat ik je zag, vanuit de panga, was je een klein figuurtje op een eiland midden in de oceaan, ver van de bewoonde wereld.'

'Tja, en jij... jij verdween achter de horizon.' Hij riep zichzelf tot de orde. 'Sorry, neem me niet kwalijk. Ik vergeet helemaal... je moeder... de begrafenis... Ik hoop dat het allemaal niet te zwaar is geweest.'

'Het was zwaar, loodzwaar, veel zwaarder dan ik had gedacht. Maar het kwam ook zo totaal onverwacht.' Ze keek langs hem heen uit het raam. 'Achteraf bleek dat ze al eerder last van haar hart had gehad, maar daar had ze ons niets van gezegd.'

'Het spijt me heel erg voor je.'

Ze keek hem weer aan. 'Je gelooft nooit echt dat jouw ouders ook doodgaan. Het is een cliché, maar het is zo. En we hadden een heel hechte band.'

Ze zei het nuchter, zonder een zweem van zelfbeklag. Hij wist niet hoe hij moest reageren. Bovendien was hij nog niet bijgekomen van de schok over het weerzien. Die ebde maar heel geleidelijk weg.

'In zulke periodes leer je een hoop over jezelf,' vervolgde ze. 'De schellen vallen van je ogen. Er komt ineens van alles naar boven dat je had weggestopt.'

'Zoals?'

'Ach, ik weet 't niet... Gevoelens. Onopgeloste conflicten. Zelfs dingen waarvan je niet eens wist dat ze bestonden. Dat moet jij ook hebben ervaren.'

'Ja,' gaf hij toe, maar hij veranderde meteen van onderwerp. 'En je vader? Hoe is die eronder?'

'Slecht. Ze zijn zevenendertig jaar getrouwd geweest. Ze hebben elkaar in het laatste jaar van hun studie leren kennen. Aanvankelijk was hij volkomen lamgeslagen, maar nu de eerste schok voorbij is, wordt het verdriet alleen maar erger. Al die kleine dagelijkse dingetjes die hem eraan herinneren dat ze er niet meer is. Volgens mij kan hij het nog steeds niet echt geloven. Hij kan zich er niet toe zetten haar boodschap van het antwoordapparaat te wissen. Dus ik moet een manier zien te vinden om in de naaste toekomst bij hem in de buurt te kunnen zijn.'

'En was dat iemand van je familie die belde? Toen op het eiland?'

'Ja. Dat was mijn broer, Ned. Hij is vijf jaar jonger dan ik en hij woont in Californië, dus daar hebben we niet veel aan. Typisch Ned.' Ze haalde haar schouders op. 'En jij... vertel! Wanneer ben je van Sin Nombre vertrokken?'

'Bijna drie weken geleden. Ik had er ineens genoeg van. Toen jullie weg waren was het niet meer hetzelfde...'

'Je miste de drukte.'

'Nee, maar ik miste wel iets.'

Ze glimlachte. Bijna verdrietig, dacht hij onwillekeurig.

'En het project? Wie zorgt er voor de continuïteit van het project?'

'Ze hebben twee studenten gestuurd. Een stel. Heel aardig. En serieus.'

'Dus toen was je opnieuw het derde wiel aan de wagen?'

'Ja, zo zou je het kunnen zeggen. Trouwens, hoe is het met Nigel? Wat doet die op het moment?'

'Ik zou het je niet kunnen vertellen.'

'O?'

'We zien elkaar niet meer.'

Zijn hart sprong op. 'Wat is er gebeurd?'

'Dat is moeilijk te zeggen. Hij stond erop naar de begrafenis te komen, ook al zei ik dat ik dat niet wilde. Mijn ex-man was er ook, dus dat leidde tot enige… spanning. Ik weet alleen nog dat ik naar ze keek, zoals ze elkaar hardnekkig negeerden, en dacht dat ik wou dat ze allebei ophoepelden. Dus toen we terugkwamen, zijn we ieder onze eigen weg gegaan. Ik neem aan dat hij inmiddels alweer een ander heeft. Dat is hem wel toevertrouwd. Hij weet het altijd erg charmant te brengen.'

'Ik ben blij dat te horen. Ik vond meteen al dat hij… nou ja, ik vond hem niets voor jou.'

Ze begon te lachen. 'Anders dan jij, bijvoorbeeld.'

'Precies. Anders dan ik.'

Ze glimlachte nog steeds toen de trein stilhield op een station en ze moesten opstaan om een oudere vrouw te laten passeren. Hugh droeg haar koffer naar buiten en zette die op het perron. Toen hij terugkwam, had Beth haar voeten op de bank tegenover haar gelegd, met daaronder een *Evening Standard*.

'Wat doe je in Cambridge?' vroeg hij.

'Research. En jij?'

'Hetzelfde. Research.'

Plotseling besefte hij dat er iets was veranderd. Op het eiland had hij het zo gemakkelijk gevonden om haar in vertrouwen te nemen, maar nu was het alsof er een scherm tussen hen was opgetrokken. Hij had het gevoel alsof ze een partij schaak speelden; alsof ze elkaars stukken probeerden te blokkeren.

'Wat voor research?' vroeg ze. 'Heeft het met Darwin te maken?'

'Hm-m. En jij?'

'Bij mij ook.'

'Aha,' zei hij. 'Iets… biografisch?'

'Zo zou je het kunnen noemen. Ik kan er nog niet veel over zeggen. En jij?'

'Voor mij geldt hetzelfde.'

Ze vervielen in stilzwijgen, dachten na over hun volgende zet. Hij voelde het dagboek in zijn rugzak. 'Als ze eens wist wat hij hier had… Maar dat kon hij haar natuurlijk niet vertellen. Trouwens, dat kon hij niemand vertellen. Wat zou ze van plan zijn?

'Nigel heeft me ooit eens verteld dat je familie was van Darwin,' zei hij na een minuut of twee.

Ze schonk hem een doordringende blik. 'Waarom zou hij zoiets zeggen?'

'Ik heb geen idee. Is het waar? Ben je familie?'

'Je moet niet alles geloven wat je hoort,' zei ze op een toon die duidelijk maakte dat het onderwerp voor haar had afgedaan.

Schaakmat.

Ze praatten verder over andere dingen tot de trein het station van Cambridge binnen reed. Op het perron zag hij dat het inmiddels licht was gaan miezeren.

'Wat doen we? Zullen we ergens iets gaan drinken?' vroeg ze.

Hij keek op zijn horloge. De bibliotheek was nog een uur open, bovendien kon hij niet wachten om verder te lezen in het dagboek. 'Ik zou wel willen, maar…'

'Je hebt andere verplichtingen.'

'Ja. Het spijt me. Dat meen ik echt.'

'Je moet niet steeds zeggen dat het je spijt. Daar moet je mee ophouden.'

'Kunnen we morgen iets afspreken?' vroeg hij.

'Oké. Mijn agenda is buitengewoon flexibel… zo flexibel dat het bijna gênant is.'

Ze spraken een tijd en een plaats af – om zeven uur in de Prince Regent – en namen samen een taxi. Op de achterbank wisselden ze adressen en telefoonnummers uit; ze schreef het zijne op de achterkant van een envelop. Ze woonde tijdelijk bij een vriendin aan Norfolk Street, niet ver van zijn pension. Dus ze zette hem af. Geld voor de rit wilde ze niet aannemen. Vanuit de taxi bekeek ze het pension. 'Niet echt chic,' zei ze. 'Maar wel een leuke naam. Twenty Windows. Heb je ze geteld?'

'Natuurlijk.'

'Ik zie je morgen.'

Hugh bracht de rugzak naar zijn kamer, toen haastte hij zich naar de bibliotheek. Hij liep via de smalle stegen en achterafstraatjes, met logge huizen van bruine baksteen. Het was inmiddels harder gaan regenen, maar de regen voelde aangenaam koel aan op zijn gezicht. Op Market Square betrad hij een gothische wereld van torens en eeuwenoude bogen toen hij de doorgang achter de muren van Trinity volgde en de met leisteen bedekte brug over de Cam overstak. Beneden hem leek de rivier een golvend, stralend groen tapijt. Langs de andere oever zwommen drie zwarte zwanen, met hun koppen gebogen, tussen de takken van de treurwilgen die tot vlak boven het water hingen. Het leven leek plotseling rijk aan mogelijkheden. Het was gevuld met toevalligheden, met situaties waarin omstandigheden elkaar onverwacht raakten. Je wist nooit wanneer het leven je naar een kruispunt leidde, of wanneer je een cruciale afslag had genomen, zelfs niet op het moment dat je die nam.

Hij stormde de trappen van de bibliotheek op, liet zijn kaart zien, duwde tegen het tourniquet en beklom de trap naar de Manuscripts Room. Roland zat achter de balie een stapel aanvraagformulieren door te werken. Hij stak zijn hand op bij wijze van groet, keek op zijn horloge en schudde quasi-verwijtend zijn hoofd.

'Ik heb materiaal nodig over het gezinsleven van de Darwins,' zei Hugh. 'Wat kun je me aanraden? Het gaat me speciaal om Elizabeth… Lizzie.'

'Aha, de onbekende dochter die niet zo goed kon meekomen.'

'Waarom zeg je dat?'

'Dat heb ik wel eens gehoord.'

Tien minuten later had Hugh zich aan een tafel in een hoek geïnstalleerd om de vijf, zes boeken die Roland hem had gegeven, door te ploegen.

Er viel weinig informatie te verzamelen over Lizzie. *Geboren op 8 juli, in het jaar 1847. Nooit getrouwd. Stierf op 8 juni, 1926.* Dat was, heel in het kort, haar leven. Haar vader merkte ooit op dat ze als kind leed aan vreemde huiveringen. En uit een tekst van Henrietta kwam naar voren dat Lizzie 'traag van begrip' was. Dus daar kwam dat verhaal vandaan, dacht Hugh. Hij schoof het snel en bijna boos terzijde: Lizzies dagboek logenstrafte elke suggestie van traagheid. Bovendien wist hij genoeg van de rivaliteit tussen kinderen in een gezin om te beseffen dat die tot negatieve uitlatingen kon leiden. In een van de boeken las hij dat ze in 1866 (het jaar na haar dagboekaantekeningen, registreerde hij) weigerde zich te laten bevestigen als lidmaat van de kerk. Ze keerde zich af van de catechismus. 'Ik voel me er niet mee verbonden,' zei ze tegen haar moeder. Datzelfde jaar liet ze weten dat ze voortaan 'Bessie' genoemd wilde worden in plaats van 'Lizzie'. Merkwaardig, dacht Hugh. Was het een gril? Of ging ze door de een of andere crisis, een emotionele storm waardoor ze de behoefte had een nieuwe start te maken? Vier jaar later, vlak voordat Henrietta trouwde met een zekere Robert Litchfield, leek ze van het toneel te verdwijnen. Ze ging alleen naar het buitenland, en daarna kwam ze slechts sporadisch voor in de familieannalen.

Hoe betrouwbaar waren haar observaties, vroeg Hugh zich af. Was ze een Victoriaanse maagd die leed aan een overspannen verbeelding? Werd ze geobsedeerd door haar vader? Was ze jaloers op Etty? Sommige dingen waren heel duidelijk: ze was een opstandige robbedoes, hongerig naar het leven, maar tegelijkertijd, volgens haar eigen verslag, schuw, wantrouwend, een kind dat zich graag op de achtergrond hield. En een speurder… wat een speurder! Om onverklaarbare redenen voelde Hugh plotseling de behoefte om haar te beschermen, om haar kant te kiezen en het op te nemen tegen haar volmaakte zuster, haar niet-begrijpende moeder en haar dierbare, maar autocratische Papa.

Ze was in elk geval buitengewoon nauwkeurig en volledig over de ziekten die Darwin op latere leeftijd kwelden. Hugh controleerde de indexen en bestudeerde de relevante passages. Daarin kwam hij ze allemaal tegen: de meelijwekkende aanvallen van nerveuze uitputting en misselijkheid, de duizelingen, de hoofdpijnen, de vlagen van oververmoeidheid en slapeloosheid, van eczeem en rusteloosheid. Hij had zoveel symptomen dat ze niet door één enkele ziekte konden worden verklaard. Sommigen huldigden de theorie dat hij leed aan de ziekte van Chagas, opgelopen door de beet van een benchuca wants in Zuid-Amerika, een ervaring die Darwin zelf gruwelijk gedetailleerd beschreef (Hugh maakte er een aantekening van: *26 maart 1835 – triatoma infestans*). Maar de symptomen klopten niet; Darwin was in Argentinië geruime tijd ziek, maar dat was vóór, niet na de beruchte beet. Vandaar dat de meeste wetenschappers neigden naar de opvatting dat zijn kwalen psychosomatisch van aard waren. Ze leken te worden veroorzaakt door een combinatie van ernstige zorgen, schuld- en angstgevoelens, die leken te wijzen op een diepgewortelde angst voor ontmaskering,' aldus Janet Browne, een van zijn biografen. Maar wat was het geheim in zijn leven? Voor welke ontmaskering kon hij in vredesnaam bang zijn geweest?

De stem van Roland deed Hugh opschrikken uit zijn gedachten. 'Je hebt nog een halfuur. Dan sluiten we.'

'Heb je ook brieven van Lizzie? En zo ja, kan ik ze inzien?'

'Ik ben bang van niet.'

'Wat bedoel je, zijn die er niet?'

'Ja, ze zijn er wel. Maar ze zijn apart gelegd. Iemand anders heeft ze gereserveerd.'

'Iemand anders?'

Roland knikte overdreven gedienstig. 'Ik word geacht mijn mond te houden. Het personeel van de bibliotheek heeft de plicht te zwijgen over de research van anderen. Hoe zeggen ze dat ook alweer in Vegas? "Wat hier gebeurt, gaat niemand wat aan." Maar dit is wel érg toevallig.'

'Wat?'

'Ik kan me de laatste keer niet heugen dat iemand interesse heeft getoond in Elizabeth Darwin. Maar een paar dagen geleden komt er ineens iemand langs die, net als jij, alles over haar wil weten. Trouwens, ze komt ook uit Amerika.'

'Heet ze toevallig... Beth Dulcimer?'

'Aha, dus je kent haar. Of je weet van haar bestaan?'

'Nee, ik ken haar.'

'Dan hoop ik dat jullie geen rivalen zijn van elkaar. Want ze is erg aantrekkelijk.'

Op weg naar huis vroeg Hugh zich af wat Beth van plan kon zijn. En waarom deed ze er zo geheimzinnig over? Anderzijds, hij had zich ook niet bepaald toeschietelijk getoond. Maar dat was het nu juist: hij had iets te verbergen. Gold dat ook voor haar? En zo ja, wát had ze te verbergen?

Hij liep The Hawks Head binnen. Het was er benauwd, rokerig, lawaaiig. Terwijl hij naar de bar liep, ontdekte hij op een van de krukken een jongeman die hem deed denken aan Cal in zijn tijd op Harvard: de smalle rug, het donkere haar dat net over de kraag van zijn jasje krulde. Hugh voelde de vertrouwde verwarring, gecombineerd met een sensatie van leegte, gevolgd door de hardnekkige, verlammende pijn.

Hij liep met zijn bier naar een tafeltje, zonder acht te slaan op een jonge, vaalblonde vrouw die hem veelbetekenende blikken toewierp. Na de eerste pint nam hij er nog een. De alcohol slaagde erin de ergste pijn te verdrijven. Ontspannen ging hij in gedachten terug naar zijn tijd op Andover.

De eerlijkheid gebood hem toe te geven dat hij er niet echt kapot van was geweest toen hij was weggestuurd. Integendeel. Heimelijk was hij zelfs blij, opgewonden. Door het drama werd alles op de spits gedreven. De enige reden dat hij op Andover was toegelaten, was dat hij had kunnen meeliften op de jaspanden van zijn broer. Cal was een succesvol student geweest, dus van zijn jongere broer werd hetzelfde gehoopt. Maar zoals altijd had hij niet aan de verwachtingen weten te voldoen. Het feit dat hij was weggestuurd, was op zijn eigen manier net zo goed als wanneer hij ook een succesvol student was geweest; daarmee had hij zich ook onderscheiden, zij het niet op de traditionele manier. Voor hem niet de weg van de minste weerstand. Hij was een rebel. Die laatste ochtend was hij ruim een halfuur bezig geweest om zijn naam te kerven in een van de houten banken op de campus. Hij had eens gehoord dat Wordsworth dat ook had gedaan, als jonge jongen in het Lake District.

'Hugh, het is niet waar! Jezus christus!' Toen Cal hem de volgende morgen belde in het studentenhuis, om zeker te weten dat hij niet was betrapt, had Hugh geen andere keus dan hem te vertellen wat er was gebeurd: dat degene die toezicht hield in het studentenhuis hem was gaan zoeken en prompt de dekaan had gebeld toen bleek dat hij had gedronken. Einde verhaal. Hij kon vertrekken. Cal kreunde in de hoorn, want hij voelde zich verantwoordelijk. En dat was hij in zekere zin ook. Hij was naar Andover gekomen om te vieren dat Hugh op Harvard was toegelaten en ze waren samen de kroeg in gedoken. Dus Cal zei dat hij mee zou gaan, terug naar Connecticut; het was moeilijk te zeggen wie nou eigenlijk wie troostte. Hoe dan ook, ze zouden samen de confrontatie met hun vader aangaan. Die reageerde niet eens erg boos. Dat was eigenlijk nog het ergste. Hij leek niet anders te hebben verwacht dan dat Hugh zou mislukken. Als hun vader al boos was, dan op Cal.

Toen Hugh de pub uit kwam, regende het niet meer. In het pension had zijn hospita een briefje onder de deur doorgeschoven. Bridget had gebeld: hij moest haar terugbellen, het maakte niet uit hoe laat het werd. Dus hij liep naar de telefoon in de gang.
'Hugh, goddank dat je belt.'
'Wat is er aan de hand?'
'Ik heb nagedacht en ik moet met je praten. We moeten iets afspre-

ken. Het kan me niet schelen of je het wel of niet ziet zitten. Ik moet met je praten.'

'Oké. Maar mag ik ook vragen waarom?'

'Dat vertel ik je dan wel. Morgenmiddag om twaalf uur, oké? In St. James's Park? De ingang het dichtst bij het paleis... Hugh, ben je daar nog? Hoor je wat ik zeg?'

'Ja, ik heb het gehoord.'

'Dus je komt?'

Hij aarzelde slechts heel even.

'Ja, ik zie je morgen.'

9

7 februari 1865

Meneer Alfred Russel Wallace is vandaag in Down House gearriveerd, om het weekeinde bij ons door te brengen, en zoals altijd zorgde zijn bezoek voor een crisisachtige sfeer. Al voor de komst van onze gast begon Papa te stotteren, zoals hij dat vaak doet in aanwezigheid van meneer Wallace. Dat valt te verwachten, neem ik aan, want Papa reageert ongunstig op de spanningen die elke sociale situatie voor hem met zich meebrengt, en die spanningen worden in dit geval versterkt door het feit dat meneer Wallace terecht kan zeggen dat hij de medeontdekker is van de theorie van de natuurlijke selectie.

Ik heb van meneer Wallace begrepen (tijdens zijn eerste bezoek, inmiddels drie jaar geleden) dat de theorie bij hem opkwam toen hij bezig was een onzichtbare grens in kaart te brengen tussen twee vijandige stammen op het eiland Gilolo in de Molukken. Hij was getroffen door malaria, en terwijl hij koortsig op een rieten mat lag, in een hut van palmbladeren, stond de theorie hem plotseling volledig geformuleerd voor de geest. Net als Papa is hij beïnvloed door het werk van Thomas Malthus, en hij kwam tot de conclusie dat ziekte, oorlog en hongersnood ervoor zorgden dat een populatie niet explosief groeide, en tegelijkertijd onvermijdelijk leidden tot een verbetering van de soort 'omdat van elke generatie de zwaksten stierven en de sterksten in leven bleven'.

Meneer Wallace is een lange, enigszins afstandelijke man. Hij wekt de indruk alsof hij zich niet meer helemaal heeft weten aan te passen aan de Engelse maatschappij nadat hij acht jaar tussen de wilden op de Molukken en Papoea Nieuw-Guinea heeft geleefd. Ik zie aan hem dat hij diep vanbinnen zo hard is als staal. Een raadselachtige figuur, die een licht wantrouwen bij me wekt, ook al zou ik niet kunnen zeggen waarom, want hij heeft Papa en de rest van ons gezin altijd welwillend en met respect behandeld. Etty zegt dat hij van lagere komaf is. Ze vindt hem vulgair in zijn manier van doen en dus onbeduidend. Ik kan echter de gedachte niet van me afzetten dat hij even sluw en scherpzinnig is als een van zijn symbolische soorten, die zich puur door overlevingsinstinct weten te handhaven.

Papa en hij zijn in de omgang heel hartelijk en correct, maar ik weet dat hun relatie spanningen kent. Nadat Papa had gereageerd op de brief waarin meneer Wallace zijn theorie uit de doeken deed, heeft het geruime tijd geduurd voordat hij antwoord kreeg. En toen dat eindelijk kwam, was Papa hevig van streek. Hij las de brief in de beslotenheid van zijn studeerkamer en gooide hem na lezing in de haard. Dat weet ik, omdat ik kort daarop binnenkwam en de brief met eigen ogen heb zien verbranden.

Om het zichzelf dit weekeinde wat gemakkelijker te maken, heeft Papa ook nog andere gasten uitgenodigd, onder wie meneer Lyell en meneer Huxley. Meneer Lyell is een beetje saai en hij praat zo zacht dat je je moet inspannen om hem te kunnen verstaan. Maar ik geniet altijd van meneer Huxley, een buitengewoon onderhoudende en energieke man met een snelle geest en een levendig gezicht. Hij is Papa's vurigste pleitbezorger geworden en noemt zichzelf 'Darwins buldog' (ook al vind ik dat hij meer op een foxterriër lijkt). Ik zie hem soms als een opstandige generaal, een Napoleon van de natuurlijke historie, op een veldtocht tegen de Kerk en de wetenschappelijke gevestigde orde, onder de banier van de rede.

Onze gasten arriveerden vanochtend op verschillende tijdstippen, en Comfort heeft een span paarden afgemat met alle ritten om hen te halen. Mama stuurde Etty en Horace en Leonard en mij naar onze oudtante Sarah om daar de middag door te brengen, zodat we haar niet voor de voeten liepen. Bij thuiskomst waren we maar net op tijd voor het diner. Het gesprek was geanimeerd, meneer Huxley stak de loftrompet over de natuurwetenschappen. Hij ging zelfs zover te verklaren dat voor iemand die niet is opgeleid in de luisterrijke deugden van de natuurwetenschappen, een wandeling door de vrije natuur hetzelfde is als 'een wandeling door een galerie vol schitterende kunstwerken, waarvan negentig procent met de voorkant naar de muur is gekeerd'.

Daarop deed hij verslag van de laatste aanvallen op Papa's theorie en van zijn eigen inspanningen om de critici in verwarring te brengen; inspanningen die zonder uitzondering met succes werden bekroond, zoals bleek uit zijn verhaal. Hij merkte op dat er in de gesprekken in de Londense clubs een nieuw begrip is geïntroduceerd: het Darwinisme. Terwijl hij dit zei, wierp ik onwillekeurig tersluiks een blik op meneer Wallace, om te zien hoe hij reageerde. Soms vraag ik me namelijk af of hij last heeft van jaloezie. Maar zijn gezicht bleef volkomen onbewogen. Kort daarop deed hij zelfs een suggestie die ervoor zou zorgen dat de theorie in al zijn bijzonderheden volledig zou worden begrepen.

Hij begon als volgt: 'Ik durf te suggereren dat de term "natuurlijke selectie" vanuit wetenschappelijk gezichtspunt weliswaar nauwkeurig aangeeft wat ermee wordt bedoeld, maar voor het grote publiek wel eens misleidend zou kunnen zijn.'

Hierop schoot Papa met een ruk overeind. 'Allemachtig, waarom zegt u dat?' bulderde hij.

'Vanwege het gevaar van een verkeerde interpretatie. De formulering lijkt te impliceren dat de natuurlijke krachten, waarvan u en ik het erover eens zijn dat ze volstrekt onpersoonlijk en willekeurig functioneren, worden geleid door een hoger bewustzijn. Het woord "selectie" zou erop kunnen duiden dat het gaat om een welbewuste schifting.'

'En welke term zou u in plaats daarvan willen gebruiken, als ik zo vrij mag zijn?' vroeg meneer Huxley.

'Ik stel voor een formulering te lenen van Herbert Spencer,' antwoordde meneer Wallace. 'Daarmee wordt de theorie het bondigst samengevat, zonder enige verwijzing naar welke hogere macht dan ook.'

'En wat is die formulering?'

'"Overleving van de sterkste".'

Daarop reageerde Papa zo heftig dat ik dacht dat hij een beroerte zou krijgen. Hij werd asgrauw en drukte zijn hand tegen zijn borst alsof zijn hart het zou begeven. Toen stond hij beverig op, hij verontschuldigde zich en trok zich voor de rest van de avond terug in zijn slaapkamer.

Meneer Huxley, die buitengewoon oneerbiedig kan zijn, vatte de kwestie luchtig op. 'Als u uit was op een krachtige reactie, dan bent u daar volledig in geslaagd,' zei hij tijdens de koffie tegen meneer Wallace.

Ik heb nog lang over het voorval nagedacht. Wat is er met die formulering dat Papa daar zo nerveus op reageert en er zoveel aanstoot aan neemt, vroeg ik me af.

8 februari 1865

Vandaag gebeurde er iets wat me nog doet blozen als ik eraan terugdenk. Vroeg in de middag – Papa was nog altijd op zijn kamer en meneer Wallace was vertrokken naar het treinstation – begaven meneer Huxley en meneer Lyell zich naar Papa's studeerkamer. Ze gedroegen zich enigszins geheimzinnig, alsof ze iets vertrouwelijks te bespreken hadden, dus mijn nieuwsgierigheid was onmiddellijk gewekt. Vandaar dat ik na een paar minuten de gang in slenterde en postvatte voor de deur. Mijn intuïtie had me niet bedrogen, want uit wat ik opving, begreep ik dat ze een verhit en buitengewoon intrigerend gesprek voerden.

'Hij wordt inderdaad wel erg eigenmachtig,' hoorde ik meneer Huxley zeggen, waar meneer Lyell zich bij aansloot. Ik wist niet zeker over wie ze het hadden – even was ik bang dat het om die lieve Papa ging – tot ik meneer Lyell hoorde opmerken: 'Ze hadden hem niet moeten vertellen dat zijn naam uit de tweede druk is verdwenen. Dat was een ernstige vergissing, want hij was er duidelijk door van streek.' Daaruit begreep ik dat het om meneer Wallace ging, want ik had iemand horen zeggen dat Papa had verwaarloosd zijn rivaal te noemen in de bewuste uitgave van *De Oorsprong* en gedwongen was geweest tot een haastige rectificatie. Wetenschappers hechten blijkbaar erg aan dit soort dingen.

Daarop verzuchtte meneer Huxley: 'Hij is als een vos die rond ons kippenhok sluipt. De man kan voor grote problemen zorgen en onze zaak daarmee ernstige schade toebrengen.' 'Wat stelt u voor dat we daaraan doen?' vroeg meneer Lyell. Het bleef even stil. 'Op dit moment maak ik me nog niet al te veel zorgen,' luidde het antwoord. 'Hij heeft niet veel vrienden, is lid van geen enkel wetenschappelijk genootschap – daar hebben we tenslotte voor gezorgd – en bovendien verkeert hij voortdurend in geldnood. Dat is zijn grote zwakte. Als we slim te werk gaan, kunnen we daar gebruik van maken.'

Ik was me ervan bewust dat ik getuige was van een buitengewoon interessante samenzwering en durfde amper adem te halen, uit angst ook maar iets van het gesprek te missen. Helaas, net op dat moment hoorde ik iemand de trap af komen. Het was niemand minder dan Papa! Ik probeerde nog weg te glippen, ook al was ik ervan overtuigd dat hij me had betrapt op afluisteren, iets waaraan een echte dame zich nooit schuldig zou maken. En inderdaad, hij volgde me naar de salon, pakte me bij mijn pols en eiste op hoge toon een verklaring. Ik hield me van de domme, maar hij was – terecht – niet onder de indruk. Tenslotte had hij me op heterdaad betrapt. Driftig wendde hij zich af, en hij liep de kamer uit.

Ik werd vuurrood en durfde beide heren de rest van de middag niet meer aan te kijken, ook al weet ik niet of dat kwam door mijn schandalige gedrag of door de buitengewoon onsympathieke manier waarop ze over meneer Wallace hadden gesproken. Hoe dan ook, even voor het avondeten werd ik apart genomen door Mama, die me vertelde dat Papa erg van streek is door mijn gedrag en dat ik een tijdje naar oom Ras in Londen word gestuurd, totdat Papa's boosheid is gezakt.

10 februari 1865

Ik aarzel niet om te zeggen dat het huis van mijn oom in Londen een van de heerlijkste plekken is die ik me kan voorstellen. Rond zijn tafel verzamelen zich allerlei interessante en boeiende figuren: benthamisten, chartisten en katholieken, zelfs atheïsten; kortom, vrijdenkers van elke signatuur. De wijn vloeit rijkelijk, het gesprek houdt daarmee gelijke tred, en anders dan in Down House, waar Papa de neiging heeft me uit de salon te verbannen zodra de discussie geanimeerd wordt (wat helaas zelden het geval is), is er hier niemand die me wegstuurt, zodat ik getuige kan zijn van het verbale steekspel.

Vanavond waren te gast Thomas en Jane Carlyle, evenals Hensleigh en Fanny Wedgwood, en drie of vier andere notabelen, onder wie Harriet Martineau, wier conversatie aanzienlijk levendiger en verstrooiender is dan haar journalistieke werk. Ik was niet weinig verrast toen zich na de maaltijd nog een stel bij het gezelschap voegde. Het feit dat ze alleen voor koffie en cognac kwamen, vond ik al schokkend, maar ik was overweldigd door gêne toen ik werd voorgesteld aan mejuffrouw Mary Ann Evans en niet meteen besefte dat ik oog in oog stond met een van de mensen die ik het meest bewonder. Mary Ann Evans is de schrijfster van *De Molen aan de Floss* en *Silas Marner*, ook al kan ik tot mijn verdediging aanvoeren dat mijn verwarring voortkwam uit het feit dat ze publiceert onder het pseudoniem George Eliot. Tot overmaat van ramp werd ik vervolgens voorgesteld aan haar minnaar, George Henry Lewes, die op mij de indruk maakte van een volmaakte heer, ondanks de opwinding rond hun relatie. Ik vind het bewonderenswaardig dat oom zijn huis openstelt voor mensen zoals deze twee, die zo dapper de sociale conventies aan hun laars lappen, vooral mejuffrouw Evans, die tenslotte openlijk samenleeft met een getrouwde man.

Amper was iedereen gezeten of het gesprek nam een levendige wending. Net als in haar journalistieke werk deed mejuffrouw Martineau een felle aanval op de slavernij, die ze een 'uitermate gruwelijk instituut' noemde. Van alle volkeren is het Amerikaanse het minst beschaafde, verklaarde ze vurig. Ongetwijfeld om olie op het vuur te gooien, want ik heb hem zelden blijk horen geven van bekommernis om de armen, vroeg oom Ras of haar compassie met 'hen die in kluisters lopen' zich ook uitstrekt tot de arme werkende klasse in Engeland. Daarop merkte een van de andere heren op dat de fabrieksarbeiders in de Midlands werken onder omstandigheden die nauwelijks verschillen van de situatie op de plantages in het zuiden van Amerika.

Dit was voor Hensleigh aanleiding om op buitengewoon onaangename wijze te protesteren, door te zeggen dat de armen hun ontaarding aan zichzelf te danken hebben en dat het koesteren van de zondigen de zwakte van het christendom is. Mejuffrouw Martineau tekende hiertegen protest aan en haalde een reeks fabrieksongelukken aan waarnaar ze onderzoek heeft gedaan.

Ondertussen probeerde ik een gedachte te formuleren over het vraagstuk van de slavernij, en het kostte me niet alleen moeite de juiste woorden te vinden, maar ook om voldoende moed bij elkaar te rapen die uit te spreken. Want hoewel ik het voorrecht geniet aanwezig te zijn bij de soirees van oom Ras, had ik nooit eerder een mening geventileerd, gevolg gevend aan een soort onuitgesproken etiquette er het zwijgen toe te doen. Ik vroeg me dan ook af of mijn oom ontstemd zou zijn als ik brak met die conventie. Mejuffrouw Evans was zich bewust van mijn worsteling, boog zich vriendelijk naar me toe en legde vluchtig haar hand op de mijne. 'Volgens mij wil mejuffrouw Darwin iets zeggen,' merkte ze op, waarop alle ogen zich op mij richtten. Ik had geen andere keus dan me uit te spreken en verklaarde dat er naar mijn gevoel nog een groep is die wordt 'geknecht'. 'En welke groep mag dat dan wel zijn?' vroeg meneer Carlyle. Ik aarzelde de uitdaging aan te nemen van zo'n uitmuntend denker, maar kreeg nauwelijks de kans om over mijn antwoord na te denken, want voordat ik besefte wat ik deed, had ik het al gegeven, samengebald in een enkel woord: 'Vrouwen.'

Dit leidde tot grote hilariteit rond de tafel, waardoor er een vurige blos op mijn wangen verscheen. Mejuffrouw Evans kwam me echter te hulp en verklaarde nadrukkelijk dat ik de rede en een indrukwekkende bewijslast aan mijn zijde had. Toen de overige aanwezigen opnieuw begonnen te lachen, verhief ze haar stem – geheel tegen haar gewoonte, weet ik inmiddels – en deed een opmerkelijke uitspraak. 'Ik heb vaak gedacht – het stuit me tegen de borst dit te bekennen en het is dan ook een besef dat zwaar op me drukt – dat ik liever als jongen dan als meisje zou zijn geboren. Want het is boven elke twijfel verheven dat in het Engeland van vandaag het lot van de man in elk opzicht oneindig valt te prefereren boven dat van een vrouw.

Want is het niet zo dat het fortuin en de bezittingen van een vrouw op het moment van trouwen eigendom worden van haar man?' vervolgde ze. 'En is het niet zo dat een man zijn vrouw alleen maar hoeft te beschuldigen van de "grote leugen" om haar te kunnen verlaten?' (Terwijl ze dit zei toonde mejuffrouw Evans geen zweem van gêne vanwege haar eigen overspel.) 'En is het niet zo dat ze, eenmaal in de rechtbank, volstrekt rechteloos is?'

Daarop bracht Harriet Martineau de zaak van die arme Caroline Norton in herinnering, de schrijfster die negen jaar lang door haar man werd geslagen. Niet alleen dat, hij eigende zich haar inkomen toe, spande een kwaadaardige rechtszaak aan toen ze hem verliet en maakte het haar onmogelijk haar drie zoons te blijven zien.

Dit leidde tot het bespreken van de Wet op de Besmettelijke Ziekten, die ik als een schande beschouw omdat deze bepaalt dat een vrouw kan worden gearresteerd, uitsluitend en alleen omdat ze zich in de buurt van een militaire legerplaats ophoudt. De aanwezige mannen verklaarden zich zonder uitzondering een voorstander van de wet. Het behandelen met kwik van vrouwen aan wier deugdzaamheid moet worden getwijfeld, is naar hun zeggen de enige methode om een eind te maken aan deze gruwelijke epidemie.

'Bovendien is de wet niet bedoeld voor dames zoals u,' aldus meneer Carlyle. 'Ze richt zich uitsluitend op vrouwen van de lagere klassen.'

Zijn woorden leidden tot zichtbaar ongemak rond de tafel, omdat hij daarmee – hoe indirect ook – een verband had gelegd tussen juffrouw Evans en gevallen vrouwen. Ik verwachtte dat meneer Lewes onmiddellijk met hem zou afreken en hem zou uitdagen tot een duel (waarvan ik zou hebben genoten), maar gelukkig voor onze gastheer ging het moment voorbij zonder dat zich incidenten voordeden.

De hele avond voelde ik regelmatig de grijsblauwe ogen van mejuffrouw Evans op me gericht, en ik koesterde me in haar warme blikken. Toen we aan het eind van de avond afscheid namen, voelde ik een lok van haar zachte haar langs mijn wang strijken, terwijl ze me in het oor fluisterde dat ik een vrouw van uitzonderlijke klasse ben – een sieraad voor mijn soort – en dat ik altijd trouw moet blijven aan wat ik geloofde.

Ik geloof dat oom Ras althans iets hiervan opving, want toen iedereen was vertrokken, nam hij me nieuwsgierig op en verklaarde hij dat ik een mysterie voor hem bleef, een ware 'doos van Pandora'. Na deze opmerking, die ik als een compliment beschouwde, verhardde zijn toon, hoewel ik ervan overtuigd ben dat zijn woorden niet hard bedoeld waren. Hij zei dat hij niet begreep waarom Papa Etty zo verafgoodt, terwijl hij een minstens zo kostbare schat onder handbereik heeft.

13 februari 1865

Vanochtend aan het ontbijt vroeg oom Ras, die een buitengewoon brede interesse heeft, naar de gelukkigste momenten van mijn jeugd. Iets in de manier waarop hij de vraag stelde – gezeten aan tafel, starend uit het raam, terwijl er een schaduw over zijn krachtige gezicht gleed – stemde me verdrietig, alsof hij de eenzaamheid van zijn vrijgezellenbestaan overpeinsde. Ik riep mezelf echter tot de orde, zei dat ik niet te diep moest graven en slechts de vraag moest beantwoorden zoals die me was gesteld.

Dus ik vertelde in warme bewoordingen over mijn kinderjaren en vooral over zijn bezoeken aan Down House, wanneer mijn broers en mijn zusje en ik als een nest jonge hondjes om zijn benen dartelden en hem de hele dag volgden. Ik bewaar dan ook de dierbaarste herinneringen aan het vertier dat hij bedacht, aan de sterke verhalen over zijn buitenlandse avonturen, in Afrika en India, en aan de duivels en apen en demonen die hij schetste met zijn lange, slanke vingers. Aangemoedigd door de indruk dat mijn herinneringen hem verwarmden, vertelde ik over onze reis naar Londen, waar we de Wereldtentoonstelling bezochten, hoewel het merendeel van mijn 'herinneringen' afkomstig is uit wat me er achteraf over is verteld. Zelf weet ik alleen nog vaag dat ik me aan zijn hand vastklemde, angstig als ik was voor de enorme drukte en voor al die mensen die boven me uittorenden. Wat ik me nog wel herinner, zijn onze bezoeken aan de dierentuin, waar ik gefascineerd was door het lome nijlpaard, en aan Wombwell's Menagerie om de orang-oetang te zien die ze kinderkleren hadden aangetrokken.

'Geweldig,' bulderde hij, hoewel ik de indruk had dat zijn enthousiasme wat al te zwaar was aangezet en bedoeld om een onderliggend onbehagen te verhullen.

Trouwens, zelf raakte ik door het ophalen van herinneringen aan mijn jeugd ook in een zwaarmoedige stemming, die ik niet weet af te schudden, hoezeer ik ook mijn best doe. Ik dacht terug aan alle sombere episodes in mijn kindertijd, die inmiddels ver achter me ligt, en merkte dat het onmogelijk is die te verzoenen met de momenten waarvan ik weet dat ze vreugdevol waren. Wat de herinneringen zo verontrustend maakt, is dat ik niets, maar dan ook helemaal niets kan bedenken wat de oorzaak zou kunnen zijn voor zelfs maar de lichtste vorm van zwaarmoedigheid. Toch blijf ik ervan overtuigd dat er, ondanks alle vreugdevolle momenten, waarbij we regelmatig heel wat hebben afgelachen, sprake is geweest van een verwoestende invloed die zijn stempel zette op mijn vroegste jaren. Toen ik daar verder over doordacht, trok ik een verband met Papa's talloze kwalen en met de nachtmerrie van ziekte en dood die zich als een lijkwade over ons huis leek uit te spreiden.

14 februari 1865

Misschien was het de dood van die arme, lieve Annie, inmiddels veertien jaar geleden, die op ons drukte. Ik moet eerlijk bekennen dat ik me haar niet herinner, want ik was pas vier toen ze overleed. Toch kan ik me haar soms moeiteloos voor de geest halen: een zachtmoedig wezentje, met robijnrode lippen en goudblonde krullen. Er is me verteld dat ze nooit is hersteld van de roodvonk, die alle meisjes van ons gezin tegelijk trof. Ze schijnt verschrikkelijk te hebben geleden, en terwijl ze in Malvern was voor hydrotherapie, heeft ze wekenlang op de rand van de dood gebalanceerd. Papa waakte bij haar bed, maar was niet aanwezig bij haar begrafenis, wat ik merkwaardig vind. Dit alles weet ik van mijn tante Elizabeth, niet van mijn ouders, want die praten nooit over Annies dood, trouwens ook niet over Annie zelf.

We hebben als gezin meer dan ons deel gekregen aan vroegtijdige sterfgevallen. Die arme Mary, weinig groter dan een eekhoorn, is nog geen jaar geworden, en de kleine Charles Waring heeft zijn tweede verjaardag niet gehaald. Elke zondag lopen we, op weg naar de kerk, langs hun kleine zerken. En dan was er natuurlijk het overlijden van Papa's eigen vader, mijn grootvader Robert, dat een diepe schok was voor ons allemaal. Tot Papa's eeuwige spijt kwam hij te laat aan in Shrewsbury, zodat hij niet aanwezig kon zijn bij de begrafenis van de man die hem heeft gemaakt tot wat hij is.

We zijn net als onze arme koningin, die vier jaar geleden haar geliefde Albert verloor en nog altijd wordt overweldigd door verdriet wanneer zijn naam valt. Na vier jaar draagt ze nog steeds uitsluitend zwart en laat ze nog elke morgen nieuwe kleren voor hem klaarleggen.

Hoewel er niet over haar wordt gesproken, is Annie hier in huis in de geest altijd aanwezig. Een paar jaar geleden ontdekte ik onder in een grote kist haar schrijfcassette, en af en toe, wanneer ik alleen ben, haal ik die tevoorschijn. Hij is vervaardigd van fraai hardhout en bevat roomwit briefpapier met karmozijnrode randen en bijpassende enveloppen, een voorraadje stalen kroontjespennen met een houder van hout, twee ganzenveren om mee te schrijven en een pennenmes met een parelmoeren heft. Daarnaast bevat de cassette rode zegelwas en dunne plaatjes ivoor – voor een kladversie met potlood van wat ze ging schrijven – in een doos versierd met BEN IK WELKOM? en DIEU VOUS GARDE. Er zit nog inkt aan de penpunten, en vroeger, wanneer ik ze in mijn hand nam, stelde ik me voor dat ik Annie was, terwijl ze peinzend de pen in de inkt doopte en de woorden koos die ze wilde schrijven.

Van alle ziektes en sterfgevallen was het de dood van Annie die Papa's hart heeft gebroken. Volgens mij geeft hij om de een of andere reden zichzelf de schuld, alsof het feit dat zij al op de prille leeftijd van tien jaar uit het leven werd weggeroepen, was bedoeld als een soort vergelding. Ik herinner me dat Etty me vertelde dat ze Papa nauwkeurig had geobserveerd, terwijl hij zijn uitvoerige in memoriam schreef, gewijd aan Annie, langzaam en zorgvuldig zijn woorden kiezend, waarbij hij regelmatig zacht begon te snikken. De uitdrukking op zijn gezicht duidde erop dat hij werd gekweld door schuldgevoelens. Althans, dat was Etty's indruk.

Het zou niet voor het eerst zijn dat hij ten onrechte het boetekleed aantrekt. Een paar jaar terug schreef Mama hem vanuit de volheid van haar religieuze overtuiging een brief, waarin ze uiting gaf aan een diepgewortelde, heimelijke bezorgdheid: tenzij hij zich weer naar God keerde, vreesde ze dat ze niet de zegen zouden kennen van een eeuwig leven in gezamenlijkheid. Ik vond de brief in zijn bureau. Hij had hem onder in een la verstopt, maar er een gewoonte van gemaakt hem van tijd tot tijd te lezen. Toen ik bij een van die gelegenheden toevallig in zijn studeerkamer was, zonder dat hij zich bewust was van mijn aanwezigheid, zag ik aan zijn gezicht hoezeer de brief hem aangreep en ik hoorde hem zacht mompelend uiting geven aan zijn schuldgevoel. 'Ach, kende ze de reden maar. Ach, wist ze maar wat me beweegt.' Die woorden zijn heel lang een raadsel voor me geweest.

Enige tijd later vroeg ik hem wanneer – en waarom – hij zijn geloof was kwijtgeraakt en atheïst was geworden. Want ik vroeg me af of de crisis veroorzaakt door Annies overlijden misschien de reden was geweest. Zijn antwoord was echter van een heel andere orde en verraste me. Hij hield me op een armlengte van zich af en zei, terwijl hij me ernstig in mijn ogen keek: 'Dat is heel, heel lang geleden gebeurd, toen ik als jongeman met de *Beagle* om de wereld voer. Meer wil ik er niet over zeggen.'

15 februari 1865

Ik heb heimelijk een boek geleend van mijn oom dat op dit moment veel opgang maakt in Londen, en na lezing is het me volkomen duidelijk waarom het zo'n faam heeft verworven. Het is maar een dun boekje, en het bevat slechts één enkel gedicht: *Goblin Market*. Hoewel de tekst bij tijd en wijle nogal angstaanjagend is, vooral de beschrijving van de gruwelijke, kleine kobolden uit de titel, vind ik de morele boodschap buitengewoon verheffend. Een boodschap die ik zou willen samenvatten met 'Eind goed, al goed'. Ik trof het boek aan op een rozenhouten tafel in de salon van oom Ras en nam het zonder zijn toestemming mee naar boven. Voor zover ik weet heeft hij er nooit naar gevraagd, dus ik verkeer ernstig in de verleiding het te houden. Het is zo klein, dat ik het in Annies schrijfcassette bewaar.

16 februari 1865

Vandaag ben ik teruggekeerd naar Down House. Het regende zo hard, dat mijn rokken doorweekt raakten terwijl ik van het rijtuig naar de voordeur liep. Eenmaal binnen was ik opgelucht zonniger nieuws te vernemen: alles is vergeven. Mama bracht me een kop thee en Papa brak zijn partij biljart met Parslow af om mij uit te dagen voor een spelletje backgammon. Ik heb hem laten winnen, en hij toonde zich zo in zijn nopjes, dat ik moet concluderen dat hij mijn bedotterij niet heeft doorzien.
Ondanks alles blijf ik het moeilijk vinden mijn nieuwsgierigheid in bedwang te houden. Vanmiddag besloot ik de specimens te bekijken die Papa vanaf de *Beagle* naar huis heeft gestuurd. Hij heeft ons nooit met zoveel woorden verboden er kennis van te nemen, en ze zijn verspreid over het hele landgoed, soms op de vreemdste plekken. Ik trof een hele voorraad aan, verborgen in twee diepe laden

in de kas waar Papa experimenten heeft gedaan met die afschuwelijk ruikende, insectenetende *drosera* (hij heeft de planten geleerd
rauw vlees te eten, en ze zijn hem gretig ter wille). Bij mijn inspec-
tie stuitte ik op iets ongebruikelijks. Een groot deel van de specimens wordt gevormd door botten en fossielen en dergelijke, voorzien van een etiket met daarop een datum in Papa's handschrift. Op
sommige trof ik echter de initialen R.M. aan. Verwarrend, maar ik
durf Papa niet te vragen wat de letters betekenen.

10

Jemmy Button ging naast Charles aan de grote tafel zitten en boog zich over de prenten van luipaarden en slangen en andere dieren in het naslagwerk over natuurlijke historie. Wanneer hij een dier zag dat hij herkende, kronkelde hij zich van verrukking en wees hij ernaar met een stompe, mollige, bruine vinger. 'Mij kennen die. Mij zien die in mijn land.' Hij giechelde, pakte het boek met beide handen op en bracht de afbeelding van de struisvogel tot vlak onder zijn neus.

Charles moest ook lachen. Probeerde hij het dier te ruiken? Op dit soort momenten vroeg hij zich af of Jemmy's leergierigheid instinctief was, iets wat hij op een rudimentaire manier had gebruikt in zijn vorige leven (ook al was dat in dat opzicht waarschijnlijk weinig uitdagend geweest). Of was zijn gretigheid om te leren gevormd en gestimuleerd door de vele wonderen die hij in de beschaafde wereld had gezien? Gold voor iedere redelijk begaafde wilde dat hij als een kind kon worden onderwezen door hem bij de hand te nemen? En waar lag zijn grens? Hij zou ongetwijfeld nooit verder stijgen dan tot het niveau van een Engelse knaap van twaalf.

Misschien voelde de wetenschapper in Charles zich gefrustreerd door een gebrek aan specimens om te bestuderen, want de drie Yamana-indianen fascineerden hem. Hoe beroerd hij zich ook voelde, na die eerste ontmoeting met Jemmy zocht hij regelmatig hun gezelschap, waarbij hij observeerde hoe ze reageerden op het schip en op alles wat daar gebeurde. Het leven aan boord was niet nieuw voor hen – tijdens de thuisreis van de *Beagle*, twee jaar eerder, hadden ze acht maanden op zee doorgebracht – maar het functioneren van het schip leek hen nog altijd voor een raadsel te plaatsen. Ze maskeerden hun verbijstering door met half geloken ogen loom om zich heen te kijken en brachten het grootste deel van hun tijd benedendeks door. Alleen wanneer de zee zo glad was als een spiegel waagden ze zich aan dek, en bij zonsondergang: een gebeuren dat de een of andere mystieke betekenis voor hen leek te hebben. Ze boden een bizarre aanblik, zoals ze daar gedrieën, op en top Engels gekleed, over het water uitkeken naar de oranje schijf die achter de horizon verdween en hun zwarte huid deed glanzen.

Charles kon de gedachte niet van zich afzetten dat ze zich de uitmonstering van de beschaafde wereld luchtig, bijna onverschillig hadden laten aanmeten, en dat ze bij de eerste gelegenheid die zich voordeed zouden terugvallen in de tradities en gebruiken van hun wilde oorsprong.

Behalve Jemmy. Die onderscheidde zich van de andere twee: Fuegia Basket, een vrolijk maar onnozel meisje van elf; en York Minster, een norse, kribbige man van ergens in de twintig. Na hun ontvoering hadden ze alle drie een verengelste naam gekregen. Jemmy Button was vernoemd naar de omstandigheden rond zijn ontvoering: FitzRoy had hem uit een kano laten halen die werd geroeid door een oude man, en in een aanval van driftige rechtvaardigheid een parelmoeren knoop van zijn vest gerukt, die hij als betaalmiddel voor de voeten van de oude baas had geworpen.

Charles had begrepen dat Jemmy niet tot dezelfde stam behoorde als de andere twee. Zijn stam viel onder de indianen uit het binnenland, die kleiner van gestalte waren en hoger ontwikkeld; ze beschouwden zichzelf als een verlicht volk. FitzRoy had Charles verteld dat Jemmy er in de eerste dagen aan boord van de *Beagle* ellendig aan toe was geweest, omdat hij werd bespot en belaagd door de andere Vuurlanders, die hem *Yapoo* noemden, wat blijkbaar 'vijand' betekende. Ondanks zijn grote belangstelling voor de Yamana kon FitzRoy in zijn uitlatingen over hen merkwaardig bot zijn. Soms noemde hij hen spottend 'Yahoos', een verwijzing naar de smerige primitievelingen uit *Gullivers Reizen*.

Terwijl Jemmy de dierenplaten bekeek, had Charles alle gelegenheid om hem te bestuderen. Hij was duidelijk een fat, met zijn witte handschoenen en zijn rokkostuum, waarin hij zelfs bij een zuidwesterstorm aan dek verscheen. Hij paradeerde trots in zijn mooie kleren en vond het heerlijk zichzelf in de spiegel te bekijken. Verder stond hij erop dat de kragen van zijn overhemd verblindend wit waren, en als er zelfs maar een vlekje op zijn laarzen kwam, haastte hij zich driftig naar zijn hut om het weg te poetsen. Wanneer hij werd geplaagd met zijn fatterigheid stak hij hooghartig zijn neus in de lucht. 'Grappen, mij houden niet grappen,' zei hij dan.

Charles wist niet wat hij van hem moest denken. De wilde was duidelijk slim, maar ook wantrouwend, soms trots, soms kruiperig. Hij lardeerde zijn Engels met merkwaardige uitdrukkingen. Wanneer een van de bemanningsleden naar zijn gezondheid informeerde, verscheen er een onderdanige grijns op zijn gezicht en antwoordde hij: 'Heel goed, dank u. Niet kan beter.' Maar er waren ook momenten dat hij deed alsof hij het niet begreep wanneer hij werd aangesproken. Bovendien had hij de neiging de bullebak uit te hangen. Hij behandelde Fuegia Basket alsof ze tot een lagere diersoort behoorde, waardoor York Minster, die haar als zijn vrouw beschouwde, hevig van streek raakte. Jemmy's ogen waren beduidend beter dan die van de Engelsen: aan dek had hij schepen aan de horizon al in de gaten, lang voordat de bemanning ze zag. Toen hij een keer boos was op de kok, omdat die hem geen tweede portie pudding wilde geven, zei hij dreigend: 'Mij zien schip met Fransen, mij niet vertellen.'

Charles gebruikte zijn wetenschappelijke instrumenten om Jemmy naar zijn hut te lokken, zodat hij hem kon bestuderen. De indiaan kreeg er geen genoeg van om door de microscoop naar haartjes en pluksel te kijken, en toen Charles een tor die in het ruim was gevonden, onder het instrument had gelegd en het diertje met zijn poot bewoog, kreeg Jemmy de schrik van zijn leven. Hij scheen het gevoel te hebben dat hij een bijzondere band had met Charles. Tot diens niet geringe vermaak, want hij vond het aandoenlijk dat de wilde zich verbeeldde dat de wetenschap hen verenigde. 'Waitenschaap', zei Jemmy, ook al was het Charles niet duidelijk of hij besefte wat het abstracte begrip betekende.

Op een gegeven moment klapte Jemmy abrupt het boek dicht, en hij keek Charles recht aan; iets wat volstrekt ongebruikelijk was. Hij wekte de indruk alsof hij een besluit had genomen en iets belangrijks ging zeggen.

'Ik jou meenemen naar mijn land. Jij ontmoeten mijn volk. Jij praten veel met wijze man. Veel waitenschaap. Veel praten. Veel, veel.'

Charles was geroerd en liet niets merken van zijn geamuseerdheid bij de gedachte dat hij met een raad van naakte, bruine mannen zou moeten praten over de hogere domeinen van kennis en wetenschap. 'Dat zal ik heel graag doen,' zei hij.

Daarop verklaarde Jemmy dat ze daarbij niet moesten toestaan dat York Minster en Fuegia Basket hen vergezelden. Hij stond op van de tafel en liep naar de deur.

'York slechte man,' zei hij. 'Zijn stam allemaal slecht.'

Daarop begon hij druk te gebaren, wild te grijnzen en zagende bewegingen boven zijn gewrichten te maken. Ten slotte sperde hij zijn mond wijd open en stopte hij zijn vingers erin.

Pas toen hij allang weg was, besefte Charles wat hij had geprobeerd duidelijk te maken: de stam van York Minster deed aan kannibalisme.

Toen hij zich op een middag had geïnstalleerd op de bank in de hut van FitzRoy, verdiept in Von Humboldt, hoorde Charles de zachte stemmen van de kapitein en Wickham, die blijkbaar voor de deur stonden.

'Ik zie me genoodzaakt u te waarschuwen dat hij voortijdig afhaakt, kapitein,' aldus de luitenant. 'Hij houdt het niet vol. Zodra we ergens aanleggen, gaat hij voorgoed van boord. Dat garandeer ik u.'

Charles luisterde gespannen, benieuwd naar het antwoord van de kapitein, maar hij hoorde niets meer. Het was maar al te duidelijk dat ze het over hem hadden, en zijn reactie was verre van eenduidig. Zijn eerste gedachte was dat hij zou bewijzen dat Wickham het bij het verkeerde eind had; hij zou volhouden, want er was niets wat hij zo ambieerde als het respect van FitzRoy. Maar toen de gedachte aan een leven van luxe en comfort op het vasteland zich aandiende, begon zijn vastberadenheid al minder te worden. Hij kon de reis, met al zijn ondraaglijke ontberingen, net zo goed meteen afbreken, zeker als dat tweetal daar toch al op rekende. Ze konden niet slechter over hem denken dan ze al deden.

Het was dan ook niets dan ellende wat hem was overkomen. De laatste tien dagen leefde hij op rozijnen en scheepsbeschuit. Dat was het enige wat hij kon binnenhouden. Zelfs zijn diner met de kapitein verdween over de reling. Hij viel in hoog tempo af en had het gevoel alsof het niet lang zou duren of zijn grauwbleke huid hing als een wijde zak om zijn botten. Toen het schip dicht langs de kust van Madeira voer, het eiland waar zoveel van zijn landgenoten hun vakantie doorbrachten, kon hij zich er zelfs niet toe zetten aan dek te gaan.

Op dat moment kwam FitzRoy binnen. Toen hij Charles op de bank zag liggen, was hij duidelijk in verlegenheid gebracht, hetgeen Charles sterkte in zijn vermoeden dat de kapitein en diens luitenant het over hem hadden gehad.

FitzRoy verdreef de ongemakkelijke sfeer met een aankondiging die was bedoeld om Charles' moreel op te vijzelen. 'Bij de goden, hebt u enig idee waar we morgen bij dageraad aanleggen? In Santa Cruz! De mooiste havenstad die ik ken. De torens rijzen op tegen een decor van besneeuwde bergtoppen. Alles verraadt de hand van de Schepper.'

Terwijl hij die nacht in zijn zwaaiende hangmat lag, luisterend naar Kings gesnurk, starend door het bovenraam naar de maan en de sterren in hun eeuwige baan door het heelal, voelde Charles zich volstrekt onbeduidend, een man zonder doel in zijn leven. Hij miste de groene, zacht glooiende heuvels van Shropshire met een hartstocht die hij niet voor mogelijk had gehouden. Op dat moment nam hij een besluit: hij zou in Santa Cruz van boord gaan. Ze moesten maar van hem denken wat ze wilden, hij was niet gemaakt voor een leven op zee; niet omdat hij over te weinig wilskracht of doorzettingsvermogen beschikte, maar omdat zijn maag er niet tegen kon. En dat was iets waar hij niets aan kon doen.

De volgende morgen, toen de *Beagle* in de haven voor anker ging, verscheen Charles aan dek, en hij was zich bewust van de belofte in de zilte, milde lucht. Voor hem strekte zich een groots panorama uit. Vulkanische bergen, waarvan de hellingen hier en daar waren bedekt met groen, torenden hoog boven de stad uit. De huizen waren stralend wit, geel en rood geschilderd. Op de daken van openbare gebouwen zag Charles de Spaanse vlag wapperen. Door paarden getrokken karren reden over de kade.

Er legde een bootje aan, met orders van de consul, en er volgde een kort overleg, waarna FitzRoy zich teleurgesteld afwendde. Het was onmogelijk het nieuws voorzichtig mee te delen. Als ze aan land wilden, zouden ze twaalf dagen in quarantaine moeten, vertelde hij.

'In quarantaine!' sputterde Charles prompt. 'Waarom? Welke ziektes heersen hier waarvan wij iets te duchten hebben?'

'Dat is het niet,' antwoordde de kapitein. 'Waar het om gaat, is dat we uit Engeland komen. Ze zijn bang dat we mogelijk zijn besmet met cholera.'

Jemmy Button, die op de achtergrond had staan luisteren, had genoeg gehoord. Toen hij zich afwendde, lag er een verrukte grijns op zijn gezicht. Het was hem niet ontgaan dat het niet bij die Engelsen opkwam hun land als inferieur te zien, in welk opzicht dan ook.

Het anker werd gehesen, en de *Beagle* vervolgde zijn weg.

Het leven aan boord werd aangenamer terwijl ze koers zetten in zuidelijke richting, naar de Kaapverdische Eilanden. Toen het schip de warme, tropische wateren binnen voer, werd het stampen minder. De ochtendzon schoot als een vlammende pijl langs de blauwe hemel en stortte zich 's avonds als een vurige, rode bal in zee. De maan schilderde zilveren rimpelingen op het water.

Charles begon oog te krijgen voor de schoonheid van het ritme van het schip. Hij had bewondering voor de scherpe ogen van de zeelui die in het want klommen, soms niet meer dan donkere schimmen achter het zeildoek. Wanneer hij 's nachts in zijn hangmat lag, genoot hij van het geluid van de golven die tegen de boeg klotsten, van het geritsel van de zeilen die rond de masten klapperden. Zijn scheepsmaten bedachten een bijnaam voor hem: 'Filos', de afkorting van 'Filosoof', als erkenning van zijn liefde voor de natuurwetenschappen. De naam werd al snel gemeengoed, want daardoor werd een probleem opgelost dat voor enige ongemakkelijkheid had gezorgd: de vraag met welke beleefdheidsvorm een burger uit de hogere klasse, maar zonder officiële rang, moest worden aangesproken.

Naarmate Charles zich beter ging voelen, kreeg hij weer hoop, en hij deed zelfs wat werk. Hij maakte een sleepnet, van ruim een meter diep, opengehouden door een gebogen stok, om plankton in op te vangen. Toen hij het na amper twee uur ophaalde en leegschudde op het dek, bleek hij allerlei vormen van marien leven te hebben gevangen, waaronder een medusa-kwal en een staartkwal, die bekend stond als 'Portugees oorlogsschip' en eigenlijk geen kwal was maar een complexe kolonie van vier soorten poliepen. Die laatste stak hem in zijn vinger.

'Het was dwaas om hem aan te raken,' zei McCormick die erbij was komen staan.

Charles, die het aanbod van de scheepsarts om te helpen had afgewezen, stak zijn vinger in zijn mond en deed zijn best de pijn te negeren die het slijm op zijn verhemelte veroorzaakte. Hij keek op naar McCormick. Deze zielloze kerel kan de pracht en de heerlijkheid van het verzamelen net zomin begrijpen als mijn jachthond, dacht hij. Hoe zou iemand hem de verlokkingen van de natuurwetenschappen duidelijk kunnen maken?

'Kijk toch eens naar al deze schepselen, zo laag in de natuurlijke orde en toch zo uitgelezen van vorm, zo rijk aan kleur,' zei hij met een stem die beefde van emotie. 'Is het niet verwonderlijk dat zoveel schoonheid is geschapen voor zo'n onbeduidend doel?'

McCormick staarde hem met open mond aan, toen keerde hij Charles de rug toe en liep weg.

In nog geen week bereikte de *Beagle* de westkust van St. Jago, waar het schip voor anker ging in de baai van Porto Praya. Charles voelde dat zijn hart sneller begon te slaan toen de roeiboot de kust naderde... Eindelijk zou hij weer voet kunnen zetten op vaste grond! Merkwaardig genoeg merkte hij, eenmaal aan land, weinig verschil in fysieke sensatie. Het feit dat hij op vaste grond stond, verschafte hem niet de opluchting waarvan hij zo lang had gedroomd. Misschien had hij toch eindelijk zeebenen gekregen.

Samen met FitzRoy vervulde hij zijn sociale verplichtingen en werd hij ontvangen door de Portugese gouverneur en de Amerikaanse consul. Vervolgens liep hij de stad in, langs zwarte soldaten met houten wapens, bruine kinderen zonder hemd, kralen met geiten en varkens. Toen hij de bebouwing achter zich liet, kwam hij bij een diepe vallei, en daar stuitte hij eindelijk op het tropische paradijs van Von Humboldt.

Een hete, vochtige lucht kwam hem tegemoet. Onbekende insecten zoemden rond onbekende bloemen in de stralendste kleuren. De weelderige vegetatie, het koor van nog nimmer gehoorde vogelgeluiden, het baldakijn van vruchtbomen en palmen en de wirwar van klimranken, doorschoten met schachten dampend zonlicht; het was allemaal zo exotisch, zo bruisend van leven dat het hem overweldigde. Dit was waarnaar hij had verlangd, zoals een blinde ernaar verlangt te kunnen zien.

De volgende morgen roeide hij met FitzRoy naar Quail Island, een kale, vulkanische rots. Daar bestudeerde hij geologische formaties en getijdepoelen die een schat aan specimens opleverden, waaronder een octopus, die tot Darwins intense verrukking van kleur veranderde. Bij terugkeer op het schip gaf hij een mand met specimens aan het eerste paar handen dat hij zag, zonder te beseffen dat het de handen waren van niemand minder dan McCormick. De scheepsarts pakte de mand aan en gooide de inhoud op het dek, waarbij hij Charles doordringend opnam. Die was zo tevreden dat hij er nauwelijks aandacht aan besteedde en begon met het ontleden van een deel van zijn trofeeën. Een ander deel deed hij in flessen met alcohol, zodat hij ze naar huis kon sturen.

Drie dagen later zette Charles in een grootmoedige bui zijn antipathie jegens McCormick opzij en nodigde hij de scheepsarts uit hem te vergezellen op een tocht naar het binnenland. McCormick nam de uitnodiging meteen aan. Op z'n zachtst gezegd verrassend, want hij had zijn jaloezie nauwelijks kunnen bedwingen toen Charles een steeds groter deel van het halfdek in beslag nam om zijn specimens te laten luchten.

Ze waren amper op weg of McCormick begon te klagen over de hitte. Om hem af te leiden vertelde Charles hem over een merkwaardige geologische formatie die hij had ontdekt op Quail Island: een horizontale witte band in de rotsachtige klifwand, op ongeveer tien meter boven de grond. Bij nader onderzoek bleek het te gaan om een samengedrukte laag schelpen en koralen, hetgeen erop duidde dat de laag ooit deel had uitgemaakt van de zeebedding. Wat was er gebeurd waardoor de schelpen en koralen inmiddels tien meter boven het waterniveau waren gestegen, vroeg hij aan McCormick.

De scheepsarts zette zijn hoed af, streek over zijn voorhoofd en zei dat het antwoord maar al te duidelijk was. 'Als de zeebedding ooit op die hoogte lag, heeft het water zich blijkbaar teruggetrokken.'

'De hele oceaan?' vroeg Charles sceptisch. 'De vulkanische eilanden lijken niet oud genoeg om die verklaring te rechtvaardigen.'

'Hoe zou u dit fenomeen anders willen verklaren?'

Charles presenteerde zijn eigen theorie, gebaseerd op Lyell, dat de klifwand omhoog was geduwd door een buitengewoon krachtige activiteit onder de basis daarvan. De band was relatief stabiel, zonder noemenswaardige ongelijkmatigheden, hetgeen suggereerde dat de omhoogstuwende beweging in de aardkorst zich geleidelijk en met toenemende kracht had voltrokken.

McCormick was vervuld van afschuw. 'U suggereert dat het land omhoog is gekomen? Hoe moet ik me dat voorstellen? Als een soort katapult? Het zoveelste staaltje ketterse onzin uit Cambridge?'

Hij zweeg even, toen voegde hij er verbitterd aan toe: 'Trouwens, het zou aanzienlijk gemakkelijker zijn met een verklaring te komen als ik de gelegenheid had gehad het eiland met eigen ogen te zien.'

Mokkend deden beide mannen er ruim een kwartier het zwijgen toe, tot ze bij een wijdvertakte apenbroodboom kwamen. De stam, ruim vijf meter in doorsnee, was bedekt met initialen die in de bast waren gekerfd. Ze gingen onder de boom zitten om uit te rusten en dronken water uit de veldfles die Charles aan een riem om zijn schouder droeg.

'U weet ongetwijfeld dat kapitein FitzRoy uw kant heeft gekozen,' zei McCormick plotseling.

'Mijn kant? Mag ik weten waar u het over hebt?'

'Kom, kom. U dineert met de kapitein. U leest uw boeken in zijn hut. U vergezelt hem op expedities. Hoe kunt u onder zulke omstandigheden in 's hemelsnaam verwachten dat ik met u kan concurreren?'

'Ik was me er niet van bewust dat we in een concurrentiestrijd zijn gewikkeld.'

'Erger nog – en ook dat weet u ongetwijfeld – hij heeft me een berisping gegeven. Vijf dagen geleden nam hij me apart, om me de mantel uit te vegen vanwege het feit dat ik u van streek had gemaakt. Vanwege mijn "aanmatigende houding", zoals hij het noemde, om ervan uit te gaan dat onze aanspraken op het doen van wetenschappelijk onderzoek gelijkwaardig zijn.' McCormick beet op zijn onderlip; Charles wist niet of het uit boosheid of teleurstelling was.

'Zou u me ten minste een kleine gunst willen bewijzen?' vroeg McCormick na een korte aarzeling.

'Natuurlijk.'

'Zou u me in de gelegenheid willen stellen althans een aantal van mijn specimens met uw zendingen mee te sturen? Het is wel duidelijk dat u zulke grote aantallen gaat verzamelen, dat ik me nauwelijks kan voorstellen dat u mij een klein deel van de beschikbare ruimte zou misgunnen. Voordat ik tekende voor deze reis, dacht ik dat ik hiermee mijn naam zou kunnen vestigen als verzamelaar.'

Charles dacht even na voordat hij reageerde. Hij wilde zich niet committeren aan een belofte waarvan hij later misschien spijt zou krijgen. McCormicks sombere gezicht deed echter een beroep op zijn christelijke naastenliefde. Dus hij sloeg de man op de schouder. 'Afgesproken!' zei hij met onoprechte jovialiteit. 'Maar natuurlijk wel binnen de grenzen van de redelijkheid.'

'Uiteraard.'

Dat brak de spanning, en ze begonnen aan een discussie over de afmetingen van de baobab. Charles beweerde dat de boom torenhoog was, maar volgens McCormick leek dat alleen maar zo, omdat de enorme omvang de perceptie beïnvloedde. Ze besloten erom te wedden.

Verscheidene dagen later deed zich een incident voor dat Charles meer van zijn stuk bracht dan alles wat er tot op dat moment was gebeurd. McCormick en hij ondernamen een trektocht, nog altijd verbonden door hun recente wapenstilstand. Ze staken een plateau over, zo vlak als een tafelblad, en kwamen bij Flag Staff Hill, een kaap die vooral opviel door het woeste gebied eromheen. Ten noorden van de heuvel ontdekten ze een smal ravijn met een diepte van een meter of zeventig. Na lang zoeken vonden ze eindelijk een steil, rotsachtig pad dat naar de bodem van het ravijn leidde.

Toen ze dat pad volgden, kwamen ze in een afgezonderde wereld met een overvloedige vegetatie. Klimranken overbrugden de hele breedte van het ravijn; op rotsachtige richels groeiden bomen, bedekt met sappig groene kruipende planten. Haviken en raven toonden krassend en scheldend hun ergernis over de indringers door vervaarlijk laag over hen heen te vliegen. Uit een in het groen verscholen nest vloog een paradijsvogel op, die vervolgens verdween in de smalle strook blauwe hemel, ver boven hen.

Charles voelde zich onverklaarbaar nerveus terwijl ze in de schemerige vallei afdaalden, alsof ze zonder het te weten het hol van een onbekend wild dier in liepen. Dergelijke bijgelovige gedachten waren niets voor hem, en hij probeerde tevergeefs het nerveuze gevoel van zich af te zetten.

Plotseling hoorde hij McCormick, op het moment dat deze de bodem van de kloof bereikte, een kreet slaken. Hij rende naar hem toe.

De scheepsarts stond neer te kijken op een verzameling botten, sommige met hier en daar nog wat vlees eraan. 'Geiten, wil ik wedden,' zei McCormick. 'Er moet hier een groot roofdier rondzwerven.'

Ze besloten op verkenning uit te gaan. Charles maakte zijn geweer schietklaar en begon aan de ene kant van het ravijn, McCormick aan de andere. Terwijl ze allebei naar het midden toe werkten, hoorde Charles plotseling een geluid achter zich. Hij draaide zich om en zag dat McCormick nog geen drie meter bij hem vandaan stond, met zijn geweer op hem gericht. Op het gezicht van de scheepsarts lag een berekenende uitdrukking.

'Man, wat bezielt je!' riep Charles uit, recht in de loop van het geweer kijkend.

Op dat moment zwenkte de loop naar rechts, Charles hoorde een geritsel en het gekraak van een geweerschot. Toen hij zich in de richting van het geluid keerde, zag hij een vluchtige beweging: een flits van kleur, de achterpoot van een dier dat in de opening van een grot verdween. Een grote katachtige, had hij de indruk.

Haastig klommen ze via het pad naar boven, en toen ze weer onder het weidse uitspansel stonden, slaakte Charles een zucht van verlichting. Hij had het gevoel alsof hij ternauwernood was ontsnapt aan een ontmoeting met de dood, ook al wist hij niet of de vijand een mens of een dier was geweest.

De volgende dag werd er een expeditie naar de baobab georganiseerd. FitzRoy mat de boom twee keer: door gebruik te maken van een zaksextant, en door naar de top te klimmen en vandaar een touw te laten zakken. Beide methoden leverden hetzelfde resultaat op, namelijk dat de boom lang niet zo hoog was als hij leek. FitzRoy schetste een ruwe tekening om zijn bevindingen kracht bij te zetten, en McCormick, die glorieerde dankzij de overwinnig op Charles, eiste met veel misbaar dat hij ter plekke zijn geld kreeg. Terwijl Charles zijn zakken afzocht en uiteindelijk het geld overhandigde, zag hij in de ogen van zijn tegenstander opnieuw die koude blik.

Hij was echter nog meer verontrust door wat daarna gebeurde. Op de terugweg naar de aanlegplaats kwam McCormick naast hem lopen. 'Trouwens,' begon hij luchtig en op kameraadschappelijke toon. 'Ik ben inmiddels ook op Quail Island geweest, en daar heb ik de rotsformatie gezien waar u het over had. Een buitengewoon merkwaardig verschijnsel inderdaad. Maar ik denk dat uw theorie over het ontstaan correct is.'

Charles was verbaasd dat hij zo snel was bijgetrokken.

'En is het u opgevallen dat de schelpen in de witte band dezelfde zijn als de schelpen die op het strand liggen?' vervolgde McCormick.

Nee, dat had Charles niet gezien. 'En wat wilt u daarmee zeggen?' vroeg hij, enigszins in de verdediging gedrongen.

'Dat lijkt me een duidelijk bewijs dat welke geologische activiteit de rotsen ook omhoog heeft geduwd – bijvoorbeeld een aardbeving of een aardverschuiving – betrekkelijk recent moet hebben plaatsgevonden.'

'Nu is het mijn beurt om u lof toe te zwaaien,' zei Charles en hij tikte aan zijn hoed. 'Want u hebt ongetwijfeld gelijk.'

De hoffelijkheid van zijn woorden strekte zich niet uit tot zijn gedachten. Hij is bepaald niet achterlijk, zei hij tegen zichzelf. Een snelle leerling, die bovendien tot zelfstandig denken in staat blijkt te zijn. Laten we ervoor waken dat de leerling niet slimmer wordt dan de leraar.

Na drieëntwintig dagen in Kaapverdië, in welke periode FitzRoy de positie van de eilanden met de grootste nauwkeurigheid vastlegde, hees de *Beagle* het zeil. Naarmate ze verder naar het zuiden voeren, steeg de temperatuur. Charles, die nog altijd het grootste deel van de tijd last had van misselijkheid, leed nu ook aan een verlammende apathie. 'Het voelt alsof ik word gestoofd in boter,' merkte hij op tegen King.

Ze stopten kortstondig bij de St. Paulus Rotsen, voor de kust van Brazilië, om vers voedsel aan boord te laten brengen. FitzRoy en Charles namen een sloep naar het eiland en genoten met volle teugen. De vogels waren zo tam, dat de bemanningsleden ze moeiteloos konden naderen en doodknuppelen. Sommige lieten zich zelfs met blote handen vangen. Een tweede sloep, met McCormick aan boord, wilde zich bij de eerste voegen, maar FitzRoy maakte duidelijk dat hij niet welkom was. Dus voer hij de haven op en neer om te vissen. De zeelui gooiden hun lijnen uit en haalden de ene na de andere zeebaars binnen, waarbij ze de roeiriemen gebruikten om zich de vraatzuchtige haaien van het lijf te houden.

Ten slotte bereikte de *Beagle* de evenaar. Natuurlijk had Charles voor zijn vertrek al de meest wilde verhalen gehoord over het eeuwenoude ritueel dat hem daar te wachten zou staan, verhalen vol jongensachtige streken die 'de oversteek' tot een onvergetelijke ervaring maakten. Geen van de scheepsmaten wilde echter in detail treden. Integendeel, ze genoten ervan hem te plagen door hun toespelingen zo vaag mogelijk te houden. Vaag maar onheilspellend. Toch was hij niet voorbereid toen hij op 16 februari met tweeëndertig andere 'groentjes' of 'novicen' werd opgesloten in het benedendek, met de luiken dicht, zodat het in hun donkere gevangenis al snel verstikkend heet werd. Charles had nog net een glimp opgevangen van het voorkasteel en was ervan overtuigd dat ze allemaal gek waren geworden: FitzRoy, gekleed als Vader Neptunus, compleet met toga en drietand, zat aan het hoofd van een stam halfnaakte, beschilderde mannen, die een woeste dans uitvoerden op de muziek van fluiten en trommels.

Eindelijk ging het luik open en verschenen er vier van Neptunus' kwartiermeesters. Ze liepen recht op Charles af en grepen hem bij zijn armen en benen. Nadat ze zijn bovenlijf hadden ontbloot, werd hij geblinddoekt en naar het bovendek geleid. De lucht weergalmde van het wilde gezang, de planken trilden van het gedreun van stampende voeten. Er werden emmers water over hem heen gegooid, zodat hij nauwelijks lucht kreeg. Toen werd hij naar een plank geleid, waar hij op moest gaan staan.

Daarop werden zijn gezicht en zijn mond ingesmeerd met een dikke laag pek en verf, en terwijl hij werd 'geschoren' met een stuk van een roestige ijzeren hoepel, voelde hij dat hem hele plukken baardhaar werden uitgetrokken. Ten slotte werd hij op een teken – ongetwijfeld van FitzRoy – ondersteboven gekeerd in een zeil gevuld met zeewater. Twee mannen dompelden hem onder, van wie een hem wel erg ruw behandelde. Toen hij bovenkwam, hapte hij gulzig naar lucht, maar hij werd meteen weer ondergedompeld. Het leek minuten te duren, en net toen hij dacht dat hij zou verdrinken, werd hij omhooggetrokken. Een dikke straal water spoot uit zijn mond, als van een walvis die aan de oppervlakte verschijnt. De initiatie was voorbij; een van de meest angstaanjagende ervaringen van zijn leven. Er werd hem een handdoek toegeworpen, zodat hij zich kon afdrogen. Het hele dek was glibberig van het water, vermengd met verf en zeepsop, dus hij moest zich vastgrijpen aan de reling. Hij bleef om te kijken hoe het de anderen verging en kon zich niet aan de indruk onttrekken dat de meesten zo mogelijk nog ruwer werden behandeld dan hij. Behalve die laatste onderdompeling; die was in zijn geval veel erger geweest. Toen pas herkende hij een van de twee bullebakken die tot aan hun knieën in het met water gevulde zeil stonden, hun armen glinsterend van het zweet en het zeewater. Het was McCormick.

Die avond had Charles het gevoel alsof hij zijn persoonlijke Rubicon was overgestoken. Hij wist dat de bemanning hem accepteerde en beschouwde als een van hen. De mannen hadden van meet af aan bewondering gehad voor zijn scherpschutterskunst wanneer hij een vogel met een enkel schot wist neer te halen, en inmiddels lachten ze hem welwillend toe wanneer hij het dek op stormde om een glimp op te vangen van dolfijnen of andere zeeschepselen.

Staande op de boeg, met de warme bries in zijn gezicht, keek Charles naar de hemel en ontdekte het Zuiderkruis. Ineens drong het tot hem door dat hij, zonder het te beseffen, een besluit had genomen. Hij had besloten de reis niet af te breken maar op de HMS *Beagle* te blijven, wat er ook nog mocht gebeuren. Er was geen plek op aarde waar hij liever zou zijn dan op dit met tien kanonnen uitgeruste, bijna dertig meter lange schip, met vierenzeventig zielen aan boord wier dapperheid hij was gaan waarderen en wier kameraadschap hem dierbaar was geworden. Van allemaal, op een na.

11

Hoe verder Hugh in Lizzies dagboek vorderde, des te raadselachtiger werd het. Waarom gedroeg Darwin zich zo vreemd? Waarom stoof hij van tafel bij het noemen van de inmiddels beroemde woorden 'overleving van de sterkste'? En wat viel er op te maken uit dat gesprek tussen Huxley en Lyell over Alfred Russel Wallace? Vooral dat laatste was, als het op waarheid berustte, bijzonder intrigerend, want het was lijnrecht in tegenspraak met de geschiedschrijving. Alle geleerden waren het er immers over eens dat Wallace zijn positie als tweede auteur van de evolutietheorie kalm en met respect had aanvaard; dat hij welwillend het hoofd had gebogen voor Darwin en tevreden was geweest 'de maan te zijn bij Darwins zon', zoals een publicist het had geformuleerd. Deze nieuwe informatie suggereerde echter het tegenovergestelde. Wallace leek problemen te veroorzaken, zich schuldig te maken aan 'eigenmachtig handelen' en een bedreiging te vormen. Lyell en Huxley hadden hun krachten gebundeld om hem weerwerk te bieden. Maar was het wáár wat Lizzie had geschreven? Een roddel – niet meer dan een paar flarden van een gesprek, afgeluisterd door een overgevoelige jonge vrouw – kon bezwaarlijk als basis dienen voor een radicaal nieuwe analyse van de cruciale figuren rond Darwin. Die avond was Hugh in slaap gevallen zonder het dagboek uit te lezen. Hij werd laat wakker, nam haastig een taxi naar het station, stapte in de trein naar King's Cross en nam vandaar de ondergrondse naar South Kensington. Op Cromwell Road liep hij de smeedijzeren poort door, het kronkelende wandelpad af naar het Natural History Museum.

Het schitterende gebouw, opgetrokken uit met de hand gemaakte bakstenen, rees majestueus voor hem op. Hugh genoot van de ironie: Richard Owen, de briljante vergelijkend anatoom, was zo verblind geweest door ambitie dat hij niet in staat was geweest de overweldigende waarheid van wat Darwin en Huxley beweerden te erkennen; hij werd hun bitterste vijand en dreef de spot met hun beweringen, die natuurlijk niet empirisch konden worden bewezen. Als directeur van de afdeling natuurlijke historie van het British Museum ontwierp hij de plannen voor deze spectaculaire tempel tot meerdere glorie van de wetenschap en zamelde hij geld in om zijn droom te verwezenlijken. Toch prijkte zijn naam nergens op de gevel. In 2002 verrees uiteindelijk, binnen de muren van het museum, een nieuwe uitbreiding van zeven verdiepingen om onderdak te verlenen aan zoölogische specimens: het Darwin Centre.

Het was verbazingwekkend hoe Darwin uiteindelijk altijd aan het langste eind trok, dacht Hugh.

In de uitgestrekte, hoge hal vergaapte een groepje kinderen zich aan een mechanisch gestuurde *tyrannosaurus rex*. De centrale trap liep met een sierlijke draai omhoog en spreidde zich op de tussenverdieping uit als een waaier. De gewelven weerkaatsten gesprekken die in de hal werden gevoerd en zorgden dat ze vijftien meter verderop opnieuw woordelijk te verstaan waren. Vanaf de receptiebalie belde Hugh de administratie, waar een pr-functionaris hem uiteindelijk in contact bracht met een assistent-conservator die bereid was hem te ontvangen.

Ze heette Elizabeth Fallows en begroette Hugh hartelijk, terwijl ze opstond vanachter haar bureau met daarop, naast stapels paperassen, een stel kattenskeletten. Ze schudde hem pompend de hand, waarbij haar hoofd enthousiast meedeinde en haar zwarte pony op haar voorhoofd danste. Natuurlijk zou ze hem met alle plezier rondleiden, zei ze. Met veerkrachtige tred ging ze hem voor, als een gids over haar schouder pratend.

'We noemen het de "alcoholverzameling" omdat de specimens worden bewaard in alcohol om de bacteriën te doden die degradatie van het weefsel veroorzaken. Er staan hier vierhonderdvijftigduizend potten, waaronder meer dan vijfentwintigduizend met plankton.'

Ze betraden een luchtdichte ruimte; de deur achter hen viel in het slot, en pas enkele seconden later ging de deur vóór hen automatisch open. Hugh keek de conservator vragend aan.

'Dat is voor de klimaatbeheersing,' legde ze uit. 'We houden de temperatuur op dertien graden Celsius, onder het ontvlammingspunt van alcohol. Daardoor wordt ook de verdamping teruggebracht. Zodra er alcohol vrijkomt – bijvoorbeeld als een van de potten lek raakt – wordt dat opgepikt door sensoren. Op de hele wereld is er geen collectie zoals deze. We hebben zelfs specimens die afkomstig zijn van kapitein Cook, uit 1768, en sommige zijn nóg ouder.'

Ze kwamen in de opslagruimten, waar rijen en nog eens rijen metalen kasten zich naar alle kanten uitstrekten.

Elizabeth Fallows vervolgde de rondleiding. 'We hebben tweeëntwintig miljoen specimens, verdeeld over zeven verdiepingen: de grootste collectie van zijn soort ter wereld. We zijn vooral trots op onze type-specimens, of type-exemplaren; dat zijn de bepalende archetypes aan de hand waarvan een species voor het eerst is benoemd en beschreven. We hebben er bijna achthonderdzevenenzeventigduizend. Deze zijn extreem belangrijk, en tijdens de oorlog zijn ze voor de veiligheid in het geheim naar een ondergronds grottenstelsel in Surrey overgebracht. We konden het niet laten gebeuren dat de moffen ze zouden bombarderen. Zo belangrijk zijn ze.'

Hugh knikte; hij was onder de indruk.

'De hele discussie over type-specimens is iets waarover wij ons tegenwoordig niet langer druk maken,' vervolgde ze. 'Die was geworteld in de negentiende-eeuwse manie tot classificatie; God zegene al die amateurwetenschappers voor hun pogingen om orde te scheppen in het rijk van de natuur: u weet wel, een plek voor alles en alles op zijn plek.

Maar de discussie was ook geworteld in het geloof. Als de Heer elke afzonderlijke soort heeft geschapen, en als de kenmerken daarvan vastliggen en nooit veranderen, dan heeft het zin om te zoeken naar de beste representant van elke soort. Dat was de enige manier om discussies te beslechten over wat waar hoorde. Als je een vogel had gevonden, trok je een la open, je vergeleek hem met de beste representant van de soort en je wist waar je aan toe was. Vandaar ook dat verzamelaars daadwerkelijk de overtuiging hadden dat ze Gods werk in kaart brachten. Alles klopte precies. Er was geen enkele discrepantie tussen wetenschap en geloof.'

Terwijl ze aan het woord was, danste haar pony nog altijd enthousiast op en neer.

'Tot Darwin op het toneel verscheen. Hij zette de hele boel op zijn kop met zijn idee dat elk levend organisme deel uitmaakte van een altijd groeiende levensboom, met talloze vertakkingen. Daarom noemde hij zijn theorie de "verandering" van de soorten. Het woord "evolutie" gebruikte hij niet. Dat verscheen voor het eerst in *De Afstamming van de Mens*, in 1871.'

'En hebt u ook veel specimens van Darwin zelf?' vroeg Hugh.

'Duizenden. Hij stuurde alles naar huis. Niet alleen specimens op sterk water voor de natte verzameling; we hebben ook vogels en reptielen en vissen en botten, eieren en schelpen en stuifmeel, je kunt het zo gek niet bedenken. Hier hebt u een voorbeeld.' Ze trok geruisloos een la open en haalde er een flesje uit waarvan het etiket was beschreven met zwarte inkt. 'Een papegaaivis. Nog een jonkie. Papegaaivissen vermalen koraal met hun snavels. Darwin had een theorie ontwikkeld dat zo de zandstranden zijn ontstaan.' Ze snoof genietend. 'Een mens kan niet altijd gelijk hebben.'

'En hebt u ook exemplaren van zijn vinken?' Hij overwoog de officiële naam, *geospizinae*, te gebruiken – de onderfamilie van Darwinvinken, naar hem vernoemd vanwege hun beslissende rol bij zijn ontdekking van de differentiatie tussen de soorten – maar bedacht zich. Het strooien met dure woorden werd onder Britse wetenschappers niet op prijs gesteld.

'Van de dertien soorten zijn er hier twaalf vertegenwoordigd; we hebben vijfhonderdvijftig opgezette dieren, zestig specimens in alcohol en tien skeletten.'

'Inclusief degene die hij zelf heeft verzameld?'

'Inderdaad. Dat waren er eenendertig, waarvan er tweeëntwintig het museum hebben bereikt. Daarvan zijn er nog negentien in de collectie.'

'Hoe zijn ze gemerkt? Had hij niet al zijn specimens door elkaar gegooid? Vinken van verschillende eilanden in één zak gestopt? En moest hij jaren later FitzRoy niet smeken om zíjn vinken te mogen zien?'

'Foei, daarmee raakt u een teer punt.' Ze schonk hem een brede glimlach. 'Wat het bepalen van de herkomst betreft, hebben we ons gehouden aan zijn suggesties. En uiteindelijk heeft het nuttige informatie opgeleverd.'

'Hoe bedoelt u?'

'Dit bewijst dat hij destijds nog niet met zijn uiteindelijke theorie bezig was. Als hij die al op de Galápagoseilanden had geformuleerd, zou hij zo'n absurde fout niet hebben gemaakt. Dat zult u toch met me eens zijn.'

'Ja, ik neem aan dat u gelijk hebt.'

'Dus daardoor weten we dat hij de theorie pas na terugkeer in Londen heeft ontwikkeld, precies zoals hij altijd heeft verklaard. En daar heeft hij een jaar of twee over gedaan. Er was geen *Eureka*-moment. Hij zette in 1836 weer voet op vaderlandse bodem, en pas in 1842 had hij een vijfendertig pagina's tellende synopsis geschreven.'

'En waarom heeft hij er vervolgens tweeëntwintig jaar over gedaan om het uiteindelijke boek te schrijven?'

'Tja, dat is de vraag die al meer dan een eeuw lang alle gemoederen bezighoudt.'

Hij volgde haar terug naar de controlekamer; opnieuw waren ze even opgesloten.

'Persoonlijk geloof ik niet dat het antwoord zo ingewikkeld is,' zei ze.

'O nee?'

'Nee. Het christendom was al meer dan achttienhonderd jaar oud. Darwin heeft er twintig jaar over gedaan om het omver te werpen. Dat is een verhouding van negentig staat tot een. Niet verkeerd, zou ik zeggen.'

Het slot klikte open. Elizabeth Fallows escorteerde hem naar de eerste verdieping, waar ze bleven staan bij de majestueuze trap naar de hal beneden, op ooghoogte van de dinosauriërs.

'Ik heb nog een vraag,' zei Hugh. 'Hebt u ook specimens van de *Beagle*, gemerkt met de initialen R.M.?'

'Die hebben we inderdaad,' antwoordde ze. 'Die zijn afkomstig van Robert McCormick. Ik neem aan dat u van hem hebt gehoord.'

Dat had hij inderdaad, maar pas die ochtend. Twee dagen eerder had hij de bemanningslijst van de *Beagle* op internet gevonden en uitgeprint; de lijst begon met *Ash Gunroom – hofmeester* en eindigde met *York Minster – passagier*. Die ochtend in de trein had hij de lijst verder doorgekeken en de naam gevonden die paste bij de initialen R.M.: *Robert McCormick – scheepsarts.*

'We hebben er enkele tientallen. Sommige zaten bij zendingen van Darwin zelf. Die heeft hij na terugkeer van het schip hierheen gestuurd. Het zijn er niet zoveel, want McCormick ging al vrij snel van boord, in Rio als ik het goed heb.'

'O ja?'

'Ja, dat heeft Darwin zelf geschreven. Hij geeft zelfs een pakkende beschrijving: hij liep de kade af, met een papegaai op zijn schouder. Vandaar dat we het weten.'

'Zijn de specimens voorzien van een datum?'

'Uiteraard. McCormick was opgeleid tot wetenschapper, ook al was hij dan geen bijster goede.'

'En die datums… van wanneer zijn die?'

'Allemaal van de eerste paar maanden, tot het schip de haven van Rio binnen liep. En dat is ook logisch. Ze kunnen moeilijk van daarna zijn, nietwaar?'

'Nee, ik neem aan van niet.'

'U neemt áán van niet? Ik zou denken dat u daar op veilig terrein bent.'

Hugh hoorde een licht verwijt in haar stem. Blijkbaar dacht ze dat hij twijfelde aan de woorden van de grote geleerde.

'Ja, dat is zo,' zei hij dan ook. 'Hoe is het hem verder vergaan?'

'McCormick? Dat zou ik niet zo een-twee-drie kunnen zeggen. Hij is ongetwijfeld blijven varen. Ik geloof niet dat hij nog in Engeland terug is geweest. En ik meen me te herinneren dat hij uiteindelijk is omgekomen, misschien bij een schipbreuk.'

Ze pakte opnieuw, met hetzelfde enthousiasme als tijdens haar begroeting, zijn hand, en weer danste de pony over haar voorhoofd.

'Trouwens, het doet er nauwelijks toe,' zei ze kalm. 'Tenslotte was hij slechts een marginale figuur in het hele drama.'

Hugh kwam vast te zitten in de drukte vanwege de Changing of the Guard bij Buckingham Palace, met als gevolg dat hij twintig minuten te laat was voor zijn afspraak met Bridget. Bij het park aangekomen baande hij zich een weg door de menigte. Hij zag haar meteen. Ze stond bij de ingang, geleund tegen een ijzeren reling. Haar gebloemde jurk spande strak om haar dijen. Haar haar glansde in de zon. Tot zijn verrassing was hij bij de onverwachte aanblik getroffen door haar schoonheid. Haastig verdrong hij de gedachte, niet omdat ze getrouwd was, maar omdat ze ooit verloofd was geweest met zijn broer. Toen ze hem in de gaten kreeg, kwam ze kordaat naar hem toe lopen.

'Trek het je niet aan. Het geeft niet,' zei ze met een geforceerde glimlach.

'Het verkeer zat tegen.'

'Dat dacht ik al.' Het was niets voor haar om er zo luchtig over te doen, kon hij niet nalaten te denken. 'Al die vervloekte toeristen. Kom, laten we deze kant uit gaan.' Ze loodste hem een pad op dat met een bocht tussen het weelderige groen van het park verdween.

Waarschijnlijk had ze er van tevoren over nagedacht hoe ze zouden lopen. De zon was inmiddels tevoorschijn gekomen.

'Wat een heerlijke dag,' zei hij.

'Hou op! Daarvoor zijn we hier niet.' Haar Engelse accent was helemaal verdwenen.

'Oké. Wat een rotdag.'

'Hoe heet dat trouwens, dat literaire instrument, waarbij je de natuur gebruikt als spiegel voor je diepste gevoelens? Zoals Wordsworth en al die andere sombere dichters dat deden?'

'De pathetische drogreden.'

'Precies! Nou, dit is het tegenovergestelde. De natuur is bepaald géén spiegel van mijn gevoelens. En ik voel me werkelijk totaal "pathetisch".'

'Aan de telefoon klonk je alsof je van streek was.'

'Dat ben ik ook, een beetje. Nee, meer dan een beetje. En dat is jouw schuld.'

'Mijn schuld?'

'Ja, omdat je zomaar opduikt uit het niets. Zonder te weten waar je mee bezig bent, wat je wil. Nog totaal niet los van je broer. Daardoor komt alles weer naar boven.'

'Waar heb je het over?'

'Emoties, sufferd. Emoties.'

Hij deed er het zwijgen toe.

'Als je mijn brief had beantwoord, hadden we misschien contact gehouden,' zei ze. 'Dan hadden we destijds al kunnen proberen althans met een deel van het verhaal in het reine te komen en dat achter ons te laten.'

Hij had het geweten. Hij had geweten dat het daarop uit zou draaien. Plotseling besefte hij dat hij dáárom niet had teruggeschreven.

Ze kwamen langs een bloemperk in volle bloei, de stralend gekleurde kopjes waren naar de zon gekeerd. De lucht was zwaar, bedwelmend door de geur van de bloemen en het gezoem van de bijen. Ze moest heel veel van Cal hebben gehouden, dacht hij, en dat riep een golf van affectie en dankbaarheid bij hem op, die hem herinnerde aan hun eerste ontmoeting, aan die week in Parijs.

'Misschien heb je het toch niet achter je gelaten,' zei hij zacht.

'Daar gaat het niet om. Het probleem is dat jíj het niet achter je hebt gelaten. En als jij dat niet doet, kan ik het ook niet.'

'Waarom niet? Jezus, ik heb je in geen zes jaar gezien! Wat heeft mijn leven met het jouwe te maken?'

'Heel veel. We hadden broer en zus kunnen zijn.'

'Oké. Drie maanden later, en jullie waren getrouwd geweest.'

Ze aarzelde, wendde zich af. 'Daar ben ik niet zo zeker van.'

'Hè? Wat bedoel je?'

'Er zijn dingen die jij niet weet. Er zijn heel véél dingen die jij niet weet.'

Ze kwamen bij een drukke brug over een vijver zodat ze gedwongen waren achter elkaar te lopen en hij richtte zijn vragen tot haar rug.

'Zoals? Wat bedoel je?' Hij haalde haar in en pakte haar bij haar elleboog. 'Dat moet je me uitleggen.'

'Pas op, je doet me pijn.'

'Verdomme, Bridget. Schei uit met dat vervloekte geheimzinnige gedoe. Als je iets weet, zeg het dan gewoon.'

Ze schudde zich los. 'Dat is het probleem. Ik wéét helemaal niets. Ik heb alleen een hoop vragen. Er is zoveel wat niet duidelijk is.'

'Zoals?'

'Dingen waar jij geen idee van hebt.'

Toen ze bij een bank kwamen, ging ze zitten. Hij liet zich tegenover haar neerploffen. Een eindje verderop, aan de rand van de vijver, dreef schuim en papier op het water. Een handvol eenden waggelde over de stenen, met lange nekken pikkend naar de soppige stukjes brood van een jongetje in een matrozenpakje.

Ze zweeg even, en terwijl hij wachtte tot ze verder sprak, nam hij haar aandachtig op.

'Dit valt niet mee,' zei ze tenslotte. 'Ik weet eigenlijk niet goed waar ik moet beginnen. Maar ik kan je in elk geval wel vertellen dat het op het laatst niet zo goed ging tussen Cal en mij.'

Door het noemen van Cals naam werd het ineens allemaal een stuk echter.

'Toen hij terugging naar Amerika... Jij dacht dat hij alleen met verlof was, maar ik wist niet of hij nog terug zou komen. Dat wist hij zelf ook niet. Toen we afscheid namen, hielden we rekening met de mogelijkheid dat we elkaar nooit meer zouden zien.'

'Maar jullie zouden gaan trouwen! Zijn hele leven lag hier! Wil je daarmee zeggen dat hij ermee wilde stoppen?'

'Niet echt. Maar hij gedroeg zich vreemd. Hij was zichzelf niet.'

'Hoe bedoel je? Hoezo, hij was zichzelf niet?'

'Jij ziet hem nog altijd als je grote broer, zelfverzekerd, iemand die precies wist wat hij deed. Maar zo was hij niet altijd. Hij had zijn eigen demonen.'

'Wat wil je daarmee zeggen? Wist hij niet zeker of hij wel wilde trouwen?'

'Nee, hij heeft nooit met zoveel woorden gezegd wat er aan de hand was. Hij vond het moeilijk om erover te praten.'

'Om waarover te praten?'

'Dat hij zo in de war was.'

Ze slaakte een lichte zucht, deed haar tas open en haalde er een ansichtkaart uit. De randen waren wat rafelig, zag hij toen hij hem van haar aanpakte. Het was een foto van het Vrijheidsbeeld, uitbundig beschenen door de zon, omringd door onnatuurlijk blauw water. Op de andere kant van de kaart herkende hij met een schok het handschrift van zijn broer. Cal had zo klein geschreven, dat het even duurde voordat hij de tekst wist te ontcijferen.

Liefste B,
Het spijt me dat ik je niet meer heb geschreven, maar er viel niet veel te zeggen. Er is nog niets opgelost. Ik heb pa niets verteld over het lab. Geen idee wat ik zal doen. Geef me alsjeblieft nog even de tijd. Ik heb het slecht, vooral 's nachts. Churchills zwarte hond loopt nog om me heen te keffen. Ik hou meer van je dan ik kan zeggen. Misschien, met een beetje geluk, komt er ooit een dag dat we op dit alles terugkijken als op een droom... of liever gezegd, een nachtmerrie. Ik hoop dat je me kunt vergeven...
Liefs, C

Er was nog een naschrift. Hugh staarde er ongelovig naar: *Ik hoop dat ik met Hugh kan praten*. Het was alsof er een mes in zijn hart werd gestoken.

'Toen hij wegging, was hij er slecht aan toe,' vertelde ze. 'Hij had zijn baan opgezegd bij het lab. Hij had een ernstig auto-ongeluk gehad. Hij was nergens meer zeker van. En hij was depressief. Dat probeerde hij voor mij te verbergen – ik kan nog bijna huilen als ik eraan denk... Ik heb wat afgejankt – hij probeerde echt het te verbergen. Omdat hij er niet over kon praten. Daar kon hij zich eenvoudigweg niet toe zetten. Ik weet niet eens of hij zelf wist wat eraan mankeerde; alleen dat hij zich ellendig voelde.'

'Churchills zwarte hond...'

'Zo noemde hij het... zijn depressie.'

Hugh kon het niet bevatten: Cal depressief. Cal die hem nodig had. 'En het lab... Hij hield zo van zijn werk. Waarom heeft hij die baan opgezegd?'

Ze haalde haar schouders op. 'Ik weet het niet. Dat heeft hij me nooit verteld. Op een dag kwam hij thuis met de mededeling dat hij er niet meer wilde werken. Hij geloofde er niet meer in. Ze hadden hun opdracht uit het oog verloren.'

'Wat was de opdracht?'

'Ik heb geen idee. Het was een overheidsinstelling, maar ik weet niet wat er omging. Er werd biologisch onderzoek verricht.'

Ze stonden op, begonnen weer te lopen en kwamen al snel bij de muziektent.

'Ik vind dit allemaal... Ik kan het nauwelijks geloven,' zei Hugh. 'Ik had geen idee dat hij in moeilijkheden zat.'

'Echt niet? Is je niets opgevallen toen hij thuiskwam? Heb je niet gemerkt dat dingen... anders waren? Dat is er iets mis was?'

'Nee.' Maar hij was ineens niet meer zo zeker van zijn zaak.

'Dus dat gesprek tussen jullie... dat is er nooit van gekomen?' Het was de vraag waarvan hij had geweten dat hij zou komen; de vraag die hij had gevreesd.

'Nee. Zoveel tijd hadden we niet. Hij was een week of twee, drie thuis toen... nou ja, toen het gebeurde. En ik was een deel van de tijd van huis. Als een gek op zoek naar werk.'

'Ik begrijp het.' Ze klonk niet overtuigd. 'Dus we zullen het nooit weten.'

'Je bedoelt... waarom hij zo depressief was?'

'Onder andere.'

Ze kwamen bij de Mall. Het verkeer reed in dichte stromen beide kanten uit. Aan de overkant lag een rij statige regeringsgebouwen.

'Er moet toch iemand zijn die het weet,' protesteerde hij. 'Iemand op zijn werk, zijn baas, een van zijn vrienden.'

'Er is inderdaad iemand. Als je contact met hem wil zoeken, kan ik dat wel regelen. Misschien zou ik een etentje kunnen geven, dan kunnen jullie daarna samen iets afspreken.'

'Wil je dat doen, Bridge? Dan zou ik je erg dankbaar zijn.'

'Oké, komt voor elkaar.'

Ze namen afscheid met een kus en liepen ieder een andere kant uit; Bridget in de richting van Buckingham Palace, Hugh naar Trafalgar Square. Hij draaide zich om en keek haar na, in de verwachting dat zij zich misschien ook zou omdraaien en haar hand zou opsteken, net zoals ze dat had gedaan toen Cal en zij uit Parijs waren vertrokken. Maar ze deed het niet. In plaats daarvan liep ze kordaat weg, met vastberaden tred.

Toen hij de Prince Regent binnen kwam zag hij dat Beth er al was. Ze zat in een hoek, met haar rug naar een spiegel. Op een kort afgeknipte spijkerbroek droeg ze een stralend witte overhemdbloes. Haar voeten staken in gympen. Uit haar opgestoken haar vielen een paar losse krullen speels langs haar gezicht. Op het tafeltje voor haar stond een leeg bierglas.

Ze keek glimlachend naar hem op toen Hugh zich bukte om haar op haar wang te kussen.

'Het spijt me dat ik te laat ben.'

'Je bent helemaal niet te laat.'

'Nee, en het spijt me ook niet. Ik wou alleen even zien of je nog altijd nijdig wordt als ik me verontschuldig.'

Hij ging twee biertjes halen. Het was druk en lawaaiig in de pub, een deken van rook hing laag boven de hoofden. Met enige moeite baande hij zich een weg naar de bar, en toen hij zijn bestelling eenmaal binnen had, lukte het hem zonder morsen met de twee kroezen terug te lopen naar hun tafeltje.

'Volgens mij heb je dat meer gedaan,' zei ze.

'Reken maar.'

Glimlachend pakte ze haar glas aan.

'Hoe gaat het?' vroeg hij.

'Met de research? Prima.' Weer een glimlach. 'En bij jou?'

'Oké. Heel aardig.'

Het scherm was weer opgetrokken.

Ze keek om zich heen. 'Ik vraag me af hoe een tent als deze het zou doen in New York.'

'Niet. Die zou onmiddellijk failliet gaan. Veel te open, veel te goed verlicht.'

'Ik heb nooit echt begrepen wat al die pubs hier zo gezellig maakt.'
'Ik ook niet. Maar ik vind de namen wel prachtig: The Golden Crown, Elephant and Castle.'
'Mijn favoriet is Slug and Lettuce.'
'In New York ga je naar een bár. Lekker donker, shots in kleine glaasjes, een semi-louche Ierse barkeeper, met links en rechts van je een lege kruk. En Frank Sinatra die uit de jukebox schalt... *Come Fly with Me.*'
'Hou op! Zo krijg ik nog heimwee.'
'O, dan kan ik je nog iets veel beters laten zien. Kom maar mee.'
Ze dronken hun glas leeg, en Beth volgde hem naar buiten. Een paar straten verder loodste Hugh haar Mickey Flynn's American Pool Hall binnen.
'Juist, zo mag ik het zien,' zei ze enthousiast.
Ze dronken ieder nog twee biertjes en speelden twee partijen, waarna het 1-1· stond. Op de derde partij zetten ze vijf pond in, waarop Beth zich ontpopte tot een ware duivel op het groene laken en hem versloeg. Hij betaalde in munten, die ze grijnzend in de zak van haar afgeknipte spijkerbroek stopte.
Daarna liepen ze naar Parker's Piece, ze gingen op het gras zitten en keken naar een cricketwedstrijd: mannen in het wit die over het veld joegen bij elke *plok!* van de bal.
'Ik heb dit spel nooit begrepen,' zei Hugh.
'Het is gewoon honkbal. Het duurt alleen langer en de regels zijn een stuk onnozeler.'
Ze praatten nog wat, toen liepen ze om het park heen en gingen ze op een bank zitten bij Regent Terrace. Het begon inmiddels donker te worden.
'Vertel eens over je huwelijk.' Hij had meteen spijt van zijn formulering: knullig en voorspelbaar, *ik-wil-je-leren-kennen*, dat werk. Maar hij wílde haar ook leren kennen.
'Wat wil je weten?'
'Ach, de voor de hand liggende vraag, neem ik aan. Waarom ging het verkeerd?'
'Weet ooit iemand daar het antwoord op?'
'Je kunt het in elk geval proberen.'
'Oké. In het begin ging het prima, het was allemaal nieuw en spannend. Ik was echt gek op Martin. Hij was geestig, charmant, ik heb

nog nooit iemand ontmoet die zoveel wist. Een echte Engelsman, en hij kon dingen zeggen, op die subtiele, bijna nonchalante, Britse manier... dat je met je oren stond te klapperen. Welk boek je ook las, hij had het altijd al gelezen. Maar dat zei hij nooit meteen. Dat bleek pas als je erover vertelde en probeerde onder woorden te brengen waar het volgens jou over ging. Zijn analyse ging altijd dieper.

Ik was de Amerikaan, een frisse wind, ik zei wat anderen dachten. Ik was bezig verliefd te worden op Engeland, en Martin maakte daar deel van uit. Etentjes in goede restaurants, veel vrienden, diepzinnige gesprekken. Regenachtige zondagen met de open haard aan en een enorme stapel kranten naast mijn stoel. Weekends op het platteland, in tochtige, oude huizen. Diners in Oxford met vijf of zes verschillende wijnen. Radicale politieke discussies, openhartige, met grote stelligheid verkondigde meningen... en we hadden een mening over alles en iedereen. Het was allemaal erg... veilig.'

'Klinkt goed.'

'Ja, dat was het ook. Maar toen werd Martin ziek. Hij begon zich vreemd te gedragen, kreeg last van wisselende stemmingen, diepe depressies. Volgens zijn vrienden had hij dat vroeger ook al gehad, voordat ik hem leerde kennen. Toch zou ik desondanks wel bij hem zijn gebleven – tenminste, dat denk ik – maar het was allemaal nog te nieuw. Ik hield niet echt van hem, niet op die onvoorwaardelijke manier die nodig is om bij elkaar te blijven. Toen we trouwden leek me dat geen probleem. Ik dacht dat ik vanzelf steeds meer van hem zou gaan houden naarmate we langer bij elkaar waren. Maar dat gebeurde niet. De liefde werd niet sterker. Uiteindelijk waren we gewoon vrienden. Hoe dan ook, het was definitief afgelopen toen we op Heathrow op onze koffers stonden te wachten.'

'Vertel.'

'We kwamen terug van een reis. Je kent dat wel, we hadden al meer dan een jaar bijna voortdurend ruzie, dus we besloten dat een vakantie ons goed zou doen. Dan zouden we alle tijd hebben om aan de relatie te werken. Het was een soort wanhoopsoffensief. We gingen naar Svedi Stefan, een eilandje voor de kust van Montenegro, in een tot vakantiewoning verbouwd vissershuisje. Het was er prachtig, maar al gauw begon het geruzie opnieuw. De kleinste aanleiding was al genoeg. Martin werd gewelddadig en stortte zich vervolgens in een depressie. Toen ik op een dag alleen ging zwemmen, sloeg hij het hele huisje kort en klein. Tot en met de ramen. We moesten weg. In het vliegtuig wilde hij niet naast me zitten, maar uiteindelijk hebben we geprobeerd het weer goed te maken. We beloofden elkaar van alles, maar ik wist toen al dat het niet ging lukken. Terwijl we op het vliegveld op onze koffers stonden te wachten, keek ik hem aan. Er lag een harde, onverzettelijke trek op zijn gezicht die me maar al te vertrouwd was, en ik wist zeker dat het hopeloos was. Dus we hebben erover gepraat en besloten dat we er beter mee konden stoppen. Twee jaar geleden zijn we gescheiden. En inmiddels gaat het een stuk beter tussen ons. We zijn bijna goede vrienden. Soms heb ik het gevoel dat niemand me zo goed kent als hij.'

Ze had amper gepauzeerd om adem te halen, en toen ze eindelijk zweeg, keek ze hem recht aan.

'Daar gaan we weer.' Ze ging met een hand door haar haar. 'We hebben het al weer over mij. Hoe zit het met jou? Vertel jij nou eens iets over jezelf.'

'Een interessant verschijnsel, vind je niet? Die behoefte om vertrouwelijkheden uit te wisselen. Heb je ook niet het gevoel alsof we een filmscène spelen?'

'Vergeet het maar, daar trap ik niet in. Je probeert gewoon mijn vraag te ontwijken. Vertel op!'

'Wat moet ik vertellen?'

'Over je broer bijvoorbeeld.'

Hij keek haar aan en zag de onderzoekende, belangstellende blik in haar ogen. Was hij bereid haar in vertrouwen te nemen? Een korte aarzeling.

'Hij heette Cal,' begon hij toen. 'Hij was ouder dan ik en ik keek enorm naar hem op. Mijn broer was alles wat ik wilde zijn. Op een bepaalde manier was hij meer een vader voor me dan mijn echte vader. Zes jaar geleden is hij gestorven. Omgekomen bij een ongeluk. En dat had niet hoeven gebeuren... Ik... ik denk dat ik hem misschien had kunnen redden.'

Het was eruit. Hij had het gezegd.

'Wat bedoel je?'

'Hij kwam naar huis, in Connecticut. Vanuit Oxford. Daar werkte hij op een laboratorium. Een briljant bioloog, zette zich volledig in voor zijn werk. We hadden altijd een heel goede band gehad, maar om de een of andere reden voelden we ons ineens een beetje ongemakkelijk in elkaars gezelschap. Misschien omdat we elkaar een paar jaar niet hadden gezien. Hoe dan ook, we besloten die dag naar Devil's Den te gaan. Dat is een plek waar we als kinderen altijd naartoe gingen om te zwemmen: hoge rotsen, een steile wand, een enorme waterval, ergens diep in de bossen. Je moet een uur lopen om er te komen. Ik denk dat we hoopten daar de draad weer op te kunnen pakken, de band die we hadden toen we jong waren.'

Hij zweeg even, haalde diep adem en vertelde toen verder.

'We wisten natuurlijk van jongs af aan dat het gevaarlijk was om te dicht bij de waterval te komen. Dat had iemand ooit eens verteld... Ik weet eigenlijk niet eens meer wie. Dus dat deden we nooit. Alle kinderen die daar kwamen, wisten dat je voorzichtig moest zijn. Het had te maken met de manier waarop het water naar beneden kwam. Iets met koolzuur... een soort verzadiging, waardoor er een zuigende werking ontstond en je niet bleef drijven. Watertrappen had geen zin. Het was alsof je benen door de lucht maaiden. Er was een verhaal over een kind dat toch te dicht bij de waterval kwam en als een steen naar de bodem zonk. Dus we wisten allebei dat je daar uit de buurt moest blijven.

Hoe dan ook, Cal en ik besloten terug te gaan naar die goeie ouwe tijd, dus we gingen naar Devil's Den. Het was een hete dag. Ik had een paar biertjes bij me. We wisten niet of we zouden gaan zwemmen of boven aan de waterval zouden blijven, waar het in elk geval veilig was. Maar voor de zekerheid hadden we onze zwembroeken aangetrokken onder onze kleren. Bij de waterval aangekomen liepen we het pad op dat naar beneden leidde... maar Cal ging steeds langzamer lopen. Ik werd een beetje nijdig. Het was bloedheet en ik besloot te gaan zwemmen. Bovendien wilde ik het bier koud zetten in het water. Toen hij bleef aarzelen liep ik door en...'

Hij zweeg opnieuw. In zijn hoofd startte zijn geheugen de film.

'... wat er daarna gebeurde, heb ik nooit precies geweten. Ik liep voorop, en toen hoorde ik ineens iets achter me, een geluid, een soort kreet. Ik draaide me om en ik zag Cal gaan, langs de rotsen, heel langzaam, alsof hij zich nog zou kunnen vastgrijpen. Toen ging hij ineens sneller, hij draaide om zijn as en dook recht het water in. Ik zag het opspatten. Nog even zag ik zijn hoofd bovenkomen, en een arm, en ik besefte dat hij worstelde om niet onder te gaan. Toen was hij plotseling verdwenen. Weg. Hij was gewoon weg. Er was geen spoor meer van hem te bekennen. Ik rende het pad af, zo hard als ik kon, maar toen ik eenmaal beneden kwam, was er niets meer wat ik kon doen.

Dus daar stond ik, naar het water te staren, donker en vol met kleine luchtbellen. Ik dacht... ik dacht dat ik achter hem aan zou moeten springen. Maar ik durfde niet. Want ik wist dat ik er nooit meer uit kwam als ik dat deed. Dus... ik heb niks gedaan. Ik heb hem gewoon laten verdrinken. Ik heb niet eens geprobeerd om hem te redden. Ik ging op zoek naar een stok, een tak, iets om in het water te steken, zodat hij het misschien kon pakken. Maar ik kon niks vinden. En toen ging de tijd ineens heel snel. Ik weet nog dat ik me afvroeg hoelang een mens zijn adem kan inhouden. En wat er gebeurt als het te lang duurt. Wanneer er hersenbeschadiging optreedt. Cal was al te lang onder water, dacht ik toen. Ik liep stroomafwaarts, om te zien of hij misschien verderop boven was gekomen. Maar dat was niet zo. Hij was onvindbaar. Er was niemand, en plotseling besefte ik dat het doodstil was om me heen. Ik heb geen idee hoelang dat duurde. Het was alsof ik plotseling doof was geworden. Zelfs het geluid van de waterval leek van heel ver te komen.

Er zat niets anders op dan terug te gaan. Dus ik liep naar de weg, waar we de auto hadden achtergelaten, en reed naar de eerste de beste telefooncel. Daar belde ik de politie. Die kwam, en we gingen terug naar de waterval. Er werd gebeld om versterking. En toen kwam een van de agenten naar me toe, hij sloeg een arm om mijn schouders en gaf me zijn mobiele telefoon met de vraag of ik iemand wilde waarschuwen. Dus ik belde mijn vader. Ik liep het bos in, en ik weet nog dat ik omhoogkeek, naar de bomen en de bladeren, en me afvroeg hoe ik dit in godsnaam moest doen. Wat moest ik zeggen? Hoe vertel je iemand dat je met z'n tweeën van huis bent gegaan en nu nog maar alleen bent? Hoe zeg je dat? Hoe zeg je dat je je broer hebt laten verdrinken? Ik weet niet meer hoe mijn vader reageerde, maar hij kwam meteen. Hij wist waar we waren, ook al had ik niets gezegd. Tegen de tijd dat hij kwam, was er nog meer politie gearriveerd. Ze waren naar het lichaam aan het dreggen, en uiteindelijk haalden ze Cal uit het water. De haak zat vast in zijn been, en hij was zo bleek. Zijn haar was tegen zijn voorhoofd geplakt, en hij was opgezet van al het water dat hij binnen had gekregen. Er was drie man nodig om hem op de rotsen te trekken, zo zwaar was hij. Ze hebben niet eens meer geprobeerd hem te reanimeren.

Dat is het verhaal. Nu weet je het. Ik had een broer, en zo is hij gestorven.'

Het was inmiddels donker. Door de bomen waren de koplampen te zien van de auto's op Gonville Place. Beth, die zijn hand in de hare had genomen, boog zich naar hem toe en trok zijn hoofd tegen haar borst.

'Als ik niet zo... kinderachtig had gedaan, als ik niet nijdig voorop was gaan lopen, had ik hem misschien kunnen redden... Dan had ik hem misschien kunnen grijpen toen hij viel, hem op de een of andere manier kunnen tegenhouden.'

'Dat klinkt niet waarschijnlijk.'

Hij zei niets, uit angst dat hij zich niet goed kon houden.

Het bleef geruime tijd stil.

'Ik heb dit nog nooit aan iemand verteld,' zei hij toen. 'Tenminste, niet op deze manier.'

'Mijn moeder zegt altijd dat iedereen een geheim heeft. Bij sommige geheimen is het goed om erover te praten, andere kun je beter voor je houden. Jouw geheim is goed om over te praten.'

Hugh richtte zich op en keek haar aan.

'Het was niet jouw schuld,' zei ze nadrukkelijk. 'Dat is zo duidelijk als wat.'

'Ik heb altijd het gevoel gehad... Ik weet niet hoe ik het moet zeggen... Maar ik heb altijd het gevoel gehad dat mijn vader meer van hem hield. Cal was in alle opzichten zoveel beter dan ik. Dus die dag, en de dag daarna, en eigenlijk elke dag sindsdien...' Hij zweeg even. Het viel hem zwaar erover te praten. 'Sindsdien heb ik altijd gedacht dat de verkéérde zoon was verdronken.'

'Dat heeft je vader toch nooit gezegd?'

'Nee, niet met zoveel woorden. Maar ik weet zeker dat hij het heeft gedacht.'

Ze zweeg even, toen zei ze zacht: 'Misschien heb je gelijk. Er zijn ouders die een voorkeur hebben. Misschien zijn er zelfs ouders die meer van het ene kind houden dan van het andere. Maar er zijn veel meer kinderen die dat denken zonder dat het zo is. En dat geldt vooral voor kinderen die opgroeien in de schaduw van een oudere broer of zus. Dus het kan heel goed zijn dat je het mis hebt. Denk eens aan al het zinloze lijden dat je jezelf aandoet. En misschien ook je vader.

En bovendien,' voegde ze eraan toe, 'als je achter hem aan was gesprongen, dan had je vader nu helemaal niemand meer gehad.'

'Er is nog iets,' zei hij. 'Ik ben sinds kort wat dingen te weten gekomen.'

'Zoals?'

'Onder andere dat Cal zijn baan bij het lab had opgezegd. Dat hij depressief was en hulp nodig had.'

'Dat klinkt als iets wat je tot op de bodem zou moeten uitzoeken.'

'Ja, dat ga ik ook doen.'

Ze liepen naar haar huis. Het was inmiddels donker geworden. Straatlantaarns wierpen gele trechters van licht op het trottoir. Hugh was zo in gedachten verzonken dat hij niet merkte dat ze een arm om elkaars middel hadden geslagen en dat ze losjes haar duim achter zijn riem had gestoken.

Voor haar huis kuste hij haar welterusten; het was een vluchtige, intieme, maar geen hartstochtelijke kus. Ze vroeg hem niet binnen, en daar was hij blij om. Hij was veel te rusteloos door alle gedachten die hem bestormden.

12

Op een hete, broeierige ochtend in februari, twee maanden na het vertrek uit Engeland, bereikte de *Beagle* Zuid-Amerika. Over een rustige zee voer het schip langs een weelderige kustlijn met bananen-bomen en kokospalmen, tot het om negen uur 's morgens de Aller-heiligenbaai in draaide en aanlegde onder het eeuwenoude stadje San Salvador de Bahia.

Voor Charles was het geen dag te vroeg, want hij had ruimschoots kennisgemaakt met de schaduwkant van het leven op zee: namelijk dat een brik die de ene dag groot genoeg lijkt voor een heel leger, de volgende dag kan veranderen in de helse benauwenis van een gevan-genis; wie vijanden heeft aan boord, merkt dat het onmogelijk is hen te ontlopen. De verstandhouding tussen Charles en McCormick was danig verslechterd. Niet alleen hadden ze elke beleefdheid overboord gezet; er was sprake van een nauwelijks verholen vijandigheid.

De avond tevoren had Charles zich niet langer kunnen beheersen en Philip Gidley King, de adelborst met wie hij zijn hut deelde, in ver-trouwen genomen, terwijl ze in hun licht zwaaiende hangmatten lagen.

'Ik weet niet waarom, maar hij ergert me mateloos. Een verwerpelijk sujet, dat is het. Een bullebak en een slavendrijver, die de titel na-tuurwetenschapper nauwelijks verdient. Nieuwsgierigheid, onder-zoeksdrang, het is hem allemaal vreemd. Bovendien is hij vulgair. Het spijt me dat ik het moet zeggen, maar ik kan er niet omheen: hij is van lage komaf, en dat merk je.'

'Ja, dat is duidelijk.'

'En ik heb werkelijk geen idéé waarom hij zo'n hekel aan me heeft.'

'Dat is ook maar al te duidelijk. U staat hem in de weg. U bent een obstakel. U staat tussen hem en zijn vurig begeerde droom in.'

'En wat mag die droom dan wel zijn?'

'Wie zal het zeggen? Roem, een hogere sport op de maatschappelijke ladder, al wat de mens in zijn ijdelheid nastreeft.'

Charles ging er niet op in, maar verzonk in gedachten. Hij had in-derdaad naturalisten gekend die hun werk hadden gebruikt om ho-

151

gerop te komen op de maatschappelijke ladder. Voor wie een fraaie verzameling bij elkaar wist te brengen en een reputatie wist op te bouwen als deskundige, was het mogelijk een zekere status te bereiken. Zelfs een ridderorde was niet uitgesloten.

Charles prees zich gelukkig dat hij rijk genoeg was om zelf in zijn onderhoud te voorzien en zijn eigen weg te kiezen, zodat hij zich om louter kennistheoretische motieven aan de wetenschap kon wijden. Hij hield zichzelf voor dat hij geen snob was – sterker nog, hij ging er prat op dat hij moeiteloos overweg kon met vertegenwoordigers van elk beroep, elke sociale klasse – maar hij vond het vreemd dat hij zich zoveel meer op zijn gemak voelde bij een wilde als Jemmy Button dan bij een man die tot zijn landgenoten behoorde.

King maakte een eind aan het gesprek door zich naar de muur te keren en filosofisch, als een man die maar al te vertrouwd is met 's werelds slechtheid, op te merken: 'Ach, ik heb alles van Byron gelezen, en verder heb ik niets of niemand nodig.'

Terwijl hij over het dek liep te ijsberen, kon Charles nauwelijks wachten om aan land te gaan. Hij zat dan ook als eerste in de sloep. Nadat hij op de aanlegsteiger van boord was gestapt, enigszins onvast op zijn benen na de lange weken op zee, zwierf hij door de smalle straten tot hij op een groot plein kwam, met in het midden de kathedraal. Hij voelde zich verloren in de drukte en keek aandachtig naar de mensen om zich heen: priesters met kegelvormige hoeden, bedelaars, parmantig rondstappende Britse zeelui en beeldschone vrouwen met lang zwart haar dat als een waterval over hun rug stroomde.

Het duurde echter niet lang of hij stuitte op een tafereel dat hem het gevoel gaf in een hel te zijn beland, vergeleken waarmee het leven op het schip het paradijs was: slaven uit Afrika, zwart als laarzenpoets, die genadeloos werden afgebeuld. Met ontbloot bovenlijf roeiden ze uit alle macht in kleine boten door de haven, onder de knallende slagen van een zweep. Eenmaal aan wal zuchtten ze wankelend en diep gebogen onder het gewicht van de loodzware vracht op hun hoofd, terwijl ze wanhopig probeerden hun meester bij te houden.

Lastdieren worden beter behandeld, dacht Charles. Hij merkte tot zijn ontsteltenis dat de slaven zich haastten om hem niet voor de voeten te lopen en zijn blik ontweken door naar de grond te kijken. Op slag herinnerde hij zich alle felle aanvallen op de slavernij waarvan hij getuige was geweest aan de tafel van oom Jos, alle hartstochtelijke pleidooien, alle scherpe bewoordingen geïnspireerd door christelijke waarden. Een vurige verontwaardiging nam bezit van hem. Hij dacht aan John Edmonstone, de bevrijde slaaf in Edinburgh die twee jaar eerder zo vriendelijk was geweest hem in te wijden in de geheimen van het opzetten van dieren, en zijn woede nam zulke vormen aan dat hij er bijna in stikte.

Op datzelfde moment, aan boord van de *Beagle*, was McCormick over het bewuste onderwerp in gesprek gewikkeld met Bartholomew James Sulivan. De scheepsarts stond op het benedendek, in het besef dat hij zich binnen gehoorsafstand bevond van kapitein FitzRoy, maar hij deed alsof hij diens aanwezigheid niet in de gaten had. 'Wist u niet dat de familie van onze geachte heer Darwin voorop loopt in de campagne voor de afschaffing van de slavernij?' vroeg McCormick.
'Nee, dat wist ik niet,' antwoordde de tweede luitenant.
'De Wedgwoods, aan wie hij rechtstreeks geparenteerd is, zijn altijd actief geweest in het Genootschap tegen Slavernij. Het ontwerp van het porseleinen medaillon is van hen afkomstig: het geknielde, geketende negerjongetje met daarboven de woorden BEN IK NIET OOK EEN MENS, EEN BROEDER?
'Dat ken ik.'
'Natuurlijk kent u dat. Het is maar al te bekend.'
'Slavernij is een buitengewoon verontrustende, maar gecompliceerde zaak,' zei Sulivan. 'Het is één ding om de handel in slaven te verbieden, maar het is een heel andere zaak om de slavernij in de overzeese gebiedsdelen af te schaffen.'
'Dat ben ik roerend met u eens, maar ik ben bang dat meneer Darwin uw standpunt niet zou onderschrijven. Als het gaat om de slavernij is hij een zeloot.'
'Werkelijk waar?'
'U kunt me geloven. Ik heb hem horen beweren dat hij het onverdraaglijk vindt te moeten verkeren met mensen die een andere mening zijn toegedaan dan hij. Sterker nog, hij zegt dat hij er de grootste moeite mee heeft zijn maaltijden te nuttigen met iemand wiens ethiek zo verschilt van de zijne.'
Sulivan reageerde geschokt. 'Hebt u het dan over de kapitein?'

'Inderdaad. Meneer Darwin is diep teleurgesteld dat kapitein Fitz-Roy de *Beagle* niet wil inzetten bij de campagne om de Spaanse en Portugese slavenhandelaren het werken onmogelijk te maken. Ik schroom niet te zeggen dat hij in dat opzicht op buitengewoon aanmatigende en beledigende toon over onze kapitein spreekt.'
FitzRoy trok zich terug in de schaduw van de hoofdmast, zijn gezicht donker van woede.

Toen Charles die avond terugkwam van zijn wandeling, viel het hem op dat FitzRoy ongewoon stil was. Tijdens de zwijgend genuttigde maaltijd had hij niet voor het eerst het gevoel dat de kapitein hem onderwierp aan een sombere taxatie.
Het toeval wilde dat het tweetal een paar dagen later dineerde met kapitein Paget, van HMS *Samarang*, die naast hen lag afgemeerd, en dat Paget over weinig anders kon praten dan over de gruwelen van de slavernij waarover hij zoveel had gehoord. Hij vertelde het ene na het andere verhaal: over slaven die bijna halfdood werden geslagen, over gezinnen die uit elkaar werden gerukt doordat ze aan verschillende meesters werden verkocht, en over mannen die ontsnapten en werden opgejaagd als honden.
Sommige eigenaars behandelden hun slaven humaan, moest kapitein Paget toegeven, maar zelfs zij toonden zich blind voor hun lijden. Hij herinnerde zich het schokkende geval van een slaaf die had verzucht dat hij zijn familie maar niet kon vergeten. 'Ik zou al gelukkig zijn als ik mijn vader en mijn twee zusters kon zien,' had hij verklaard.
FitzRoy tekende bezwaar aan en vertelde van zijn bezoek aan de heer van een *estancia* die zijn slaven, om te bewijzen dat ze niet ongelukkig waren, een voor een bij zich had geroepen en had gevraagd of ze liever vrij zouden zijn. 'Ze verklaarden zonder uitzondering dat ze dat niet wilden. Ha! Ze waren beter af als slaaf dan als vrij man, want dan zouden ze zeker van honger omkomen. Dat zeiden ze zelf!'
Met die woorden nam de kapitein zijn laatste hap schapenvlees, hij dronk zijn glas wijn leeg en gooide zijn servet op tafel, om duidelijk te maken dat de discussie wat hem betrof was gesloten. Even daarop keerde Paget terug naar zijn eigen schip. Charles was echter zo verontwaardigd, dat hij het onderwerp niet kon laten rusten. Terwijl ze

aan de cognac zaten, vroeg hij de kapitein of die zijn verontwaardiging niet deelde over een instituut dat menselijke wezens verlaagde tot beesten.

'Het is verre van mij om de slavernij te verdedigen,' antwoordde de kapitein. 'Maar wat ik niet deel, is uw overtuiging dat slaven per definitie ongelukkig zijn met hun door God gegeven lot. Op de landgoederen van mijn verwanten heb ik gezien hoe dankbaar de boeren zijn wanneer iemand waakt over hun welzijn. Me dunkt, een goede meester kan een zegen zijn voor iemand die zelf weinig mogelijkheden heeft. Iets wat velen uit zichzelf zullen toegeven.'

Charles kon zich nauwelijks beheersen en vroeg of het FitzRoy niet waarschijnlijk leek dat een slaaf die werd ondervraagd in het bijzijn van zijn meester, zou antwoorden wat hij dacht dat die laatste wilde horen.

Daarop kreeg FitzRoy een woedeaanval. 'De Duivel hale u!' tierde hij. 'Het is maar al te duidelijk dat u zich ver boven alle anderen verheven acht. Ik moet u zeggen, die minachting siert u niet!'

Hij stond op en smeet zijn glas tegen de muur.

'Als u het niet kunt laten uw koppige Whig-opvattingen aan iedereen in uw omgeving op te dringen, zie ik niet hoe we gezamenlijk de maaltijd kunnen blijven gebruiken.'

Met die woorden stormde hij de hut uit, Charles met open mond achterlatend.

Hij haastte zich achter FitzRoy aan, want na een dergelijk optreden vond hij het niet gepast om in de hut van de kapitein te blijven. Nauwelijks kwam hij buiten, of hij was er getuige van dat FitzRoy de arme Wickham genadeloos de mantel uitveegde vanwege een of andere denkbeeldige overtreding. De luitenant, tevens plaatsvervanger van de kapitein, kon niets anders doen dan zich beheersen en met rood aangelopen gezicht naar het dek staren.

Later deed Wickham het aanbod dat Charles de maaltijden in het vervolg in de messroom kon gebruiken, samen met de andere officieren. Het duurde echter niet lang of FitzRoy stuurde, in een van zijn onvoorspelbare buien, een fraai verwoorde verontschuldiging. Ter wille van de rust op het schip besloot Charles de belediging te laten passeren. Toch waren zijn gevoelens jegens de kapitein door het incident voorgoed veranderd. Het was gedaan met zijn blinde, bijna kinderlijke verering en hij zwoer dat, zodra de *Beagle* in Rio de Janeiro aanlegde, om de stad te gebruiken als uitvalsbasis voor het doen van peilingen langs de kust, hij die tijd aan de wal zou door-brengen.

Charles hield zich aan zijn gelofte en huurde een huisje in Botofogo, aan de rand van de stad, aan de voet van de Corcovado. Hij deelde het huisje met King en Augustus Earle, de kunstenaar van het schip, die de stad goed kende en Charles rondleidde door de poel van zonde die de armere wijken waren.

Charles bracht een volle week door met het verpakken van zijn spe-cimens, die hij in kratten verscheepte naar Henslow, in Engeland. Daarna sloot hij zich aan bij een Ier, Patrick Lennon. Gretig om het binnenland te verkennen, trokken ze te paard naar Lennons koffie-plantage, zo'n honderdvijftig kilometer naar het noorden.

Eindelijk ben ik in mijn element, dacht hij, terwijl hij de natuur leer-de kennen in talloze nieuwe en exotische verschijningsvormen. Hij zag vlinders die laag over de grond vlogen, spinnen die webben sponnen als zeilen en zich daarmee door de lucht verplaatsten, en trekmieren die hagedissen en andere dieren in slechts enkele minu-ten tot een skelet wisten te reduceren. Hij sliep op stromatten in *vendas* langs de weg, in slaap gesust door een koor van cicaden en krekels, en werd wakker door de kreten van brulapen, krijsende groene papegaaien en toekans met zwarte kraalogen en reusachtige, rode snavels. Hij verwonderde zich over de honderden kolibries, over de gordeldieren die zich ingroeven in de grond in de tijd die hij nodig had om van zijn paard te komen, over de hersenloze genialiteit van nachtvlinders vermomd als schorpioenen, en over de parings-signalen van vuurvliegen.

Hij hakte zich een weg door het oerwoud, langs orchideeën die wor-telden in rotte boomstammen, langs Spaans mos en lianen die als grillige touwen van boomtakken hingen. Hij liep onder een weelde-rig bladerdak dat zo dicht was dat het de zon buitensloot en hem be-schermde tegen de korte, hevige regenbuien. Hij ontwikkelde sterke spieren, zijn hoofd was helder, zijn lichaam slank en gebruind.

Bij terugkeer zat King van zijn rust te genieten op de veranda, met zijn voeten op de reling. De adelborst gaf hem een glas rum en keek geamuseerd naar de pakezel die gebukt ging onder het gewicht van de specimens die Charles had verzameld.

'Jullie Engelsen,' zei hij, alsof hij daar zelf niet bij hoorde, 'met jullie fascinatie voor het bekijken van torren onder microscopen en jullie liefde voor het verzamelen van botten... Wat een verspilling van tijd is een dergelijke obsessie, als je die afzet tegen de eeuwigheid.'

Charles nam hem geamuseerd op. Hij was gewend aan de scherpe aanvallen van de jongeman.

'Wat zijn jullie nou helemaal, vergeleken bij de nobele Romeinen, de geleerde Grieken, en zelfs – dat durf ik ronduit te zeggen – de edele wilden van dit continent?' vervolgde King. 'Alleen omdat jullie de stoommachine hebben uitgevonden – een stuk metaal dat een ander stuk metaal doet ronddraaien – geloven jullie dat jullie het recht hebben over de rest van de wereld te regeren. Jullie zijn ervan overtuigd dat jullie op het puntje van de piramide zitten, zonder ook maar een flauw benul te hebben wie die piramide heeft gebouwd of waarom.'

'Zou u me een handje willen helpen met het afladen van mijn oogst?'

'Met alle plezier.'

King sprong van de veranda, pakte een houten kist en verschafte een welkom nieuwtje. 'Ik daag u uit te raden wie er vandaag zijn congé heeft gekregen,' zei hij.

Charles wist onmiddellijk om wie het ging, maar keeg niet de kans antwoord te geven, want King was hem voor.

'McCormick.'

'McCormick?'

'Ja, hij is vorige week naar de plaatselijke admiraliteit gegaan en heeft toestemming gekregen met de *Tyne* huiswaarts te keren. Vanmorgen is hij van boord gegaan, met zijn bagage en met een papegaai op zijn schouder.'

Charles slaagde er nauwelijks in zijn opluchting te verbergen. 'Wat is de reden van zijn congé?' vroeg hij.

'Onenigheid met de kapitein over u en uw vermaledijde specimens. Hij beschuldigde de kapitein ervan u een voorkeursbehandeling te geven, omdat u de gelegenheid krijgt allerlei treilnetten achter het schip aan te hangen, terwijl het hem, als scheepsarts, onmogelijk werd gemaakt zijn werk als verzamelaar te doen. De druppel die de emmer deed overlopen, was het feit dat u twee weken geleden de diensten van de scheepstimmerlieden hebt ingeroepen om uw flessen en kisten te verzenden. Voor zover ik heb begrepen, leidde dat tot een behoorlijk verhitte discussie.'

Charles hief zijn glas om te drinken op deze vreugdevolle ontwikkeling.

'Niet om het een of ander,' vervolgde King, 'maar McCormick had volgens mij niet helemaal ongelijk.'

'Misschien niet,' antwoordde Charles. 'Maar de Natuur lacht hun toe aan wie Zij de voorkeur geeft.'

King nam hem geamuseerd op. 'Zelfs Byron had het niet beter kunnen zeggen.'

Die avond maakte Charles in zijn dagboek melding van zijn opgewektheid. *Ik heb het gevoel alsof er een loden last van mijn schouders is genomen,* schreef hij.

> Het is waar, hij heeft niet helemaal ongelijk: de gewoonte schrijft voor dat de scheepsarts tevens optreedt als de verzamelaar aan boord. Maar hij had zich tot mijn rivaal verklaard, en ik heb regelmatig het gevoel gehad dat hij probeerde mijn positie te ondermijnen bij de kapitein. Bovendien toonde hij amper enige dankbaarheid voor mijn bereidheid zijn specimens mee te sturen met mijn zendingen. Alles bij elkaar genomen vond ik hem een buitengewoon onaangenaam heerschap.

Met gefronste wenkbrauwen las hij het geschrevene nog eens door, toen scheurde hij de bladzijde uit zijn dagboek en gooide die in de prullenmand. In plaats daarvan begon hij aan een brief aan zijn zuster Catherine, waarin hij, tussen een lawine van ander nieuws, melding maakte van McCormicks vertrek. *Zijn vertrek is nauwelijks een verlies te noemen,* was alles wat hij erover schreef.

Diezelfde avond zat McCormick in de bar van Hotel Lapa, samen met Sulivan, de enige scheepsmaat die zich niet van hem had afgekeerd. De voormalige scheepsarts zag er belabberd uit – er stonden vier enorme lege kroezen voor hem – en moest nog maar afwachten of de eigenaar van het logement zijn verzoek om een kamer voor de nacht zou honoreren. De papegaai pikte op een tafeltje vlakbij naar kruimels.

Ze waren al enige tijd in gesprek, maar nu dempte McCormick zijn stem tot een samenzweerderig gefluister. 'Wat jij moet doen, is zorgen dat je je eigen schip krijgt. Dat is de enige manier om te overleven in een vervloekt bedrijf als de marine. Anders word je door de kapiteins vermalen onder een molensteen... en als kaf weggeblazen.' Sulivan knikte en nam zijn gesprekgenoot door de blauwgrijze wolken rook onderzoekend op. 'Je eigen schip...' Dat klonk erg aanlokkelijk, en zijn belangstelling was dan ook onmiddellijk gewekt. 'Maar hoe krijg ik dat voor elkaar?' vroeg hij. 'Het wemelt in de marine van de luitenants, dus je kunt wachten tot je een ons weegt.'

'Dat is niet zo moeilijk. Je volgt gewoon het voorbeeld van kapitein FitzRoy.'

'Hoe bedoel je? Moet ik het zo regelen dat de kapitein zichzelf een kogel door zijn kop jaagt?'

'Nee, natuurlijk niet. Je moet gewoon laten zien wat je waard bent. Dat je uit het goede hout gesneden bent.'

'Allemaal tot je dienst, maar hoe doe ik dat?'

'Precies zoals FitzRoy dat heeft gedaan: door indruk te maken op de Admiraliteit. Je moet zien dat je een aanstelling krijgt op een zusterschip. Dat je daar het commando mag voeren. Dan kun je laten zien dat je geschikt bent om gezag uit te oefenen, en je doet je werk zo goed dat iedereen je lof toezwaait. Draag je commando als een admiraalsjas, dan komt de rest vanzelf.'

'Dat is allemaal goed en wel, maar we hebben geen zusterschip.'

'Nee, maar daar kun je wat aan doen. Je kent FitzRoy. Jullie hebben een goede verstandhouding. Zorg dat hij een zusterschip koopt. Zeg dat hij een dergelijk schip nodig heeft, wil hij het onderzoek tot een succes maken. Wijs hem erop dat we zonder zusterschip geen schijn van kans hebben de peilingen te voltooien. FitzRoy heeft geld genoeg, en bovendien staat hij te trappelen om er een schip bij te nemen. Dus ik denk niet dat het je moeite zal kosten hem zover te krijgen.'

Sulivan zweeg even. Misschien lukte het, als hij het slim aanpakte. En het kon in elk geval geen kwaad het te proberen. Mocht zijn pleidooi toch aan dovemansoren zijn gericht, dan zou dat hooguit worden toegeschreven aan zijn enthousiasme voor de opdracht.

'En er is natuurlijk nog iets wat je in overweging moet nemen,' merkte McCormick geheimzinnig op.

'En wat mag dat dan wel zijn?' vroeg Sulivan.

'Je hebt er zelf eerder al op gezinspeeld. Ik geloof dat we het er allemaal over eens zijn dat FitzRoy niet het toonbeeld van geestelijke stabiliteit en gezondheid is. Je bent regelmatig getuige geweest van zijn buien; bij de lichtste provocatie zakt hij weg in een moeras van wanhoop en vertwijfeling. Mocht er iets met hem gebeuren... Ach, laten we zeggen dat de kaarten dan ineens heel anders komen te liggen.'

Sulivan keek hem over de tafel heen doordringend aan. 'En wat word jij er wijzer van, als ik vragen mag? Je bent niet eens meer aan boord.'

'Ach, ik sluit niet uit dat ik me laat overhalen om terug te komen. Vooral met het vooruitzicht van een ander schip. Want een ander schip betekent een andere kooi voor een scheepsarts.'

'Toch hou je het probleem van Filos als rivaal.'

'Dat is waar, maar met wat zeewater ertussen wordt dat wel een stuk gemakkelijker.'

'Misschien krijgt Wickham het commando over het zusterschip, hij is tenslotte tweede in rang.'

'Dan klim je in elk geval op naar de tweede plaats op de *Beagle*. Dat is ook niet verkeerd.'

Sulivan moest toegeven dat McCormick gelijk had. 'Trakteer me op nog een biertje, en ik zal over je voorstel nadenken,' zei hij dan ook.

'Er is nog één ding dat ik je in overweging wil geven,' merkte McCormick op.

'En dat is?'

'Mocht je kapitein worden, dan verwacht ik wel dat je me alle traditionele hoffelijkheid bewijst die een scheepsarts toekomt. Daar hoort ook bij dat ik als enige verantwoordelijk ben voor het verzamelen van specimens, en dat ik die op kosten van de regering naar huis kan sturen.'

Zonder iets te zeggen hieven ze hun glas in een stilzwijgende toost waarbij geen druppel werd gemorst.

Pas na weken keerde de *Beagle* terug van zijn verkenningstocht, waarop de reis naar het zuiden werd vervolgd. De bemanning verkeerde in rouw. Drie zeelui waren omgekomen tijdens een expeditie aan land, waarbij ze een rivier stroomopwaarts waren gevaren om snippen te schieten.

Charles had zijn eigen reden tot somberheid, maar die was vergeleken bij het verdriet van de bemanning zo kleinzielig dat hij er nauwelijks voor durfde uitkomen: terwijl hij op de kade stond te wachten, had hij de bagage van McCormick ontdekt, klaar om aan boord te worden gebracht, compleet met de kooi voor de papegaai van de scheepsarts.

En ik dacht nog wel dat ik van die ellendeling af was, zei hij tegen zichzelf onder het slaken van een stilzwijgende verwensing.

Even later verscheen de scheepsarts zelf, met een welwillende glimlach op zijn gezicht, alsof er nooit iets was gebeurd.

'Ik zie dat u al uw bezittingen van boord had gehaald,' zei Charles. 'Had u verwacht langdurig met verlof te gaan?'

'Inderdaad,' luidde het antwoord. 'Het is tenslotte nooit te voorspellen hoeveel tijd dit soort peilingswerkzaamheden in beslag neemt, nietwaar?'

Charles kon geen gevat antwoord bedenken.

Die avond, toen ze weer onderweg waren en zijn maag had gereageerd door onmiddellijk van streek te raken, bracht hij tijdens het diner in de hut van de kapitein McCormicks vertrek en terugkeer ter sprake. Aanvankelijk leek de kapitein te zeer in beslag genomen door zijn gedachten om te reageren, maar ten slotte fronste hij zijn wenkbrauwen, hij gebaarde vaag met zijn hand en was toen plotseling alert. 'Ja, hij vroeg me of hij terug mocht komen. Sterker nog, hij smeekte me hem weer aan te nemen. Dus ik dacht: waarom ook niet? Wat kan het voor kwaad? En inderdaad, hij is er weer.'

Charles kon zijn teleurstelling niet verbergen en keek blijkbaar zo ongelukkig dat FitzRoy zich naar voren boog en hem op de arm klopte.

'Maakt u zich toch geen zorgen, Filos. U blijft de naturalist van de *Beagle*. Mijn dekken worden overstroomd door uw verzamelingen, die op kosten van Zijne Majesteit naar huis worden gestuurd. Heb ik woord gehouden of niet? Verdien ik het te worden genoemd, wanneer u eindelijk, over vele jaren, een beroemd spreker bent geworden?'

Charles moest toegeven dat daar iets in zat.

Een paar weken later voeren ze de wateren van Argentinië binnen, en ze zagen al snel dat het land aanzienlijk ruiger en woester was dan alles wat ze tot op dat moment hadden gezien. Toen de *Beagle* de haven van Buenos Aires naderde, vuurde een Argentijns wachtschip een boegschot af; een buitengewoon ongastvrije manier om duidelijk te maken dat schip en bemanning in quarantaine moesten. FitzRoy was buiten zichzelf van woede; hij zeilde langs het wachtschip, dreigde het met alle opvarenden op te blazen, en voer toen door naar Montevideo, waar hij een Brits oorlogsschip wist over te halen terug te varen naar Buenos Aires om deze belediging van de Britse vlag te wreken.

Het oorlogsschip was amper vertrokken, of het plaatselijke hoofd van politie roeide uit alle macht naar de *Beagle*, klauterde aan boord en smeekte FitzRoy om hulp. Een groep negersoldaten was in opstand gekomen en had het wapenarsenaal van de stad veroverd. Charles, die naast de kapitein stond, voelde dat zijn bloed sneller begon te stromen. Eindelijk een kans om in actie te komen!

FitzRoy stuurde zo'n vijftig bemanningsleden aan wal, tot de tanden gewapend, en ook Charles sprong in een van de bootjes. Met zijn pistolen in zijn riem kon hij nauwelijks wachten tot ze de kust bereikten. Eenmaal aan land marcheerden ze door de stoffige straten, terwijl kooplieden en burgers zich naar hun deuren haastten en uit de ramen hingen om hen toe te juichen. Grijnzend van oor tot oor voelde Charles een warme kameraadschap met zijn scheepsmaten. Toen hij achteromkeek en McCormick ontdekte, besefte hij tot zijn verrassing dat het gevoel van verwantschap zich zelfs uitstrekte tot de scheepsarts. Ze glimlachten naar elkaar. Charles hief zijn pistool in de lucht en deed alsof hij een schot loste.

Helaas ging de opstand uit als een nachtkaars. De opstandelingen gaven zich onmiddellijk gewonnen, en toen de bemanning bij het arsenaal arriveerde, viel daar weinig meer te doen dan de oproerkraaiers gevangen te nemen en het fort te inspecteren op stijfkoppen die weigerden zich over te geven. Toen de avond kwam, bakten ze biefstuk boven laaiende vuren op de binnenplaats. Genietend van het sissende, rode vlees beleefde Charles opnieuw enkele gelukkige momenten.

'Het is wel jammer dat ze zich meteen gewonnen gaven,' zei hij op spijtige toon tegen McCormick, die er met een kortelas aan zijn riem aanzienlijk driester en zwieriger uitzag dan Charles voor mogelijk had gehouden. Ze dronken elkaar toe met een glas rum.

Ook al was het dan een schertsvertoning geweest, het avontuur maakte indruk op Darwin. Terwijl het schip bijna zeshonderd kilometer naar het zuiden voer, in de richting van Bahía Blanca, en aan een grondige verkenning van de kustlijn begon, bracht hij die tijd aan land door. Daarbij plukte hij de vruchten van alle activiteiten waaraan hij zich in zijn jeugd met zoveel hartstocht had gewijd. Te paard zwierf hij over de door de wind gegeselde pampa's, jagend op struisvogels, herten, cavia's en guanaco's. Het vlees bracht hij naar de kapitein en diens dankbare bemanning; eindelijk even geen scheepsbeschuit en gedroogd rundvlees, maar gordeldier geroosterd in zijn schild. Hij genoot van het buitenleven en waagde zich zelfs diep in een gebied waar wilde indianen woonden, die erom bekendstonden buitenlandse reizigers te martelen en te doden.

Hij reed zij aan zij met de ruige gauchos, die hem bewonderden om zijn scherpschutterschap, en probeerde het slingeren van *bolas* onder de knie te krijgen, drie stenen, met elkaar verbonden door repen ongelooide huid. Op een dag deed hij met het helse wapen zijn eigen paard struikelen; die avond, onder het genot van een *cigarrito*, schreef hij aan zijn zuster: *De gauchos brulden van het lachen; er was geen dier, of ze hadden het niet gevangen, maar ze hadden nog nooit een man gezien die werd gevangen door zichzelf.*

Hij huurde een scheepsjongen, Syms Covington, om hem te helpen met het schieten en opzetten van zijn specimens. Vanaf het moment dat hij een metgezel had die getuige was van zijn wapenfeiten, was hij helemaal niet meer te stuiten. Zijn bloed kookte en hij was vervuld van het vuur van de jeugd, overtuigd dat hem grootse wapenfeiten en ontdekkingen wachtten.

En inderdaad, op een prachtige septemberdag, toen Charles, Fitz-Roy, McCormick (die zich nog altijd onverklaarbaar beminnelijk gedroeg) en twee anderen in een sloep de modderbanken langs de kust verkenden, deden ze een opmerkelijke ontdekking. Ze rondden een kaap, Punta Alta, toen McCormick, die als enige met zijn gezicht naar de kust zat, uitriep: 'Wat is dat daar?' De anderen waren meteen alert. De scheepsarts wees naar een modderbank van een meter of zeven hoog, die opreeс achter een woud van rietstengels, waarin merkwaardige witte voorwerpen waren ingebed. Aanvankelijk leek het een groeve van het zuiverste marmer, die op instorten stond en glansde in de zon. Maar toen de sloep dichterbij kwam, beseften ze dat het iets veel interessanters was: verhard slik met daarin verankerd een verzameling botten.

Darwin sprong uit de boot, waadde naar de kust en scheidde het riet met zijn ploertendoder, zodat krabben haastig wegvluchtten en een goed heenkomen zochten. Tegen de tijd dat de anderen hem hadden ingehaald, had hij zich al diep in de wal begeven, die bestond uit een zachte, sedimentaire afzetting van grind en klei. Hij liet zijn armen er tot zijn ellebogen in verdwijnen en wist na lang wroeten, met blote handen en een geweldige krachtsexplosie, een enorm bot van bijna een meter lang los te wrikken, dat hij als een trofee omhooghield. 'Bij de goden, wat denken jullie dat dit is?' riep hij uit. 'Een dijbeen of zoiets? Zou dat mogelijk zijn? Is het misschien een fossiel?'

Ze keken om zich heen en zagen dat ze waren omringd door reusachtige botten: slagtanden en dijbenen en een rond schild, die uit de grond staken alsof ze waren verrast door een aardverschuiving. Ze bevonden zich in een knekelhuis van de natuur. De gefossiliseerde botten stamden waarschijnlijk uit een vroeger tijdperk, want ze waren veel te groot om afkomstig te kunnen zijn van dieren die op dat moment op aarde leefden. De hele middag bleven ze in het knekelhuis aan het werk en haalden ze enorme relikwieën naar boven, die ze op het smalle strand achterlieten toen ze terugkeerden naar het schip.

Die avond kon Charles over niets anders praten, speculerend over de vraag van welke dieren de botten afkomstig zouden kunnen zijn, boeken over zoölogie, biologie en paleontologie raadplegend, theorieën formulerend, die hij vervolgens inruilde voor andere en ten slotte alsnog omarmde. Na het eten duwde FitzRoy zijn vriend, geamuseerd door diens gedrevenheid, de hut uit met de woorden: 'U lijkt wel een bezetene. Waarschijnlijk doet u vannacht geen oog dicht en loopt u tot de ochtend al piekerend door uw hut te ijsberen. Maar ik wens te worden ontzien. U mag me alleen wakker maken als de botten tot leven komen.'

De volgende morgen ging Charles terug, samen met McCormick, die bijna net zo enthousiast was als hij. Covington en een groep bemanningsleden waren gewapend met pikhouwelen. Ze werkten de hele dag door, stopten alleen voor een maal van gezouten rundvlees en scheepsbeschuit, dat Charles het liefst zou hebben overgeslagen. Tegen de avondschemering hielden de wetenschappers ruggespraak over een verzameling van twintig botten die op het strand waren uit-gelegd. Ze waren het erover eens dat ze afkomstig moesten zijn van uitgestorven dieren uit de prehistorie. Hoewel sommige gelijkenis vertoonden met het skelet van nog levende dieren, zoals de guanaco, waren ze wel twee of drie keer zo groot. Charles opperde het ver-moeden dat een van de botten, een schedel waarvan het uitgraven hem uren had gekost, afkomstig was van een *megatherium*, waarvan hij ooit, tijdens een lezing, een beschrijving had gehoord. McCor-mick daarentegen opperde de suggestie van een *megalonyx*. Samen probeerden ze zich alles in herinnering te roepen wat ze nog wisten van de colleges in Edinburgh. Terwijl ze doodmoe op het strand zaten, hun gezichten onder het vuil, hun baarden bedekt met mod-der, begonnen ze te grijnzen, en uiteindelijk schaterden ze het uit. Charles sprong op en neer en deed een reusachtige luiaard na. McCormick pakte een schedel en trok die over zijn hoofd, waardoor hij wankelde onder het gewicht. De bemanning huilde van het la-chen. Op de terugweg naar het schip nam Charles zijn metgezel aan-dachtig op. Ach, het is geen slechte vent, dacht hij.

Na een week lag het hoofddek van de *Beagle* bezaaid met fossielen en was het bijna onmogelijk van de ene kant van het schip naar de andere te lopen. Luitenant Wickham was de eerste die mopperde over de 'mishandeling' van zijn schip – 'het lijkt wel een museum' – maar zijn ontsteltenis was gespeeld. Veel van de bemanningsleden werden meegesleept door de onderneming. Ze luisterden aandachtig terwijl Charles eindeloos theoretiseerde over de vraag waardoor de dieren waren uitgestorven. Hij sprak over veranderende habitats, over bergen die uit de aardkorst oprezen en over een landbrug in de vorm van de isthmus tussen Noord- en Zuid-Amerika. FitzRoy was het er volstrekt mee oneens: ze waren uitgestorven omdat ze niet op tijd de ark van Noach hadden weten te bereiken, verklaarde hij met grote stelligheid tijdens een van zijn zondagse preken.

Jemmy Button was buitengewoon opgewonden door de vondst van de beenderen. Hij liep er voortdurend omheen, raakte ze telkens aan wanneer hij erlangs kwam, en merkte op dat hij zulke dingen eerder had gezien, vlak bij zijn dorp. Charles verwonderde zich over de sluwheid waarmee de wilde erin slaagde de aandacht te trekken.

Na twee weken maakte FitzRoy een eind aan de opgravingen. Het werd tijd dat de *Beagle* zijn reis vervolgde. Hij verlangde ernaar zijn verkenningswerk te hervatten, maar ook – en dat mocht geen verbazing wekken – om verder te gaan met zijn eigen project: het terugbrengen van de Yamana-indianen naar hun geboorteland en het planten van het zaad van het christendom in dat vergeten deel van de wereld.

Het vertrek uit Buenos Aires verliep gehaast en rommelig. Charles wilde de hele zending beenderen meesturen met een schip dat naar Engeland zou vertrekken op dezelfde dag dat de *Beagle* de rivier op zou varen om voorraden in te slaan, waaronder flessen en conserveringsalcohol en wandelschoenen die hij zelf had besteld. Dus hij regelde dat Edward Lumb, een Engelsman die al geruime tijd in Zuid-Amerika woonde, de verzending zou regelen. Toen Charles twee dagen later terugkwam om Lumb te betalen, kreeg hij tot zijn opluchting te horen dat de zending volgens plan was vertrokken.

Terwijl Charles hem een stapel ponden gaf, vroeg Lumb: 'Trouwens, dat had ik u moeten vragen vóórdat ik de zending wegstuurde, maar ik zag dat er twee – hoe noemt u zichzelf? – *naturalisten* aan boord waren. U en die andere heer. Hoe heet hij eigenlijk?'

'Dat is meneer McCormick. Wat is uw vraag?'

'Op het formulier werd gevraagd slechts één naam in te vullen, en ik heb de uwe erop gezet. Is dat in orde?'

Onwillekeurig hield Charles zijn adem in. Dus de fossielen waren uitsluitend onder zijn naam op weg naar Henslow. Zijn hart begon sneller te slaan van opwinding, maar meteen daarop voelde hij een steek van schuld. Hij kon niet de volledige eer opstrijken. Die zou hij moeten delen. Tenslotte had McCormick de plek ontdekt, ook al was Charles ervan overtuigd dat hij die uiteindelijk zelf ook wel zou hebben gezien. Nou ja, er was nu niets meer aan te doen; de eigendomskwestie en de vraag naar wie de eer ging zouden ze later moeten regelen. Ondertussen waren de fossielen veilig en wel op weg naar Cambridge, en daar ging het om. Bovendien, ze zouden ongetwijfeld nog veel meer fossielen vinden.

'Het is prima zo,' stelde hij Lumb dan ook gerust. 'Maakt u zich geen zorgen. We zoeken het allemaal uit tegen de tijd dat we terug zijn in Engeland.'

13

10 april 1865

Ik heb iets heel merkwaardigs ontdekt. Papa heeft lang de gewoonte gehad om een stapel papier in de kast onder de trap te leggen, zodat de jongere kinderen het papier kunnen gebruiken om erop te tekenen. Omdat hij erg zuinig is, gaat het daarbij vaak om kladversies van zijn boeken en verhandelingen waarvan de achterkant onbeschreven is. Toen ik twee dagen geleden wat papier voor Horace en Leonard uit de kast haalde, raakte ik verdiept in de tekst, een kladversie van *De Reis van de Beagle*. Onwillekeurig viel me een reeks tegenstrijdigheden op. Bij diverse veranderingen begreep ik niet waarom hij die had aangebracht.

In de pagina's die ik heb gelezen, zag ik dat hij bijvoorbeeld hele gebeurtenissen had weggestreept. Daarbij ging het in het bijzonder om gesprekken tussen hem en een zekere Robert McCormick, die, als ik me goed herinner, aan boord was in de functie van scheepsarts. Toen ik de tekst van het manuscript vergeleek met de gepubliceerde dagboeken, bleek dat veel van wat ze tegen elkaar hadden gezegd – en dat waren soms bijna ruzieachtige gesprekken – nooit in druk was verschenen. Het viel me op dat in het bijzonder passages waren geschrapt waaruit bleek dat meneer McCormick jaloers was op de privileges die kapitein FitzRoy aan Papa verleende. Er was onder andere een passage waarin Papa vertelt dat meneer McCormick, nijdig omdat de kapitein niet hem maar Papa had meegenomen om een bepaald eiland te bezoeken, Papa de rug toekeert en wegloopt terwijl Papa nog tegen hem praat. Ik heb geen idee waarom Papa deze gedeelten heeft geschrapt, al helemaal niet omdat hij zo grondig te werk gaat bij het beschrijven van alle andere aspecten van de reis. Misschien heeft hij dat gedaan omdat de bewuste passages meneer McCormick in een ongunstig daglicht plaatsen; uit alles komt de indruk naar voren van een buitengewoon onaangename, gemelijke man.

Toch zetten de weglatingen me aan het denken, en ik besloot op onderzoek uit te gaan of er nog meer waren. Stiekem, terwijl mijn broers zaten te tekenen en Papa buiten zijn gezondheidswandeling maakte op de Sandwalk, glipte ik de studeerkamer in. Op een van de planken boven zijn bureau vond ik een deel van de aantekeningenboeken die hij tijdens zijn reis bijhield. Ze waren genummerd, dus ik kon meteen zien dat er sommige ontbraken. Ik had echter geen idee waar hij ze kon hebben gelegd. Dus ik bestudeerde enkele van de andere en haalde ze zo voorzichtig mogelijk van de plank, zodat ik ze op precies dezelfde manier kon terugzetten en Papa niet merkte dat ik eraan had gezeten. Tot mijn verrassing zag ik dat Papa sommige aantekeningen pas naderhand had toegevoegd. Dat bleek uit het feit dat de inkt waarmee ze waren geschreven een andere kleur had dan die van de oorspronkelijke aantekeningen, en door het hele boek hetzelfde was, terwijl de inkt die hij tijdens de reis gebruikte, van week tot week verschilde. In sommige gevallen waren de aantekeningen nogal onbeholpen opgeschreven en in de marge geplaatst, waardoor meteen duidelijk was dat ze later waren toegevoegd. Bovendien waren sommige oorspronkelijke aantekeningen onleesbaar gemaakt en doorgekrast.

Ik vroeg me af of de wijzigingen de gebruikelijke waren, die je maakt bij herlezen van een kladversie, wanneer je verder over een onderwerp wilt uitweiden. Dat leek echter niet het geval. Zelfs een oppervlakkige bestudering maakte duidelijk dat ze de strekking van het verhaal zelf veranderden. Sommige van de wijzigingen betroffen kapitein FitzRoy, andere Jemmy Button, de beruchte wilde wiens verraad geen grenzen kent. Weer andere betroffen de hierboven genoemde meneer McCormick.

Ik durfde echter niet te lang te blijven lezen, en de eerlijkheid gebiedt me te bekennen dat ik me hevig schuldig voelde. Tenslotte las ik dingen die niet voor mijn ogen bedoeld waren; trouwens, voor niemands ogen. Zodra ik buiten op het bordes het getik hoorde van Papa's wandelstok, zette ik de dagboeken haastig terug en verliet ik de studeerkamer. Nauwelijks had ik de deur achter me dichtgetrokken, of hij kwam de hal binnen. Terwijl ik dit schrijf, denk ik dat ik morgen toch op zoek ga naar een gelegenheid om mijn bestudering van zijn dagboeken voort te zetten, misschien weer wanneer hij op de Sandwalk is.

11 april 1865

Op de een of andere manier moet ik voor elkaar zien te krijgen dat ik kapitein FitzRoy ontmoet. Ik moet met hem praten en hem smeken me opheldering te verschaffen, want dit wordt me eenvoudig te machtig! Er zijn zo veel mysteries dat het me duizelt. Ik moet erachter zien te komen wat er tijdens de reis met de *Beagle* is gebeurd. Na lezing van Papa's dagboeken – de ongekuiste versie, haast ik me op te merken – is het me duidelijk dat er in de loop van de reis dingen zijn gebeurd, belangwekkende incidenten, waarvan Papa niet op gepaste wijze verslag heeft gedaan. Ik heb geen idee wat die incidenten waren, maar ik twijfel er niet aan of ze waren beslissend voor de uitkomst van de reis.

Er is iets gebeurd toen het schip in de wateren van Zuid-Amerika voer. Wat het is geweest, dat weet ik niet, maar Papa schrijft erover in bedekte termen die mijn nieuwsgierigheid tot het uiterste prikkelen. Hij heeft het over een *nuit de feu*. Wat hij daarmee bedoelt, is me niet helemaal duidelijk, maar de term suggereert een gewelddadig soort beroering. Misschien was het toen de Engelsen de wilde indianen ontmoetten, wier verschijning als buitengewoon angstaanjagend wordt afgeschilderd. Papa vertelt in een levendige beschrijving dat ze kwijlend, als wilde dieren op de kust stonden, hun lange haar vuil en vol klitten, hun gezicht beschilderd met rode en witte strepen, hun lichamen besmeerd met vet, naakt op een mantel van guanacovacht na die ze om hun schouders hadden gehangen.

Maar het kan ook zijn dat de nuit de feu zich later heeft afgespeeld, en dat Papa daarmee doelt op de een of andere gruwelijke gebeurtenis waarbij een lid van de bemanning was betrokken. Of misschien had het te maken met Jemmy Button, want tenslotte weten we dat hij in staat was tot de meest beangstigende barbaarsheid, in plaats van dat hij zich bereid toonde zich open te stellen voor de christelijke beschaving.

Kapitein FitzRoy zou mijn Steen van Rosetta kunnen blijken te zijn. Ik weet echter niet hoe ik hem moet benaderen, en eerlijk gezegd beangstigt het vooruitzicht van een ontmoeting me nogal. Er is in Down House genoeg over hem gefluisterd om te weten dat velen van mening zijn dat hij niet goed bij zijn hoofd is. Bovendien koestert hij een diepgewortelde vijandigheid jegens Papa, die hij verwijt het christelijke geloof te willen ondermijnen, waarbij hij zichzelf ongetwijfeld verwijten maakt omdat Papa op zijn schip de basis heeft gelegd voor zijn uiteindelijke theorie.

Ik weet dit uit de eerste hand, want ik was aanwezig bij de inmiddels beroemde confrontatie tussen meneer Huxley en Soapy Sam Wilberforce bij de British Association for the Advancement of Science in Oxford, waar kapitein FitzRoy nogal een spektakel maakte. De gebeurtenis staat me nog altijd zo levendig voor de geest – ook al was ik pas twaalf – dat ik nauwelijks kan geloven dat het al bijna vijf jaar geleden is. Oom Ras had me mee naar binnen gesmokkeld en ik deed mijn uiterste best me achter zijn stoel onzichtbaar te maken, terwijl ik ondertussen mijn ogen uitkeek.

De verstikkend hete gehoorzaal van het nieuwe museum barstte bijna uit zijn naden door de aanwezigheid van zo'n vijfhonderd belangstellenden. De bisschop deed vanuit alle denkbare hoeken aanvallen op Papa's theorie en stelde toen spottend de beroemde vraag of meneer Huxley van grootvaders- of van grootmoederskant afstamde van de apen? Daarop schoot meneer Huxley overeind. Krachtig als altijd verdedigde hij Papa's theorie en hij besloot met de venijnige repliek die als een lopend vuurtje de ronde deed: als hij moest kiezen tussen een aap als vorouder of een man, door de natuur begiftigd met de rede, die dat vermogen gebruikte om een serieuze wetenschappelijke discussie in het belachelijke te trekken, 'dan kies ik zonder aarzelen voor de aap'. Er brak een ware heksenketel los. De toehoorders juichten of gaven luidkeels uiting aan hun afkeuring. Sommige gooiden hun programma's in de lucht. Ik gluurde over de rugleuning van de stoel van oom Ras. Vlak voor ons had een groepje luidruchtige studenten een spreekkoor aangeheven: 'Aaaa-haaaap, aaa-haaaap!' Een zwangere vrouw twee rijen bij ons vandaan viel in zwijm en zakte in elkaar.

Op dat moment ontdekte ik FitzRoy, gekleed in het oude uniform van een schout-bij-nacht, zo haveloos en versleten dat hij eruitzag als een profeet uit het Oude Testament. Hij zwierf als een bezetene door de menigte, en hij hield met bevende hand een bijbel in de lucht. Er zat wat spuug in zijn mondhoek, zijn haar was onge-

kamd. Hij noemde Papa een 'blasfemist' en zei dat hij de dag betreurde waarop hij 'die man' aan boord had genomen; dat Papa's
ondankbaarheid scherper was dan 'de tanden van een serpent'. Hij
noemde hem een trawant van de Duivel, diens eigen 'Rattenvan-
ger van Hamelen, die de onnozelen voorging op het pad naar het
hellevuur en de verdoeming'. Met een blik op de wild juichende
tribune sprak hij met luide stem: 'Dit is allemaal een leugen! De
man is een schurk!' Zo raasde hij maar door, vloeken en verwensingen slakend die ik amper kon verstaan, behalve toen hij, over
zijn schouder, mijn kant uit praatte. 'Dus zo werkt het, meneer
Darwin?' Ik wist niet wat hij ermee bedoelde, maar hij zei het nog
een paar keer, en hoewel de woorden voor mij geen betekenis hadden, kreeg ik het ijskoud door de verbitterde klank in zijn dreunende stem.

Het ontging me niet dat meneer Huxley, die het hele tafereel
aanvankelijk met een zekere tevredenheid had gadegeslagen, als
een generaal wiens troepen de vijand een verpletterende neder-
laag hebben toegebracht, zo wit werd als kaarsenwas toen hij
kapitein FitzRoy in de gaten kreeg. Haastig zei hij iets tegen een
jongeman naast hem. Deze baande zich een weg door de menigte en sprak kapitein FitzRoy streng toe. De kapitein had zich
inmiddels uitgeput op een stoel laten zakken. De jongeman
hielp hem kordaat overeind en voerde hem af door een zijdeur;
het is me niet duidelijk of dit voortvloeide uit ergernis of uit bezorgdheid.

De woorden van de kapitein klonken nog enige tijd na in mijn
hoofd. 'Dus zo werkt het, meneer Darwin?' Wat kon hij daar in
's hemelsnaam mee bedoeld hebben? Ik neem aan dat het niet meer
was dan het betekenisloze gebazel van iemand die door lijden en
verdriet tot op de rand van de waanzin is gebracht. Met zijn bleke,
vertrokken gezicht en de blik van een krankzinnige in zijn ogen,
bood hij een zielige aanblik: verdrietig, maar ook verontrustend en
– ik geef het eerlijk toe – angstaanjagend. Toch moet ik met hem
praten! Ik moet zien dat ik een verklaring vind voor de mysteries die
zich blijven opstapelen. Ik zal geen rust kennen tot ik dit alles tot
op de bodem heb uitgezocht.

15 april 1865

Ik heb geluk! Dit weekeinde kregen we bezoek van de Hookers. Joseph werkt als botanicus in Kew Gardens, en zijn vrouw, Frances, is de dochter van die aardige meneer Henslow, Papa's dierbare mentor die inmiddels alweer vier jaar dood is. Frances is razendslim, en ze kwam met een plannetje om contact te leggen met kapitein FitzRoy.

We gingen de tuin in om te wandelen, want het was ongewoon warm voor de tijd van het jaar, en daarbij namen we als vanzelf elkaar in vertrouwen. Ze bekende me hoe van streek ze was geweest omdat Papa niet naar de begrafenis van haar vader was gekomen. Tenslotte had Papa het aan de bemiddeling van haar vader te danken gehad dat hij destijds was uitgenodigd om de reis van de *Beagle* mee te maken. En het was ook haar vader geweest die de kratten met Papa's beroemde specimens in ontvangst had genomen. Ik zag me genoodzaakt hem te verontschuldigen door te wijzen op zijn slechte gezondheid, en toen flapte ik eruit hoe merkwaardig het was dat Papa voortdurend begrafenissen mijdt. Zelfs die van zijn eigen vader. Het is een ernstige tekortkoming, verklaarde ik, en voordat ik het besefte noemde ik nog diverse andere tekortkomingen waarop ik hem heb betrapt. Het was een enorme opluchting iemand in vertrouwen te kunnen nemen.

Ik vertelde haar echter niets over mijn onderzoek en over mijn diepste vermoedens, maar zei eenvoudig dat ik kapitein FitzRoy moest spreken. Dat zou niet meevallen, zei ze, want hij was net van South Kensington verhuisd naar Upper Norwood, ten zuiden van Londen. Bovendien hoefde ik er niet op te rekenen dat hij me ooit voor een bezoek zou uitnodigen, merkte ze op. Toen kreeg ze een idee. Ze had uit betrouwbare bron vernomen dat FitzRoy, die tegenwoordig op het Meteorological Office werkt, op korte termijn een ontmoeting heeft met Matthew Maury, zijn tegenhanger in de Amerikaanse marine. Mijn oom Ras kan er ongetwijfeld achterkomen hoe dat bezoek zich zal voltrekken en dan een quasi-toevallige ontmoeting regelen.

Ik bedankte haar en sloeg mijn armen om haar heen. Ze waarschuwde me echter dat ze had gehoord dat FitzRoy volledig de kluts kwijt is door al het verdriet en alle tegenslagen die hij te verwerken heeft gekregen. Haar opsomming was inderdaad indrukwekkend. Keer op keer slaagde hij er niet in zijn ambities te verwezenlijken. Het onderzoek dat hij met de *Beagle* had verricht, bracht hem niet de erkenning waarop hij had gehoopt, dus hij besloot de politiek in te gaan. Hij wist een zetel in Durham te veroveren, maar raakte verwikkeld in een kwaadaardige concurrentiestrijd met een andere Tory-kandidaat die uitmondde in een vechtpartij buiten zijn club aan de Mall. Door het schandaal kon hij zijn ambt niet langer uitoefenen, dus hij accepteerde het gouverneurschap van Nieuw-Zeeland, waar hij terechtkwam in een verbitterd landgeschil tussen kolonisten en Maori's, de oorspronkelijke bevolking. Dat leidde tot zijn val, waarop hij naar Engeland werd teruggeroepen. Na een gruwelijke thuisreis overleed zijn vrouw Mary, waardoor hij achterbleef met vier moederloze kinderen. Vervolgens stierf zijn oudste dochter. Met elke nieuwe tegenslag kalfde zijn fortuin verder af, zodat hij uiteindelijk niets meer over had.

Zich bewust van zijn berooidheid zorgden zijn collega's – 'onder wie jouw Papa', aldus Frances – ervoor dat hij tot lid van de Royal Society werd gekozen. De Society deed een aanbeveling bij de Handelsraad om hem te benoemen tot weerstatisticus. Geen luisterrijke post, maar wel interessant voor een man van de wetenschap. Hij hertrouwde en probeerde een succes te maken van zijn nieuwe positie, waarbij hij het gebruik van de barometer omhelsde en alle mogelijke gegevens verzamelde, niet alleen om verslag te doen van het weer, maar ook om tot een schatting van het weer in de nabije toekomst te komen. 'Weer-voorspelling' noemde hij dat, en hij was ervan overtuigd dat die voor menig schip op zee de redding kon betekenen. Ondanks een paar successen in het begin, wilde het uiteindelijk toch niet van de grond komen. Vanwege zijn verkeerde voorspellingen werd hij in brede kring belachelijk gemaakt, en *The Times* besloot recent zijn 'voorspellingen' niet langer te plaatsen.

'Bovendien mag ik je niet onthouden dat hij bepaald geen vriend is van je lieve Papa,' zei Frances. 'Daar ben ik me van bewust,' antwoordde ik. 'Papa zegt dat hij hem in kritieken voortdurend aanvalt, ondertekend door *Senex*. Papa herkent zijn argumenten nog van vroeger.' 'Het lijdt nauwelijks twijfel dat zijn godsdienstige gedrevenheid is toegenomen. Hij interpreteert de tekst van de Bijbel volkomen letterlijk. Mijn man heeft regelmatig gewezen op de speling van het lot waardoor de *Beagle* voor de een de wieg van zijn geloof is geworden, voor de ander de doodskist daarvan.'

Frances vervolgde door te zeggen dat van alle schokkende, onthutsende zaken die FitzRoy te verwerken had gekregen, het uitmoorden van de bemanning van de *Allen Gardiner* en de beschuldiging dat Jemmy Button daarbij de leiding had gehad, hem het diepst hadden getroffen. Daarop kwamen we over die gruwelijke gebeurtenis te spreken, maar op dat moment voegden zich ook anderen bij ons in de tuin, dus we zagen ons genoodzaakt het gesprek af te breken.

21 april 1865

Ik verblijf bij oom Ras, die zich geamuseerd toont door mijn belangstelling voor Papa's verleden en die zo vriendelijk is geweest een ontmoeting te regelen met kapitein FitzRoy. Over een week is het zover. 'Ons geheimpje', aldus oom Ras. Ook hij heeft me gewaarschuwd voor de kapitein, die bezig zou zijn te bezwijken voor wat hijzelf 'het kwaad van de smart' noemt.

Om de tijd door te komen besloot ik te proberen meer te weten te komen over het bloedbad in Vuurland, en ik bracht een bezoek aan William Parker Snow, de kapitein die Jemmy Button vond, tweeëntwintig jaar nadat kapitein FitzRoy hem naar de wildernis had teruggebracht. Meneer Snow, destijds werkzaam bij de Patagonian Missionary Society en inmiddels de grootste tegenstander van het genootschap, heeft Jemmy's wraakzuchtige rol in het bloedbad aangegrepen voor zijn campagne om een eind te maken aan het bewuste zendingswerk.

Hij ontving me buitengewoon hoffelijk in zijn kantoor op de tweede verdieping van een gebouw aan Harley Street, trok een stoel voor me naar achteren en zei dat hij zich vereerd voelde 'de dochter van professor Darwin' te ontmoeten. Ik verbeterde hem prompt dat mijn vader geen professor was, maar amateur-naturalist, waarop meneer Snow antwoordde: 'Als alle amateurs van hetzelfde niveau waren als hij, zouden we ons gelukkig mogen prijzen.'

Na deze inleidende beleefdheden vroeg ik hem naar de toedracht van het bloedbad. Hij fronste zijn wenkbrauwen en vertelde in korte bewoordingen wat er was gebeurd. Ik maakte aantekeningen terwijl hij sprak.

'Nadat Jemmy naar Vuurland was teruggebracht, werd er jarenlang niets meer van hem vernomen. Toen ik hem vond, in november 1855, was ik verbaasd te zien hoezeer hij was veranderd. We zeilden landinwaarts door de nauwten van Yahgashaga en ontdekten vuren op een klein eiland. Ik hees de vlag, waarop er twee kano's naderden. Een van de twee bevatte een dikke, smerige, naakte indiaan die rechtop ging staan. "Waar is de ladder?" riep hij. We hielpen hem aan boord en konden bijna niet geloven dat het werkelijk Jemmy Button was. Hij leek volledig te zijn teruggevallen in zijn primitieve staat. Hij was zijn Engels echter niet vergeten. En er was nog iets merkwaardigs: hij weigerde te reageren op de naam Jemmy en zei dat hij in plaats daarvan met Orundellico wenste te worden aangesproken. Ik heb geen idee wat daarachter zat.

De ontmoeting verliep ongemakkelijk en Jemmy was verre van vriendelijk. Hij eiste kleren, dus ik gaf hem een broek en een overhemd van mezelf, maar die pasten hem niet omdat hij zo dik was. Hij wilde ook vlees, maar toen we hem voor een maaltijd meenamen benedendeks, was hij zo overweldigd dat hij geen hap door zijn keel kreeg. Ik vroeg hem of hij naar de nieuwe missiepost op de Falklandeilanden wilde, maar dat weigerde hij resoluut. Ten slotte gaf ik hem wat geschenken, waaronder een speeldoos die hem in verrukking bracht, en ik zei dat hij de volgende morgen kon terugkomen voor meer.

Bij dageraad was het schip omringd door kano's. Jemmy en zijn broers en diverse andere mannen kwamen aan boord, en het duurde niet lang of de stemming werd onaangenaam. Ik gaf Jemmy meer geschenken dan hij kon dragen. *"Jammerschoener!"* riepen ze telkens en telkens weer. "Geef mij!" betekent dat, en ik kan je vertellen, als je het een keer hebt gehoord, vergeet je het nooit meer. Sommige anderen begonnen tegen me aan te duwen en zeiden: "Enghels komen – Enghels geven – Enghels meer dan genoeg." Jemmy weigerde ons te hulp te komen, dus ik gaf opdracht de zeilen los te maken, waardoor ze dachten dat we van plan waren te vertrekken. Angstig dat we hen zouden ontvoeren, klauterden ze haastig over de reling. Dat was het laatste wat ik van Jemmy heb gezien. Terwijl we wegvoeren, zat hij met zijn vrouw in een kano, uit alle macht pogend zich de rest van het lijf te houden die het op zijn geschenken had voorzien.'

Meneer Snow vertelde ook wat er daarna gebeurde. Er arriveerde een nieuwe leider in de missiepost, dominee G. Pakenham Despard, die zich in zijn hoofd had gezet dat Jemmy de speerpunt zou moeten worden van een massale bekering. Hij nam een nieuwe kapitein in dienst, die terugging naar Vuurland en er op de een of andere manier in slaagde Jemmy met zijn familie over te brengen naar de missiepost op Keppel, een van de Falklandeilanden. Ze leerden weinig, deden weinig en bleven er amper vier maanden. Om naar huis te mogen moesten ze beloven dat anderen hun plaats zouden innemen, dus bij de volgende reis werd er gewisseld: Jemmy en zijn familie gingen terug naar hun eigen land, en in hun plaats zouden er negen andere indianen komen. Jemmy en de zijnen hadden de indruk gewekt zich redelijk thuis te voelen in de nederzetting. Ze zongen de hymnen mee en hadden zich laten dopen. Maar de terugreis begon slecht. Despard geloofde dat ze eigendommen van de zendingswerkers hadden gestolen en gaf opdracht hun spullen te doorzoeken. De indianen gooiden hun bundels op het dek van het schip, woedend dat ze voor dieven werden uitgemaakt, maar toen de eigendommen inderdaad werden gevonden en in beslag genomen, werden ze zo mogelijk nog woedender.

Hun razernij werd er tijdens de ruige oversteek niet minder op. Toen de *Allen Gardiner* het anker liet vallen en de andere indianen naar het schip voeren, hieven hun stamgenoten aan boord een luid misbaar aan. Jemmy werd aan boord gebracht om te bemiddelen. Hij koos de kant van zijn stamgenoten en eiste als compensatie meer geschenken. Maar die waren er niet meer. Toen waarschuwde een van de bemanningsleden de kapitein dat hij een deel van zijn persoonlijke bezittingen miste. Weer werd er opdracht gegeven tot een zoekactie – waarbij er opnieuw gestolen goederen werden ontdekt – en de indianen ontstaken in hevige woede. Ze rukten zich de kleren van het lijf, gooiden hun bijbels weg en alles wat er verder met de westerse beschaving te maken had, en klauterden naakt over de reling, terug naar hun kano's. Hun geschreeuw weergalmde tot het vallen van de avond op de kust, en er werden vuren aangestoken die dikke rookwolken uitbraakten naar de donkere hemel.

Dagenlang lag het schip zacht deinend in de baai voor anker, terwijl de bemanning een primitieve missiepost bouwde op het rustige deel van het strand en er honderden kano's arriveerden, met indianen vanuit alle windrichtingen. Op zondag besloot de missionaris een dienst in de kersverse missiepost te houden. Gekleed in schone overhemden roeide de bemanning naar het strand en baande zich een weg tussen de indianen door. Alleen de kok bleef aan boord en keek toe vanaf het schip. Toen de kapitein en de bemanning eenmaal in de missiepost waren verdwenen, grepen de indianen de sloep waarmee de zeelieden waren gekomen en duwden die het water in. Vanbinnen klonk een hymne, gevolgd door een kreet, gekrijs. Het duurde niet lang of de blanken kwamen naar buiten strompelen, het zonlicht tegemoet, achtervolgd door indianen die hen met knuppels en stenen bewerkten. Andere indianen arriveerden met speren. Een van de bemanningsleden wist het water te bereiken, waadde tot zijn middel de zee in, maar werd geveld door een steen tegen zijn slaap. Het strand was doorweekt met bloed. De doodsbange kok liet een jol zakken, roeide uitzinnig naar de kust en verstopte zich in de bossen. Maanden later werd hij gevonden – half krankzinnig – en gered door een schip dat op onderzoek was uitgestuurd. De kok was naakt en bedekt met zweren, zijn wenkbrauwen en zijn baard waren door de indianen haar voor haar uitgetrokken. Het verhaal dat hij vertelde was gruwelijk. Het schip dat hem terugbracht naar de Falklandeilanden, had ook Jemmy Button aan boord.

Meneer Snow zuchtte. 'Ik neem aan dat je de rest van het verhaal kent uit de kranten.' Dat klopt. Er was een officieel onderzoek ingesteld. Door alle opschudding van elkaar tegensprekende getuigenissen en een politiek die zich tegen de Patagonian Missionary Society had uitgesproken, werd Jemmy niet schuldig bevonden, ondanks de getuigenis van de kok, die onder andere verklaarde dat meneer Button na het bloedbad aan boord van het schip was geklommen en de nacht in de hut van de kapitein had doorgebracht. 'Het is allemaal erg triest,' merkte meneer Snow op. 'Maar ik heb van meet af aan geweten dat zoiets zou gebeuren. Het was een keten van gebeurtenissen, die begon met de eerste ontmoeting tussen Engelsen en indianen. Het was voorbestemd dat het zo zou lopen, vanaf het moment dat kapitein FitzRoy die knoop van zijn uniform rukte om daarmee te betalen voor de jonge knaap die hij meenam.'

Ik betrapte mezelf erop dat ik instemmend knikte.

'En zoals ik al had verwacht, is het slecht afgelopen voor de indianen. Volgens de laatste berichten zijn hun aantallen gedecimeerd door ziekte. Kijk, ik zal je iets laten zien...'

Hij gaf me een kopie van de nieuwsbrief van de Missie, *De Stem des Mededogens*. Ik zag dat een van de artikelen melding maakte van *onverwacht, verdrietig nieuws*. Het ging over de dood van Jemmy Button. Meneer Snow wachtte tot ik het artikel had gelezen. 'Ondanks zijn veelvuldige glimlach en zijn buigingen wist ik dat Jemmy de verworvenheden van de westerse cultuur niet echt respecteerde,' vervolgde hij toen. 'Die allereerste avond aan boord, nadat ik hem had gevonden en duidelijk was geworden dat hij volledig was teruggevallen op zijn vorige, primitieve manier van leven, zei hij iets wat me altijd is bijgebleven: "Enghels waitenschaap... is voor de Duivel." Het duurde even voordat ik begreep wat hij bedoelde, namelijk dat onze wetenschap niet aan zijn verwachtingen had beantwoord. De manier waarop hij het zei, verried duidelijk minachting.'

Meneer Snow nam me onderzoekend op. 'Het is vreemd, om dit aan de dochter van Darwin te vertellen.'

28 april 1865

Mijn gesprek met kapitein FitzRoy is helemaal niet naar wens verlopen. Ik raakte er volslagen door ontmoedigd, en ik vrees dat het de kapitein ook geen goed heeft gedaan. Integendeel. Zijn conditie was al ellendig, weet ik inmiddels uit eigen ervaring, maar die is door mij alleen nog maar verslechterd.

Op voorstel van oom Ras vroeg ik naar de kapitein in de antichambre van het Meteorological Office, waar ik me zonder afspraak aandiende. Ik wist dat hij er moest zijn, want die dag zou de ontmoeting met luitenant Maury plaatsvinden. Een klerk trok bij het horen van mijn verzoek zijn wenkbrauwen op en schonk me een hooghartige, maar bovendien buitengewoon ontmoedigende glimlach, alsof ik geen idee had waaraan ik begon. Hij keek alsof hij zich afvroeg of hij de kapitein van mijn komst op de hoogte moest brengen. Terwijl hij nadacht en de liniaal in zijn linkerhand op de binnenkant van zijn andere hand liet neerdalen, liet hij me gewoon staan, zonder me een stoel aan te bieden. Ik geloof niet dat ik ooit zo onbeschoft ben behandeld. Ten slotte stemde hij in met mijn verzoek, en hij verdween, nadat hij me had duidelijk gemaakt dat hij niet meer terugkwam. Het idee dat ik alleen zou zijn met iemand die misschien niet helemaal goed bij zijn hoofd was, vervulde me met angst en beven.

Het was drukkend warm in de kamer, die in de boeken van onze eigen meneer Dickens niet zou hebben misstaan. Voor de ramen hingen zware, donkere gordijnen. In het midden van de kamer brandde slechts één enkele gaslamp. Oude houten kasten reikten tot halverwege de muren. Daarboven hingen vergeelde kaarten en prenten van schepen die onder de vochtvlekken zaten en waarvan de lijsten merkwaardig scheefgetrokken waren. Op alles lag een dikke laag stof, zelfs op de inktpotten op het met gebarsten leer beklede bureau, en op de stoel, waarvan de groen fluwelen bekleding danig was verschoten. Een tot op de draad versleten vloerkleed maakte het beeld compleet. Het geheel zag er eerder uit als een lijkenhuis dan als een overheidskantoor.

Ik was nog verdiept in de sjofelheid om me heen, toen ik zware voetstappen op de trap in de gang hoorde. Het volgende moment schoot kapitein FitzRoy de kamer binnen. Hij zag er buitengewoon merkwaardig uit. Van zijn militaire houding was niets meer over. In plaats daarvan liep hij vreemd gebogen, zijn hoofd helde licht opzij, zijn ogen stonden zo wijd open dat ze uit hun kassen leken te puilen. Het was duidelijk dat hij niet de moeite had genomen zijn haar te kammen, en ook zijn baard maakte een onverzorgde indruk. Als ik niet beter wist zou ik denken dat hij net een lange, inspannende reis achter de rug had, zoals in de dagen dat hij trots het bevel voerde over een van de schepen in de koninklijke marine.

Hoewel mijn aanwezigheid hem in verwarring leek te brengen, stak hij zijn hand uit, alsof hij zich althans nog iets van de beleefdheidsvormen herinnerde. Hij maakte een korte, ongemakkelijke buiging en mompelde: 'FitzRoy is de naam... Kapitein Robert FitzRoy... Waaraan dank ik... Aan wie... Wat is het doel... hmmm.' En zo ging hij maar door, niet in staat een zin af te maken. Hij had een ontmoedigend energieke uitstraling, als een stuk kinderspeelgoed waarvan de veer te strak was opgewonden, en hij bewoog voortdurend zijn handen op en neer, verplaatste onafgebroken zijn gewicht van de ene naar de andere voet. Door zijn nerveuze opwinding viel het niet mee me te concentreren. Maar ik verzamelde al mijn moed, loodste hem naar een stoel en drukte hem er min of meer op. Vervolgens ging ik naast hem zitten. Ik had geen andere keus dan meteen maar van wal te steken.

'Kapitein FitzRoy,' begon ik. 'Het spijt me als ik u met mijn bezoek overval en ik hoop dat u me niet al te ongemanierd zult vinden, maar ik zou u graag wat vragen willen stellen over de *Beagle* en over de reis die u met het schip hebt gemaakt.'

'Natuurlijk… met alle plezier…'

Daarop begon ik over Zuid-Amerika en Vuurland, maar ik had het nog niet gezegd, of hij leek nog meer in verwarring te raken. 'Het land van vuur… land van vuur,' begon hij, en de woorden stroomden zo snel over zijn lippen dat ik ze nauwelijks kon verstaan. Ik besefte dat hij over de vroege ontdekkingsreizigers sprak, die het land zo hadden genoemd vanwege de vuren die de inboorlingen langs de kust hadden ontstoken, om de zeelui te doen geloven dat ze op weg waren naar de Hades, wat trouwens niet ver bezijden de waarheid was, merkte hij op in een verbitterde zijdelingse opmerking.

Dat waren de laatste samenhangende woorden die ik hem heb horen uitspreken. Toen ik informeerde naar de nuit de feu, keek hij me buitengewoon merkwaardig aan. Hij begon verscheidene keren te praten, maar brak telkens weer midden in een zin af. Het was een mengelmoes van onzin die hij uitkraamde, waarbij hij voortdurend zijn hoofd schudde, als om aan te geven dat hij het niet eens was met zijn eigen woorden. 'Nee… nee… niet Vuurland, de Galápagos… de betoverde eilanden! Daar is het allemaal gebeurd…' Toen keek hij me aan met een angstaanjagende blik in zijn ogen en hij sprak, vlak en eentonig, opnieuw de verschrikkelijke woorden: 'Dus zo werkt het, meneer Darwin.' Waarop hij begon te lachen, een diepe, holle, kwaadaardige lach.

Ik wilde al weggaan toen hij zijn hand op mijn arm legde en me tegenhield. 'Zeven wonden,' zei hij bezwerend. 'Zeven wonden hebben ze gevonden... Zeven wonden... net als bij Christus onze Verlosser. Dat is het lot van een kapitein... eenzaamheid, zout in je longen... al mijn geld weg, uitgegeven aan de *Adventurer*... vijanden en ondankbare honden bij de Admiraliteit. Ik was gewaarschuwd... Pas op, hadden ze gezegd... Sulivan, mijn eigen tweede luitenant nota bene, tot ridder geslagen... En ik... Wat ben ik?'

Dit laatste zei hij met zo'n heftigheid dat ik overeind schoot. Hij bleef mijn arm echter vasthouden en richtte zich ook op, boog zich dicht naar me toe, nog altijd brabbelend. Ik voelde zijn speeksel op mijn voorhoofd spetteren, mijn hart bonsde.

'Darwin is een ketter, een afvallige... lakei van de Duivel... De stenen op het strand liegen niet, ze zijn rond gesleten, van de Zondvloed... De Zondvloed heeft plaatsgevonden, precies zoals het in de Bijbel staat... De deur van de Ark was te klein voor de mastodont... Ketterij is een zonde, net als het overtreden van de Tien Geboden, meneer Darwin. Dus zo werkt het, hè?'

Ik besloot dat ik geen minuut langer wilde blijven en rukte me los. 'Jemmy Button!' riep hij. 'Jemmy Button heeft het niet gedaan! Ze hebben geprobeerd hem te kruisigen... zoals ze mij hebben gekruisigd!'

'Wilt u alstublieft zo goed zijn me te laten gaan?' riep ik huilend.

'Jullie Enghels... jullie dood...' riep hij met een zwaar accent, alsof hij de jonge indiaan was.

Ik greep met beide handen mijn rokken en rende naar de deur, zonder nog een blik achterom te werpen. Een stroom van vloeken en verwensingen volgde me, woorden die ik niet begreep. Toen klonk opnieuw die gruwelijke, hese lach.

Ik rende de voordeur uit, de treden af. Het lukte me een rijtuig aan te houden – ze stoppen bijna nooit, maar ik vermoed dat de koetsier medelijden met me kreeg toen hij zag hoe erg van streek ik was – en ik liet me rechtstreeks naar het huis van mijn oom brengen. Zelfs na diverse koppen thee zat ik nog te trillen.

Terwijl ik die avond tevergeefs probeerde de slaap te vatten, hoorde ik in gedachten nog zijn groteske woorden, vooral die laatste frase waarvan ik niet begreep wat hij daarmee had bedoeld: 'Jullie Enghels... jullie dood...'

30 april 1865

Er komt geen eind aan de gruwelen! Ik heb net gehoord dat kapitein kapitein FitzRoy zich van het leven heeft beroofd. Het is iets wat ik nauwelijks kan geloven. Tenslotte heb ik hem twee dagen geleden nog gezien.

Oom Ras kwam ermee thuis, en in zijn opwinding hield hij geen rekening met mijn gevoelens, maar beschreef hij het gebeuren tot in de gruwelijkste details. De arme vrouw van FitzRoy had het nieuws bekendgemaakt, en het was het gesprek van de dag in de Athenaeum Club. De dag voor zijn dood was FitzRoy zo rusteloos geweest dat hij geen moment stil kon blijven zitten. Hij sprong voortdurend uit zijn stoel, ijsbeerde door de kamer, begon te praten, zweeg midden in een zin en ging weer zitten. Hij moest naar kantoor, zei hij, maar zodra hij op weg ging, maakte hij weer rechtsomkeert. Uiteindelijk ging hij in de loop van de middag naar Londen, maar toen hij thuiskwam was hij hevig van streek en praatte hij onsamenhangend. Hij stond erop dat hij Maury moest spreken, ook al was het de volgende dag zondag en hadden ze al afscheid genomen.

Hij sliep die nacht niet goed. Toen zijn vrouw de volgende morgen wakker werd, lag hij met zijn ogen wijd open naar het plafond te staren. Hij vroeg waarom de dienstmeid hem niet had gewekt, en zijn vrouw vertelde hem dat het zondag was. Hij bleef nog een halfuur naast haar liggen, toen stond hij zachtjes op, liep naar de aangrenzende kamer en kuste zijn dochter, Laura. Vervolgens verdween hij in zijn kleedkamer, en hij deed de deur op slot. Amper een minuut later hoorde Laura een dreun, als van een vallend lichaam. Ze riep de bedienden, de deur werd geforceerd, en daar lag hij, in een plas bloed. Hij had het rechte scheermes van zijn scheerstel gepakt en met één enkele streek, misschien zelfs voor de spiegel, zijn keel doorgesneden.

Wat verschrikkelijk! Die arme, ongelukkige man. Onwillekeurig vraag ik me af of ik misschien een klein beetje – of in belangrijke mate – heb bijgedragen aan zijn geestesgesteldheid. Als dat zo is, durf ik mezelf nauwelijks meer onder ogen te komen. Ik zal het echter nooit zeker weten. Alleen al de gedachte doet me sidderen! Ik heb genoeg van het spioneren, ik heb al veel te vaak mijn neus gestoken in dingen die me niet aangaan. Het moet afgelopen zijn.

Ik stop ermee, nu meteen, en ik ga mezelf dwingen te veranderen. Ik ga proberen een nieuw en beter mens te worden, niet langer de wantrouwende, arrogante Lizzie die ik jarenlang ben geweest.

Arme kapitein FitzRoy. Hoe kan God zoveel ellende laten gebeuren? En hoe kunnen wij mensen, wij arme zielen, al die ellende verdragen?

14

Hugh zuchtte tevreden na zijn Schotse ontbijt: een kom dampende havermout met een centimeters dikke laag geklopte room, die werd gegeten met een houten lepel. Hij nipte van zijn koffie, keek naar het uitzicht van kegelvormige, groene pijnbomen en het diepblauwe Loch Lagga. Er slingerde zich een weg langs de kust van het meer, die er in de ochtendzon vredig en ongerept bij lag, als een collier naast een spiegel. De vorige avond, toen hij vanuit Inverness de bergen was overgestoken, met als enig baken in de mist de kattenogen in de middenstreep, was de weg behoorlijk verraderlijk geweest.

Een lange reis voor wat misschien een vergeefs avontuur zou blijken te zijn, dacht hij.

Hij ging terug naar zijn kamer, pakte zijn tas en en liep ermee naar de salon aan de voorkant van de oude herberg, waarbij hij moest bukken voor de lage, houten deuropeningen. Nadat hij de rekening had betaald, vroeg hij aan de herbergierster hoe hij bij de heer van het landgoed moest komen.

Ze leek verrast dat FitzRoy Macleod ermee had ingestemd hem te ontvangen. 'Denk erom dat u voorzichtig met hem bent,' zei ze met een zwaar, Schots accent. 'Hij is een groot man, onze landheer, maar hij is oud genoeg om uw grootvader te kunnen zijn. Wat wilt u eigenlijk van hem?'

'Gewoon, een praatje maken,' antwoordde Hugh glimlachend.

Ze boog zich naar voren en wiebelde met haar elleboog, alsof ze hem een por in zijn ribben wilde verkopen. 'O, jullie Yanks ook altijd.'

Buiten was de lucht kristalhelder en zo koud dat zijn longen begonnen te tintelen. Hij deed zijn tas in de achterbak van de huurauto en sloeg het zandpad naast de herberg in. Achter het huis begon een enorme, met mos begroeide muur. Het pad verdween in het bos, liep steil naar de top van een heuvel en kwam daar bij een tweesprong. Hij sloeg rechtsaf. Een kwartier later liep hij langs een stralend groene wei met schapen. Hun vacht was grijs, vol klitten. Ze stopten met grazen, tilden hun kop op en staarden hem uitdrukkingsloos aan.

Hij zag uit naar de ontmoeting met Macleod. Het was niet moeilijk geweest hem op te sporen. Nora Barlow, de achterkleindochter van Charles Darwin, schreef dat ze in 1934, in Londen, een ontmoeting had gehad met Laura FitzRoy, de dochter die de hopeloos verwarde kapitein op de wang had gekust vlak voordat hij zich van het leven beroofde. Via die informatie had Hugh Laura's overlijdensbericht achterhaald en andere familieleden van de kapitein opgespoord. Een van hen was Macleod, inmiddels in de negentig. In Whitehall stond hij bekend als Tory-strateeg en oorlogsheld. Hij zou eigenhandig een Duitse bunker hebben veroverd.

Hugh kwam bij een groepje hoge, altijdgroene bomen. Ze rezen zo abrupt op, dat ze een reusachtige muur leken te vormen met daarin – als een deur – de donkere opening van een pad. Hugh volgde het, en toen hij de bomen weer achter zich liet, werd hij onthaald op een adembenemend uitzicht: een oud landhuis naast een klein meer, omringd door glooiende heuvels. Ooit moest het een majestueus gebouw zijn geweest, maar inmiddels begon het leien dak in te zakken en hingen de ramen hier en daar scheef. Het pad werd smaller; zijn broekspijpen raakten doorweekt door de dauw op het gras dat bijna tot aan zijn knieën reikte.

Toen hij de treden naar de voordeur beklom, werd er meteen opengedaan, zodat hij vermoedde dat men hem al had zien aankomen. Hij stond oog in oog met een vrouw, die de deurknop stijf omklemd hield. Ze moest ergens in de tachtig zijn, dacht Hugh; mager, klein, bijna vogelachtig in haar snelle bewegingen. Hij stelde zich voor, en zij deed hetzelfde. Dit was mevrouw Macleod.

'Hij verwacht u al.' Ze gebaarde naar de houten trap achter zich, die via verschillende kleine overlopen langs de gelambriseerde muur omhoog liep. De donkere leuning was zo dik als een scheepsmast. Hugh bedankte haar en beklom de trap, over een verschoten rode loper, die op zijn plaats werd gehouden door koperen roeden. Bij de draai halverwege naar boven bleef hij verbaasd staan. Hij keek recht in de ogen van een grote marmeren buste die hem meteen vertrouwd voorkwam: de amandelvormige ogen, de gevoelige mond, de adelaarsneus, het brede voorhoofd met het naar voren gekamde haar in de stijl van Napoleon. Het was niemand minder dan kapitein Fitz-Roy.

Boven werd hij door Macleod ontvangen in een reusachtige kamer, met hoge plafonds van eeuwenoud pleisterwerk en ruw bewerkte balken. Hij zat voor een raam, achter hem stroomde zonlicht de kamer binnen, waardoor Hugh zijn gezicht niet meteen duidelijk kon onderscheiden. Het was de oude heer aan te zien dat hij was gekrompen van ouderdom, maar hij zat nog altijd kaarsrecht, met een wollen deken over zijn benen. Hij wenkte zijn bezoek dichterbij te komen, en Hugh ging op een stoel schuin naast hem zitten, zodat hij hem goed kon bekijken. Macleod had lang, wit haar dat krulde rond zijn oren, rode aderen trokken een netwerk van lijntjes over zijn neus, zijn ogen waren vochtig en roze.

Hij bood zijn gast een whisky aan, maar Hugh bedankte. Op het tafeltje naast Macleods stoel stond een halfleeg glas, zag hij, met een tersluikse blik op zijn horloge. Het was tien uur.

Na wat inleidend gekeuvel nam Macleod een flinke slok, zette het glas met een krachtig gebaar weer neer en vroeg Hugh naar de reden van zijn komst. Die legde uit, zoals hij dat ook al via de telefoon had gedaan, dat hij geïnteresseerd was in de figuur van kapitein FitzRoy en overwoog een boek over hem te schrijven. In het kader van zijn research vroeg hij zich af of er op het landgoed misschien nog brieven waren of andere aandenkens aan de kapitein.

'Ach, de stumper. Hij was briljant. Dat meen ik. De eerste die probeerde het weer te voorspellen, dat is zíjn uitvinding! Hij was ook de eerste die gebruikmaakte van een barometer. En de kaarten van zijn onderzoek worden tot op de dag van vandaag gebruikt.'

Hij sprak met zo'n passie dat het leek alsof hij het over zijn eigen zoon had.

'Ze hebben hem de dood in gejaagd. Bankiers, zakenlieden, Whigs. Hij had overal vijanden en die hebben zijn ondergang bewerkstelligd. Geen loyaliteit, geen waardering... Hij heeft jaren van zijn leven gegeven voor het verkennen van de moeilijkst in kaart te brengen kust: de Straat van Magallanes, Kaap Horn, Vuurland... Nota bene van zijn eigen geld een zusterschip gekocht, de *Adventurer*. Hij moest alles uit eigen zak betalen, maar hij kreeg het werk gedaan. En dacht je dat de Admiraliteit hem dankbaar was? Geen sikkepit. Er kon geen bedankje van af.'

Hugh knikte meelevend.

'Hij ging op zijn veertiende naar zee en had op zijn drieëntwintigste al zijn eigen schip. En ach, het is zo'n eenzaam bestaan, kapitein op een van de schepen van Hare Majesteit... Hoe heette die kapitein

van de *Beagle* ook alweer die zichzelf een kogel door de kop joeg?'
'Pringle Stokes.'
'Precies. Stel je dat voor, weken lang opgesloten in zijn hut voor die van God verlaten kust, zonder ooit de zon te zien, gebeukt door de verschrikkelijkste stormen. FitzRoy had het altijd over hem, elke keer weer… "zeven wonden, zeven wonden"… wat dat ook mocht betekenen. De eenzaamheid van die man! Niemand van wie je hulp kon verwachten, niemand die je om raad of bemoediging kon vragen.'
Hugh bedacht zich en zei dat hij toch wel een whisky lustte. Macleod reageerde duidelijk verrukt en riep bulderend om zijn vrouw, die bijna onmiddellijk met een glas kwam.
'En Darwin heeft die arme FitzRoy ook nauwelijks geholpen. Samen met die ander… die Huxley… heeft hij ervoor gezorgd dat FitzRoy lid mocht worden van de Royal Society. En hij heeft hem dat baantje als weerman bezorgd; stelde weinig voor, geen pensioen, geen toekomst. Geen wonder dat hij uiteindelijk zo wanhopig was dat hij zich van het leven beroofde. Zijn scheepsmaat – die zich nog tot een ketter ontwikkelde ook – was wereldberoemd geworden dankzij de reis die hij mogelijk had gemaakt en de kapitein werd afgescheept met een schijntje.'
Het noemen van Darwin bracht het gesprek op de grillige onvoorspelbaarheid van de geschiedenis en gaf Hugh de gelegenheid zijn verzoek om documenten te herhalen.
Macleod dronk zijn glas leeg. 'Er is hier niks meer. Alles is weg. Tot en met de laatste snipper. U had jaren eerder moeten komen.'
Hugh luisterde genietend terwijl Macleod herinneringen ophaalde en bleef uiteindelijk de hele dag. Op aandringen van mevrouw Macleod liet hij zich door de oude man rondleiden over het landgoed, waarbij hij hem in een rolstoel over de rotsige paden duwde. Aan de lunch werd patrijs geserveerd, besproeid met een uitstekende merlot. Daarna gingen ze in de salon zitten.
Nauwelijks hadden ze een sigaar opgestoken of Macleod nam hem doordringend op. 'Er is één stukje papier dat ik heb bewaard,' zei hij toen nonchalant. 'Misschien vindt u het interessant.'
Hugh trok zijn wenkbrauwen op.
'Het is niet van de kapitein, maar van Bessie, dat was de dochter van Darwin. Ze is nooit getrouwd en sommigen noemden haar Lizzie.

Naar eigen zeggen heeft ze het stukje papier van haar vader gekregen, maar ze heeft altijd gevonden dat de kapitein er recht op had, dus ze heeft het aan zijn dochter Laura gegeven, lang nadat allebei hun vaders waren gestorven. Sindsdien is het bij ons in de familie.'

Macleod gaf zijn vrouw instructies, waarop ze verdween. Pas geruime tijd later kwam ze terug, met het stof op haar mouwen. Ze had een haveloze leren briefcassette bij zich die ze op de deken over de benen van haar man zette.

'Ik heb overwogen het te koop aan te bieden op eBay,' zei Macleod. 'Maar ach, wat levert zoiets nou helemaal op? Bovendien kan ik me er niet toe zetten er afstand van te doen. U mag ernaar kijken, maar denk erom dat u er voorzichtig mee bent.'

Met die woorden gaf hij Hugh een velletje papier dat eruitzag alsof het eeuwen oud was, gekreukeld en rafelig aan de randen van de talloze keren dat het was dicht- en opengevouwen en gelezen. Hugh staarde naar de kinderlijke letters in zwarte inkt:

Mij zien uw schepen. Mij zien uw steden. Mij zien uw kerken. Mij zien uw koningin. Maar jullie Enghels... jullie dood... jullie levend al dood. Wij Yamana arm, maar onze wereld rijk en vol leven.

'Ik wed dat u niet weet wie dat heeft geschreven,' zei Macleod trots. Hugh wist het echter meteen. 'Die weddenschap hebt u verloren. Jemmy Button.'

Macleod toonde zich onder de indruk. 'Inderdaad! Blijkbaar was het gericht aan Darwin. Hij heeft het van de Falklandeilanden naar FitzRoy gestuurd, rond de tijd van het onderzoek naar het bloedbad. FitzRoy heeft het aan Darwin gegeven.'

Hugh gaf het stukje papier terug. 'Het lijkt mij de moeite waard om te bewaren,' zei hij.

'Dat doe ik ook. Het is een relikwie. De laatste woorden van een arme indiaan, heen en weer geslingerd tussen twee werelden.'

Kort daarna, toen de zon al laag aan de hemel stond, nam Hugh afscheid en vertrok.

Terwijl hij door de bossen terugliep naar de herberg, voelde hij de bevrediging van een detective die een belangrijke aanwijzing heeft gevonden. De passage in Lizzies dagboek, het geraaskal van FitzRoy, had ineens een andere betekenis gekregen. Hij had in zijn waanzin niet geroepen dat 'jullie Engelsen dood' waren of dat hij hen dood wenste. 'Jullie Enghels levend al dood. Wij Yamana arm, maar onze wereld rijk en vol leven.'

Dat was het. Een boodschap waarmee Jemmy Button definitief uiting gaf aan zijn teleurstelling in de Engelsen en in de beschaving waarop zij zo prat gingen. Ondanks al hun kennis, ondanks al hun verworvenheden wisten de zich superieur voelende Engelsen minder van het echte leven dan Jemmy's indianenbroeders.

Hugh was lang geïntrigeerd geweest door Jemmy's verhaal: uit een kano geplukt, door Londen rondgereden en toen weer aan zijn lot overgelaten in zijn oorspronkelijke habitat. Hij had zich afgevraagd welke rol Jemmy had gespeeld in de bloederige moord op de bemanning van de *Allen Gardiner*, want daar was de geschiedenis niet duidelijk over. Jemmy was van de gruwelijke daad beschuldigd en nooit definitief vrijgesproken. De getuigenverklaring van de kok, dat de plunderende wilde in het bed van de kapitein was gekropen terwijl zijn stamgenoten op het strand de blanken in mootjes hakten en roosterden, had erg overtuigend geklonken. Soms had Hugh geprobeerd zich voor te stellen hoe de indiaan zich moest hebben gevoeld; hoe het moest zijn geweest om heen en weer te worden geslingerd tussen twee met elkaar strijdige werelden; de verwarring die dat onvermijdelijk tot gevolg moest hebben gehad, de woede, de zelfhaat. Dit kleine stukje papier was een kreet uit het graf. Het loste het mysterie van Jemmy's schizofrene bestaan niet op, maar het suggereerde wel dat hij met zichzelf in het reine was gekomen. Dat hij had gekozen tegen de macht en complexiteit van het negentiende-eeuwse, geïndustrialiseerde Groot-Brittannië, en vóór zijn eigen volk en zijn eigen primitieve, maar levenskrachtige bestaan op de helse zuidpunt van Zuid-Amerika.

De volgende morgen besloot Hugh, gesterkt door zijn positieve ervaringen, een bezoek te brengen aan het laboratorium waar Cal had gewerkt, om te zien of hij iets wijzer kon worden over het ontslag van zijn broer. Terwijl hij de oprijlaan insloeg naar het Oxford Institute, was hij dankbaar dat het lab bijna dertig kilometer ten zuiden van Oxford lag en niet in de stad zelf. Daardoor ontliep hij de fuik van demonen die hem ongetwijfeld wachtte op de binnenplaatsen en in de pubs langs High Street.

De aanblik van het lab was teleurstellend. In gedachten hoorde hij Cal weer trots vertellen, en hij had zich dan ook een royale campus voorgesteld, een verzameling gebouwen genesteld tussen de heuvels en valleien van het graafschap. Binnen liepen wetenschappers in witte jassen druk heen en weer – onder wie uiteraard ook aantrekkelijke vrouwen – of ze namen even pauze op met leisteen geplaveide terrassen en dronken koffie uit zware porseleinen mokken, terwijl ze moeizaam vorderden met hun experimenten. De werkelijkheid was echter anders: een lelijk, laag gebouw opgetrokken uit baksteen, met een weinig uitnodigende ingang – een uitstekende plaat beton boven een draaideur – omringd door een met asfalt belegd parkeerterrein. Een beveiligingsfunctionaris controleerde zijn naam op de lijst met aangemelde bezoekers en deed de slagboom omhoog die de toegang versperde. Hij zou worden ontvangen door een administratief assistent, een zekere Henry Jencks, en had aan de telefoon al te horen gekregen dat hij waarschijnlijk niet veel wijzer zou worden. Het was aan zijn typisch Amerikaanse manier van stug doordrammen te danken dat het hem was gelukt de afspraak rond te krijgen.

De receptioniste schonk hem een stralende glimlach en vroeg hem even te wachten, waarbij ze met haar hoofd in de richting van een rij moderne stoelen knikte – metaal met vinyl – naast een rij verkoopautomaten met snoep en frisdranken.

Het kostte Hugh moeite zich voor te stellen dat Cal hier door de lichte, met laminaat beklede gangen had gelopen, beleefd collega's groetend. Het gebouw maakte een steriele, levenloze indruk; geen broeikas voor innovatieve, spectaculaire research, maar een doodse omgeving, als van een verzekeringsmaatschappij.

'Hugh, broer van me, het wordt tijd dat je volwassen wordt. Tijd dat je serieus over je toekomst begint na te denken. Hoe vaak ben je nou al naar de westkust gereden en weer terug? Zeven, acht keer? En hoeveel verschillende banen heb je al gehad? Je bent barkeeper geweest, je hebt appels geplukt, je hebt als bouwvakker gewerkt, op het postkantoor, als souvenirverkoper bij het Empire State Building! Jezus, man!'
'Dat waren zomerbaantjes. Toen studeerde ik nog.'
'Ja, maar nu niet meer, en het wordt tijd om te besluiten wat je gaat doen met je leven. Wil je net zo eindigen als pa, een uitgetelde advo-

caat? Wil je elke avond moeten rennen voor de trein van kwart over zes, gauw een borrel pakken op GrandCentral en niet kunnen wachten tot je thuis bent om er nog een paar achterover te slaan en dan je bed in donderen? Toen ik zo oud was als jij, wist ik precies wat ik wilde.'

'Je praat alsof je vijftig bent. En je bent pas zevenentwintig.'

'Het is nooit te vroeg om te weten wat je wilt.'

'Jij hebt gewoon geluk gehad. Jij hebt iets gevonden wat je leuk vond. Ik ben nog zoekende.'

'Dat kan best zijn, maar het wordt onderhand wel tijd dat je opschiet. Soms denk ik dat je dat bohémienachtige gedoe wel erg ver doordrijft. Alsof je probeert een cv van vage baantjes bij elkaar te krijgen, want dat staat goed op de achterflap van een paperback.'

Hij had met Beth veel over Cal gepraat. Ze kon goed luisteren, stelde weinig vragen, maar als ze iets vroeg, was het altijd ter zake. Bovendien bezat ze het talent om elke onzuiverheid te herkennen in zijn degelijk geconstrueerde, zelfverzonnen verhaal. De vorige dag, toen hij haar had verteld hoe hij van Andover was weggestuurd, had ze zich verrast getoond dat Cal daarbij betrokken was geweest. 'Meen je dat nou? Hij kwam van Harvard met de trein naar je toe, om te vieren dat jij ook was toegelaten, en het slot van het liedje was dat de hele zaak niet doorging?' had ze verbaasd gezegd. 'Vind je dat zelf ook niet een beetje vreemd?'

Later die avond had hij moeten terugdenken aan die keer in Londen, toen Cal en hij naar een voorstelling waren geweest van het hartverscheurende *Lange Dagreis naar de Nacht,* in het National Theatre. In het vierde bedrijf beleven de broers hun dramatische moment van de waarheid. Jamie, de oudste, loslippig geworden door de drank, zweert dat hij van Edmund houdt, maar waarschuwt hem in één adem door op zijn hoede te zijn: *'Ik heb nooit gewild dat je een succes van je leven zou maken, omdat ik dan een nog grotere sukkel zou lijken. Dus ik heb altijd gehoopt dat je zou mislukken... Mama's lieveling, papa's oogappel!'* Hugh keerde zich in de donkere theaterzaal half naar zijn broer en zag dat Cal hem aankeek. Hun ogen ontmoetten elkaar. Er werd geen woord gezegd. En ook achteraf waren ze er nooit op teruggekomen.

'Meneer Kellem? Wat kan ik voor u doen?' De ijle, vrij hoge stem klonk al bij voorbaat alsof de eigenaar zich in de verdediging gedrongen voelde. Hugh volgde Henry Jencks de gang door naar zijn kantoor, nam plaats in een stoel tegenover het bureau en legde uit dat hij probeerde zoveel mogelijk informatie te verzamelen over het werk van zijn overleden broer.

'In dat geval ben ik bang dat ik niet veel voor u kan doen. Die informatie is namelijk vertrouwelijk, om redenen die u ongetwijfeld zult begrijpen.'

Er werd wat heen en weer gepraat.

'Misschien kunt u me dan ten minste vertellen onder welke omstandigheden hij hier is vertrokken,' zei Hugh ten slotte. 'Had hij zijn baan opgezegd of ging hij met verlof?'

Het bleef even stil. 'Ik heb zijn dossier geraadpleegd. Daaruit is me gebleken dat hij hier sinds tien juni, inmiddels zes jaar geleden, niet meer werkte. Meer dan dat kan ik niet zeggen, ben ik bang.'

'Dus hij had zijn baan opgezegd?'

'Daar kan ik u geen antwoord op geven.'

'Wat voor research deed hij?'

De vraag leidde tot enige consternatie. 'Ik ben bang dat ik niet vrij ben die vraag te beantwoorden.'

Aanzienlijk harder dan de maximumsnelheid toestond, reed Hugh terug naar Cambridge.

Toen hij die midddag aan zijn vaste hoektafel in de bibliotheek zat, had hij het gevoel alsof zijn onderzoek muurvast zat. Hij had Lizzies dagboek inmiddels helemaal gelezen, maar was nog altijd niets wijzer geworden. De passages over Darwin die zijn eigen dagboek censureerde, er stukken uit wegliet en er veranderingen in aanbracht, waren intrigerend, maar Lizzie verschafte weinig bijzonderheden. Hugh was er niet in geslaagd de dagboeken zelf op te sporen. Een aantal was nog steeds nooit boven water gekomen, maar dat kon nauwelijks als bewijs worden gezien van het feit dat er melding in werd gemaakt van zaken die het daglicht niet verdroegen. En dan was er die raadselachtige verwijzing naar een *nuit de feu*, wat daarmee ook mocht worden bedoeld. En natuurlijk de dramatische zelfmoord van FitzRoy, die genoegzaam bekend was. Dat had hij gecontroleerd. Hij had echter nergens kunnen vinden dat Lizzie hem twee dagen voor zijn dood nog had bezocht.

Sterker nog, hij begon te twijfelen aan Lizzies geloofwaardigheid. De gedachte was bij hem opgekomen dat ze misschien gewoon een door haar vader geobsedeerde jonge vrouw was geweest, die overal intriges en dramatische ontwikkelingen zag, gedreven door een overspannen Victoriaanse gevoeligheid, slachtoffer van allerhande onderdrukte emoties. Of misschien had ze zich wel verkneukeld bij de gedachte dat haar kleine aanwijzingen in een verre toekomst een historicus – zoals hij – hoofdbrekens zouden bezorgen.

Roland kwam naar hem toe. 'Het gaat niet zoals je had gehoopt, hè?'

'Ken je die uitdrukking, "Twee stappen vooruit, één achteruit"? Bij mij is het eerder andersom.'

'Kan ik iets voor je doen?'

Hugh schudde zijn hoofd, maar toen Roland zich alweer had omgedraaid, riep hij hem terug. 'Misschien is er toch iets. Er bestaat een gedicht... *Goblin Market*. Ken je dat? Of heb je ervan gehoord?'

Roland wierp hem een merkwaardige blik toe. 'Nou ben je ineens wel erg ver van huis. Ja, ik ken het. Wat is daarmee?'

'O, ik ben gewoon nieuwsgierig. Iemand had het er laatst over. Wat kun je me erover vertellen?'

'Het is geschreven door Christina Rossetti, en het was destijds een enorme hit. Het gaat over twee zusters; de ene een zuivere ziel, de andere geeft zich over aan de verlokkingen des vlezes. Erg Victoriaans allemaal. Spiritualiteit en concupiscentie, arm in arm...'

'Concupiscentie?'

'Ja. Rossetti heeft het geschreven voor de hoeren van Highgate, waar ze werkte. Het gedicht wordt geacht een loflied te zijn op de deugd van de zelfverloochening, maar volgens mij vonden die meiden het allemaal reuze opwindend. De erotiek druipt ervan af.'

'Aha.' Hugh herinnerde zich dat Lizzie uiteindelijk vrijwilligerswerk was gaan doen onder de vrouwelijke gevangenen van Highgate. 'Waarom ben je in dat gedicht geïnteresseerd?'

'Omdat Lizzie er iets mee had. Het had blijkbaar een speciale betekenis voor haar.'

Roland trok zijn wenkbrauwen op. 'Aha, nou begrijp ik het. Blijf zitten. Niet weggaan!'

Binnen vijf minuten was hij terug, met een dun boekje, niet in staat een zelfgenoegzame grijns te verbijten. 'Ik heb niet alleen haar lievelingsgedicht voor je, dit is bovendien haar eigen exemplaar.'

Hugh was oprecht verbaasd. 'Hoe krijg je dat voor elkaar?'
'We bezitten een reusachtige Darwin-collectie. Elizabeth – Lizzie – sleet haar jaren als ouwe vrijster in Cambridge, in een huisje hier vlakbij, aan West Road. Na haar dood kwamen haar bezittingen, waaronder haar bibliotheek, bij ons terecht.' Hij gaf Hugh het boekje. 'Je hebt geen idee wat we hier allemaal hebben. Alleen al de papieren van Darwin vullen zestien dozen. Zuurbestendig, tot je geruststelling.'

Hugh hield het boek omhoog. Het had een dikke, in stof gebonden kaft, maar was opmerkelijk licht. 'Je zei toch dat al het materiaal al honderd keer was ingezien; dat de grond al volledig was omgeploegd?'

'Het materiaal over Darwin. Maar niet wat we over Lizzie hebben. Sterker nog, je bent de eerste die naar dit boek vraagt. Tenminste, sinds 1978. Toen zijn we op computers overgestapt. Ik heb niet in de kaartenbak gekeken.'

Roland vertrok, en Hugh sloeg het boek open. De twee zusters in het gedicht heetten Laura en Lizzie.

Lizzie, dacht hij. Geen wonder dat ze zich erdoor aangesproken voelde.

De zusters verstoppen zich tussen de rietkraag langs een beek in de bossen en horen de gemene kobolden hun overvloedige, verleidelijke waar aanprijzen. *Kom, koop het ooft van onze gaard, kom koop, kom koop...* Lizzie, de deugdzame, stopt haar vingers in de oren en vlucht naar huis. Laura daarentegen voelt zich onweerstaanbaar aangetrokken tot de roep en de koopwaar van de kobolden en betaalt met een lok van haar gouden haar.

Gulzig at ze het druipende ooft,
Zoet, ongekend, zoals haar was beloofd,
Maar ach, haar lippen, zij raakten gekloofd...

Wanneer Laura naar huis terugkeert, is ze verslaafd aan de vruchten, en bij gebrek daaraan krijgt ze de verschrikkelijkste aanvallen. De begeerte is zo sterk dat ze ziek wordt en uiteindelijk zelfs op de rand van de dood balanceert. Lizzie kan het niet langer aanzien; ze moet haar zuster redden. Dus ze stopt een zilveren duit in haar tas en gaat naar de kobolden. Ze willen dat ze ook van hun verleidelijke vruch-

ten eet. Wanneer ze dat weigert en haar duit terugeist, vallen ze haar aan en proberen ze haar tot eten te dwingen. Maar ze knijpt haar lippen stijf op elkaar en *lachte in haar hart toen het sap dat zij niet duldde, de kuiltjes in haar wangen vulde.*
Dan rent ze naar huis en roept Laura:

Zusje, zusje,
Omhels me en kus me.
Vrees niet mijn kwetsuren,
Ze zullen niet duren,
Kus me met je zoete mond,
Proef het ooft, word weer gezond

Laura doet wat Lizzie zegt. *Ze omhelst haar, kust haar, telkens weer.* Dan valt ze in zwijm en komt de hele nacht niet meer bij, maar de volgende morgen ontwaakt ze verjongd. Jaren later, wanneer beide zusters getrouwd en moeder zijn, verzamelen ze hun kinderen om zich heen en vertellen ze over de kobolden en hoe de ene zuster de andere redde.

Want geen vriendin is als je zuster,
Bij zonneschijn en grauwe luchten,
Ze brengt een lach op je gelaat
Verdrijft smart, wanhoop, 't ergste kwaad.
En zwerf je ooit te ver van huis,
Brengt zij je ongedeerd weer thuis.

Hugh legde het boek neer. Zijn gedachten gingen naar Lizzie, Darwins Lizzie. Het was maar al te begrijpelijk dat het gedicht een bijna hypnotiserende uitwerking op haar had gehad. Dat ze zich ertoe aangetrokken had gevoeld, zoals de Laura in het gedicht naar de vruchten van de kobolden was getrokken. *Kom, koop het ooft van onze gaard, kom koop, kom koop.*
Er viel een zonnestraal op het boek. Hugh tilde het iets hoger op, keerde het naar het gouden licht, en terwijl de bladzijden ritselend openvielen, dwarrelde er een stukje papier tussenuit. Hugh bukte zich om het van de grond op te rapen. Het was een brief. Geschreven op zwaar papier, voorzien van een watermerk. Hoewel, nee, het

was maar de helft van een brief, een half velletje papier. De bovenste helft, met de aanhef, ontbrak. Het leek alsof die eraf was gescheurd. Hugh ging ervan uit dat de brief aan Lizzie was gericht, omdat hij tussen de bladzijden van haar boek had gezeten. Hij meende het zware, gedrongen handschrift van Emma Darwin, Lizzies moeder, te herkennen. De letters zagen er scherp en hoekig uit, alsof ze in boosheid waren neergeschreven.

Zelfs al zou ik Papa niets vertellen over je schandalige gedrag, dan zouden de gevolgen daarvan hem maar al te snel duidelijk worden. Het zal zijn hart breken. Ik weet niet wat ik je moet raden, anders dan te bidden om zijn vergeving en om vergeving van de Heer. Bereid je voor op het ergste en onderwerp je met een boetvaardig hart aan welke straf je ook wacht, in het besef dat je die ruimschoots hebt verdiend. Je kunt hier niet blijven. O, dochter, hoe kon je dit doen? Hoe kon je zo onnadenkend, zo wreed zijn? Geef je dan helemaal niets om je familie? Begrijp je dan niet hoe ook wij allen ons zullen moeten verantwoorden voor jouw daden? Denk eens aan de schande die je over ons arme gezin hebt gebracht. Dit is wat ervan komt als je je afkeert van God en van Jezus Christus onze Verlosser. Vanaf het moment dat je weigerde te worden bevestigd als lid van onze kerk, wist ik dat je het verkeerde pad op ging. Maar ik had nooit gedacht dat je zo diep zou zinken. O, wat moeten we toch doen? Hoe moet het nu verder?
Ik ben wanhopig, ik weet me geen raad.
Je moeder, die ondanks alles nog steeds van je houdt,
Emma

Hugh stopte de brief in zijn zak en stak de enorme leeszaal over naar een zijkamer waar een kopieerapparaat stond. Daar kopieerde hij de brief, die hij vervolgens teruglegde in het boek. Toen liep hij met het boek naar de balie, om het terug te geven.
Roland was verdwenen.
Hugh keek op zijn horloge. Beth zat op hem te wachten in de Prince Regent. Hij had trek in een borrel. Terwijl hij de treden naar de straat afdaalde, klopte hij op de fotokopie in zijn zak.
Allemachtig, ze is zwanger, dacht hij. Het is niet te geloven. Ze heeft zich in de nesten gewerkt. Hoe moet het nu verder? Het was een

merkwaardige ervaring, zijn pogingen om de stukjes van een leven –
honderdvijftig jaar na dato – in elkaar te passen. Om de zin van bepaalde gebeurtenissen te doorgronden. Soms pasten de puzzelstuk-
jes, soms niet. En soms wist de historicus meer dan degene wiens
leven hij bestudeerde.

In dit geval wist Hugh dat de jeugdige Lizzie in de niet al te verre
toekomst zwanger zou raken van een man met wie ze niet zou trouwen. Die ene gebeurtenis zou haar wereld doen instorten. Het was
afschuwelijk om dat te weten, terwijl zij – nog niet eens twintig – de
bladzijden van haar dagboek volschreef, vertelde over de bezoekers
aan Down House en over haar neefjes en nichtjes met wie ze verstoppertje speelde. Hugh voelde zich ellendig. Het was alsof hij naar
een auto keek die veel te hard reed, in de wetenschap dat die auto op
een onvermijdelijke botsing af raasde. Dat waren dingen die een
mens niet zou moeten weten. Zulke dingen waren voorbehouden
aan God.

15

Terwijl de *Beagle* de kust van Vuurland volgde, stond Charles aan dek, steun zoekend bij het want. Het schip dook en rees in de onrustige deining. Terwijl hij door de mist naar de kust tuurde, trok er onwillekeurig een vluchtige huivering door hem heen. Nog nooit had hij zo'n van God verlaten landschap gezien. Scherpe rotsen strekten zich uit tot in zee. Een troosteloze nevel hing over het land, de enige vegetatie werd gevormd door treurig ogende schijnbeuken. In de verte verhieven zich de gekartelde pieken van een bergketen, als scherpgerande oesterschelpen, niet majestueus maar dreigend, met daaromheen borrelend, van regen doordrenkt laagveen. Het geheel bood een desolate, grijze aanblik.

Jemmy Button kwam aanslenteren en voegde zich bij hem. De laatste weken, sinds ze ver genoeg naar het zuiden waren gevaren om het kille klimaat te ervaren en de vochtige geur van het land op te snuiven, gedroegen de drie Vuurlanders zich merkwaardig. Fuegia Basket, die steeds dikker werd (Charles vond dat ze eruitzag alsof ze zwanger was), bleef het grootste deel van de tijd benedendeks en sprak zelden. York Minster gedroeg zich steeds bezitteriger en begon te mokken zodra er iemand naast haar ging zitten. Van Jemmy's gebruikelijke joviale manier van doen was niets meer over. Hij maakte een rusteloze indruk. Soms leek hij niet te kunnen wachten tot ze hun bestemming bereikten, soms leek hij dat moment met angst en beven tegemoet te zien.

Terwijl zijn witte handschoenen op de reling rustten, leek zijn gezicht zwarter dan de mist; de kleur van gepolijst ebbenhout. Met zijn fraai gesneden boord klapperend in de vochtige wind vormde hij een bijna komische verschijning. Deze werd echter tenietgedaan door de verloren uitdrukking op zijn gezicht.

Charles vond dat een reprimande op zijn plaats was. 'Kom, kom, knaap. Je bent bijna thuis. Een beetje waardering zou je sieren. Denk eens aan alles wat kapitein FitzRoy heeft gedaan om je terug te brengen naar je geboorteland. En wat is je dank? Een boos gezicht!'

'Maar dit niet mijn volk. Dit zijn Ona's. Heel, heel vreselijk.'

'Ja, maar vergeet nooit dat je in Engeland hebt gewoond. Je hebt zelfs de koning ontmoet. Dus je staat ver boven hen. Het schild van de beschaving zal je beschermen.'

'Mijn volk erg beschaafd. U meegaan, ontmoeten mijn volk, ontmoeten grote man. Geen duivel daar. Beloofd.'

'Nee, ik ben het niet vergeten. Ik heb je mijn woord gegeven. Ik ga mee om je volk en jullie grote man te ontmoeten.'

Jemmy keerde zich van hem af en richtte zijn blik weer op de onheilspellende kust. Op deze momenten kon Charles het niet helpen dat hij de jonge indiaan even nukkig en veeleisend vond als een kind van zes. Sterker nog, alle drie Vuurlanders gedroegen zich zo, als kinderen. Hij zuchtte. Heel lang had hij geloofd dat alle mensen in de kern en op een fundamenteel niveau hetzelfde waren. Dat het de invloed was van de verschillende maatschappijen waardoor ze zich anders ontwikkelden en waardoor de ene groep mensen boven de andere uitsteeg. Het mensdom bevond zich op een ladder van vooruitgang die leidde naar rationaliteit en ethiek; primitieve stammen bezetten de onderste sport, Engelsen en bepaalde volkeren van het Continent de bovenste. De monterheid waarmee de wilden zich de beschaafde code hadden eigen gemaakt, leek de juistheid van zijn opvatting te bevestigen. Nu ze hun habitat naderden, vroeg hij zich echter af of ze niet bezig waren de verworvenheden van de beschaving net zo snel weer af te leggen als ze die hadden omhelsd.

Toen Jemmy wegslenterde, werd Charles zich bewust van een andere figuur die achter hem opdoemde. Al voordat hij zich omdraaide, wist hij wie het was.

'En, geniet u van het uitzicht?' vroeg McCormick droog.

'Buitengewoon.'

'Heeft Jemmy het met u ook voortdurend over zijn dorp en dat we met hem mee moeten?'

'Inderdaad, hoezo?'

'Hij valt mij er ook onophoudelijk over lastig. Wil dat we landinwaarts trekken om zijn familie en het hoofd van zijn stam te ontmoeten. Een of andere kerel die hij Okanicutt noemt, als ik het goed heb verstaan.'

'Ik heb gezegd dat ik met hem mee zou gaan.'

'Ik ook, maar eerlijk gezegd, hoe langer ik erover nadenk, hoe minder ik begrijp waarom ik dat in 's hemelsnaam heb beloofd. Het is een volle dag reizen door ruig gebied.' Hij zweeg even. 'Is het u ooit opgevallen dat deze mensen geen woord hebben voor "nee"?' vervolgde hij toen. 'Misschien is het een begrip dat ze niet kennen. Ik heb tenminste nog nooit meegemaakt dat ze opgeven. Als ze ergens hun zinnen op hebben gezet, gaan ze net zo lang door tot ze het voor elkaar hebben.'

Charles ging er niet op in. Als hij eerlijk was moest hij toegeven dat hij geen idee had wat er in Jemmy omging. Hij kon zich niet voorstellen hoe het moest zijn om in het mentale universum van de jonge wilde te leven. Jemmy's manier van redeneren leek hem zo ondoorzichtig, zo vreemd, zo ver verwijderd van normale begrippen als ruimte en tijd, oorzaak en gevolg. Het was een magische wereld waarin hij leefde, wemelend van bijgeloof en animisme. Iets hoefde niet het een of het ander te zijn, maar was in sommige gevallen twee dingen tegelijk. Alles leek voort te vloeien uit iets anders, op de een of andere vreemde, causale manier die voor Charles niet te bevatten was. Het was iets organisch, als een knop die zich opende tot een bloem en zich vervolgens ontwikkelde tot een vrucht; behalve dat knop, bloem en vrucht niets met elkaar te maken hadden.

'En dan nog iets…' De stem van McCormick deed hem opschrikken uit zijn gedachten. 'Hebt u gehoord dat we er misschien een zusterschip bij krijgen?'

'Een zusterschip? Waarom in vredesnaam?'

'Het schijnt dat kapiten FitzRoy vindt dat we versterking nodig hebben om het karwei van de kartering te klaren. Tijd om contact op te nemen met de Admiraliteit is er niet, dus hij is bereid het schip uit eigen zak voor te schieten en later om schadeloosstelling te vragen.'

'Dat lijkt me een dwaas plan. Hij moet geen stappen ondernemen voordat hij toestemming heeft. Wat gebeurt er als de Admiraliteit het plan afkeurt?'

'O, dat verwacht ik niet. Onze kapitein heeft daar tenslotte uitstekende contacten.'

Charles bleef zijn twijfels houden, maar kreeg niet de kans die te uiten. Want de *Beagle*, die bezig was een kaap te ronden, bewoog dichter naar de kust, en net op dat moment ontstond er een opening in de mist. Wat Charles en McCormick toen zagen, deed de adem stokken in hun keel.

Daar stond, amper tien meter bij hen vandaan, een groepje van een stuk of tien wilden die ze recht in de ogen keken. De wilden waren naakt, op wat smerige vachten na die ze om hun schouders hadden gehangen. Hun lange haar, vol knopen en klitten, hing tot op hun borst, hun gezicht was besmeurd met rode en witte verf. Heftig gebarend en onder het slaken van gruwelijke kreten, sprongen ze wild op en neer, woest met hun armen zwaaiend. Springend van rots tot rots volgden ze het schip terwijl het langs de kust voer. Het duurde niet lang of sommigen kregen schuim op de mond en begonnen uit hun neus te bloeden, waardoor hun bruine lijven behalve met vet, ook nog werden besmeurd met bloed en spuug.

'Bij de goden,' zei McCormick. 'Zoiets heb ik nog nooit gezien. Denkt u dat ze gevaarlijk zijn?'

Charles wist niet wat hij moest zeggen. De wilden zagen eruit als geesten uit een andere wereld, als de duivels die hij in zijn studententijd had gezien, bij een voorstelling van *Der Freischütz*, de opera van Carl Maria von Weber.

Toen het schip een volgende kaap rondde, zag hij dat overal om hen heen, op rotsachtige eilanden en kleine plateaus in de uitlopers van de heuvels, vuren brandden waarvan de opstijgende rook zich vermengde met de mist. Dit was wat Magellan had gezien, de vuren die hem tot de naam Vuurland hadden gebracht. Hadden de inboorlingen de vuren ontstoken om het schip ertoe te bewegen aan te leggen, of om andere inboorlingen te waarschuwen dat vreemden de kust naderden?

Een paar dagen later ging de *Beagle* voor anker in de Baai van Goed Succes en werden er sloepen naar de kust gestuurd. Charles en FitzRoy zaten in de eerste, samen met Jemmy die, schitterend in een blauwe jas en witte broek, ineengedoken en duidelijk angstig op de achtersteven hurkte. Op de kust hadden zich tientallen inboorlingen verzameld, woest op en neer springend, luid roepend met galmende uithalen, terwijl andere vanaf rotsachtige uitsteeksels op hen neerkeken.

'Dit zijn Ona,' zei FitzRoy. Hij legde uit dat de Ona, anders dan het volk van Jemmy Button, woudindianen waren die het gebruik van de kano niet kenden en joegen met pijl-en-boog. Ze waren lang, de meeste wel een meter tachtig. Een enkel woord Spaans – doorgaans voor spullen die ze nodig hadden, zoals *cuchillos*, messen – bewees dat er sporadisch contact bestond met vreemdelingen.

Zodra de boten de kust bereikten, werden ze omringd door driftig wijzende en roepende indianen. De bemanningsleden gaven hun allerlei geschenken, waarmee de indianen zich onmiddellijk uit de voeten maakten. Toen de inboorlingen Charles en enkele anderen enigszins ruw op de borst sloegen, beantwoordden zij het gebaar met dezelfde kracht. Het leek bedoeld als een vriendelijke begroeting, hoewel de gezichten ernstig bleven en er toch iets van dreiging in de lucht leek te hangen. De indianen verzamelden zich rond Jemmy Button en raakten hem op hun hoede aan, onderling druk pratend en duidelijk niet wetend wat ze van hem moesten denken. Jemmy kon hen niet verstaan en had zijn ogen wijd opengesperd van angst. 'Dit niet mijn volk,' zei hij, bijna in tranen.

De bemanningsleden haalden een viool en wat fluiten te voorschijn en begonnen muziek te maken, tot grote hilariteit van de indianen, die hoe langer hoe drukker werden en bij wie de opwinding steeg. Een van hen ging rug aan rug met de grootste zeeman staan, om te zien wie de langste was. Toen bleek dat de indiaan met minstens een centimeter won, stormde hij uitzinnig over het strand, schreeuwend als een krankzinnige, wild zwaaiend met een knuppel. Een van de bemanningsleden stelde een worstelwedstrijd voor, maar met een blik op de nog altijd groeiende aantallen inboorlingen die uit de omringende heuvels naar beneden kwamen, besloot FitzRoy daarvan af te zien. Hij gaf de mannen opdracht terug te keren naar de boten.

De indianen volgden hen, waadden naast de boten door het water en trokken aan de riemen en hemden van de zeelui. Een adelborst gooide een paar dozen met linten overboord. Onmiddellijk lieten de indianen zijn boot los en doken ze erachteraan. Een van de indianen greep zich vast aan de boot van Charles en bracht die tot stilstand, maar de roeier sloeg hem hard met een riem op zijn knuisten, waarop de indiaan losliet. Haastig bewogen de bootjes zich naar dieper water.

Op de terugweg naar de *Beagle* zag Charles dat Jemmy, opnieuw ineengedoken op de achtersteven, zijn benen stijf tegen elkaar hield. Hij begreep al snel waarom: in het kruis van zijn witte broek tekende zich een gele vlek af. Eenmaal aan boord haastte hij zich naar beneden om zijn schande te verbergen. De rest van de dag liet hij zich niet meer zien.

Die avond tijdens het diner kon Charles zich niet aan de indruk onttrekken dat de kapitein terneergeslagen was. Dat baarde hem zorgen, dus hij probeerde hem op te beuren. 'Ik kan niet ontkennen dat de ontmoeting op het strand enigszins ontmoedigend is verlopen, maar het was pas het eerste contact. Het kan niet anders of dat wordt beter in de dagen die voor ons liggen.'

FitzRoy ging er niet op in. Sterker nog, hij staarde naar het tafelkleed alsof hij helemaal niet had gehoord wat Charles had gezegd.

Alles bij elkaar genomen een weinig gunstig begin voor het grootse plan van FitzRoy om dit achterlijke deel van de wereld in contact te brengen met de beschaving en het christendom, dacht Charles. Weken eerder, wanneer het onderwerp tijdens hun gezamenlijke diners ter sprake kwam, was de kapitein soms zo opgewonden geraakt dat hij zijn maaltijd onderbrak en bijna in een soort delirium door de hut begon te ijsberen. Het plan had toen zo uitvoerbaar geleken, dat Charles half en half had verwacht dat de wilden hen met open armen zouden ontvangen.

Kapitein FitzRoy zag zich geconfronteerd met een lastig probleem: waar moest hij zijn menselijke lading aan land zetten?

Jemmy Button en Richard Matthews, de jeugdige priester, zouden aan wal worden gebracht, vlak bij de plek waar de jonge wilde twee jaar eerder was ontvoerd, had hij besloten. Dat betekende ongeveer halverwege het Beagle Kanaal, dat dwars door het onderste gedeelte van Vuurland liep en door de kapitein zelf zo was genoemd, tijdens de vorige reis. Omdat York Minster en Fuegia Basket tot een andere stam behoorden, die verder naar het westen woonde, besloot hij dat zij aan de kant van de Grote Oceaan van boord zouden gaan. Dat betekende dat ze om Kaap Hoorn moesten varen, de verraderlijkste waterweg ter wereld.

Vierentwintig dagen vocht de *Beagle* tegen gruwelijke stormen en hij ging bijna ten onder toen het noodweer zorgde voor golven van zo'n zeventig meter hoog. Althans, dat was de schatting van Charles, die kotsmisselijk was en zich wanhopig moest vastklampen om niet overboord te worden geslagen. Uiteindelijk bleken de weersomstandigheden een onoverkomelijk obstakel, ook al werd de doorgang in de zomermaanden geacht gemakkelijker te zijn.

FitzRoy zwichtte. Hij wendde de steven weer naar het noorden, voer vanuit oostelijke richting het kanaal binnen en bereikte, aan weerskanten beschut tegen ruw weer, de kalme wateren van de Baai van Ponsonby. Langs de hele route werden ze belegerd door indianen. Ze duwden hun kano's af van de kust en beukten terwijl ze langszij gingen varen op de romp van het schip, waarbij het '*Jammerschoener*' niet van de lucht was. Dit waren de Yamana, aldus FitzRoy, een wijdvertakte stam met talloze clans. Ze woonden in provisorische wigwams, leefden van schelpdieren en zeerobben, en trokken om de vier, vijf dagen verder. Hoewel ze zo goed als naakt liepen, werden ze door een dunne laag vet, meestal afkomstig van zeerobben, beschermd tegen de kou. Alle drie de Vuurlanders behoorden tot de Yamana, vertelde FitzRoy, maar ze waren afkomstig uit verschillende clans. Die van Jemmy was het hoogst ontwikkeld, hetgeen bleek uit het feit dat deze niet aan kannibalisme deed.

Na twee dagen bereikte de *Beagle* Woollya, een beschutte kreek op de kust van het eiland Navarin. Het was toevallig een zonnige middag. Het land verhief zich licht hellend rond een halvemaanvormige baai. Voorbij het strand lag een strook gras die er vruchtbaar uitzag. Aan de voet van de glooiende heuvels groeide een weelderig bos. Tussen de bomen waren heldere stromen zichtbaar. FitzRoy verklaarde dat dit de volmaakte plek was voor de nederzetting.

Onmiddellijk begon de bemanning met de bouw van de missiepost. Deze zou bestaan uit drie kleine houten hutten, een voor Matthews, de missionaris, een voor Jemmy, en een voor de twee andere Vuurlanders. Ze spitten de grond om, legden twee moestuinen aan met een lage omheining eromheen. Ten slotte markeerden ze de grens van de missiepost met een greppel. Toen alles klaar was, begon het grote uitladen; er waren onder andere kratten met goederen geschonken door de London Missionary Society, die vooral duidelijke taal spraken over de gevers en minder waren gericht op overleven in dit woeste deel van de wereld: soepterrines, dienbladen, botermessen, wijnglazen, hoge hoeden, fijn wit linnen, een mahoniehouten kledingkist. Bulderend van de lach gaven de zeelui de porseleinen po's door.

Ondertussen keken de Yamana verbijsterd toe. Er kwamen er steeds meer, te voet of per kano, want het nieuws van de indringers verspreidde zich als een lopend vuurtje, net als van de geschenken die ze uitdeelden. Het duurde niet lang of er hadden zich driehonderd indianen verzameld. Gehurkt sloegen ze de werkzaamheden gade,

waarbij ze eindeloos en op vleiende toon het woord *'Jammerschoener'* herhaalden. Naarmate de dagen verstreken, werden ze steeds
brutaler. Er werd ook gestolen; riemen en hemden, spijkers en bij-
len, alles wat ook maar even onbewaakt werd gelaten. De zeelui stelden nachtelijke patrouilles in, maar zelfs dat kon het plunderen niet
tegengaan.

Charles sloeg Jemmy oplettend gade wanneer die zich aan land
begaf. Merkwaardig genoeg bleek dat hij zijn moedertaal was vergeten. Hij praatte Engels tegen zijn stamgenoten, en als dat niet werkte, probeerde hij de paar woorden Spaans die hij beheerste. Niets
kon hem ertoe brengen de keelachtige, grommende klanken van de
Yamana uit te spreken, en het had er alle schijn van dat hij de taal
ook niet meer begreep. York Minster daarentegen leek hier en daar
iets op te pikken en te begrijpen, hoewel hij er vastberaden het zwijgen toe deed. Ook Fuegia Basket, voor de gelegenheid getooid met
een paashoed, sprak geen woord. Ze wekte de indruk geschokt te
zijn door de naaktheid van de wilden.

Matthews, de missionaris, gedroeg zich vreemd. Hij bracht het merendeel van de tijd aan boord door, toonde geen enkele belangstelling voor de bouw van zijn huis en liep rond met een merkwaardig
afstandelijke glimlach op zijn gezicht, alsof hij niets met de hele onderneming te maken had, zoals Charles opmerkte tegen King.

Op de vijfde dag deed zich een akelig incident voor. Een van de zeelui duwde een oudere indiaan weg van de greppel die de grens van
de missiepost vormde. De oude man werd razend, spuugde de zeeman in het gezicht en voerde toen een gruwelijke pantomime op: hij
deed alsof hij de zeeman vilde en de huid opat. Charles herinnerde
zich Jemmy's waarschuwing van een aantal maanden eerder. Fitz-
Roy gaf opdracht tot het houden van schietoefeningen op het strand,
om de Yamana te laten zien waartoe Engelse musketten in staat
waren. De inboorlingen krompen ineen bij het geluid, trokken zich
nerveus en in kleine groepjes terug en verdwenen op onverklaarbare
wijze in de heuvels. Die hele nacht lieten ze zich niet meer zien, maar
de volgende morgen kwamen ze terug alsof er niets was gebeurd.

Ondanks de spanningen hield FitzRoy vast aan zijn plan om Matthews achter te laten in het kamp. Hij presenteerde het als een experiment. De *Beagle* zou gedurende een week het kanaal op varen om
de westelijke arm daarvan te verkennen. Bij terugkeer zou duidelijk

zijn of en hoe de missionaris zich wist te redden. De jeugdige geestelijke, nog altijd weinig meer dan een groot kind, kreeg een stevig
laatste maal voorgezet, wat hij nauwelijks aanroerde, en vervolgens
werd hij in een sfeer van gedwongen vrolijkheid aan land geroeid.
Hij zat op de achtersteven, zijn hoofd geheven, met nog altijd die afstandelijke, onthechte glimlach op zijn gezicht, terwijl de zeelieden
uit volle borst een lied aanhieven. Jemmy en de twee andere Vuurlanders werden in een aparte boot naar het strand geroeid.

Eenmaal aan land liepen de jonge blanke en zijn drie metgezellen het
strand op naar hun nieuwe onderkomen, zich een weg banend door
een menigte zwijgende Yamana. De zeelui die toekeken, zagen dat
de menigte zich opende om hen door te laten en zich vervolgens
weer sloot, waardoor ze aan het oog waren onttrokken. Zodra de
boten waren teruggeroeid, voer de *Beagle* uit.

Precies negen dagen later kwam het schip terug.
Terwijl het de kreek naderde, zagen de zeelui iets wat hen vervulde
met angstige voorgevoelens: de indianen op de oever waren gehuld
in repen geruite stof en wit linnen; versierselen die alleen afkomstig
konden zijn uit de missiepost. Charles vroeg zich af of ze de jongeman zijn noodlot tegemoet hadden gestuurd. Toen het schip Wooll-
lya bereikte, bleken daar tientallen kano's afgemeerd te liggen. Op
het strand heerste grote bedrijvigheid. Zo'n honderd Vuurlanders
hadden zich verzameld, hun lichamen waren rood met wit geverfd,
om hun hals en hun haar en hun polsen waren stukjes stof gewikkeld, afkomstig van de *Beagle*.
FitzRoy voer met de sloep naar de kust en stond nerveus op de boeg.
Zodra de sloep de wal raakte, werd hij belegerd door Yamana, die
luidkeels '*Jammerschoener*' riepen en hun armen uitstrekten in de
hoop op geschenken. Tot grote opluchting van de kapitein kwam
plotseling Matthews over het strand aanrennen. Hij stormde naar de
sloep, sprong erin en gebaarde uitzinnig dat hij naar het schip gebracht wilde worden.
Eenmaal aan boord vertelde hij een gruwelijk verhaal. De eerste paar
nachten waren in alle rust verstreken, maar toen was er een nieuwe
groep indianen gearriveerd, die aanzienlijk agressiever bleken te zijn.
De een na de ander was de hut binnen gekomen. Ze bedelden, ze
belaagden en bedreigden hem. Ze stalen zijn spullen, en als hij pro-

beerde hen tegen de houden werden ze woedend. Ze hadden tot twee keer toe gedreigd hem met een paar grote stenen zijn hersens in te slaan. De laatste avond hadden ze hem vastgehouden en met mosselschelpen de haren van zijn baard uitgetrokken. Als FitzRoy hem dwong terug te keren, zou hij zeker worden vermoord, aldus de jonge missionaris.

Omringd door zijn bemanning liep FitzRoy het strand op naar de hutten. Daar ontmoette hij de drie teruggekeerde Vuurlanders. Jemmy was ook beroofd en mishandeld. Zijn mooie kleren droeg hij niet meer en zijn lichaam zat onder de kneuzingen. York Minster, een beer van een vent die bovendien gezag uitstraalde, had zich staande weten te houden en iedereen van zich afgeslagen die hem of Fuegia Basket bedreigde. Ondanks herhaald aandringen van de kapitein wilden ze echter geen van drieën hun vaderland de rug toekeren, om mee terug te gaan naar Engeland.

FitzRoy deelde een laatste ronde geschenken uit – de laatste van Matthews voorraden – in de hoop dat die het pad voor Jemmy zouden effenen of ervoor zouden zorgen dat Engelse schipbreukelingen in de toekomst op een menselijke behandeling mochten rekenen. Matthews vroeg of hij mocht meevaren naar Nieuw-Zeeland, waar zijn broer werkzaam was als missionaris. FitzRoy verklaarde zich maar al te graag akkoord.

Toen ze die avond uit Woollya vertrokken, dineerden Charles en FitzRoy alleen. Zelden had Charles de kapitein zo somber en teleurgesteld gezien, en hij besefte dat FitzRoy in één dag zijn droom in rook had zien opgaan; de vurige wens die hij drie jaar lang had gekoesterd, om arme, achtergebleven inboorlingen het licht van Gods woord te brengen.

'Ik blijf geloven dat we allemaal kinderen zijn van Adam en Eva,' verklaarde FitzRoy somber. 'Hoewel sommigen verder van Eden zijn weggezworven dan wij en elke herinnering aan het Paradijs zijn kwijtgeraakt.'

Een week later, na opnieuw wat cartografisch werk te hebben gedaan, voer het schip nogmaals terug, om te zien hoe de drie teruggekeerde Vuurlanders zich redden. Deze keer was de situatie aanzienlijk rustiger. In de baai zaten vrouwen te vissen op kano's. De weinige Vuurlanders op de kust maakten een vreedzame indruk en toonden zich opmerkelijk ongeïnteresseerd in de Engelsen. De hutten waren opgelapt, en zelfs in de verwoeste moestuin waren wat groene scheuten te zien.

Het drietal had geen klachten. Hoewel, dat gold niet helemaal voor Jemmy. Hij nodigde FitzRoy, Charles en McCormick uit in zijn hut en vertelde dat hij zich bedrogen voelde omdat ze geen bezoek hadden gebracht aan zijn dorp.

'U zeggen u komen naar mijn land. U zeggen niet waar. U niet ontmoeten mijn famlie. U niet ontmoeten groot Opperhoofd.'

FitzRoy reageerde spontaan. Misschien was het de enorme opluchting over het feit dat de Vuurlanders nog leefden, of de vage hoop dat het zaad van iets wat hij zo vurig had gehoopt te planten, alsnog zou ontkiemen. Hoe dan ook, hij stond op en was weer helemaal de kapitein van vroeger. Met Jemmy's handen in de zijne sloot hij zijn ogen en hief hij zijn hoofd, bijna als een prediker bij een kampvuur. 'Eerst hebben we nog heel veel werk te doen,' sprak hij plechtig en met dreunende stem. 'Maar zo waar als God mijn getuige is, beloof ik je dat we terugkomen. En wanneer we dat doen, gaan we met je naar je dorp, om je volk te ontmoeten en meningen uit te wisselen met het Opperhoofd.'

Toen de *Beagle* wegvoer, terug naar het oosten, naar de Atlantische Oceaan, had Charles de indruk dat FitzRoy weer een sprankje hoop koesterde voor zijn grootse experiment, maar de kapitein sprak er zelden over; alsof hij door erover te praten de betovering voorgoed zou kunnen verbreken.

Het zou bijna een jaar duren voordat FitzRoy zijn belofte gestand kon doen.

In die tijd voer de *Beagle* helemaal terug naar Montevideo om de oostelijke kustlijn van Zuid-Amerika en de Falklandeilanden in kaart te brengen. Om het karwei te klaren besloot FitzRoy een tweede schip aan te schaffen, precies zoals Sulivan had voorgesteld. Hij schoot dertienhonderd pond van zijn eigen geld voor en kocht een Amerikaans zeilschip, dat opnieuw werd getuigd en werd omgedoopt tot de *Adventure*. Het was de bedoeling dat het schip de zandbanken en ondiepere baaien in kaart bracht onder commando van Sulivan, die McCormick bij zich aan boord haalde.

Het werk was veeleisend en zwaar, en ze hadden voortdurend te kampen met tegenslagen. FitzRoys klerk stierf tijdens een jachtexpeditie. Verscheidene zeelui deserteerden. Augustus Earle, de kunstenaar met wie Charles goed bevriend was geraakt, werd zo ziek dat hij zijn werk niet kon voortzetten. Zijn plaats werd ingenomen door Conrad Martens, een bohémienachtige trekvogel die zich moeiteloos schikte in het leven aan boord.

De status van Charles onder de bemanning bleef groeien. De ontberingen haalden zijn ware aard naar boven. Hij toonde zich onafhankelijk, robuust, enthousiast en speelde meer dan eens een heldhaftige rol. Op een keer raakte een groepje dat op verkenning was uitgegaan diep in het onvruchtbare landschap van Patagonië in ernstige problemen. Uitgeput, verzwakt door dorst konden FitzRoy en de anderen geen voet meer voor de ander zetten. Alleen Charles slaagde erin strompelend hulp te gaan halen. Bij een andere gelegenheid was een groepje bemanningsleden ergens aan de kust zo in de ban van de aanblik die een afkalvende gletsjer bood, dat ze blind waren voor het gevaar. Met grote tegenwoordigheid van geest slaagde Charles erin hun aangemeerde sloep vast te leggen, zodat die niet zou worden meegesleurd en vermorzeld door de golf die door de gletsjer werd veroorzaakt.

Uit dankbaarheid noemde FitzRoy een baai en een kaap naar Darwin. Dat zat McCormick helemaal niet lekker, en hij kon zijn jaloezie dan ook nauwelijks beheersen. De scheepsarts beklaagde zich bij Sulivan dat de kapitein belangrijke oriëntatiepunten in het landschap 'om de minste of geringste aanleiding' vernoemde; 'daarmee doet hij afbreuk aan degenen die een dergelijke eer werkelijk verdienen.'

Toch slaagde McCormick er meestal in zijn gevoelens te verbergen achter een masker van onverschilligheid wanneer de schepen voor anker gingen en de twee bemanningen samen optrokken. Als een van de weinigen die konden paardrijden (de meeste zeelui waren hopeloos aan de wal) vergezelde hij Charles af en toe tijdens expedities om te jagen op wild en op specimens. Hoewel hij onveranderlijk minder succes had, wist hij toch ook een paar specimens te bemachtigen, die Charles grootmoedig meestuurde met zijn zendingen.

Charles bracht regelmatig periodes van maanden achtereen aan de wal door en dat beviel hem uitstekend. Hij genoot ervan dat hij zich steeds sterker voelde. In het diepe zuiden, waar de kust bevroren was, ondernam hij expedities om zeerobben op te sporen en te schieten. Hij sliep in provisorische tenten, liep dagen lang in een harige bontjas en liet zijn zwarte baard zo lang groeien dat hij deze met beide handen kon beetpakken. In het noorden, waar het klimaat aanzienlijk milder was, ondernam hij steeds langere expedities, waarna hij de *Beagle* enkele honderden kilometers verder langs de kust weer ontmoette. Uiteindelijk stemde FitzRoy er met tegenzin mee in dat Charles een reis van bijna duizend kilometer maakte van de Rio Negro helemaal naar Buenos Aires; een reis die voor een groot gedeelte door gebied liep waar de Spanjaarden de strijd hadden aangebonden met de inheemse indianen.

Charles genoot. Met zijn geweer over zijn schouder reed hij met een groep geharde gauchos die als lijfwachten dienden. Hij bewonderde hun dapperheid en zelfs hun bloeddorstigheid en begon zichzelf ook een van de *banditti* te noemen. Uiteindelijk slaagde hij er zelfs in de *bolas* te gebruiken. Hij joeg op struisvogels, geamuseerd door de manier waarop de dieren hun vleugels uitstrekten om als het ware te zeilen op de wind terwijl ze alle kanten uit draafden. 's Nachts bij het licht van het kampvuur las hij *Het paradijs verloren*; hij had het boek al zo vaak gelezen dat hij een spelletje had bedacht: hij liet het op een willekeurige bladzijde openvallen en koos daar een passage. Ten slotte viel hij in slaap onder de blote hemel, met zijn hoofd op zijn zadel, luisterend naar de geluiden van nachtschepselen die hij nooit eerder had gehoord.

Op een dag reed hij het gebied binnen dat werd beheerst door generaal Juan Manuel de Rosas, de beruchte brute leider die aan het hoofd stond van een eigen leger en die met de indianen afrekende door hun dorpen te omsingelen en alle inwoners – mannen, vrouwen en kinderen – uit te moorden. Toen de generaal, van wie werd gezegd dat hij vooral gevaarlijk was wanneer hij lachte, hoorde dat er een Engelsman in het gebied was, nodigde hij hem uit in zijn kamp en ontving hem hoffelijk. Charles was onder de indruk van de atletische prestaties van de generaal, die zich van bovenaf op de rug van een wilde, jonge hengst liet vallen en net zo lang bleef zitten tot het dier zich uitgeput gewonnen gaf. Rosas gaf Charles een vrijbrief en lachte niet één keer.

Eindelijk werd Charles' lust naar avontuur bevredigd. Dit was het ware leven! Hij voelde zich als de romantische held van een roman, terwijl hij door de bergketens en over de pampa's zwierf en kennismaakte met landschappen en dieren die geen Engelsman ooit had gezien. Daarbij vergeleken leek Shropshire zo klein, het leven daar zo prozaïsch.

Ten slotte bereikte hij de buitenrand van Buenos Aires, waar hij niet verder kon als gevolg van een militaire opstand. Generaal Rosas had beleg geslagen voor de hoofdstad. Door de naam van de generaal te noemen en de vrijbrief te tonen slaagde Charles erin de blokkade te passeren, maar toen hij bij de haven kwam, bleek dat de *Beagle* al was vertrokken. Hij raakte in paniek, denkend dat hij was achtergelaten.

Het schip bleek echter in Montevideo te liggen, aan de monding van de Río de la Plata, en na bij een reeks wegversperringen een flink bedrag aan smeergeld te hebben betaald lukte het hem zich weer bij het schip te voegen. Tijdens het herenigingsdiner, waarbij Charles de kapitein onthaalde op de verhalen van zijn avonturen, nam FitzRoy hem in vertrouwen. Ten minste één van de opvarenden van het zusterschip was maar al te gretig geweest het anker te lichten en te vertrekken, zodat Charles op eigen gelegenheid had moeten zien thuis te komen.

'Ik wed dat u kunt raden wie het was die een dergelijke koers bepleitte,' zei de kapitein glimlachend.

Charles hoefde er niet naar te raden... net zomin als hij moest glimlachen bij het antwoord.

Toen hij die avond *Het paradijs verloren* op een willekeurige plek liet openvallen, was de bewuste passage nogal ontmoedigend. De tekst was zo toepasselijk dat die voor hem kon zijn geschreven. Satan, vervuld van jaloezie, probeert uit alle macht de mens te ruïneren. Om de aartsengel Uriël over te halen hem als gids te dienen, vermomt hij zich als cherubijn:

> *Want huichelachtigheid wordt*
> *door mens noch engel doorzien.*
> *Het enige kwaad dat onzichtbaar blijft,*
> *behalve voor God...*

Twee weken later voer het schip opnieuw het Beagle Kanaal binnen en ging voor anker bij Woollya. De bemanning was benieuwd hoe het de nederzetting en de drie Vuurlanders was vergaan. Al van een afstand konden ze de chaos zien die daar heerste. Twee van de drie hutten waren vernield. Alleen het kale, houten skelet stond nog overeind. Van de tuin was niets meer over.

De derde hut was echter nog min of meer intact, en daaruit kwam Jemmy Button naar buiten. Hij roeide in een kano naar het schip, samen met zijn kersverse vrouw. Het duurde even voordat de bemanning hem herkende. Hij was slechts gekleed in een lendendoek en zo mager dat zijn ribben te tellen waren. Zijn haar zat vol met klitten, zijn gezicht was beschilderd. Hij gebaarde naar hen om zich bij hem te voegen op de kust. Voordat ze gingen zitten om te praten, verdween hij de hut in, en even later kwam hij na een volledige metamorfose terug, gekleed in zijn mooie broek, compleet met smokingjasje en wit overhemd. De kleren slobberden inmiddels om zijn lichaam. Zijn vrouw bleef in de hut, te schuw om een ontmoeting met vreemdelingen aan te durven.

Hij zei dat York Minster en Fuegia Basket allang vertrokken waren. Het merendeel van zijn bezittingen was gestolen, maar hij was tevreden. 'Nu u beloofd,' zei hij. 'Ik wachten heel lang. Nu u bezoeken mijn land.'

'Ja,' zei Charles. 'Nu gaan we met je mee naar je dorp.'

FitzRoy besloot van de reis af te zien en op het schip te blijven om de orde te handhaven, want het scheen dat sommige bemanningsleden, die een hekel aan dit oord begonnen te krijgen, muiterij overwogen. Charles, McCormick en Matthews, die iets opfleurde toen hij zag dat de plek waar hij zo'n gruwelijke week had doorgebracht, er kalm en verlaten bij lag, zouden de reis naar het dorp maken.

Terwijl hij hen naar de kam van een heuvel leidde en naar de bossen daarachter, danste Jemmy bijna van vreugde. Eindelijk zou de ontmoeting waarvan hij zo lang had gedroomd, gaan plaatsvinden.

Boven hen verzamelden zich dreigende, donkere wolken die duidden op storm. Af en toe werden ze van binnenuit verlicht door bliksemschichten, maar het onweer was zo ver weg dat ze het gerommel van de donder nauwelijks konden horen.

16

Nog versuft van de slaap hoorde Hugh de hospita naar zijn deur schuifelen. Ze klopte zachtjes. Er was telefoon voor hem, zei ze. Haastig schoot hij zijn broek en zijn overhemd aan en glipte hij de gang op. De hoorn van de telefoon hing langs de muur te bengelen. De porseleinen klok op de boekenplank wees halfacht aan. Sinds wanneer belden Engelsen op dit onfatsoenlijk vroege uur?

'Hallo?'

'Hugh. Je spreekt met Bridget.'

'O, hallo.'

'Ik heb je toch niet wakker gemaakt, hè?' Haar toon verried wat ze dacht: zo laat hoor je niet meer in bed te liggen. Kortom, ze was weer helemaal haar oude, rusteloze zelf.

'Eerlijk gezegd wel, ja.'

'Nou ja, het is toch tijd om op te staan.' Ze zweeg even, alsof ze hem de tijd wilde geven haar woorden tot zich te laten doordringen. 'Ik bel om je te vragen of je vanavond bij me komt eten. Om acht uur.'

'Komt er soms iemand van wie je vindt dat ik hem – of haar – moet ontmoeten?'

'Dat klopt. Maar ook zonder dat vertrouw ik erop dat je komt.'

'Wat is het adres?'

'Als je de trein neemt van tien over zes, komt Erik je van het station halen. Trouwens, ik kom ook mee. Want ik bedenk ineens dat Erik niet weet hoe je eruitziet.'

'Doe geen moeite. Geef me nou maar gewoon het adres.'

Dat deed ze. 'Trouwens, sorry dat ik je wakker heb gemaakt,' voegde ze eraan toe. 'Je klinkt… je klinkt niet helemaal fit.'

'Niks aan de hand. Ik praat gewoon zachtjes, dat is alles. Ik voel me prima.'

En dat was ook zo.

Hugh glipte zijn kamer weer in. Beth sliep nog, met haar rug naar hem toe, en hij liet zijn blik over de gladde welving van haar schouder gaan. Ze had het kussen opgepropt onder haar linkerwang. Haar rechterbeen stak onder het laken uit, en hij was bijna vertederd door de zachte knieholte, de kleine blauwe adertjes die omhoogliepen naar haar dij.

Hij vroeg zich af of hij haar wakker moest maken, maar besloot het niet te doen. In plaats daarvan kleedde hij zich verder aan, hij viste zijn sokken uit de hoek waarin hij ze had gegooid, scheidde zijn kleren van de hare en legde die laatste op een keurig stapeltje op een stoel. Even hield hij haar slipje omhoog – kant, deze keer – en legde dat bovenop.

Vervolgens schreef hij een briefje, waarin hij haar eraan herinnerde dat hij had gezegd dat hij weg moest. Hij overwoog er iets geestigs aan toe te voegen, maar koos voor praktische informatie – de werking van het koffiezetapparaat, welke deur in de gang toegang gaf tot de badkamer, hoe ze de drakerige hospita moest ontwijken – en sloot af met drie kruisjes.

Tegen de tijd dat hij in Londen arriveerde, scheen de zon, en hij besloot de toeristenboot over de Theems te nemen naar zijn bestemming, het National Maritime Museum in Greenwich. Hij stapte op aan de voet van de Houses of Parliament, op het moment dat de Big Ben elf uur sloeg. Eenmaal aan boord liep hij zo ver mogelijk naar voren, waar hij lekker in de wind zat. Hij was moe, maar het was een aangename moeheid: niet veroorzaakt door een hele nacht niet kunnen slapen, maar door vrijen en praten en opnieuw vrijen tot het bijna licht werd. Hij glimlachte bij het horen van het vaste praatje van de gids. De rivier stond hoog, waardoor de stank wat draaglijker was, en het water schitterde in de zon terwijl ze langs St. Paul's Cathedral voeren, het Globe Theatre, het Tate Modern, en de onheilspellende zeewering van de Tower.

Toen de boot had aangelegd, liep Hugh met grote passen de uitgestrekte heuvel op naar het Observatorium en sloeg af naar een lang, laag gebouw met dikke muren en marmeren vloeren. Het was er koel. De receptioniste ging hem voor naar de researchruimte, waar hij zich voorstelde aan de hoofdarchivaris, een schriele, broodmagere man met een breed voorhoofd.

Hij luisterde geduldig naar Hughs verzoek om het materiaal van de *Beagle* te mogen inzien, in het bijzonder het logboek van de kapitein en de lijst met passagiers en bemanningsleden. Hugh was benieuwd naar de namen van degenen die de reis om welke reden dan ook niet hadden afgemaakt; degenen die van boord waren gegaan en degenen die waren gestorven. Hij was echter vooral benieuwd of FitzRoy nog ongebruikelijke incidenten had genoemd, die Darwin niet in zijn boek over de reis had vermeld.

De archivaris schudde vriendelijk maar ontmoedigend zijn hoofd en vroeg Hugh even te wachten. Enkele minuten later kwam hij terug met een beduimelde fotokopie die hij op de balie legde. Het boek bevatte hier en daar stukjes tekst in het lastig te ontcijferen handschrift van FitzRoy. Het was echter voor het grootste deel leeg, en in het midden ontbrak een onbekend aantal bladzijden.

'Het spijt me dat ik u moet teleurstellen,' zei de archivaris, 'maar dit is precies wat ik had verwacht. U moet goed begrijpen dat de *Beagle*... Laat ik het zo zeggen: er zijn hier in de loop der jaren zoveel mensen geweest die de documenten hebben bestudeerd en gekopieerd. En vroeger waren we nog niet zo zorgvuldig met het materiaal als tegenwoordig. Ik ben bang dat dit alles is wat ik nog heb. Er bestaat geen archiefexemplaar van het logboek. Ook niet bij de Admiraliteit. Ik besef dat u hier niet veel aan hebt.'

Het huis van Bridget aan Elgin Crescent was precies zoals hij het zich had voorgesteld, karakteristiek en voornaam: vier verdiepingen, opgetrokken uit baksteen, met roomwitte erkers, een pad van flagstones en een taxusboom naast de voordeur.

Voordat hij op de bel drukte keek hij door het half geblindeerde raam. Hij zag een moderne salontafel met een stapel kunstboeken, een paar stevige vrouwenbenen en de rug van degene die haar iets te drinken inschonk. Het gedempte geluid van gezellig babbelende stemmen drong tot hem door. Het zag er allemaal zo gezellig uit dat hij zich prompt eenzaam voelde.

Toen vloog de deur met zo'n ruk open, dat hij een windvlaag door zijn haren voelde strijken. Daar stond Bridget, in een kasjmier trui en een nauwsluitende zwarte rok. Ze viel hem enthousiast om de hals en kuste hem uitbundig. 'Hugh!' Ze trok hem over de drempel. 'Wat fijn dat je er bent.'

Hij gaf haar een fles wijn. Ze haalde hem uit de zak, bestudeerde het etiket aandachtig en zette de fles toen op een tafel tegen de muur. Erik kwam haastig de hal in om hem te verwelkomen. Hij was lang en knap, op een aristocratische, Engelse manier, met dik haar dat bijna tot over zijn ogen viel. Toen Bridget hen aan elkaar voorstelde, wiebelde hij van verrukking heen en weer op de bal van zijn voeten, en terwijl ze elkaar de hand schudden, bleef er op slag niets over van Hughs vaste voornemen hem niet aardig te vinden.

Eenmaal binnen stelde Bridget hem vlot en met de juiste bewoordingen aan de anderen voor; net genoeg informatie om een eerste contact te leggen en een gesprek te beginnen. Het ontging hem niet dat hij werd omgeschreven als 'een heel goede vriend uit de Verenigde Staten. O, en trouwens, hij is de broer van Cal; jongere broer toch, hè Hugh?' Bridgets nonchalante toon verried haar: ze wisten al wie hij was.

Een van de gasten – Neville Young, een man met een blozend gezicht in een wijdvallende, vuurrode trui – nam Hugh taxerend op.

Voor het eten lukte het Hugh om Bridget in de keuken even apart te nemen, en ze vertelde hem dat Neville een collega van Cal was geweest op het lab. 'Maar hij is niet degene aan wie ik je wilde voorstellen. Dat is Simon, Cals kamergenoot in Oxford. Hij moest op het laatste moment afzeggen. Jammer genoeg.' Ze keek hem aan met vochtige ogen. 'Hoe gaat het met je vader?' vroeg ze toen abrupt, zonder overgang.

'Ik zou het je niet kunnen zeggen. Goed, neem ik aan.' Zijn vader had hem twee keer geschreven en zelfs gebeld, maar Hugh had niets van zich laten horen. Niet geschreven en ook niet gebeld.

'Volgens mij oordeel je te hard over hem, Hugh. Het is geen slechte man. Echt niet.'

Erik kwam de keuken binnen, met een nerveuze frons op zijn gezicht. 'Lieverd, onze gasten gaan aan tafel.' Hij keek naar Hugh, schonk hem een ongemakkelijke glimlach en keerde zich naar Bridget. 'Wat is er, schat? Zit je iets dwars?'

Hugh was opgelucht dat hij aan tafel kon.

De maaltijd werd in een prettige sfeer genuttigd. Bridget en Erik hielden de wijnglazen gevuld en het gesprek levendig; het draaide om de gebruikelijke onderwerpen: wat de Tories nu weer voor schandaligs hadden voorgesteld, de corrupte politiek van Israël, de laatste roddels. Een nogal rusteloze vrouw die links van Hugh zat, wilde het over de opkomst van het creationisme in Amerika hebben, toen ze hoorde dat hij in Darwin geïnteresseerd was.

De man rechts naast hem zei: 'Ik begrijp van Bridget dat je met een researchproject bezig bent? Over Darwin?'

'Dat klopt.'

'Verbazingwekkende man, vind je niet? Briljant hoe hij zijn theorie zo lang vóór zich heeft gehouden, tot hij zijn bewijsvoering volledig rond had. En ondertussen verdiepte hij zich in zeepokken, duiven, en wat al niet meer.'

'Inderdaad.'

'Absoluut een genie. Maar heel anders dan Newton of Einstein. Veel sympathieker. Die anderen voelen zich allemaal zo ver boven ons, gewone mensen, verheven. Darwin wekt meer de indruk van een normaal mens, als je begrijpt wat ik bedoel. Je kunt je bijna voorstellen hoe hij zijn ontdekking heeft gedaan. Je zíét hem ploeteren. Hij is net als jij en ik, alleen had hij meer doorzettingsvermogen. *It's dogged as does it*, zoals meneer Trollope schreef. De aanhouder wint.'

Hugh knikte, zich ervan bewust dat Neville hem bij het kaarslicht onderzoekend zat op te nemen.

'En dan de schoonheid van de theorie waar hij uiteindelijk mee voor de dag kwam! De eenvoud ervan! Achteraf gezien lijkt het zo voor de hand liggend. Wat zei Huxley daar ook alweer over? "Wat ongelooflijk onnozel dat ik daar zelf niet op ben gekomen!" Dat is nog eens wat je noemt een briljante opmerking.'

'Tja,' zei Hugh.

'Heb je je weleens afgevraagd waarom Darwin nooit over het onwaarneembare heeft geschreven?' vervolgde zijn buurman. 'Voor iemand die de menselijke aard zo grondig bestudeerde, waren er toch verschillende onderwerpen waar hij zich verre van hield.'

'Zoals?'

'De geest, bijvoorbeeld. Gedachteprocessen, vragen van schuld en geweten. Die hebben hem nooit geïnteresseerd, misschien omdat ze niet tastbaar waren. Of omdat ze voor hem *taboe* waren. Hij was een buitengewoon gecompliceerd mens.'

'Dat was hij zeker. En hij ging bovendien gebukt onder schuldgevoelens,' zei Hugh. 'Maar ondanks alles ging hij door.' Hij had plotseling het gevoel alsof hij Darwin in bescherming moest nemen. 'De vleesgeworden moed, dat was hij.'

'Dat was hij zeker. Absoluut.'

Toen ze na het eten teruggingen naar de woonkamer voor koffie met cognac, besloot Hugh dat hij met Neville wilde praten. Dus hij stelde voor om even 'een frisse neus te halen'. Het was meer een opdracht dan een aanbod, en hij trok zich er niets van aan dat het misschien merkwaardig werd gevonden als twee mannen die elkaar net pas voor het eerst hadden ontmoet, zich samen afzonderden.

Ze liepen de tuin in en kwamen door een houten deur in de schutting op de ingesloten strook grond met grof gras en hoog oprijzende iepen tussen de twee rijen huizen. Neville wekte de indruk alsof hij zich slecht op zijn gemak voelde.

'Ik heb van Bridget begrepen dat je mijn broer hebt gekend,' zei Hugh ten slotte.

Neville reageerde prompt, alsof hij de vraag had verwacht. 'Dat klopt.'

Hugh wachtte af of hij nog meer zou zeggen, en uiteindelijk voegde Neville eraan toe: 'We waren tamelijk goede vrienden. Tenslotte zagen we elkaar dagelijks op het lab.'

'Wat voor soort werk deden jullie daar?'

Het antwoord verraste hem.

'Ik besef dat dit ongemakkelijk voor je moet zijn. Dat is het voor mij in elk geval wel. Bridget zei dat je graag over Calvin wilde praten, maar eerlijk gezegd is het allemaal nogal link.'

'Hoe bedoel je?'

'Ik begrijp dat het een enorm verlies voor je was. Bridget zei dat jullie een buitengewoon hechte band hadden. Maar ik hoop dat je begrijpt dat het voor mij – voor ons allemaal – ook een enorme schok was toen we hoorden dat hij dood was. En ik weet eerlijk gezegd niet of ik erover wil praten.'

Hugh wist niet wat hij moest zeggen.

'Dat... eh... dat begrijp ik. Maar een paar onschuldige vragen, dat kan toch geen...'

'In een geval als dit bestaat er niet zoiets als onschuldige vragen. Zo'n plotselinge dood... dat is voor iedereen afschuwelijk. Je gaat in gedachten terug naar het verleden, je laat alles nog eens de revue passeren, komt hier en daar tot andere conclusies... Ik heb gewoon nog wat tijd nodig om erover na te denken.'

Hugh was geschokt. Voordat hij kon bedenken wat hij daarop moest zeggen, verbrak Neville het stilzwijgen.

'We kunnen beter teruggaan.' Hij draaide zich om en begon in de richting van Bridgets huis te lopen. Toen bleef hij staan. 'Het is niet mijn bedoeling bot te zijn. Ik begrijp dat je... dat je bezig bent met een soort zoektocht. Dus ik zal hier serieus over nadenken. Over twee of drie dagen bel ik je om te zeggen wat ik heb besloten.' Zijn gezicht verried hoezeer het gesprek hem uit zijn doen had gebracht. 'Dat lijkt me redelijk.'

Hugh maakte aanstalten hem de hand te schudden, maar Neville wuifde hem weg. 'Dat hoeft niet.'

Ze gingen weer naar binnen, net toen de anderen op het punt stonden te vertrekken. Hugh bleef achter terwijl de gasten afscheid namen in een kakofonie van kussen en uitroepen.

Ten slotte sloot Bridget de deur en keerde ze zich naar hem toe. 'En?'

'Ik ben niks wijzer geworden. Hij moet erover nadenken, zegt hij. Eerlijk gezegd deed hij alsof hij zich in een hinderlaag gelokt voelde.'

'Dat is typisch Neville. Eerlijk gezegd heb ik hem nooit gemogen.'

'Weet jíj wat er op dat lab is gebeurd?'

'Nee. Ik had gehoopt dat jij daarachter zou weten te komen.'

'Die ander over wie je het had,' zei hij impulsief. 'Simon... Heb je daar een nummer van?'

'Ja.' Ze schreef het op een stukje papier, stopte het in zijn zak en liep met hem naar de deur. 'Bedankt voor je komst, en voor de wijn. Het is belangrijk om je broer beter te leren kennen, vergeet dat niet.' Ze keek hem doordringend aan. 'Zodat je weet dat hij ook maar een mens was.'

'Dat weet ik. Natuurlijk weet ik dat.'

'Daar ben ik nog niet zo zeker van.'

'Toch is het zo.' Maar terwijl hij het zei, moest hij bekennen dat hij het zelf ook niet zeker wist.

Ze probeerde niet hem te zoenen, maar keek hem even onderzoekend aan. Toen draaide ze zich om, ze trok haar rok recht en liep naar binnen.

Hij was net terug in Twenty Windows toen het begon te regenen. Het eerste wat hij deed, was het nummer van Simon draaien. Er werd niet opgenomen, maar hij sprak een boodschap in. Toen liet hij zijn blik door de kamer gaan, om te zien of Beth een briefje voor hem had achtergelaten. Er lag niets. Hij glimlachte toen hij zag dat ze het bed had opgemaakt en de kussens had opgeschud. Ten slotte viel zijn blik op de onderste plank van de boekenkast, waar hij het dagboek van Lizzie bewaarde. Het lag op zijn vaste plek, maar met de rug naar voren. Zo had hij het niet achtergelaten. Ongeloof maakte zich van hem meester en sloeg al snel om in boosheid. Ze had het gelezen!

Hij liep naar buiten, probeerde een taxi aan te houden, maar die reed voorbij. Dus rende hij naar haar huis, waar hij doorweekt aankwam. De achterdeur werd opengedaan door een jonge vrouw die zich voorstelde als Alice. Ze keek hem onderzoekend aan en wist meteen wie hij was; iets wat hij, ondanks zijn boosheid, als een goed teken beschouwde. Ondertussen stond hij op de keukenvloer te lekken.

'Ze is boven. Eerste deur links. Alsjeblieft…' Alice deed een la open en gooide hem een handdoek toe. Haastig droogde hij zijn hoofd af, toen gooide hij de handdoek terug.

De deur van de slaapkamer stond open. Beth zat te lezen aan een bureau. Ze leek niet verrast hem te zien, maar keek rustig op toen hij binnenkwam.

'Hoe kón je dat doen?' vroeg hij nijdig.

'Ik neem aan dat je het over het dagboek hebt?' Er gleed een uitdrukking over haar gezicht die hij niet kon duiden; het was geen schuldbewustheid wat hij daarin las, eerder onzekerheid.

'Ja, waar haal je het lef vandaan om dat te lezen?'

Ze stond op en zag er slank uit in haar zwarte spijkerbroek en T-shirt. 'Ik zal proberen het je uit te leggen.' Ze begon de kamer op en neer te lopen, met haar vingers in de achterzakken van haar broek.

'Dat is je geraden.'

'Ik was alleen in je kamer, en toen keek ik eens om me heen. Het was niet mijn bedoeling om in je spullen te gaan neuzen, maar… Nou ja, dat heb ik uiteindelijk wel gedaan. Gewoon, omdat ik meer over je wilde weten. Dat doe je, wanneer je alleen bent in de kamer van iemand die… iemand die belangrijk voor je is. Het is niet chic, dat besef ik. Maar het was een kans die ik niet kon laten lopen. Dat zal iedereen met me eens zijn.'

Hij keek haar aan, vervuld van afschuw.

'Oké, jij misschien niet. Maar ik ben voor de verleiding bezweken. Dus ik heb wat rondgekeken, en toen vond ik het dagboek. Zodra ik het opensloeg en begon te lezen, kon ik niet meer stoppen. Allemachtig, wat een vondst! Het is van Darwins dochter, hè? Van Lizzie? Hoe kom je eraan?'

'Ga door.'

'Oké, ik heb het hele dagboek gelezen. Het is verbijsterend. Sorry, ik had het niet moeten doen. Daar ben ik me van bewust. Ik was gewoon geïnteresseerd... benieuwd wat je zoal in je kamer had. Het laatste wat ik verwachtte te vinden, was een dagboek van Lizzie Darwin. Eerlijk gezegd hoopte ik wat meer over jou te weten te komen.'

Hugh voelde zijn boosheid wegebben. 'Maar je hebt het teruggelegd, in de hoop dat ik het niet zou merken?'

'Nee, niet echt. Ik heb het andersom neergelegd, in de veronderstelling dat je het meteen zou zien. Ik heb nog even overwogen een briefje achter te laten, maar het viel niet mee om alles op papier te zetten.'

Zijn boosheid was verdwenen, had plaatsgemaakt voor iets anders: voornamelijk bezorgdheid omdat het geheim geen geheim meer was, en angst dat ze gebruik zou maken van zijn vondst. Anderzijds, het zou goed zijn om er met iemand over te kunnen praten.

'Je had het me ook kunnen vragen,' zei hij.

'Hoe had ik dat moeten doen? Ik wist niet eens van het bestaan!'

'Ik bedoel, je had kunnen vragen waar ik research naar deed.'

'Dat had jij mij ook kunnen vragen.'

Daar zat iets in. 'Jij doet ook onderzoek naar Lizzie, waar of niet?'

'Ja,' antwoordde ze.

'Waarom?'

'Omdat... omdat ze mijn betovergrootmoeder is. Tenminste, als ik het goed uitreken.'

Hughs mond viel open terwijl hij zich op het bed liet zakken. 'Meen je dat? Is dat echt waar?'

'Ja. Ik weet het al een tijdje. Mijn moeder zei altijd dat we in de verte familie waren van Darwin. Ik heb er nooit veel aandacht aan besteed. Eerlijk gezegd dacht ik dat het gewoon een van die wilde familiegeruchten was. Je weet wel. Net zoals er families zijn waar ze zeggen dat ze banden hebben met het koningshuis.'

'Hoe ben je er uiteindelijk achter gekomen?'

'Door de dood van mijn moeder. De informatie maakte deel uit van de nalatenschap. Hier, kijk maar.'

Ze deed de la van het bureau open en haalde er een vel papier uit. Het was een brief van een notaris in Londen – de firma Spenser, Jenkins & Hutchinson – gedateerd 20 mei 1982, gericht aan Dorothy Dulcimer in Minneapolis, Minnesota.

'Dat is mijn moeder,' zei Beth, in antwoord op zijn onuitgesproken vraag.

Hij las de brief, waarin werd verklaard dat bepaalde documenten in 1882 aan de firma in beheer waren gegeven, omdat het notariskantoor de belangen behartigde van Charles Loring Brade, de oprichter van de Children's Aid Society, met de voorwaarde dat ze gedurende een periode van honderd jaar 'vertrouwelijk en geheim' zouden blijven. Het ging om papieren die bij de firma in bewaring waren gegeven door Elizabeth Darwin, de dochter van de beroemde naturalist, bij de dood van haar vader. De papieren bevatten informatie die, naar de mening van Elizabeth Darwin, *van belang is voor de geschiedenis maar te schadelijk voor de reputatie van nog levende betrokkenen of hun nakomelingen om in de naaste toekomst te worden onthuld.*

De brief vervolgde:

Uit onze dossiers en een controle van de bestaande archieven maken wij op dat u de naaste verwant bent van degene voor wie het pakket in bewaring werd gegeven, namelijk Emma Elizabeth Darwin, op 1 april 1872 geboren als buitenechtelijk kind en diezelfde maand afgestaan voor adoptie onder toezicht van de Children's Aid Society.

Wij verzoeken u de bijgesloten documenten te bestuderen om uw recht daarop vast te stellen. Mocht u besluiten van uw aanspraak gebruik te maken, wordt u verzocht zich te vervoegen op ons kantoor...

Er volgde een adres waarvan Hugh wist dat het ergens in de buurt van de Old Bailey moest zijn.

'Dit is verbijsterend,' zei Hugh. 'Ongelooflijk.' Hij las een passage nog eens over: *van belang voor de geschiedenis maar te schadelijk voor de reputatie van nog levende betrokkenen...* Waar zou dat over gaan?'

'Over iets wat Lizzie heeft ontdekt. Of iets waarover ze heeft geschreven. Op basis van haar dagboek zou ik zeggen dat ze iets op het spoor was in het leven van haar vader.'

'Dus je moeder is die papieren nooit gaan halen?'

'Nee, dat heeft ze aan mij overgelaten.'

Hugh zat nog steeds met zijn hoofd te schudden. 'Nigel vertelde al dat je familie was... Weet je nog dat ik dat zei? Ik heb je ernaar gevraagd in de trein, en toen ontkende je het.'

'Nee, toen heb ik gezegd dat je niet alles moest geloven wat je hoorde. Dat is een algemene observatie, en die onderschrijf ik nog steeds.'

Hij grijnsde. 'Ik wist dat Lizzie uiteindelijk zwanger werd, maar ik heb nooit de link met jou gelegd.'

'Daar was ook geen reden voor.'

'En wie is Charles Loring Brace?'

'Een sociaal hervormer ergens halverwege de negentiende eeuw. Hij heeft de Children's Aid Society opgericht, ten behoeve van de straatkinderen van New York. Met het geld van de organisatie werden de "wezentreinen" gefinancierd die naar het westen gingen, met in totaal zo'n tweehonderdvijftigduizend kinderen.'

'En hij kende Darwin?'

'Ja. Darwin had grote bewondering voor zijn boek, *The Dangerous Classes*. In de zomer van 1872 nodigde hij Brace en zijn vrouw uit op Down House. Toen zijn ze vrienden geworden.'

Beth gaf hem nog drie documenten. Het ene was een oud geboortecertificaat waarop Elizabeth Darwin als de moeder werd genoemd en in het vakje voor de vader *Onbekend* stond. Het tweede was het adoptieformulier, ondertekend in een beverig handschrift dat Hugh nochtans herkende als dat van Lizzie. Het derde was een brief geschreven aan Brace, afkomstig van een lid van de Society dat een wezentrein met achtenzestig thuisloze kinderen van New York City naar het Midwesten had begeleid, in augustus 1872.

Het zal u plezier doen te horen dat ik de kleine Emma vandaag in Detroit met succes heb overgedragen aan de familie uit Minneapolis, precies zoals u het had geregeld. De nieuwe ouders zijn van plan haar Filipa te noemen.

De schrijver van de brief vervolgde met het beschrijven van de vreugde om zo vele van onze onschuldige beschermelingen in de schoot van een nieuw gezin opgenomen te zien worden.

De kinderen werden liefdevol ontvangen, ondanks de staat waarin ze verkeerden. Tijdens de ruwe oversteek met de stomer vanuit Buffalo over Lake Erie waren alle kinderen zeeziek geworden. Dat, gecombineerd met het vuil van de dieren aan dek en de gevolgen van de lange treinrit vanuit Detroit, maakte dat de reinheid wel iets te wensen overliet. Sterker nog, ze roken afschuwelijk! Maar bij elke plaats waar werd gestopt, verzamelden zich gezinnen in kerken en gemeenschapshuizen om een keuze te maken uit de in een kring verzamelde kinderen. Sommige aanstaande ouders waren bijna tot tranen toe bewogen toen ze zagen hoe ze eraan toe waren, andere toonden zich praktischer en geharder, bevoelden hun spieren of controleerden hun tanden. Inmiddels wachten nog slechts een stuk of tien kinderen – de minst presentabele van het transport – op adoptie.

Hugh gaf haar de papieren terug. 'Enig idee wie de vader was?'
'Nee. Ik weet niet eens of Lizzies ouders dat ooit hebben geweten.'
'Ja, ze wisten het. In elk geval haar moeder. Ik heb een brief gevonden waarin ze Lizzie in niet mis te verstane bewoordingen de mantel uitveegt.'
Beth toonde zich onder de indruk. 'Waar vind je al die dingen toch steeds?'
'Dat is voornamelijk een kwestie van geluk. De brief lag tussen een boek dat van Lizzie is geweest. Het dagboek dat je hebt gelezen, heb ik gevonden bij Darwins vroegere uitgever. Je hebt gelezen dat ze het heel sluw verborgen had.'
'Ja, en volgens mij is de theorie over haar vader heel overtuigend. Hij gedroeg zich inderdaad vreemd, ook al hebben we natuurlijk geen idee waar ze hem van verdacht.'
Het ontging Hugh niet dat ze 'we' zei. 'Wat heb je tot dusverre gedaan, hier in de bibliotheek?'
'Research, net als jij. Ik heb geprobeerd zoveel mogelijk over Lizzie te weten te komen.'
'En ondertussen liggen die papieren op je te wachten bij de notaris? Of heb je ze al gehaald?'
'Nog niet. Ik ben wel in Londen geweest, maar ik moest allerlei geloofsbrieven produceren om te bewijzen dat ik ben wie ik beweer te zijn. En dat duurt een eeuwigheid. Die Britse notarissen zijn echt

ongelooflijke scherpslijpers. Maar ze zeggen dat het nu niet lang meer zal duren. Wil je ze zien, die papieren?'

'Natuurlijk.'

'Dus eh… hoe gaat het nu verder? Wat heeft dit voor gevolgen?'

'Hoe bedoel je?'

'Voor ons. Werken we van nu af samen? Worden we partners?'

'Wat vind je? Is dat wat je wil?'

'Ja.'

'Oké, dan werken we van nu af samen.'

De ontwikkelingen gingen ineens zo snel dat Hugh merkte dat zijn gevoelens het nauwelijks konden bijhouden. Hij merkte dat het hem opluchtte dat de competitie voorbij was en het scherm was neergelaten. Het zou goed zijn iemand te hebben om dit avontuur mee te delen, en wie zou dat beter kunnen zijn dan Beth, die nota bene familie was van Darwin? Hij erkende ook dat het niet anders kon of de documenten uit de nalatenschap zouden althans iets van Darwins geheimen onthullen.

'Ik heb iets bedacht,' zei Beth plotseling. 'Heb je dat cijfer één gezien, voor op Lizzies dagboek? Met een rondje eromheen?'

'Ja.'

'Dat suggereert dat er ook een twee moet zijn.'

'Je bedoelt dat er ergens nóg een dagboek is?'

'Ja.'

'En als dat niet bij de uitgever ligt, is de kans groot dat het ergens in die enorme collectie bij de bibliotheek zit.'

'Ja.'

Hij sloeg zijn arm om haar heen. 'Je bent briljant.'

Met een ondeugende glimlach hield ze het geboortecertificaat omhoog. 'Een kwestie van genen.'

Die nacht vrijen ze heel zachtjes, uit consideratie met Alice in de kamer ernaast, maar het feit dat ze zich moesten inhouden maakte het in zekere zin alleen maar spannender.

De volgende morgen stond Roland in de Manuscripts Room hartgrondig te gapen, alsof hij moest bijkomen van een wilde nacht. Ze liepen samen naar hem toe.

'Ik zie dat jullie de krachten hebben gebundeld,' zei hij. 'Dat had ik wel gedacht. Uiteindelijk moest het ervan komen.'

'We hebben je hulp nodig,' zei Hugh. 'Laten we even een kop thee gaan drinken.'

In de cafetaria bestookten ze hem met vragen over de Darwin-collectie als geheel, en zoals gebruikelijk was Roland een bron van informatie.

'Zijn vrouw, Emma, stierf tegen het eind van de negentiende eeuw. Hun zoon, Francis, was geïnteresseerd in de familienalatenschap en heeft een grote verzameling documenten aangelegd. Ida Farrer, die was getrouwd met Horace, de jongste en zwakste van Darwins zonen, behield de correspondentie van de familie. Die werd in 1942 bij legaat aan de bibliotheek geschonken.'

Hugh keek hem doordringend aan. 'Roland, zou je me een gunst willen bewijzen?'

'Jongen, ik dóé niet anders, al vanaf dat je hier voor het eerst een voet over de drempel zette.'

'Zou ik die papieren mogen zien? Kun je me in het depot laten, zodat ik ze kan zien?'

'Wil je er alleen maar náár kijken, of wil je ze ínkijken?'

'Het laatste.'

'Je maakt zeker een geintje.'

'Nee.'

'Hm. Dat is strikt illegaal. Verboden terrein. Dat kan me mijn baan kosten. Bovendien is er nog een bibliothecaris aan het werk, en die heeft zijn ogen niet in zijn zak zitten.'

'Beth zou hem kunnen afleiden.'

Ze glimlachte poeslief naar Roland.

'Sjongejonge,' verzuchtte die. 'Jullie kunnen het niet laten om de regels aan jullie laars te lappen!'

Tien minuten later – de Manuscripts Room was zo goed als verlaten – liep Beth met een verzoek naar de andere bibliothecaris. Terwijl ze over een naslagwerk gebogen stonden, loodste Roland Hugh achter de balie langs naar een blauwe deur, haalde een kaart door een gleuf, en de deur ging open. Binnen was het doodstil, op het gezoem van de airconditioning na. Voor zich zag Hugh een enorme metalen kast, met diverse manuscripten, voorzien van briefjes, die door lezers konden worden opgevraagd. Ze sloegen rechts af en liepen langs rijen metalen planken tot ze diep in de ingewanden van het gebouw bij kast nummer 20 kwamen, het deel van het depot dat was gereserveerd voor westerse manuscripten. Ze volgden de rijen tot ze bij nummer 137 kwamen.

'Hier is het,' zei Roland. 'Als je per se ergens aan moet komen, leg het dan precies zo terug als je het hebt aangetroffen. Je hebt een uur de tijd; dan komt de hoofdbibliothecaris terug. En mocht mijn andere collega binnenkomen, zorg dan in godsnaam dat hij je niet ziet!'

Hugh liet zijn blik langs de paden gaan: ze waren stuk voor stuk verdeeld in tien compartimenten, met vijf planken per compartiment, alles bij elkaar zo'n veertig meter lang. Het Darwin-materiaal besloeg drie van de paden en werd voor het grootste deel bewaard in bruine en blauwe dozen. Sommige waren voorzien van een etiket: FAMILIE. DOWN HOUSE. BOTANIE.

Hij begon met de dozen die waren gemerkt met FAMILIE, maakte er een open, toen nog een, werkte snel het pad af. Het grootste deel van het materiaal zat in donkerbruine enveloppen: bundels brieven waar hij geen aandacht aan besteedde. Na twintig minuten kwam hij bij een grote doos, met daarop BOEKHOUDING. Hij maakte hem open en stuitte op stapels kasboeken, rekeningen, rekeningboeken, sommige volgeschreven in Darwins handschrift. Helemaal onderop vond hij wat hij zocht. Het lag ondersteboven, een klein rekeningboek met het nummer 2 op de kaft. Hij sloeg het open, bladerde naar achteren. Daar was het: Lizzies handschrift!

In de band zat een briefje met een referentienummer: *DA/acct3566*. Dat schreef hij op, hij deed het rekeningboek terug in de doos en zette de doos weer op de plank. Daarna liep hij op zijn gemak terug naar de blauwe deur, deed die op een kier open en tuurde naar buiten, om te zien of de kust veilig was. Toen dat het geval bleek te zijn, glipte hij de leeszaal weer in. Er was niemand die hem zag.

Aan de balie vulde hij een aanvraagformulier in, dat hij aan Roland gaf. 'Middelste pad, op ongeveer driekwart naar het eind, aan je rechterhand,' zei hij zacht.

17

Hoe vreemd om na zo lang dit dagboek te hervatten. Het is bijna zes jaar geleden dat ik ermee ben gestopt (en wat waren het een ongelukkige, teleurstellende zes jaar). Ik zou de pen niet weer ter hand nemen, zeker niet nadat ik het schrijven van een dagboek had afgezworen, ware het niet dat ik ten prooi ben aan een wervelwind van emoties. Ik word heen en weer geslingerd tussen vreugde en gekweldheid. Soms heb ik het gevoel alsof mijn hart zo overloopt van gevoelens, dat het zal barsten en ik ter plekke zal neerstorten, zodat iedereen zich zal afvragen wat er met die arme jonge vrouw is gebeurd, dat ze zomaar, in de bloei van haar leven, de geest heeft gegeven. Ik word beheerst door een overweldigend verlangen om alles op te biechten, om me te ontlasten, om mijn diepste gedachten en begeerten uit te spreken. Maar helaas, er is niemand, helemaal niemand bij wie ik te biecht kan, niemand in wiens oor ik het geheim kan fluisteren dat mijn hart in vuur en vlam heeft gezet.

Ik ben verliefd. Ach, wat ben ik verliefd! Ik kan aan niemand anders denken, alleen aan hem. Ik verlang ernaar bij hem te zijn en bij niemand anders. Ik droom van hem. Waar ik ook ga, zie ik zijn slanke, elegante verschijning, zijn knappe gelaat, zijn fluweelbruine ogen. Ik hoor zijn zachte stem, voel zijn blik op me gericht die me doet blozen tot onder mijn haarwortels. Ik zou mijn leven met hem willen delen. En hij heeft geen idee hoezeer ik word verteerd door aanbidding.

Het is eruit! Ik heb het toegegeven. Mijn geheim staat op papier. Dat is tenminste iets, maar ik kan niet zeggen dat het me grote opluchting schenkt. Zelfs in dit dagboek moet ik voorzichtig zijn en mag ik niet de naam van mijn beminde onthullen, noch iets anders wat zijn identiteit zou verraden. De omstandigheden hebben ons bij elkaar gebracht, net als de geliefden in een van de romans van mevrouw Gatskell. Ik verlang ernaar zijn naam op te schrijven, of ten minste zijn initialen, om ze te lezen en te herlezen, maar ik durf het niet, uit angst dat iemand anders ze leest. Ik zal hem X noemen. Lieve X. Mijn liefste X. Ik hou van je met heel mijn hart en ziel. Wat klinken die woorden bij teruglezen banaal, o, hoe smartelijk onnozel is de taal vergeleken bij het verlangen van het hart.

Ik moet ophouden met bazelen. Dat maakt het alleen maar zwaarder. Ik heb mijn geheim prijsgegeven, en dat moet genoeg zijn. Maar de last voelt niet minder zwaar.

12 juni 1871

Mijn leven lijkt – althans, uiterlijk – in veel opzichten op het leven dat ik leidde toen ik voor het laatst mijn dagboek sloot. Inmiddels ben ik drieëntwintig. De schokkende gebeurtenissen in het Meteorological Office en de groteske dood van kapitein FitzRoy hebben een ingrijpende invloed op me gehad. Ik kon de gedachte niet van me afzetten dat ik in enige mate verantwoordelijkheid droeg, omdat ik hem door ons gesprek zo uit zijn doen had gebracht. Het gevolg was dat er een zware wissel op mijn gezondheid werd getrokken. Ik stortte in, kreeg last van stuipen, die weken lang regelmatig terugkeerden. Ik verloor mijn eetlust, werd heel bleek en mager… zo mager dat ik geen corset meer nodig had (hoewel ik niet de behoefte had me buiten te wagen en het grootste deel van mijn tijd in mijn slaapkamer doorbracht).

Ik keerde me ook af van de Kerk en schaarde me onder de ongelovigen. Dit baarde Mama grote zorgen. Ze drong er voortdurend bij me op aan dat ik de dienst bezocht en bad dat ik 'het licht en de genade van de Heer' zou volgen. Tijdens ons eerste gesprek over de kwestie, toen ik weigerde me als lidmaat van onze kerk te laten bevestigen, was ze tot tranen toe bewogen. Ze vroeg me naar de reden, en ik verloor mijn zelfbeheersing, riep dat ik niet in de Heilige Drie-eenheid geloofde, noch in de doop, en al evenmin in God Zelf. Ze was zo geschokt dat ze geen woord meer kon uitbrengen, maar zich op haar hakken omdraaide en huilend naar haar slaapkamer liep, waar ze in bed kroop. Ze dacht natuurlijk dat ons gezin nu al twee ongelovigen telde; eerst had Papa zich van de Kerk afgekeerd en daarna ik.

Het was me onmogelijk haar toe te vertrouwen dat mijn bekering tot het atheïsme voor een deel te wijten was aan mijn gevoelens ten aanzien van Papa. Want mijn vermoeden dat er iets gruwelijks was gebeurd tijdens de reis van de *Beagle* – misschien tijdens die *nuit de feu* – hadden zich versterkt tot de overtuiging dat hijzelf schuldig was aan de een of andere wandaad. Het gevoel werd des te pijnlijker omdat het zo'n volstrekt ander licht op zijn karakter wierp dan het beeld dat de buitenwereld van hem heeft. Mijn verdenkingen werden sterker bij het zien van Papa's reactie op de dood van FitzRoy; in plaats van verdrietig te zijn, reageerde hij alsof er een last van zijn schouders was genomen. Kort na de begrafenis zag ik dat meneer Huxley hem op de rug sloeg. 'Ziezo, daarmee is er een eind gekomen aan die hele treurige kwestie; de weerman krijgt van mij geen bezoldiging meer,' hoorde ik hem zeggen. Ik vond het een buitengewoon harteloze opmerking.

Er kwam een periode waarin ik met niemand meer sprak. Uit bezorgdheid over mijn gedrag en mijn 'geestelijke matheid', zoals dokter Chapman het noemde, werd ik op reis gestuurd naar Europa, in de hoop dat een verandering van omgeving heilzaam zou zijn voor mijn herstel. Want ik was inmiddels inderdaad ernstig ziek, ook al kon ik – zoals ik al zei – natuurlijk niemand de ware reden van mijn ziekte vertellen, namelijk dat ik was begonnen te vermoeden dat Papa niet de man is die hij beweert te zijn. Ik reisde naar Duitsland en verbleef in Baden-Baden, waar de frisse berglucht en de genezende bronnen ervoor zorgden dat ik geleidelijk aan mijn innerlijke rust hervond. Na drie maanden keerde ik terug naar Down House, maar pas nadat George was gestuurd om me te halen. Mijn thuiskomst was reden tot bescheiden vreugde – althans, uiterlijk (Parslow was nog het meest ontroerd en bijna in tranen) – en ik deed alsof ik deelde in de feestelijke stemming. In het buitenland had ik een besluit genomen, en dat deelde ik mijn familie mede: om met een schone lei te beginnen had ik de naam Lizzie afgezworen. In het vervolg wilde ik Bessie worden genoemd. Iedereen reageerde verward, en het duurde even voordat ze aan mijn verzoek gewend waren. De bedienden waren de eersten die me consequent bij mijn nieuwe naam noemden, daarna Mama en mijn broers. Etty en Papa hadden de meeste tijd nodig.

15 juni 1871

Papa's gezondheid is niet verbeterd. Hij volgt de behandelmethode van John Chapman, hetgeen inhoudt dat hij ijs op zijn rug moet leggen. Diverse malen per dag bindt hij zakken met koud water om zijn onderrug, met als gevolg dat hij loopt te klappertanden. Hij biedt een meelijwekkende aanblik zoals hij als een grote beer door het huis loopt te stampen of kreunend op bed ligt. Maar ondanks alle inspanningen doet de behandeling hem weinig goed.

Papa's ziekte kan niet worden toegeschreven aan de hoon van de maatschappij, want terwijl hij vroeger als een paria werd behandeld, is hij de laatste jaren op een voetstuk geplaatst. Zijn roem is zich boven alle verwachting blijven uitbreiden. Zijn theorie van de natuurlijke selectie (door sommigen inmiddels 'evolutie' genoemd) wint nog steeds aan volgelingen. Het meest opmerkelijke is dat de aanvallen van de Kerk minder lijken te zijn geworden. Een jaar geleden heeft Oxford hem met het hoogste eredoctoraat onderscheiden, en elke dag brengt de postbode stapels brieven uit alle delen van de wereld. Kortom, hij heeft de status van een innovatief denker verworven en wordt met eerbied bekeken, zelfs door degenen die het niet met hem eens zijn. Misschien komt het doordat hij de respectabele leeftijd van tweeënzestig heeft bereikt of doordat hij en de mensen om hem heen zo'n doeltreffende campagne hebben gevoerd om zijn theorie te propageren, maar hij is praktisch een nationaal instituut geworden.

Bij het ontleden van zijn opvattingen gaat hij verduiveld slim te werk; hij gaat de confrontatie met een tegenstander nooit rechtstreeks aan, maar benadert hem indirect, gebruikmakend van medestanders om hem te overtuigen, terwijl hijzelf een ontwapenende, redelijke houding aanneemt. Hij is goed in het maken van bekeerlingen en hij weet precies welke woorden hij moet kiezen, welke toon hij moet aanslaan. Hij heeft bijvoorbeeld een beeldspraak die hij regelmatig gebruikt om tijdens een debat de druk van de ketel te halen. Wanneer een tegenstander hem belachelijk maakt, omdat hij beweert dat we van de apen afstammen, ontkent hij dat steevast en zegt hij dat zijn theorie luidt dat de mens en de aap een gemeenschappelijke voorouder hebben. Vervolgens geeft hij een beschrijving van wat hij de 'boom van het leven' noemt. In dat beeld bevinden de simpelste schepselen zich helemaal onderaan, de meest ontwikkelde aan de top; naarmate de soorten andere vormen aannemen, vertakken ze zich zodanig dat degene met de grootste verschillen het verst uit elkaar liggen. Op deze manier weet hij de essentie duidelijk te maken en zijn publiek te overtuigen.

De Oorsprong beleeft binnenkort zijn zesde druk, tot grote vreugde van John Murray. Het boek is vertaald in zo ongeveer alle talen van Europa, ook al is Papa niet gelukkig met de Franse versie, waarvan hij de indruk heeft dat die hem te sterk aan Lamarck koppelt. De afgelopen twee jaar is hij bezig geweest met zijn 'mensenboek'. *De Afstamming van de Mens*, dat vorige maand eindelijk is verschenen, maakt de evolutionaire schakel tussen mens en dier duidelijk, iets wat hij nog niet eerder heeft aangedurfd. Etty heeft hem geholpen door het manuscript te proeflezen en suggesties in de kantlijn te krabbelen. Zoals altijd maken haar opmerkingen de conclusies minder stellig en doet ze suggesties over het schrappen van wat zij 'ongepast' vindt. Ze denkt en gedraagt zich als een ouwe vrijster.

Ik heb het manuscript gelezen, ook al was me dat niet gevraagd. Papa's theorie over 'seksuele selectie' is fascinerend; daarmee wordt de persistentie verklaard van eigenschappen die bepalen hoe mensen en dieren hun partner kiezen, en daarmee worden ook de verschillen tussen de rassen verklaard en wordt antwoord gegeven op de vraag waarom we hier in het Westen het meest ontwikkeld zijn. Papa beweert echter ook dat mannen in geestelijk opzicht de meerderen zijn van vrouwen. Dat is iets wat me stoort: het feit dat het in de meest beschaafde maatschappijen de mannen zijn die de vrouwen kiezen, en niet andersom. Dat vind ik onthutsend. Volgens die denkwijze worden vrouwen gezien als passieve ontvangers zonder eigen wil, zonder mening, zonder ziel. Ik heb te veel gesprekken opgevangen van het vrouwelijk personeel om die bewering overtuigend te vinden, en ik heb mijn opvatting bevestigd gezien in mijn contacten met Mary Ann Evans, die een vriendin van me is geworden. Als Papa in mijn hart kon kijken en de storm van verliefdheid zou kunnen zien die opsteekt zodra X een kamer binnen komt waar ik toevallig (maar niet zo toevallig!) ben, zou hij zijn mening zeker herzien.

25 juni 1871

X kwam vanmiddag om kwart over drie langs. Hij was helemaal uit Londen komen rijden. Omdat we al bezoek ontvingen (van die vreselijk saaie mevrouw Livingston!) liet hij zijn kaartje achter. Het lag op de tafel in de hal, en mijn hart sloeg een slag over toen ik erin slaagde er een besmuikte blik op te werpen. Tot mijn grote vreugde had hij een hoekje omgevouwen, om duidelijk te maken dat zijn bezoek niet alleen voor Mama bedoeld was geweest, maar ook voor ons, de dochters. Ik was geschokt dat ik hem had misgelopen, maar blij dat hij zo wellevend was geweest niet te blijven wachten tot mevrouw Livingstone vertrok.

27 juni 1871

O, gelukzalige, gezegende dag! Ik heb het grootste deel van deze zondag doorgebracht in gezelschap van X. Hij organiseerde een excursie voor het Working Men's College om frisse lucht op te doen op het platteland, in de omgeving van het dorpje Kidlington, en vroeg Etty en mij om mee te gaan. Het werd een heerlijke, verrukkelijke ochtend, we wandelden door de velden en over de paden, en gebruikten een vrolijk middagmaal op het terrein van een herberg. Tijdens de treinrit terug zongen we het ene na het andere lied – X heeft een bulderende bariton – zodat we allemaal door het dolle heen waren. Een van de heren bezat het talent vogelgeluiden na te bootsen door zijn handen tegen elkaar te doen en tussen zijn duimen door te blazen, wat aanleiding was tot niet gering vermaak. Het is inmiddels een maand geleden dat X in mijn leven kwam, sinds Etty hem ontmoette bij de Wedgwoods en hem uitnodigde ons in Down House te komen bezoeken. Ik heb zoveel met hem gemeen. We houden er dezelfde opvattingen op na over de menselijke aard en over progressieve politiek. Net als hij steun ik de Reform Act, om ons kiesstelsel op een andere leest te schoeien, want ik ben ervan overtuigd dat uitbreiding van het electoraat de enige manier is om democratie te bevorderen en de ongelijkheid tussen de klassen op te heffen. Ik deel zijn visie wat betreft een utopische toekomst en ik zou uren naar hem kunnen luisteren terwijl hij daarover vertelt. Hoewel ik niet bekend ben met het gedachtegoed van alle denkers die hij omarmt, zoals Thomas Hughes en Vernon Lushington, heb ik wel de werken van John Ruskin gelezen, een goede bekende van X. Ik moet bekennen dat X radicaler is in zijn politieke overtuigingen dan ik, maar ik geloof stellig dat ik met wat meer kennis en studie tot dezelfde hoogstaande opvattingen zou kunnen komen. Op een gegeven moment gaf hij uiting aan een zekere mate van sympathie voor wat er op dit moment in Frankrijk gebeurt; hij gaf toe dat de Commune van Parijs uit de hand was gelopen en een verdrietig einde had gevonden in de 'bloedige week', maar hij verklaarde tevens dat sommige van de ideeën over een opstand van de werkende klasse verre van misplaatst waren. Ik vind hem werkelijk briljant.

29 juni 1871

Ik zou niet kunnen zeggen of X mijn gevoelens beantwoordt. Soms waag ik te denken dat hij me sympathiek vindt. Gisteravond kwam hij voor het diner naar Down House, en na de maaltijd trok de familie zich terug in de salon, waar hij de vleugel bespeelde en ik de bladzijden voor hem omsloeg. Terwijl ik dat deed, meende ik te zien dat hij uit zijn ooghoeken naar me keek. Later schonk hij me een glimlach die mijn wangen deed kleuren en maakte dat ik het warm kreeg. Mijn hart bonsde zo, dat ik vreesde dat het me zou verraden en dat hij het zou kunnen horen toen de muziek eenmaal zweeg. Hij speelde met grote gedrevenheid – ik zag de spieren duidelijk zichtbaar op zijn sterke vingers liggen terwijl deze over de toetsen dansten. Ten slotte bespeelde hij ook nog de concertina en zong hij een madrigaal, waarbij Etty hem op de vleugel begeleidde. Toen de muziek definitief zweeg, raakten Papa en hij in gesprek over Papa's theorieën omtrent de 'seksuele selectie'. X zei iets wat Papa's belangstelling prikkelde, namelijk dat hij vaak had gedacht dat dieren gebruikmaakten van zang bij hun hofmakerij. Ik zag dat Papa deze gedachte in zijn geheugen opsloeg voor mogelijk later gebruik. Daarop verklaarde X dat de mens naar zijn mening vaak soortgelijk gedrag vertoonde, en terwijl hij dat zei verbeeldde ik me dat hij mijn kant uit keek.

234

Toen hij zou vertrekken, raakte hij me vluchtig aan in de hal. Ik weet niet of hij dat welbewust deed of per ongeluk, maar toen ik zijn hand langs de binnenkant van mijn arm voelde strijken, was het alsof er een lading springstof diep vanbinnen tot ontploffing kwam. Ik weet zeker dat hij heeft gemerkt hoezeer ik uit mijn evenwicht werd gebracht. Mijn wangen gloeiden en werden vuurrood. Terwijl hij Etty en mij de hand kuste, zei hij dat hij spoedig zou terugkomen. Op dat punt zag ik op het gezicht van Mama, die achter hem stond, een veelbetekenende glimlach verschijnen.

Toen hij eenmaal weg was, gedroegen Etty en ik ons als een stel frivole kinderen. We praatten over hem, en zij zei lachend dat ze helemaal weg was van zijn weelderige, bruine baard. Hij deed haar in veel opzichten aan Papa denken, beweerde ze, niet in de laatste plaats vanwege zijn toewijding jegens zijn werk en zijn idealen. Ik kon me er niet toe brengen mijn mening over hem te geven, uit angst dat de trilling in mijn stem me zou verraden.

's Avonds kost het me moeite de slaap te vatten. Ik lig de hele nacht te woelen en word vaak vakker. Soms ben ik doorweekt van het zweet, door de warme nachtlucht die vanuit de tuin mijn kamer binnen komt en de geur van kamperfoelie met zich meevoert. Ik koester vreemde gedachten, die ik nauwelijks durf bekennen, en heb buitengewoon levensechte dromen. Recent ben ik begonnen voor het slapen gaan *Goblin Market* te lezen. Dat wekt gevoelens bij me die ik moeilijk kan verklaren. Het refrein dat wordt gezongen door de akelige kleine kobolden – *Kom, koop het ooft van onze gaard, kom koop, kom koop* – echoot door mijn slaap, begeleid door visioenen van rijpe sinaasappelen en aardbeien en perziken, stuk voor stuk druipend van het sap.

De enige tegenover wie ik mijn liefde zou kunnen bekennen, is Mary Ann Evans, maar ik heb haar, helaas, in geen maanden gezien. En zelfs tegenover haar zou ik zijn identiteit niet onthullen.

2 juli 1871

Ondanks mijn plechtige gelofte heb ik mijn pogingen om licht te werpen op de gebeurtenissen aan boord van de *Beagle* en de on-

derliggende oorzaak van het feit dat Papa ongelukkig is, niet opgegeven. Het is niet zo dat ik alles op alles zet om aanwijzingen
boven tafel te krijgen, maar ik ga ze ook niet uit de weg wanneer
ze me in de schoot vallen. Naar mijn mening gaat het vaak zo in
het leven: wanneer je eenmaal ophoudt je ergens voor in te span-
nen, bereik je ogenschijnlijk vanzelf het doel dat je je had gesteld.
Zo ging het in elk geval met mijn speurwerk.

In de loop der jaren heb ik regelmatig horen praten over een geheim eetgenootschap, opgericht door meneer Huxley: de 'X Club'
(de laatste tijd moet ik telkens aan mijn eigen X denken wanneer
het genootschap ter sprake komt). Het gaat om een gezelschap eminente wetenschappelijk denkers en activisten, zoals de heren Hooker, Spencer, Lubbock en Busk. Voor zover ik weet is het voornaamste doel te infiltreren in de Royal Society en de rest van de
wetenschappelijke gevestigde orde, om een bruggenhoofd te vormen voor Papa's ideeën. Gisteren kwamen vier clubleden voor het
weekeinde naar Down House. Toen ik hun gesprek na het eten be-
luisterde, was ik geschokt te horen dat een *raison d'être* voor hun
bezoek het inzamelen van geld was voor die arme meneer Alfred
Wallace, die in voortdurende financiële problemen verkeert. Ik had
begrepen dat de club de regering onder druk had gezet om meneer
Wallace een pensioen van ongeveer tweehonderd pond te geven,
maar nu blijkt dat het meneer Wallace zelf is die een dergelijk pensioen eist.

'Hij laat er geen enkel misverstand over bestaan,' zei meneer Huxley. 'Om het maar bot te formuleren: als hij het niet krijgt, brengt hij
alles aan het licht.'

Ik moest onmiddellijk denken aan een ander gesprek betreffende
meneer Wallace dat ik jaren eerder had afgeluisterd. Wat kan hij in
's hemelsnaam weten – en dreigen te onthullen – waardoor het zo
belangrijk is zijn stilzwijgen te kopen?

Alle clubleden stemden met het uiteindelijke voorstel van meneer
Huxley in. Papa zei dat hij meneer Wallace hoogstpersoonlijk op
de hoogte zou stellen, waarbij hij hem – cryptisch geformuleerd,
maar in niet mis te verstane bewoordingen – zou duidelijk maken
dat hij ervoor moest waken 'ons geesteskind de nek om te draaien'.
Toen ik later in zijn rekeningboek keek, zag ik dat hij het maandelijkse bedrag noteerde onder de noemer *diverse huishoudelijke kos-*

ten, een post waarvoor hij doorgaans slechts met de grootste tegenzin geld uittrekt.

6 juli 1871

Wat een toeval! Nog maar vier dagen geleden schreef ik in mijn dagboek dat aanwijzingen vaak onverwacht komen, en vanmiddag heb ik iets ontdekt wat ik tot op de dag van vandaag de allerbelangrijkste aanwijzing zou willen noemen.

Ik keek een stapel papieren van Papa door in zijn studeerkamer, deze keer met zijn toestemming, want hij overweegt een autobiografie te schrijven en had mijn hulp gevraagd bij de voorbereiding daarvan. Papa zat in zijn leren stoel aan de andere kant van de kamer. Groot was mijn verrassing toen tussen de papieren een kunstenaarsimpressie tevoorschijn kwam, geschetst tijdens de reis van de *Beagle*. De maker was Conrad Martens, die in elk geval een deel van de reis als kunstenaar aan boord verbleef. Bij het zien van de impressie besefte ik meteen dat er iets niet klopte; in een flits werd me duidelijk dat Papa had gelogen over iets wat tijdens die beslissende reis zou zijn gebeurd.

Mijn handen begonnen te trillen. Ik wierp tersluiks een blik op Papa, maar hij had niets in de gaten; hij was druk bezig met het maken van aantekeningen voor zijn boek over het uitdrukken van emoties bij mens en dier. Weer keek ik naar de tekening van Papa en een andere man, aan weerskanten van een boom. Uit het onderschrift bleek dat de andere man meneer McCormick was. Het belang van de tekening was onmiskenbaar, nu de incongruentie me eenmaal duidelijk was. Wanneer de tekening bij een proces als bewijsstuk was ingebracht, zou daarmee het alibi van de beklaagde onmiddellijk zijn ontkracht, zodat deze schuldig zou zijn verklaard.

Zo geruisloos en onopvallend mogelijk schoof ik de schets tussen twee blanco vellen papier, die ik tussen de bladzijden van een boek legde. Daarop zei ik tegen Papa dat ik behoefte had om even uit te rusten van mijn werk – een argument waarvoor hij gevoelig is en waaraan hij altijd meteen gehoor geeft – en ik liep de studeerkamer uit. Eenmaal op mijn kamer verstopte ik het boek onder mijn bed. Dat is echter geen goede plek, want ik weet zeker dat het kamermeisje het daar vindt.

Ik weet wat ik ga doen. Vertrouwend op dezelfde theorie die ik hanteerde bij het verbergen van mijn dagboek – namelijk om een plek in het volle zicht te kiezen, een theorie waarbij ik als kind al veel succes had tijdens het verstoppertje spelen – ga ik de tekening verbergen op het centrale punt van het huis. Ik heb daar een goed plekje, een losse plank waar verder niemand van weet.

8 juli 1871

De tekening heeft mijn nieuwsgierigheid zo geprikkeld, dat ik mijn onderzoek heb hervat. Ik heb een stoutmoedig plan ontwikkeld om dit mysterie eens en voor altijd tot op de bodem te ontraadselen. Wonderbaarlijk genoeg lijkt het alsof alles meewerkt. Ik geloof werkelijk dat het Lot aan mijn kant staat; misschien zweren de goden samen om eindelijk licht te werpen op de duistere gebeurtenissen, nu veertig jaar geleden.

Ons gezin had het plan opgevat de rust van het Lake District op te zoeken, waar we een huisje hebben gehuurd. Ik heb Hope Wedgwood een beetje in vertrouwen genomen en afgesproken dat wij al vijf dagen eerder gaan, zogenaamd om te helpen het huisje in gereedheid te brengen. Met ons tweetjes en verder alleen wat bedienden zou het me geen moeite moeten kosten een ochtend weg te glippen en naar het noorden te reizen, om een bezoekje te brengen aan de familie van R.M., want ik ben ervan overtuigd dat hij de sleutel is die het verleden zal ontsluiten. Ik hoorde vorige week zijn naam noemen in verband met meneer Wallace (tijdens hetzelfde gesprek waarbij ik iets opving over het afpersingsplan van meneer Wallace). Het adres van de familie vond ik in Papa's oude papieren, en ik heb al geschreven om te vragen of ze bereid zijn me te ontvangen, natuurlijk zonder mijn bedoeling te onthullen. Daarbij heb ik verzocht hun antwoord naar het huisje in Grasmere te sturen, en niet naar Down House. Ik herinner me nog maar al te goed hoe Papa me eens het verwijt maakte dat ik hem 'bespioneerde'. Hij moest eens weten hoe bedreven ik daarin ben!

Hope en ik vertrekken morgenochtend in alle vroegte.

10 juli 1871

Eindelijk succes! Maar waarom kan ik niet van mijn triomf genieten? Waarom voel ik me in plaats daarvan leeg en hol vanbinnen? Het antwoord is niet moeilijk te bedenken: nu ik weet wat er tijdens die beruchte *nuit de feu* is gebeurd, ben ik erachter gekomen dat Papa zich inderdaad schuldig heeft gemaakt aan bedrog. Sterker nog, zijn vermogen tot bedrog reikt oneindig veel verder dan het mijne. Het is schandalig! Nu begrijp ik waarom schuldgevoelens jarenlang zo'n zware wissel hebben getrokken op zijn gezondheid.

Waarom voel ik me zo ellendig, nu mijn vermoedens juist zijn gebleken? Omdat ik geloof dat ik ergens, diep vanbinnen, hoopte dat ik het bij het verkeerde eind had; dat ik onbewust de illusie ben blijven koesteren dat Papa inderdaad de grote geest is die de wereld in hem ziet, in plaats van een oplichter, die zijn roem heeft gebouwd op drijfzand. Foei! Ik weet niet hoe ik hem ooit nog zonder weerzin zal kunnen aankijken; dat is niet te sterk uitgedrukt voor de gevoelens die ik op dit moment jegens hem koester.

Het mysterie was uiteindelijk niet zo moeilijk te ontraadselen. De familie van R.M. schreef dat ik van harte welkom was hen te bezoeken, ook al bekenden ze nieuwsgierig te zijn naar mijn beweegredenen. De reis verliep vlot en duurde niet veel langer dan twee uur, waarbij ik in Kendal van trein moest wisselen. De familie woont in een klein huis in het hartje van de stad. De vrouw des huizes is twee jaar geleden, op haar vijfenzeventigste, gestorven, en omdat R.M. nooit is teruggekeerd uit het buitenland, is het huis overgenomen door een nicht en een neef. Hun onderlinge relatie en hun relatie tot R.M. is me niet duidelijk geworden, maar ze delen wel zijn naam. Ze ontvingen me hartelijk met thee en cake, en toen ik de reden van mijn bezoek uiteenzette – dat ik geïnteresseerd was in hun familielid en me afvroeg of zich soms nog papieren of aandenkens in het huis bevonden – waren ze meteen enthousiast. De neef klom naar de zolder en kwam een halfuur later terug met een stapeltje vergeelde brieven, bij elkaar gehouden door een blauw lint. De familie had de brieven bewaard die R.M. vele tientallen jaren eerder vanuit het buitenland had geschreven, aldus de neef, en hij stelde ze met alle plezier tot mijn beschikking, zodat ik ze kon bestuderen. Neef en nicht waren duidelijk niet geïnteresseerd in de avonturen die R.M. op de *Beagle* had beleefd. Ik kreeg de indruk dat ze de brieven nooit hadden gelezen en nauwelijks iets van R.M. wisten of om hem gaven. Trouwens, ze waren blijkbaar ook amper op de hoogte van het werk van Papa, want ze vroegen niet eens naar hem, wat ongebruikelijk is, zoals ik inmiddels heb ervaren, ook bij sociale gelegenheden. Ze wisten in elk geval niet dat een van de brieven uitzonderlijk belangrijke informatie bevatte, en ik gaf geen blijk van verrassing tijdens het lezen, noch vertelde ik hun wat ik had ontdekt. Nonchalant alsof het om een vel blanco papier ging, gaf ik de bewuste brief terug. De neef voegde hem tussen de bundel en bond het blauwe lint er weer omheen.

Gedurende de treinreis terug duizelde het me. Wat moest ik doen? Zou ik mijn vader durven confronteren met deze laatste ontdekking? Zou ik hem durven zeggen dat ik alles weet van zijn verraad?

11 juli 1871

Hoe onpeilbaar is het leven! Hoe grillig het spel dat het Lot met ons speelt!

Groot was mijn verrassing toen ik er vanmorgen alleen opuit trok om een wandeling te maken en tijdens het oversteken van een schitterende, door de zon beschenen weide een man ontdekte die bij een groepje bomen stond. Hij wekte de indruk diep in gedachten verzonken te zijn. Toen ik dichterbij kwam, besefte ik dat de verschijning me vertrouwd voorkwam. Plotseling klopte mijn hart in mijn keel, want ik wist wie het was: niemand minder dan mijn eigen X! Op hetzelfde moment dat ik hem ontdekte, zag hij mij ook, en hij toonde zich net zo verrast en – als ik dat mag zeggen – niet weinig aangenaam getroffen. Hij voegde zich haastig bij me, en toen we samen verder liepen ontdekte ik dat zijn aanwezigheid hier geen toeval was. Hij had gehoord dat ons gezin een vakantie doorbracht in Grasmere en daarom een huisje in de nabije omgeving gehuurd. Ik dacht dat ik ter plekke zou sterven van geluk, maar ik deed mijn uiterste best mijn vreugde te verbergen. Op me neerkijkend vroeg hij wanneer de rest van de familie zou arriveren, en toen ik hem vertelde dat deze over twee dagen werd verwacht, hief hij zijn gezicht op naar de stralend blauwe hemel en haalde diep adem, alsof hij zuchtte.

Ik kon nauwelijks geloven dat het geluk me zo gunstig gezind was; dat het Lot zo glimlachend op me neerkeek. Er waren geen andere omstandigheden denkbaar waaronder we samen hadden kunnen zijn. In zijn gezelschap verkeren, zonder dat de anderen erbij waren, was mijn liefste wens, en toch had ik die wens onbedoeld, en zonder er iets voor te doen, in vervulling doen gaan. Ik had slechts besloten een ochtendwandeling te gaan maken. Het geluk had mijn voetstappen, en de zijne, geleid. Mijn beschermengel had er bovendien voor gezorgd dat Hope in het huisje was gebleven. Ik wist echter maar al te goed dat ik hier niet hoorde te zijn. En het besef dat ik na een beleefde groet onmiddellijk had moeten terugkeren, maakte onze ontmoeting op de een of andere manier nog opwindender.

Spoedig liepen we tussen de bomen, die hun schaduw op het pad wierpen. Hij vroeg of ik het koud had, en hoewel dat niet zo was, bevestigde ik dat, om redenen die ikzelf niet begrijp. Daarop was hij zo hoffelijk zijn jasje uit te trekken en het om mijn schouders te draperen. Bij zijn aanraking begon mijn hart sneller te slaan. Steeds dieper liepen we het bos in, en hoewel de bomen hoge, oude eiken waren, moest ik om de een of andere reden aan vruchtbomen denken en aan de roep van de kobolden: *Kom, koop het ooft van onze gaard, kom koop, kom koop.*

Er lag een tak dwars over het pad. Hij vormde nauwelijks een obstakel, maar X stapte er als eerste overheen en reikte me toen behulpzaam de hand. Eenmaal aan de andere kant liet hij mijn hand niet los, maar nam die stevig in de zijne. Ik voelde hoe sterk zijn vingers waren, en was me bewust van gevoelens die me dreigden te overweldigen. Toen hij ten slotte mijn hand losliet, legde hij zijn arm om mijn middel en trok hij me dichter tegen zich aan. Al lopend voelde ik zijn dij langs de mijne schuren. Dit alles gebeurde zonder dat er iets werd gezegd, en met een nonchalance alsof het de gewoonste zaak van de wereld was. In mijn maag leek een zwerm vlinders een wilde dans uit te voeren, en ik kon nauwelijks ademhalen.

Hij stelde voor om even stil te houden en te rusten, waarop ik alleen maar kon knikken. Tot mijn grote verrassing verliet hij het pad om het bos in te gaan. Omdat we inmiddels weer hand in hand liepen, had ik geen andere keus dan hem te volgen. Trouwens, ik had nauwelijks meer een eigen wil en zou hem op dat moment overal hebben gevolgd, waarheen hij me ook leidde. We doken onder de takken door en na slechts enkele stappen kwamen we bij een kleine open plek, zo groot als een huis, geheel omringd door hoge bomen. In het midden scheen de zon op een stukje gras. Hij nam zijn jasje van mijn schouders en spreidde het uit op de grond, zodat ik erop kon gaan zitten. Dat deed ik. Haastig voegde hij zich bij me, en voordat ik besefte wat er gebeurde keerde hij zich naar me toe, nam me in zijn armen en kuste me ferm op de mond. Ik dacht dat ik in zwijm zou vallen. Ik probeerde hem weg te duwen, maar deed het met weinig overtuiging, en hij leek te merken dat mijn verzet geveinsd was. Want in werkelijkheid wilde ik niet dat hij stopte. Ineens kwam er een merkwaardige gedachte bij me op: ik moest denken aan vroeger, toen ik de jongen van Lubbock had gekust, in onze holle boomstam. Toen had ik, net als nu, het gevoel gehad alsof mijn bloed kokend door mijn aderen stroomde.

X staakte zijn inspanningen om me te verleiden niet. Hij kuste me opnieuw en deze keer reageerde ik met dezelfde vurigheid. Ik legde mijn hand op zijn nek en trok zijn gezicht naar me toe. Zijn handen gleden over mijn lichaam. Ik wist niet wat ik moest doen. Weer kuste hij me. Deze keer zo lang dat ik er duizelig van werd. De strelingen van zijn handen werden dwingender, en eindelijk slaagde ik erin hem weg te duwen. Er lag een vreemde uitdrukking op zijn gezicht, bijna alsof hij boos was. Als ik hem op dat moment toevallig was tegengekomen, zou ik hem niet hebben herkend. Hij zei dat ik maar het beste kon gaan liggen, om wat te rusten, maar ik protesteerde. Na een tijdje begonnen we te praten, over ditjes en datjes, vrijblijvende zaken – ik herinner me werkelijk niet meer waarover, daarvoor was ik te zeer in verwarring gebracht – en we deden alsof er niets was gebeurd.

Maar dat was er wel. Ik voel dat ik nooit meer dezelfde zal zijn. Ik heb gedronken van een diepe bron, waarvan ik het bestaan alleen in mijn dromen had vermoed.

Toen we de open plek verlieten, voelde zijn hand op de mijne heel natuurlijk. Hij begon opgewonden te praten, noemde me zijn 'engel'. Ik genoot van de zoete klank van het woord, hoewel het me trof als merkwaardig, want ik voelde me op dat moment allesbehalve een engel.

Toen we uit elkaar gingen, stelde hij voor elkaar de volgende dag weer te ontmoeten, op dezelfde plek, om opnieuw te gaan 'wandelen'. Hij keek me aan met een blik die geen misverstand liet bestaan over zijn bedoelingen. Gretig stemde ik met zijn voorstel in, waarop hij me recht in de ogen keek, zodat ik begon te blozen. De blik die daarop volgde, kan ik niet beschrijven, anders dan door te zeggen dat er geen genegenheid uit sprak. Verre van dat! Hoezeer het me ook pijn doet dat toe te geven, leek die blik eerder het tegenovergestelde te willen uitdrukken.

Het is inmiddels avond, en ik lig in bed. De hele dag heb ik in een staat van verwarring en opwinding verkeerd. Ik weet dat ik van hem hou en ik geloof dat hij ook van mij houdt. Wat er morgen gaat gebeuren, weet ik niet, maar van één ding ben ik zeker: wat er ook gebeurt, wat mijn emoties me ook ingeven, ik zal niets doen waar ik later spijt van krijg.

18

In de trein naar Preston wiegde Hugh Beth in zijn armen terwijl ze wegdommelde. Hij keek door het raampje naar het sombere landschap van de Midlands, beschenen door de maan – eerst Birmingham, later Manchester – en stelde zich voor hoe het er in Victoriaanse tijden had uitgezien: de kolenmijnen en slakkenbergen, de dampende groeven en rook uitbrakende schoorstenen. Het merendeel was niet meer in gebruik; uitgezogen, leeggeplunderd, een uitgebrand slagveld. Hij dacht aan de porseleinfabriek van Josiah Wedgwood aan het Mersey Canal, aan het fortuin dat deze hiermee had verdiend en dat het Darwin mogelijk maakte te wroeten naar torren en onderzoek te doen naar varens en schelpen. De macht van het industriële Engeland, die de rijken in staat stelde van het leven te genieten, invloed uit te oefenen en die hun het recht gaf over het land te heersen, was dezelfde weg gegaan als het gevallen koningsstandbeeld van Ozymandias, uit het gedicht van Shelley.

Lizzies tweede dagboek was een godsgeschenk. Beth en hij hadden, terwijl ze al in bed lagen, tot laat in de avond besproken hoe de nieuwe stukjes pasten in de puzzel. Ze wisten nu in elk geval waarom Lizzie atheïst was geworden en waarom ze haar naam had veranderd in Bessie.

'Het was dat hele trauma door de zelfmoord van FitzRoy,' zei Beth. 'Ze voelde zich schuldig en had het gevoel dat ze zichzelf opnieuw moest uitvinden. Dus ze staakte haar spionagewerk en stopte met haar dagboek.'

'Maar waarom is ze dan zes jaar later weer begonnen met schrijven?'

'Omdat ze verliefd was. Ze zegt het zelf, een vrouw die verliefd is moet iemand in vertrouwen kunnen nemen, desnoods een leeg vel papier. En de liefde kan een genezend effect hebben, zelfs als die is gericht op een schurk.'

De schok was de ontdekking van de identiteit van X, die duidelijk werd toen we alle aanwijzingen bij elkaar optelden: hij was progressief, een vriend van John Ruskin, de dichter en sociaal hervormer, en hij was aangesloten bij het Working Men's College. Bovendien was hij een goede bekende van het gezin Darwin, waar hij aan huis kwam en dat hij vergezelde tijdens uitstapjes.

Beth was de eerste die zijn naam hardop zei; weliswaar op gedempte toon, en later zou ze verklaren dat *Goblin Market* op de een of andere manier een rol had gespeeld bij haar gevolgtrekking. 'Litchfield!' zei ze. 'Mijn god, het is Litchfield! Etty's verloofde.'

Hugh besefte onmiddellijk dat ze gelijk had. En het bezorgde hem een onheilspellend voorgevoel. Bij de analyse van haar correspondentie had Beth opgemerkt dat er twee langdurige periodes waren geweest waarin Lizzie geen enkele brief had geschreven, aan wie dan ook. De eerste periode was begonnen kort na april 1865, de maand waarin FitzRoy stierf, toen Lizzie naar Duitsland vluchtte en haar eerste dagboek eindigde. De tweede periode deed zich voor halverwege het jaar 1871... en viel samen met het einde van het tweede dagboek. Hugh wist wat er toen was gebeurd: Etty was met Richard Litchfield getrouwd en Lizzie was opnieuw naar het buitenland gegaan, deze keer naar Zwitserland.

'Beth,' begon hij. 'Je vindt dit misschien niet leuk om te horen, maar het is toch iets wat je onder ogen moet zien: als Lizzie je betovergrootmoeder was, dan is Litchfield je betovergrootvader.'

'De klootzak!' was alles wat ze zei.

Nu sommige van de ontbrekende stukjes waren gevonden, was de puzzel echter zo mogelijk nog gecompliceerder en frustrerender geworden.

'Ze heeft ontdekt wat de *nuit de feu* behelsde,' klaagde Hugh. 'Waarom heeft ze dat dan, verdorie, niet gewoon opgeschreven?'

'Breek me de bek niet open. Het is om razend van te worden.'

'Ze laat doorschemeren dat het een op zichzelf staande gebeurtenis was, die niettemin een ingrijpende invloed heeft gehad op de uitkomst van de reis.'

'Nou ja, we hebben gelukkig wel enige vooruitgang geboekt. We weten wie R.M. is. En de sleutel tot het ontsluieren van het mysterie is de brief die Robert McCormick naar huis heeft gestuurd. Lizzie wist zijn familie op te sporen, trof daar de brief aan, en alle stukjes van de puzzel vielen op hun plaats.'

'Die brief verklaarde blijkbaar wat er op de *Beagle* is gebeurd, en dat was zo schokkend dat ze zich tegen haar vader keerde.' Hugh stapte uit bed, pakte de fotokopie van het dagboek en zocht de bewuste passage op. 'Hier staat het. Ze noemt hem een *oplichter* en zegt dat hij haar vervult met *weerzin*. Dat zijn grote woorden.'

'De schurk in het hele verhaal is Litchfield, die haar "defloreerde", zoals ze dat toen zo welsprekend formuleerden. Die laatste dagboekaantekening is werkelijk hartverscheurend. Ze staat op het punt het huis uit te glippen voor een rendez-vous, maar ze heeft geen idee wat de gevolgen van haar hartstochtelijke gevoelens zullen zijn.'

Weer dacht Hugh aan de historicus in de rol van God, aan de auto die te hard reed. Het ongeluk stond op het punt te gebeuren. Hij wilde er niet bij stil blijven staan.

Zijn gedachten gingen naar de tekening van Martens; opmerkelijk omdat Darwin en McCormick er samen op stonden. Lizzie had de tekening belangrijk genoeg gevonden om hem uit de studeerkamer van haar vader te stelen. Maar wat stond er op die tekening? Naar Lizzies eigen zeggen vormde die voldoende bewijsmateriaal om bij een rechtszaak tot een schuldigverklaring te kunnen leiden. Bewijs van wat? Schuldig aan wat? En dan schreef ze ook nog dat ze hem op een *centrale plaats* had verstopt... nee, dat was niet haar exacte formulering.' Hij sloeg het dagboek opnieuw open en zocht de bewuste passage op. 'Ze zou hem verstoppen op het *centrale punt van het huis*, waar dat ook mocht zijn. Ergens *in het volle zicht*.'

Daar werd hij niet wijzer van.

'Wat denk je van dat verhaal over Wallace die een pensioen eiste?' vroeg hij. '*Regelrechte afpersing*, noemt ze het. Als hij dat pensioen niet kreeg, dreigde hij alles aan het licht te brengen.'

'En zal ik je eens wat vertellen?' reageerde Beth. 'Ze hebben inderdaad een pensioen geregeld, die kerels van de X Club. Dat heb ik nagetrokken. Ze hebben de regering onder druk gezet, en uiteindelijk heeft Gladstone het hoogstpersoonlijk toegekend: tweehonderd pond per jaar. Daar werd je niet rijk van, maar je kon er heel comfortabel van leven. En toen Darwin stierf heeft hij allerlei mensen geld nagelaten, onder anderen Hooker en Huxley, maar daar zat Wallace niet bij. Die kreeg niets. Het lijkt wel alsof Darwin hem welbewust voor het hoofd wilde stoten.'

Het pensioen was iets concreets, dacht Hugh, een controleerbaar feit dat Lizzies geloofwaardigheid leek te versterken. Anderzijds, misschien had ze er gewoon over gehoord en het gesprek verkeerd geïnterpreteerd... of had ze er welbewust een verkeerd motief achter gezocht.

'Ik weet wat je denkt,' vervolgde Beth. 'Je vraagt je af of ze misschien niet helemaal goed bij haar hoofd was. Nou, volgens mij mankeerde er niks aan haar verstand. Wat ze schrijft, klinkt oprecht. Haar verontwaardiging is authentiek. Ze is iets te weten gekomen over haar vader, en wat het ook was, ze is er de rest van haar leven gedesillusioneerd door gebleven.'

Hugh wenste dat hij zo zeker was van zijn zaak. Het leek hem plotseling allemaal zo onwaarschijnlijk. Darwin was een groot man, een van de grootste figuren uit de geschiedenis, en zij probeerden hem te beschuldigen van... Ja, waarvan eigenlijk? Een stelletje amateuristische speurders, meer waren ze niet, op zoek naar bewijzen van de een of andere wandaad waarvan ze geen idee hadden wat die zou moeten zijn. En het ergste was nog wel hun teleurstelling, omdat het erop leek dat ze dat bewijs niet konden vinden.

Het geschommel van de trein had iets sussends. Beth, die haar hoofd tegen zijn schouder had gelegd, wiegde licht heen en weer, haar hand rustte op een stoel, met de palm naar boven, als bij een kind.

Hij dacht aan een andere treinreis: de lange tocht van Andover naar New Haven. Cal was in Boston aan boord gekomen, zodat ze samen de confrontatie met hun ouweheer konden aangaan; 'een verenigd front', zoals hij het door de telefoon had genoemd. Tijdens die treinreis had Cal, voor het eerst, wat van de familiegeheimen verteld; had hij gesproken over de ruzies tussen hun vader en moeder waarvan hij getuige was geweest.

'Jij was nog te klein om te beseffen wat er speelde. Ik ging altijd op de achtertrap zitten. Daar kon ik horen wat er in de keuken werd gezegd. Als ze ruzie maakten, deden ze dat altijd in de keuken, en die ruzies duurden lang; ze maakten elkaar verbaal volledig af. Mam ruimde de vaat weg – dat bleek uit het geluid van pannen, serviesgoed – en dan hoorde ik pa's diepe stem, stellig, met zichzelf ingenomen. Mam probeerde hem te stangen, en dat lukte haar ook altijd. Dan maakte hij een rotopmerking – en intussen werd het geluid van pannen en serviesgoed steeds harder – en dan zei zij iets hatelijks, in de trant van: "Ik heb die afrekening van je AmEx kaart heus wel ge-

zien," of "Je zou op z'n minst de moeite kunnen nemen je zakken leeg te halen. Ik heb een oorbel van haar gevonden." Dat wist je toch, Hugh, dat hij verhoudingen had?'

Hugh had het niet geweten. Hij was diep geschokt geweest. Het was nooit bij hem opgekomen dat zijn moeder daarom was weggegaan. Integendeel, hij had haar altijd de schuld gegeven van de scheiding, niet zijn vader. Het viel niet mee om alles in een ander licht te zien. Hij bewonderde zijn broer omdat die het al die jaren geheim had weten te houden, en hij was hem dankbaar dat hij het geheim op dat speciale moment met hem deelde.

Ooit had hij met Cal – die was toen een jaar of vijftien, zestien – en een paar van zijn vrienden rondgehangen bij de rivier en stenen gegooid naar een rood-witte boei in het water. Ze juichten elke keer dat een steen met een dof, galmend geluid doel trof. Vanuit het niets was er plotseling een man uit de struiken achter hen tevoorschijn gesprongen. Met een vuurrood gezicht liet hij zich langs de oever naar beneden glijden, en aan de voet daarvan draaide hij zich in één vloeiende beweging om, als een speler die het tweede honk aantikte, en gooide een steen naar hen toe, zo groot als een honkbal. De steen raakte Hugh hard op zijn dij, maar er was niemand die het had gezien, dus hij zei niets, terwijl de man een tirade afstak dat ze zijn boei beschadigden. Toen zag Cal dat Hugh tranen in zijn ogen had, en hij keerde zich woedend naar de man. 'Je hebt mijn broer geraakt, klootzak!' Op slag bleef er van diens verontwaardiging niets over. Hij verontschuldigde zich en sloop weg, als een geslagen hond. Hugh had zich zijn leven lang nog nooit zo veilig en bemind gevoeld.

Een uur na aankomst stonden Hugh en Beth op de stoep van een halfvrijstaand huis aan een smalle straat in het centrum van Preston. Hij keek naar de klopper, een licht scheefgezakte koperen klauw die een bal vasthield.

'Lizzie had het over een lelijk huis,' zei hij. 'Ik moet zeggen dat ik haar geen ongelijk kan geven.'

'Volledig accuraat, zoals gebruikelijk.'

Het huis maakte een vervallen indruk; het dak was ingezakt, de stenen gevel smoezelig, felblauwe verf bladderde van de vensterbanken.

De straat verdween met een bocht uit het zicht, zonder dwarsstraten. De identieke huizen stonden schouder aan schouder, als planken van een schutting, waardoor de indruk werd gewekt van een toneeldecor.

Hugh probeerde zich voor te stellen hoe het huis eruit had gezien toen McCormick er had gewoond. Hij had zich in de scheepsarts verdiept, maar er was slechts weinig literatuur over hem. In elk geval genoeg om te weten dat hij trots moest zijn geweest op zijn eigen huis. McCormick was in Schotland opgegroeid, als zoon van arme ouders. Hij had zich op eigen kracht opgewerkt en gekozen voor de studie medicijnen om hogerop te komen. Als assistent-scheepsarts had hij verschillende reizen gemaakt; in 1827 – nog vóór de *Beagle* – had hij Edward Parry met de *Hecla* vergezeld op diens vruchteloze expeditie naar de noordpool.

Het leek zo goed als zeker dat hij nooit was teruggekeerd van de avonturen die waren begonnen met de *Beagle*, ook al was niet duidelijk hoe het hem was vergaan nadat hij het schip in Rio had verlaten. Misschien hadden zijn omzwervingen hem naar het Verre Oosten gevoerd. Of misschien had de conservator van het Darwin Centre gelijk en was hij omgekomen bij een schipbreuk. Hugh stelde zich voor dat zijn weduwe het geld had beheerd dat hij haar had nagelaten. Te oordelen naar Lizzies verslag, waarin melding werd gemaakt van een blauw lint om zijn brieven, had ze tot haar dood zijn nagedachtenis gekoesterd.

Hugh had McCormick geen innemende persoonlijkheid gevonden – hij maakte een kleinzielige, ambitieuze, opgeblazen indruk – maar nu hij voor zijn huis stond, dat zelfs in zijn hoogtijdagen, honderdvijftig jaar eerder, niet meer dan een sombere lagere-middenklassewoning kon zijn geweest, voelde hij toch iets van sympathie opkomen.

Het was niet moeilijk geweest het huis te vinden. Dankzij de aantekeningen die waren bijgehouden door Syms Covington, Darwins assistent, was Hugh te weten gekomen dat McCormick in Preston woonde, ten zuidoosten van het Lake District en – zoals Lizzie schreef – ongeveer twee uur met de trein vanaf Kendal. Hij had het adres achterhaald door gebruik te maken van andere historische verslagen, waaronder dat van Bartholomew Sulivan, de tweede luitenant aan boord van de *Beagle*. Door het adres vervolgens te combineren met verschillende familiearchieven op internet was het hem gelukt een nog levende nakomeling op te sporen. De informatie die naar dit resultaat had geleid, was echter niet overal even helder geweest, en hij was er dan ook niet in geslaagd de 'neef en nicht' te identificeren over wie Lizzie had geschreven.

Een telefoontje, die ochtend vroeg, had hem de garantie gegeven dat hij zou worden ontvangen, zij het met duidelijke tegenzin. De jongeman die de telefoon had opgenomen, had verre van toeschietelijk geklonken en erop gezinspeeld dat een kleine vergoeding zou kunnen helpen om de raderen te smeren, als de informatie die Hugh zocht blijkbaar zo belangrijk was.

Hugh pakte de klopper. 'Nou, op hoop van zegen!' Met die woorden liet hij het ding neerkomen op de deur, nieuwsgierig hoe de jongeman eruitzag.

Hij hoefde niet lang te wachten. Een man van ergens halverwege de dertig deed open en nam hen wantrouwend op. Hugh en Beth stelden zich voor, waarop hij de deur verder opendeed en hen zonder een woord te zeggen binnenliet. Hij was gekleed in een zwarte leren broek met een T-shirt. Op zijn rechterarm was een Britse vlag getatoeëerd, en hij droeg zijn haar in een soort rattenstaart. Een kleine man – net als McCormick, dacht Hugh – met een ziekelijk bleke huid.

'Harry,' stelde hij zich voor, met een rokershoest die uit zijn tenen leek te komen, terwijl hij hen voorging naar een woonkamer ingericht met zware meubels. De dikke gordijnen voor de ramen waren dichtgetrokken. Hugh en Beth gingen op de harde houten stoelen zitten, terwijl Harry zich in een uitgezakte paarse fauteuil liet vallen. De televisie tegen de muur stond keihard aan en zond een voetbalwedstrijd uit.

Hugh legde uit dat ze op zoek waren naar de brieven van McCormick. Hij probeerde het idee van een vergoeding uit de wereld te helpen door te doen alsof het allemaal niet zo belangrijk was. Ze deden research, vertelde hij, waren geïnteresseerd in geschiedenis en op zoek naar een project dat meneer McCormick wat meer onder de aandacht zou kunnen brengen, zodat zijn reputatie een positieve impuls kreeg. Ondertussen keek hun gastheer – als dat het juiste woord was – onafgebroken over Hughs schouder naar de wedstrijd op de televisie.

'Kent uw familie nog andere leden die zich op welke manier dan ook hebben onderscheiden?' Het was Beth die dat vroeg.

'Mijn oom was voorman in de mijnen. Maar daar is inmiddels geen werk meer.'

Het publiek op de televisie juichte en begon te zingen. Harry werkte zich overeind, ging op de rand van zijn stoel zitten.

Beth keerde zich naar Hugh. 'Manchester United,' legde ze uit.

Ze zagen het eind van de wedstrijd: een strafschop, met nog slechts enkele seconden te gaan. De bal vloog naar de linker bovenhoek van de goal en verdween in het net. Het stadion barstte los in een explosie van gejuich en gezwaai met vlaggen: 3-2 voor Manchester.

'Ik had vijf pond op die wedstrijd ingezet,' zei Beth.

Harry's aandacht was meteen gewekt. 'Had je op Chelsea gewed?'

'Nee, natuurlijk niet!'

'Oké,' zei Harry. 'Laten we een pot bier gaan drinken.'

Ze liepen naar een pub om de hoek.

Na twee glazen Guinness ontdooide Harry en werd ronduit toeschietelijk. Hij vertelde over zijn leven, dat opmerkelijk saai was. In Londen was hij nog nooit geweest. Hij had gewerkt als lasser bij een bedrijf dat failliet was gegaan, en zat op dit moment zonder werk. Zijn vader was met pensioen en bracht met zijn moeder de zomer door in Malaga, in Spanje. Hij had een zuster die in Amerika woonde en die hij in geen jaren had gezien.

Na die opsomming nam hij een grote slok Guinness en veegde zijn mond af met de rug van zijn hand.

Zeker, er was hem verteld dat hij familie was van McCormick, de avonturier die samen met Darwin de reis van de *Beagle* had gemaakt. 'Hij was mijn betover-weet-ik-veel,' verklaarde hij.

Hij wist helemaal niets van papieren die McCormick zou hebben nagelaten. En dat gold ook voor de rest van de familie, daar was hij van overtuigd. Hij bood aan dat ze voor tien pond zijn zolder mochten doorzoeken, maar na een derde Guinness kreeg zijn grootmoedigheid de overhand, dus hij nam hen mee naar huis en liet hen voor niets op de zolder… die ook niets bleek op te leveren. Een oude verpakking met jaloezieën, een stoffige ventilator, dat was alles.

Hugh bedankte hem en zei dat ze weer eens moesten gaan.

Bij de deur schudde Beth hem de hand, waarop Harry haar ondanks zichzelf breed toegrijnsde. Er zat haar nog iets dwars, zei ze. Een vraag die ze de hele ochtend al had willen stellen. 'Ik dacht dat meneer McCormick geen kinderen had,' zei ze glimlachend. 'Dus ik neem aan dat je via een neef of zoiets familie van hem bent. Klopt dat?'

Maar hij had wel degelijk kinderen, luidde het antwoord. Tenminste, dat had Harry altijd gedacht. 'Helemaal zeker weet ik het niet. Maar volgens mij hebben ze me weleens verteld dat hij twee zoons had. Die waren al geboren voor die laatste reis, met Darwin. Het kan zijn dat ik me vergis. Hoe dan ook, ik weet helemaal niets van neven of nichten.'

In de trein terug wanhoopte Hugh eraan dat ze de brief ooit zouden vinden, terwijl hij voor de zoveelste keer de kopie van Lizzies dagboek herlas.

'Kom, kom,' zei Beth. 'Je moet de moed nog niet opgeven. Nog niet al onze sporen zijn doodgelopen.'

'Ik vraag me alleen wel af wat onze volgende stap zou moeten zijn.'

'Nou, daar heb ik over nagedacht, en ik weet wel iets. Toen ik Lizzies brieven doorkeek, heb ik ook een deel van de correspondentie gelezen die ze ontving. Daarbij zat een brief van Mary Ann Evans.'

Hugh fleurde meteen op. 'En? Stond er iets in?'

'Nee, dat niet, maar ze verwees naar een brief die Lizzie haar had geschreven. Dus het is duidelijk dat ze correspondeerden.'

'Dat is een goed idee! We zouden naar het archief van George Eliot kunnen gaan, waar dat ook mag zijn.'

'In Warwichshire. Nuneaton, om precies te zijn. En raad eens waar die brief van Lizzie vandaan kwam? Uit Zürich. Waar ze de baby had gekregen.'

Hugh boog zich hoffelijk naar haar toe en gaf haar een kushand. 'Briljant. Trouwens, ik had nooit gedacht dat je een Man-U-fan was,' voegde hij eraan toe.

'Dat ben ik ook alleen in de Midlands.'

'En dan nog wat, heb je gezien hoe die pub heette waar we zaten?'

'Nee.'

'Dead End Street.'

Eindelijk lukte het hem Neville te pakken te krijgen. Hij had het al twee keer geprobeerd en beide keren een boodschap ingesproken, maar Neville had niet teruggebeld. Toen Hugh zijn naam noemde, klonk er aan de andere kant van de lijn geen kreet van herkenning en enthousiasme.

'Ik ben een goede vriend van Bridget. We hebben elkaar laatst ontmoet. Tijdens een etentje bij haar thuis.'

'O, natuurlijk! Hoe kan ik dat nou vergeten?'

'Nou ja, dat doet er niet toe,' zei Hugh, niet wetend wat hij anders moest zeggen. 'Ik hoopte eigenlijk dat we nog iets konden afspreken om... om ons gesprek van laatst voort te zetten.'

Het bleef geruime tijd stil, maar toen Neville eindelijk reageerde, kreeg Hugh de indruk dat hij tot een besluit was gekomen, al voor zijn telefoontje. 'Oké, waarom ook niet,' zei hij met een lichte zucht van berusting. 'Ik hoop tenminste dat ik je kan vertrouwen.'

'Dat kun je,' zei Hugh. 'En ik ben je erg dankbaar,' voegde hij eraan toe.

Ze maakten een afspraak: de volgende middag bij de ingang van het Royal National Theatre. Dat was een goede plek, dacht Hugh; ze konden wat langs de Theems lopen, misschien Waterloo Bridge oversteken, een gepaste omgeving voor een intiem gesprek. Hij was verrast door Nevilles volgende woorden.

'Ik hoop dat je beseft dat alles wat ik je ga vertellen – en ik zeg niet dat het veel is wat ik te melden heb – je moet beseffen dat alles wat ik zeg, strikt vertrouwelijk is.'

'Uiteraard.' Hughs bange vermoedens namen toe, samen met zijn verwachtingen.

'Ik moet erop staan dat je er niets van doorvertelt. We krijgen hier een verklaring van geheimhouding te tekenen, en daar wordt strikt de hand aan gehouden. Overtreding is strafbaar.'

'Oké, dat begrijp ik.'

Hugh hing op, niet wetend wat hij ervan moest denken. Hij had het lab opgezocht op het internet en een aantal verwijzingen gevonden naar diverse researchprojecten en opdrachten die er werden uitgevoerd, waaronder sommige van de overheid. Er leek echter niets controversieels bij te zitten. En een man als Cal zou trouwens nooit aan geheime wapensystemen of zoiets hebben gewerkt. Daar was hij veel te idealistisch voor.

Neville had waarschijnlijk gewoon last van de typisch Britse neiging tot geheimzinnigdoenerij. Toch kon Hugh een onheilspellend voorgevoel niet helemaal van zich afzetten.

Het was moeilijk om aan Cal te denken, laat staan om over hem te praten. Het vooruitzicht dat te moeten doen met een vreemde, en bovendien iemand die blijkbaar over verontrustende informatie beschikte, bracht hem uit zijn evenwicht. Hugh had inmiddels een soort wapenstilstand bereikt in zijn strijd met het verleden. Niet dat hij het ter ruste had gelegd, maar hij had het wel zo ver naar de achtergrond weten te dringen dat het hem niet langer dagelijks achtervolgde. Toch gebeurde er ineens van alles, dingen waren bezig te veranderen, misschien als gevolg van zijn gesprekken met Beth.

Hij liep naar het bureau, deed een la open en haalde de foto tevoorschijn die hij altijd bij zich had; een zwart-witfoto van Cal en hem. Hij had de foto honderden keren bestudeerd: hij en zijn broer op de campus in Andover, hij eerstejaars, Cal laatstejaars, op het punt om naar Harvard te gaan. De foto was genomen rond het middaguur, of misschien wel 's avonds, met een buitengewoon krachtige flits die hun schaduwen duidelijk aftekende op het gras achter hen. Cal, donker en knap als een filmster, en een kop groter dan Hugh, hield een tennisracket in zijn hand en een paar gympen die hij aan de veters liet bungelen. Hugh had zijn mond open, alsof hij op het punt stond iets te zeggen.

Hugh had de foto jarenlang overal mee naartoe genomen en er af en toe naar gekeken. Meestal leidde dat tot een zekere rusteloosheid, raakte hij er enigszins door uit zijn evenwicht. Deze keer zag hij echter dingen die nieuw voor hem waren: hoe slecht passend zijn jasje was, hoe hij opkeek naar zijn broer, hoe Cal recht voor zich uit staarde, met een vastberaden trek om zijn mond, klaar om de confrontatie met desnoods de hele wereld aan te gaan. Wat hij zag, besefte hij met een schok – en waardoor hij van streek raakte – was de spanning tussen hem en zijn broer. Hij zag Cals afstandelijkheid, zijn ambitie, en hij zag zijn eigen bijna zielige behoefte aan liefde en acceptatie. De foto leek exact het moment weer te geven waarop de broers hun jeugd – en elkaar – achter zich lieten. Het moment waarop ze ieder hun eigen weg waren gegaan.

Op weg naar Down House hield Hugh even stil in het dorp, bij de kerk van St. Mary, waar hij over het schaduwrijke kerkhof wandelde. Sommige van de eeuwenoude grafstenen waren diep weggezakt in de grond, de grafschriften nog slechts leesbaar voor de wormen.

Andere stonden vervaarlijk scheef, terwijl de letters waren vervaagd. De zerken waren begroeid met verschillende soorten mos, of door de elementen verweerd, dun gesleten, witgebleekt als schelpen.

De rit van vijfentwintig kilometer vanuit Londen was vlot gegaan. Het station in Orpington was nog in bedrijf, maar hij had besloten de trein naar Bromley South te nemen en vandaar bus 146: een halfuur, veertig minuten op zijn hoogst. Het viel niet mee zich de ongemakken voor te stellen van een rit per trein en rijtuig in de tijd van Darwin, die dezelfde reis tot zo'n kwelling voor hem hadden gemaakt.

Het dorpje Downe beantwoordde aan zijn verwachtingen: schilderachtig, rustig, stenen huizen, een apotheek, een kruidenier, een benzinepomp en nog een paar kleine winkeltjes. In de tijd van Darwin hadden de bestuurders besloten een *e* aan de naam toe te voegen – zelfs toen was de lokroep van *Ye Olde England* blijkbaar onweerstaanbaar geweest, dacht Hugh – en hij bewonderde Darwin omdat hij had standgehouden: hij had het landgoed gekocht als Down House, en zo zou het blijven heten.

In een hoek van het kerkhof vond hij wat hij zocht. Daar ontdekte hij, onder een taxusboom, de grafsteen van Erasmus, de broer van Darwin. Twee kleine grafstenen vlakbij markeerden de graven van twee van Charles' kinderen, Mary en Charles Waring. Hij herinnerde zich wat hij in Lizzies dagboek had gelezen: dat Emma, Etty en zij en de anderen elke zondag op weg naar de kerk langs de graven kwamen.

Hij verliet het kerkhof door een ijzeren hek en liep Luxted Road op. Al lopend dacht hij aan Beth. Hij had haar geur geroken bij het wakker worden en droeg die de hele dag bij zich. Vanuit het niets kwam er een regel uit *Het paradijs verloren* naar boven, waarin hij recent regelmatig een stukje had gelezen:

Hand in hand gingen ze heen,
Geen lieftalliger paar
Had ooit elkaar
In 's liefdes armen gevonden...

Nog een regel kwam bij hem op, afkomstig uit de Bijbel: *Tussen haar voeten kromde hij zich, viel henen, lag daar neder.*

Na een langgerekte bocht in de weg kwam hij bij Down House. Het hoekige, wit geschilderde huis uit de tijd van koning George I had een leien dak, de muren waren begroeid met klimop. 'Oud en lelijk', had Darwin gezegd toen hij het voor het eerst zag, maar hij werd er al snel verliefd op en Hugh begreep waarom. Het was comfortabel en gemakkelijk uit te breiden; als een trombone die uitschoof, konden hier simpelweg kamers worden bijgebouwd. Bovendien leek het een wereld verwijderd van Londen, omringd door landelijke geuren en geluiden: het natte hooi op de weiden, het geratel van het vliegwiel in de put, het gezoem van de bijen in de lindebomen. In de bloembedden bloeiden floxen, lelies en ridderspoor. Het kon niet anders of de uitgestrekte tuin had Charles in gedachten teruggevoerd naar zijn jeugd op The Mount.

Hugh ging naar binnen via het onvermijdelijke winkeltje en kocht een kaartje. Het was dinsdag, een doordeweekse dag, dus er waren niet veel bezoekers. Hij volgde een groep schoolkinderen die werden rondgeleid op de begane grond; hun leraar waarschuwde voortdurend dat ze nergens aan mochten komen en patrouilleerde om hen heen als een nerveuze collie. Een conservator van English Heritage, een grijze dame in een tweed mantelpak, verzorgde de toelichting.

De rondleiding begon in de salon. Hugh bekeek Emma's vleugel, de marmeren schoorsteenmantel, de boekenkast met deurtjes, de speciale kist voor het backgammonspel die eruitzag alsof het een boek was, met op de zijkant HISTORY OF NORTH AMERICA. Van de woonkamer liepen ze de hal in, waar Hugh de grote staande klok herkende, een tafeltje tegen de muur met de pot voor Darwins snuiftabak en litho's met christelijke voorstellingen, opgehangen door Emma. Na de hal volgde de biljartkamer. De tafel was bekleed met lichtbruin vilt, waarop drie ballen lagen, klaar om te worden aangetikt. In de hoek stond een dienblad op twee schragen, met daarop twee glazen en een karaf met port (hadden Darwin en Parslow die nog gebruikt, vroeg Hugh zich af.)

De eetkamer was een lichte ruimte, dankzij drie erkerramen met uitzicht op de tuin. De mahoniehouten tafel in Regency-stijl was gedekt voor twaalf, tegen een van de muren stond een tafel met daarop de Wedgwood terrines met waterleliemotief, besteld door de moeder van Darwin. Vanaf de muren keken grimmige portretten op de kamer neer. De schoolkinderen hadden allang genoeg gezien en waren ongeduldig om verder te gaan.

Ten slotte kwamen ze bij de beroemde studeerkamer. Hughs blik werd onmiddellijk getrokken naar de grote, donkere fauteuil op zwenkwieltjes. Hier schreef Darwin de boeken die de wereld voorgoed hadden veranderd, zijn papier op een met stof beklede plank die op de armleuningen van zijn stoel rustte. Er stond een stok tegen de stoel geleund, waardoor het leek alsof de eigenaar elk moment kon terugkeren. Achter de stoel, in een kleine nis, zo krap als een chambrette op een schip, stond een klein houten bureau, gevuld met vakjes en soepel glijdende laden, stuk voor stuk voorzien van een naamplaatje. Tegen een van de muren stond een boekenkast die tot het plafond reikte. Boven de haard hing een spiegel in een gouden lijst, donker en verweerd als een meer in New England, met daarboven portretten van Joseph Hooker, Charles Lyell, en Josiah Wedgwood.

In het midden van de kamer stond een klaptafel. Er lagen diverse voorwerpen op, om de indruk te wekken dat Darwin ze daar zelf recent had achtergelaten: een stolp, een schaar, een primitieve microscoop, drie omgekeerde glazen, een houten kist, de schedel van een aap, een veer, verscheidene papieren, een houten klos met touw, en een stuk of vijf, zes boeken. Een daarvan was een tweede druk van *Das Kapital*, met een opdracht van Marx zelf (*Voor Charles Darwin, van zijn oprechte bewonderaar…*). Een van de schooljongens strekte zijn hand ernaar uit, waarop de leraar hem vliegensvlug een harde tik op zijn pols gaf.

'Wat is dit?' vroeg een donker meisje, wijzend naar de hoek helemaal links. Achter een halfhoge muur bevond zich een zwaar, porseleinen bekken, ingebed in een platform. Aan een haak tegen de muur hing een kamerjas. Op een houten standaard ernaast stonden witte porseleinen kannen en lag een stapeltje handdoeken.

'Dat had meneer Darwin speciaal laten aanbrengen, omdat hij zo hard werkte dat hij soms niet lekker werd. Vergeet niet dat hij de hele wereld had rondgereisd, en dat hij onderweg diverse ziektes had opgelopen.'

'Maar waar is het voor?' hield het meisje vol.

'Zo is het wel genoeg, Beatrice,' zei de leraar. 'Je hebt gehoord wat mevrouw Bingham zei. Het werd gebruikt wanneer meneer Darwin zich niet lekker voelde.'

'Maar waarvoor dan?'

'Om in te kotsen,' zei een van de jongens, waarop de andere kinderen begonnen te giechelen.

Hugh liep naar de stoel en keek uit het raam. De spiegel die Darwin door Parslow had laten ophangen, was er niet meer.

De rondleiding ging terug naar de hal.

'Nu zal ik jullie iets laten zien wat jullie vast leuk vinden,' zei de conservator. 'De Darwins waren een warm, hecht gezin waar veel spelletjes werden gedaan.' Ze stond onder de brede, houten trap die tweemaal een bocht maakte op weg naar boven. 'Een van de spelletjes die de kinderen zelf hadden bedacht, had te maken met de trap. Op houten planken, die ze gebruikten als sleden, gleden ze over de treden naar beneden. Dat was natuurlijk niet ongevaarlijk, maar de kinderen genoten ervan.'

De schoolkinderen keken naar de trap.

Vervolgens liep de conservator naar de kast daaronder. 'Hier werden veel van de attributen voor de buitenspellen bewaard: croquethamers, tennisrackets, schaatsen. En er is zelfs een periode geweest waarin Darwin de voorlopige versie van zijn beroemde boeken hier bewaarde.' Met een snelle ruk aan de knop deed ze de kast open. 'Een van de kinderen noemde deze kast "de plek waar de kern van het huis is samengebald".'

Hughs ogen ontmoetten de hare. 'Neemt u me niet kwalijk, maar weet u ook welk kind dat zei? Was dat toevallig Elizabeth?'

'Nee, dat geloof ik niet. Maar ik weet het niet zeker. Wat we wel weten, is dat Lizzie, zoals ze werd genoemd, nogal traag van begrip moet zijn geweest. Dus het is onwaarschijnlijk dat ze voor het nageslacht verslag zou hebben gedaan van de gezinsactiviteiten.'

Hugh maakte zich los van het groepje, dat naar buiten ging om de tuin en de Sandwalk te bekijken, waarbij de jongens uitgelaten over het gras stoven. Een andere groep bezoekers kwam de hal binnen, dus Hugh beklom de trap, naar de tentoonstelling over Darwins leven.

De bovenverdieping lag er verlaten bij. Hij bekeek de inhoud van de glazen vitrines en bestudeerde de tentoongestelde foto's. Er was ook een schilderij van Charles' vader, Robert, naar voren leunend in een stoel, een reusachtige, strenge verschijning. Ernaast hing een ingelijst citaat: Roberts beroemde afkeurende woorden tegen zijn zoon, die Hugh altijd onuitsprekelijk wreed had gevonden: 'Je geeft alleen maar om schieten, honden en het vangen van ratten, en je zult jezelf en je hele familie te schande maken.'

Hugh moest plotseling aan zijn eigen vader denken, en hij voelde een steek van schuldbesef omdat hij diens brieven niet had beantwoord.

Hij keerde zich naar een portret van de jonge FitzRoy, een knap, gevoelig gezicht, met donker haar, lange bakkebaarden, een adelaarsneus en een fijngetekende mond. Er waren ook verscheidene artefacten tentoongesteld: een opengewerkte tekening van de *Beagle*, wat mahoniehouten onderdelen van het schip, glazen verzamelflessen, een clinometer, ontleedinstrumenten, een zakpistool, een tekening van het ronde gezicht van Jemmy Button, een kompas in een houten kist, een schets van Darwin die werd 'geschoren' op het moment dat hij de evenaar passeerde, een Bancks-microscoop met een draaiend koperen oogstuk.

In een speciale vitrine lagen *bolas*, compleet met de bijbehorende leren stroken. En daarnaast – Hugh hield zijn adem in – lag de ploertendoder, die voor Darwin aanleiding was geweest om Lizzie een reprimande te geven toen ze hem van de schoorsteenmantel had gepakt. Het was een metalen kabel van zo'n dertig centimeter lang, met aan weerskanten zware metalen bollen. Als wapen beslist gevaarlijk, maar het kon nauwelijks kwaad het ding aan te raken. Hugh staarde er even naar, voordat hij verder liep.

In de vitrines waren ook wat van Darwins aantekeningen tentoongesteld. Naast een kist met beenderen, vanuit Vuurland naar Henslow gestuurd, lag een briefje: *Ik had niet kunnen denken dat de kloof tussen wilden en de beschaafde mens zo groot zou zijn,* las Hugh. In een ingelijste brief aan Hooker klonk iets van wanhoop door: *Stelt u zich eens voor wat voor boek een kapelaan van de Duivel zou kunnen schrijven over de onbeholpen, spilzieke, grove en gruwelijk wrede werken van de Natuur!*

Ertegenover hing een afbeelding van de 'boom van het leven': takken met daaraan ballonnen als een soort kerstballen, met daarin afbeeldingen van dieren; de simpele zoals zoetwaterpoliepen en vissen onderaan, de ontwikkelde zoals tijger en apen aan de top. Helemaal bovenaan troonde de mens.

Hugh ging weer naar beneden. De hal lag er inmiddels verlaten bij. Hij spitste zijn oren. Boven klonken voetstappen, vanuit de winkel om de hoek hoorde hij stemmen, vanuit de tearoom het gerinkel van kopjes en borden. Hij liep naar de kast onder de trap en deed nonchalant de deur open. Toen bukte hij zich en stak zijn hoofd naar binnen. Het was een lage kast. In de schemerige belichting inspecteerde hij het inwendige. Het liep een heel eind naar links door en was ruim een meter hoog, met tegen de muur onafgewerkte houten planken van een centimeter of acht breed. Op ongeveer tweederde van de hoogte staken houten pinnen uit de muur. De onderkant was afgewerkt met een plint.

Hij bestudeerde de plint aandachtig. In de hoek leek het alsof er een stuk tussenuit was gehaald en vervangen, waardoor aan weerskanten een smalle kier was ontstaan. Hugh reikte ernaar met zijn linkerhand. De plint bewoog. Hij pakte hem steviger vast, gaf een zachte ruk en de plint liet los. Daarachter gaapte een donker gat. En in dat gat kon hij een pakketje onderscheiden. Hij haalde het haastig tevoorschijn, drukte de plint weer op zijn plaats, deed de deur van de kast dicht en liep met het pakje onder zijn jas naar de winkel. Daar knikte hij de jonge vrouw achter de kassa glimlachend toe. Vervolgens liep hij, zonder te blijven staan, langs de planken met boeken, ansichtkaarten en souvenirs.

Eenmaal in de trein op de terugweg, maakte hij met bonzend hart het lint om het pakje los, wikkelde het papier eraf en keek naar zijn trofee: het was de tekening die Lizzie had beschreven. Een beetje gekreukt en vergeeld, kromgetrokken aan de randen, maar de voorstelling was nog steeds heel duidelijk. Hij bestudeerde de tekening aandachtig. De twee figuren waren volgens het onderschrift Darwin en McCormick. Ze stonden aan weerskanten van een boom. In de benedenhoek had de kunstenaar zijn initialen geschreven: c.m. Hugh voelde zich in verwarring gebracht. Voor Lizzie was het belang van de tekening onmiddellijk duidelijk geweest, maar hoe hij ook piekerde, hij begreep niet wat hiermee werd bewezen. Uit niets bleek waar de tekening was gemaakt; dat kon overal zijn geweest. De boom was beslist niet de baobab die het tweetal had ontdekt tijdens de expeditie op St. Jago. Dit was een gewone, onopvallende boom. De rotsen daarachter gaven ook geen enkele aanwijzing omtrent de locatie. Dus waar was deze schets gemaakt? En wat was de betekenis ervan? Wat had Lizzie gezien dat hem ontging? Hugh stond voor een raadsel.

Tijdens de treinreis haalde hij de tekening nog diverse keren tevoorschijn, maar hoe vaak hij die ook bestudeerde, hij slaagde er niet in het raadsel op te lossen.

Beth bracht de nacht door in het George Eliot Hotel. De volgende morgen dronk ze koffie op het plein, op een steenworp van een beeld dat de schrijfster voorstelde in een lang, elegant Victoriaans gewaad. Ze keek over haar schouder, alsof ze niet kon wachten om weg te komen, dacht Beth. Geamuseerd ontdekte ze dat het stadje een George Eliot Galerie had, een George Eliot Pub, zelfs een George Eliot Ziekenhuis. Het toppunt van ironie, kon Beth niet nalaten te denken. Als vrouw had Mary Ann Evans niet onder haar eigen naam kunnen publiceren, en inmiddels leefde het hele stadje van de mannennaam die ze als pseudoniem had gekozen.

Ze ging op weg naar de Nuneaton Library. De directeur was een vrouw van ergens in de dertig met een porseleinblanke huid en lichtblond haar, het prototype van de Engelse roos. Ze ontving Beth met alle egards in haar werkkamer, een zaal van een ruimte met schitterende ramen en degelijke, eikenhouten bureaus.

De bibliotheek bood onderdak aan de grootste openbare verzameling van materiaal betreffende George Eliot in het land, vertelde de directeur trots. Maar bijna alle brieven van de schrijfster waren al gepubliceerd, in zo'n acht of negen delen, ten dele dankzij een hoogleraar Engels aan Yale die in 1920 was begonnen met het aanleggen van een verzameling.

Beth legde uit dat ze geïnteresseerd was in brieven die Eliot had ontvangen, niet geschreven, en vooral de brieven waarvan de afzenders nog niet waren geïdentificeerd.

'Aha. Dat is een andere zaak.'

Ze verdween en kwam een minuut of tien later terug met in haar kielzog een sjofel geklede jongeman die een kar voor zich uitduwde met dikke, losbladige mappen.

'Uit de kelder,' zei ze. 'Ik ben bang dat William bij u moet blijven zitten terwijl u ze doorkijkt. We kunnen niet voorzichtig genoeg zijn. U ziet er niet uit als een dief, maar je weet nooit. Laatst nog hebben we een oud dametje betrapt dat ervandoor wilde met een opgerolde ets in haar paraplu.'

'Natuurlijk,' zei Beth. 'Dat begrijp ik volkomen.'

William ging naast haar zitten, duidelijk blij dat hij even niets hoefde te doen, dacht Beth, terwijl ze de mappen begon door te spitten.

Na een uur of twee slaakte ze een zachte kreet van verrassing. William keek op. Haar vinger rustte op een plastic beschermhoes. Eronder lag een brief met een karmozijnrood kader. Langs de bovenrand stonden de woorden DIEU VOUS GARDE.

'Allemachtig,' zei ze hardop. 'Ze heeft Annies postpapier gebruikt.' De brief kwam uit Zwitserland.

19

Merkwaardig genoeg was het pas nadat de *Beagle* de rustige wateren van de Grote Oceaan had bereikt dat kapitein FitzRoy zijn verstand verloor.

Waarschijnlijk kunnen we als het ergste voorbij is ons veroorloven niet langer op onze hoede te zijn, en dan vallen we ten prooi aan de kwellingen van de geest, dacht Charles, terwijl hij neerkeek op de arme, verwarde kapitein.

De doorgang door de Straat van Magellanes was ruw geweest. Een maand lang had het schip gevochten tegen winterse stormen, het want bevroren, de dekken onder een dikke laag sneeuw. De *Beagle* moest hachelijk manoeuvreren door ravijnen van reusachtige blauwe gletsjers, die om de haverklap scheurden, zodat brokken ijs met donderend geraas in het water vielen en enorme golven veroorzaakten.

Al die tijd bleven Charles en het merendeel van de bemanning die niet in actie hoefde te komen, benedendeks. Gelukkig kreeg hij McCormick nauwelijks te zien, want de naturalist bevond zich aan boord van de *Adventure*. Wanneer de twee elkaar aan wal tegenkwamen, voelden ze zich – begrijpelijk – slecht op hun gemak in elkaars gezelschap.

Charles was de hele wereld anders gaan zien. Hij maakte opgewonden notities in zijn dagboek. Het was alsof er een nieuwe wereld voor hem openging. Alles leek tastbaar en duidelijk – de wolk van vlinders die het schip als een sneeuwbui omhulde, de fosfor die het schip volgde als een kielzog van lichtgevend zilver, het elektrische veld dat 's nachts wanneer de maan zichtbaar was, rond de masten knetterde. Dit waren geen spookfenomenen; ze waren maar al te werkelijk, het was de Natuur die zich in haar volle glorie blootgaf. Charles had het gevoel alsof hij alle natuurlijke gebeurtenissen om zich heen kon verklaren, alsof hij het inzicht had verworven om ze met een simpele analyse te verklaren, als een bliksemschicht die een spookachtig landschap bij nacht deed baden in een helder licht.

Voordat de *Beagle* de straat doorkruiste, werd het schip voor onderhoud en reparatie op de wal getrokken bij de monding van de Santa

Cruz. De *Adventure* ging vlakbij voor anker. Voor het eerst sinds Woollya werden Charles en McCormick weer met elkaar geconfronteerd. Het grootste deel van de tijd ontliepen ze elkaar. De afstand tussen hen was inmiddels veranderd in een onoverbrugbare kloof. Om de tijd te doden poseerden ze voor een tekening van Conrad Martens, aan weerskanten van een boom, waarbij ze elkaar amper een blik waardig keurden.

Ten slotte bereikten de schepen de Grote Oceaan en voeren ze de schilderachtige haven van Valparaíso binnen, aan de Chileense kust. Charles kon niet wachten om weer aan land te gaan en de Andes te verkennen. Hij wist onderdak te vinden bij een oude schoolkameraad in de stad en trok eropuit naar de hoge Cordillera. Daar zwierf hij zes weken rond, ravijnen overbruggend waarin hij onherroepelijk te pletter zou zijn gevallen, over hangbruggen klauterend die wild heen en weer zwaaiden in de huilende wind. Hij ving talloze bergvogels, vond mineralen, ontdekte mariene afzettingen. 's Nachts kroop hij om warm te blijven dicht tegen de twee boeren aan die hij als gids had meegenomen. Triomfantelijk keerde hij terug, aan het hoofd van een stoet muildieren beladen met specimens, waaronder complete schelpenbeddingen uit de bergen, opnieuw een bewijs dat de bergketen ooit de zeekust was geweest en door geologische krachten omhoog was geduwd.

Toen hij het schip naderde, besefte hij meteen dat er iets niet in orde was. De *Beagle* leek er slecht aan toe, de bemanning hing wat rond, niet wetende wat te doen.

Luitenant Wickham, die over het dek liep te ijsberen, haastte zich naar hem toe zodra hij Charles in de gaten kreeg. 'De kapitein heeft zijn verstand verloren,' meldde de luitenant. 'Hij geeft zijn opdracht terug, met het verzoek om zijn congé en toestemming om naar Engeland terug te keren. Gaat u alstublieft met hem praten, Filos. Misschien kunt u hem tot rede brengen en zorgen dat hij weer de oude wordt.'

'Wat was de oorzaak van de crisis?' vroeg Charles.

'Hij heeft bericht ontvangen van de Admiraliteit met een ernstige reprimande wegens de aankoop van de *Adventure*. De Admiraliteit weigert de kosten te betalen, dus hij heeft het schip moeten verkopen. Dat was de druppel die de emmer deed overlopen. Ik geef mezelf in elk geval ten dele de schuld van wat er is gebeurd.'

'Waarom?'

'Sulivan heeft hem weken lang de kop gek gezeurd om de *Adventure* te kopen, en toen hij eenmaal tot kapitein was benoemd, verklaarde hij dat het zusterschip van essentieel belang was om het karwei te klaren. Daar had ik een stokje voor moeten steken.'

Charles trof FitzRoy in zijn hut. Hij lag in zijn kooi, met de gordijnen dicht. Zijn tuniek was opengeknoopt, zijn ene arm lag over zijn ogen, de andere hing op de grond. Toen Charles binnenkwam, nam hij nauwelijks de moeite op te kijken. Zijn gezicht zag ziekelijk bleek, zijn ogen lagen diep in hun kassen. Charles gaf hem een glas water.

Aanvankelijk reageerde FitzRoy nauwelijks, maar toen hij eenmaal begon te praten, was hij niet meer te stuiten. De woorden kwamen met zo'n bezetenheid en in zo'n stortvloed over zijn lippen dat het Charles verontrustte. Zonder een blad voor de mond te nemen veroordeelde FitzRoy de Admiraliteit, de marine, de Whigs en de hele regering. Wickham hoorde hem tieren en kwam de hut binnen. Samen bleven ze uren bij de kapitein, terwijl ze voorzichtig probeerden hem ervan te overtuigen dat het niet nodig was om terug te gaan naar Vuurland; dat het onderzoek daar in principe was afgerond en dat er tijdens de rest van de reis alleen nog wat chronometrische metingen moesten worden gedaan.

De volgende dag deden ze hetzelfde, en de dag daarna. Darwin was onder de indruk van de manier waarop Wickham zijn kapitein steunde; hij kon er alleen maar bij winnen wanneer hij zelf het commando overnam, zoals FitzRoy dat op de vorige reis met Pringle Stokes had gedaan, maar hij leek zich meer te bekommeren om de gezondheid van de kapitein dan om zijn carrière.

Op de derde dag leken hun sussende woorden eindelijk effect te hebben. FitzRoy was er aanzienlijk beter aan toe. Hij kwam uit zijn kooi, schoor zich, kleedde zich aan en besloot zich buiten te wagen. Charles bood hem de helpende hand. Voordat hij de hut verliet, bleef FitzRoy bij de deur staan en keek om zich heen alsof hij uit een diepe slaap ontwaakte. 'Heeft u ook maar enig idee waarom ik een fortuin heb uitgegeven om dit schip in Plymouth opnieuw te laten optuigen?' vroeg hij.

Charles antwoordde ontkennend.

'Om het verblijf van de kapitein te veranderen. Ik heb de hele hut verplaatst, omdat ik weigerde de reis in hetzelfde onderkomen te moeten doorbrengen als mijn voorganger, bang als ik was dat ik zou worden achtervolgd door zijn geest. Pringle Stokes, die arme sodemieter.'

'Aha,' zei Charles. Zonder nadenken voegde hij eraan toe: 'Ik neem aan dat het de eenzaamheid was van zijn positie als kapitein die hem uit zijn evenwicht heeft gebracht.'

FitzRoy keek Charles doordringend aan. 'Na zijn dood hebben ze een autopsie uitgevoerd,' zei hij toen. 'Ze troffen de kogel aan in zijn hersens, maar ze vonden ook nog niets anders. Wat denkt u dat ze zagen toen ze zijn overhemd losknoopten? Zeven wonden, zeven messteken, bijna genezen. Bijna genezen! De arme man probeerde al weken zichzelf van kant te maken... Hij had niemand die hem kon helpen, niemand tot wie hij zich kon wenden. Hij was volslagen alleen.'

Na die woorden klom FitzRoy aan dek, waar hij diep ademhaalde en zei dat hij het commando weer overnam. Er was een gunstige wind opgestoken.

Terwijl ze het anker lichtten, zag Charles McCormick met zijn plunjezak over het halfdek lopen. De scheepsarts kwam terug van zijn kooi op de *Adventure* en zette koers naar zijn oude hut.

Vijf minuten later kwam hij weer tevoorschijn, hij liep naar Charles toe en ging resoluut voor hem staan. 'Ik zie dat we weer scheepsmaten zijn, meneer Darwin.'

'Inderdaad,' antwoordde Charles.

Ze zouden een eind omhoogvaren langs de kust en dan bijna duizend kilometer naar het westen koersen, naar de beroemde archipel die was genoemd naar de schildpadden die daar zo overvloedig voorkwamen.

Charles stond naast FitzRoy aan dek toen ze langs het eerste eiland voeren. Hij kon zijn ogen nauwelijks geloven. Volgens de verhalen waren de Galápagoseilanden een soort Hof van Eden, dus hij had verlangend naar het doel van de reis uitgekeken.

Dit landschap had echter niets paradijselijks! Een troosteloze berg lava die zich uit zee verhief, met amper vegetatie en op wat vogels na geen dierlijk leven.

'Welk eiland is dit, als ik vragen mag?' Charles keerde zich naar Fitz-Roy.

'Dit is een grap van een Spanjaard,' antwoordde die. 'Het is zo onbeduidend dat het geen naam heeft. En zo staat het ook op de kaart: Sin Nombre.'

Hij zoog zijn longen vol en vervolgde: 'Laat u niet misleiden door de naam "Islas Encantadas". Met "betoverd" wordt in het Spaans niet zozeer "mooi" maar eerder "behekst" bedoeld, vanwege de verraderlijke stromingen die het aanleggen moeilijk maken. De dieren en de vogels zijn dan ook niet bekend met de mens. Vandaar dat ze geen angst tonen in onze nabijheid en een soort zorgeloze onverschilligheid aan de dag leggen. Maar let op mijn woorden, deze kust kan moeiteloos het toneel worden van een inferno.'

Het schip liet het anker vallen bij het tweede eiland. De mannen gooiden hun lijnen in het water, en het duurde niet lang of het dek lag bezaaid met papegaai- en klipvissen die rondflapperden in een rijkdom van stralende, tropische kleuren. Charles nam met acht leden van de bemanning de sloep naar de kust. Daar bleek het zwarte strand zo heet, dat ze de hitte door de zolen van hun laarzen konden voelen.

Toen ze langs de kust begonnen te lopen, zagen ze dat het er krioelde van het dierlijk leven. Zeeleguanen lagen op de lavarotsen. Hun gevlekte zwarte huid was van een afstand nauwelijks zichtbaar, maar bood van dichtbij een gruwelijke aanblik. Met hun geschubde kammen, hun kille ogen, hun hangende kinbuidels en hun lange, gekromde staarten zagen ze eruit als kwaadaardige draken. In werkelijkheid waren ze echter traag en volmaakt onschadelijk. Charles pakte er een op aan de staart en gooide hem in het water.

Toen ze om een rotspunt kwamen, waren ze plotseling omringd door een overvloed aan vogels. Roodpotige jan-van-genten zaten in de bomen. Op de grond daaronder zorgden gemaskerde jan-van-genten voor hun nesten en op elke richel verdrongen zich blauwvoet jan-van-genten, die moeizaam en een voor een hun lichtblauwe poten optilden in een ongemakkelijk soort paringsdans. De vogels besteedden geen enkele aandacht aan de mannen. Charles hief zijn geweer naar een havik vlakbij, maar toen het beest niet bewoog, duwde hij het met de kolf van zijn tak.

Met Covington naast zich volgde hij een pad landinwaarts, tot hij ten slotte bij de beroemdste bewoners van de eilanden kwam: de reuzenschildpadden. Twee van de dieren kauwden genietend op een soort stekelige peren. Aanvankelijk trokken ze sissend hun kop in, maar het duurde niet lang of ze kwamen weer tevoorschijn en hervatten hun maal. Charles mat de omtrek van hun schild: ruim twee meter. Toen ze verder liepen, zagen ze iets wat hen met een ruk deed stilstaan: een breed pad dat duidelijk een van de voornaamste verbindingsroutes van de schildpadden was, want in beide richtingen liep een bijna onafgebroken stroom van de dieren.

Darwin en Covington volgden het pad naar de top van de heuvel, waar een poel, die werd gevoed door een bron, was gevuld met een hele kudde van de schepselen. Sommige zonken tot hun ogen weg in het heldere, koude water en dronken met grote, naargeestige slokken. Andere wentelden zich in de modder. Charles was diep onder de indruk. Hij had het gevoel alsof hij op een geheime rite was gestuit, een schouwspel van vóór de zondvloed, waarbij de dieren hun wilde masker hadden afgelegd en hun onschuldige aard toonden.

De mannen besloten de schildpadden die de heuvel af sjokten te volgen. Charles kreeg een ingeving en klom op de rug van een van de dieren. Covington volgde zijn voorbeeld. Ze bewogen heen en weer met de deinende gang van de schildpadden en hielden zich vast aan de rand van het schild, om te voorkomen dat ze eraf vielen. Toen ze elkaar aankeken barstten ze in lachen uit. Zo reden ze de heuvel af, telkens opnieuw bulderend van de lach, tot ze aan de voet van de berg een hoek om kwamen. Daar stuitten ze op een tafereel dat hen in een klap ontnuchterde. Hun scheepsmaten waren bezig een slachting onder de schildpadden aan te richten, door de dieren om te draaien en de bleke onderkant open te snijden. Er lagen er tientallen op hun rug, wanhopig met hun poten door de lucht bewegend, te wachten tot ze naar het ruim van het schip zouden worden overgebracht. Het strand lag bezaaid met schilden.

De zeelieden reageerden net zo verrast als Darwin en Covington. 'Ik zou er maar snel afspringen,' riep een van hen. 'Anders belanden jullie ook in de schildpadsoep.'

Die avond, aan boord van de *Beagle*, was Charles geschokt door de emoties die hem bestookten. Hij was net begonnen alles in een nieuw, stralend licht te zien: de vissen, de leguanen, de vogels, de schildpadden. Hier was hij getuige van de Natuur in haar meest oorspronkelijke vorm, hier zag hij met eigen ogen hoe de Natuur functioneerde. Hij zag de schoonheid en de woestheid ervan. En hij had het gevoel alsof hij het begreep, alsof hij gedurende enkele ogenblikken getuige was geweest van de schepping zelf. Hij sloeg zijn dagboek open en schreef: *Hier lijken we zowel in ruimte als in tijd dichter bij dat grote gebeuren te worden gebracht – dat mysterie der mysteriën – de eerste verschijning van nieuw leven op aarde.*

De volgende dag zeilde de *Beagle* naar Charles Island, waarop een strafkolonie was gevestigd met tweehonderd verbannen gevangenen. De Engelse gouverneur, Nicholas Lawon, ontving een gezelschap van het schip voor het middagmaal op zijn veranda, omringd door platanen. Onder het genot van geroosterde schildpad, rijkelijk met drank besproeid, onthaalde hij hen op verhalen over zeerovers en schipbreukelingen.

Terwijl ze over de schildpadden spraken, maakte de gouverneur de opmerking dat hij aan de hand van hun schild precies kon zeggen van welk van de ruim twintig eilanden een dier afkomstig was. Dat bewees dat verschillende habitats hadden geleid tot een verschil in ontwikkeling, aldus de gouverneur. FitzRoy en de anderen besteedden weinig aandacht aan de opmerking, maar Charles nam deze ter harte en wierp haastig een blik om zich heen. McCormick zat recht tegenover hem en keek Charles doordringend aan, alsof ook hij nota had genomen van de observatie en het belang daarvan besefte.

Die middag roeide de groep naar James Island. Charles wilde zijn verzameling vogels uitbreiden. Ook daarvoor scheen de regel te gelden die de gouverneur was opgevallen: op elk eiland vertoonden de dieren minieme verschillen, alsof ze zich aanpasten aan hun diverse habitats. Op elk eiland dat hij bezocht, stond Charles erop verscheidene vogels te schieten – vooral vinken – die hij zorgvuldig merkte, conserveerde en voorzag van een nauwkeurige beschrijving. Zoals altijd was Covington die middag bij hem, en uiteindelijk maakten ze zich los van de groep en trokken ze er alleen opuit.

De zon brandde genadeloos aan de hemel, en Charles was duizelig van de hitte. Bij een vallei met kreupelhout troffen ze tientallen vinken en spotvogels die rond de struiken vlogen. Hun geweer hadden ze niet nodig, want ze hadden ontdekt dat ze de diertjes konden lokken door een tak omhoog te houden en sussende geluidjes te maken. Zodra ze neerstreken, konden ze de vogeltjes pakken.

Toen Charles een ongebruikelijke gele vink ontdekte, ging hij er alleen achteraan. Het werd een moeizame achtervolging door de struiken, en ineens stootte hij met zijn voet tegen iets hards. Toen hij naar de grond keek hield hij zijn adem in. Tussen de bladeren, glanzend in de zon, lag een menselijke schedel.

Een golf van misselijkheid dreigde hem te overweldigen, en hij greep zich vast aan een boom om zich staande te houden. Toen bukte hij om de schedel uit de grond te trekken. Hij hield hem omhoog, draaide hem tussen zijn vingers in het rond. Het was zowel stuitend als onweerstaanbaar: het gebleekte witte schedeldak, de gekartelde lijnen op de slapen, de donkere driehoek op de plek van de neus, de verrotte tanden vertrokken tot een gruwelijke grijns, een zwerm maden waar ooit de tong had gezeten.

Opnieuw dacht hij dat hij zou flauwvallen. Terwijl hij aandachtig luisterde, hoorde hij niet de stilte, maar een zacht, gestaag geraas... het geluid van insecten, overal om hem heen, honderden, duizenden, vliegend, zoemend, wrijvend met hun vleugeltjes, knagend aan bladeren. Hij hoorde vogels in zee duiken om een vis te verschalken, hij hoorde leguanen kauwen op zeewier. Paniek maakte zich van hem meester. Het was iets wat hij nooit eerder had ervaren. Ineens was het hem allemaal te veel; de hete lavarotsen, de gruwelijke hagedissen, de afgeslachte schildpadden, de schedel, de maden. Een gruwelijke kringloop van leven en dood, die zich eindeloos, zinloos herhaalde, en hij zat in die kringloop gevangen. De Natuur als allesverslindende god, kwaadaardig, monsterlijk.

Plotseling verscheen McCormick op het toneel. Hij nam Charles onderzoekend op, die nog altijd met de schedel in zijn hand stond. 'Nee maar, dat moet die kapitein zijn over wie de gouverneur het had,' zei hij. 'Het schijnt dat zijn bemanning aan het muiten is geslagen en hem hier, op dit eiland, heeft vermoord.'

Covington voegde zich bij hen. 'Wat zullen we ermee doen?' vroeg hij. 'Nemen we hem mee voor de collectie?'

Charles reageerde geschokt op de suggestie. Hij gaf Covington opdracht een gat te graven en de schedel een gepaste christelijke begrafenis te geven.

Die avond schreef hij een brief aan Hooker. Hij vermeldde het incident niet, maar eindigde met een *cri de coeur*: *Stelt u zich eens voor wat voor boek een kapelaan van de Duivel zou kunnen schrijven over de onbeholpen, spilzieke, grove en gruwelijk wrede werken van de Natuur!*

Drie dagen later ging het schip voor anker voor de kust van Indefatigable Island. Het was warm, er woei een lichte bries vanuit het westen, ideaal weer om te jagen. Charles zag ernaar uit wat specimens onder water te verzamelen, en McCormick, die zich plotseling van zijn beminnelijkste kant liet zien, zei dat hij graag hetzelfde zou willen. De twee vertrokken in een boot met tweede luitenant Sulivan en Philip Gidley King.

Ze vonden een goede plek om voor anker te gaan en brachten diverse uren met duiken door, waarbij er permanent een van de vier in de boot bleef, omdat ze geen van allen echt goed konden zwemmen. Tegen het middaguur hadden ze allerlei soorten vissen, krabben, zeewier en koraal naar boven gehaald, dus ze voeren naar de kust om het middagmaal te gebruiken. Het strand lag bezaaid met zeehonden, die lagen te doezelen in de zon en geen greintje belangstelling aan de dag legden voor die onbekende wezens op twee benen. Charles haalde zijn lucifers tevoorschijn om een vuur aan te steken, ze grilden wat vis en spoelden die weg met wijn. Daarna wilden King en Sulivan even rust nemen, maar Charles en McCormick gingen terug naar de boot om nog meer specimens te verzamelen.

Ze roeiden langs de kust tot ze bij een door riet omsloten lagune kwamen. McCormick, die op de voorsteven op de uitkijk stond, verklaarde dat het een goede plek was en bood aan als eerste in de boot te blijven. Charles sprong in het water en dook een keer of vijf, zes, waarbij hij elke keer met schelpen en andere vondsten bovenkwam. Telkens gebaarde McCormick, die het water vanaf de boot in de gaten hield, hem verder weg te zwemmen.

Toen Charles aan het oppervlak dreef en naar beneden keek, zag hij onder zich een donkere schim door het water schieten, een snelle beweging, de rimpeling van een staart. En vervolgens nog een, en nog een. Donkere schaduwen brachten het water in beroering. Charles hief zijn hoofd op, haalde diep adem en dook weer onder om te zien wat er gebeurde. Nu kon hij ze duidelijk zien, zilvergrijs met witte punten op hun vinnen en staarten, anderhalve meter lang, sommige langer: haaien. Het waren er vier. Nee, meer! Misschien wel tien! Ze gleden soepel, moeiteloos door het water, cirkelend op zoek naar eten. Gejaagd, maar met zo min mogelijk beweging, zwom Charles terug naar de boot, waarbij hij ervoor zorgde aan de oppervlakte te blijven en niet de aandacht op zich te vestigen. Bij de boot gekomen stak hij zijn arm omhoog, McCormick greep hem vast en hees hem aan boord.

Met bonzend hart ging Charles achter in de boot zitten. Zijn bloed joeg door zijn aderen terwijl hij McCormick aankeek.

De scheepsarts toonde zich geschokt. 'Goddank dat u veilig uit het water hebt weten te komen! Ik heb u gewaarschuwd. Ik riep naar u, maar u hoorde me niet!' bracht hij gejaagd, nerveus uit.

'Laten we maken dat we hier wegkomen,' was alles wat Charles zei. McCormick roeide terug naar het strand. Toen Charles, nog altijd huiverend, achteromkeek naar de lagune waar hij bijna de dood had gevonden, vroeg hij zich af of hij daar kleine stukjes vis zag drijven, mogelijk het restant van hun middagmaal; de weinige stukjes die de haaien nog niet hadden verslonden.

20

Sonnenberg Clinic
Zuriberg
Zürich, die Schweiz

10 april 1872

Lieve Mary Ann,
Dank voor de vriendelijke woorden waarmee je vroeg hoe het met
me gaat. Mijn antwoord kan kort en eenvoudig zijn: slecht! Ik voel
me alleen op de wereld, geminacht door mijn familie, verraden
door de man van wie ik hield. Ziedaar wat ik allemaal moet verdragen. Ik zou denken dat ik daarmee genoeg ben gestraft voor de
zonde die mijn ziel heeft bezoedeld. Maar om nu ook nog de ul-
tieme straf te moeten ondergaan, het grootste verdriet voor iedere
vrouw... dat is ondraaglijk. Ik overdrijf niet, Mary Ann, wanneer ik
zeg dat ik vrees dat dit meer is dan mijn ziel kan verdragen.
Zelfs nu, terwijl ik op de veranda van deze privékliniek zit, voel ik
niets anders dan een uitzichtloze zwaarmoedigheid. Er is niets wat
me kan opbeuren. Ik schrik terug voor de lieflijkheid van dit oord,
voor de wilde bloemen, het blauwe meer, de besneeuwde Alpen.
De aanblik zou een sussende uitwerking moeten hebben op mijn
ziel, maar kan mijn lijden niet verzachten, want ik ben te diep ge-
zonken. En het besef dat ik deze ellende over mezelf heb afgeroe-
pen, maakt het alleen nog maar moeilijker te dragen.
Ik aarzel om mijn verdrietige verhaal aan het papier toe te vertrouwen, maar misschien zal mijn biecht toch een balsem zijn op mijn
verwonde hart. Een deel van het verhaal ken je al, namelijk mijn
verliefdheid, nee, de liefde die ik voel voor X.
Wat je niet weet, is dat ik tijdens het verblijf van ons gezin in het
Lake District met X heb afgesproken om hem heimelijk te ontmoeten, in het bos. Niet een of twee keer, maar wel vijf keer. Het waren
amoureuze ontmoetingen. Ik kon er niets aan doen. Elke keer was
mijn hartstocht vuriger dan de vorige. Sterker nog, ik heb me zo

laten meeslepen door mijn passie dat ik elke gedachte aan de gevolgen van mijn daden overboord heb gezet. Ik dacht alleen aan hem, verlangde naar niets anders dan bij hem te kunnen zijn.

Stel je voor hoe van streek ik was toen ik voelde dat hij zich van me terugtrok. Bij elke volgende keer leek het alsof mijn vuur hoger oplaaide, maar het zijne geleidelijk aan doofde. In het begin was hij zorgzaam nadat we intiem waren geweest. Dan hield hij me in zijn armen en zei hij hoe mooi en hoe lief hij me vond, wat enigszins hielp mijn schuldgevoel te verzachten omdat ik aan zijn smeekbeden had toegegeven. Het duurde echter niet lang of hij leek te denken dat hij recht had op mij, op mijn lichaam, en toen was het gedaan met zijn respect. Ik had het gevoel alsof ik verstrikt was geraakt in een liefdesdrama zoals we dat kennen uit sensatieromannetjes. Alleen ging het hier niet om een verzonnen verhaal, maar om mijn geluk, mijn leven!

Aanvankelijk waren zijn bezoeken aan ons gezin in het huisje in Grasmere een opwindende ervaring voor me. Ik wachtte de hele ochtend tot ik het geluid van zijn paard bij de stalpoort hoorde, en dan stelde ik de ontmoeting in de familiekring uit, puur voor het genot van de gespannen verwachting. Wanneer er anderen bij waren vond ik het heerlijk mijn innerlijke beroering te verhullen door een masker van onverschilligheid. Ik genoot ervan de kamer rond te kijken en mijn blik over hem te laten gaan, alsof hij niet meer was dan een gewone bezoeker. En dan waren er de verboden momenten – een geheime blik, een vluchtige aanraking onder de tafel na het diner – dit alles voedde het vuur van mijn begeerte meer dan ik kan zeggen.

Maar toen kwam de tijd dat zijn bezoeken minder werden. Dat hij een dag oversloeg, toen twee, ten slotte drie. Ik werd zo wanhopig dat ik zo onbezonnen was hem een brief per koerier te sturen, waarop hij niet reageerde. Op een avond, nadat hij in een kwartet had gespeeld, waarbij ik mijn ogen nauwelijks van hem had kunnen afhouden, onderschepte ik hem in de gang en eiste ik dat hij me vetelde waarom hij me zo behandelde. De woorden die over mijn lippen kwamen waren heel andere dan de nonchalante zinnen die ik had geoefend, en hij deed alsof hij niet wist waarover ik het had. Toen rukte hij zijn arm uit mijn greep, en hij haastte zich weg. Ik werd overmand door zwaarmoedigheid en deed alsof ik ziek was. Maar ik verkeerde in totale verwarring. Waarom bleef hij ons bezoeken, als hij niets meer met me te maken wilde hebben? Was er dan toch nog hoop? Ik ondernam ochtendwandelingen langs het pad dat we altijd hadden genomen, maar zag hem nooit. Toen ik toch weer een keer met hem alleen was, stelde ik een rendez-vous voor, en terwijl ik dat deed verlaagde ik me door naar de grond te kijken en hem een kokette blik toe te werpen. Hij weigerde mijn voorstel, zei dat hij al had afgesproken om te gaan jagen. Toen beende hij haastig weg, alsof hij opgelucht was me te kunnen ontlopen.

Ons gezin keerde terug naar huis, en ik was zo ongelukkig dat ik ziek werd en vele bijeenkomsten in de salon misliep. Het geluid van muziek en vrolijkheid drong tot me door in mijn slaapkamer en maakte dat ik me nog ellendiger voelde.

Op een avond werden we allemaal bij elkaar geroepen. Papa zei dat hij ons iets te vertellen had. Etty bloosde toen hij haar hand nam en die hoog optilde. Haar gezicht straalde. Papa zei dat hij het genoegen had aan te kondigen dat ze op korte termijn mevrouw Richard Litchfield zou zijn. Mama huilde, mijn broers begonnen prompt grappen te maken en ik viel bijna flauw. Het lukte me niet me te beheersen, en ik rende snikkend de kamer uit. De commotie was zo groot, dat alleen Mama merkte hoe wanhopig ik eraan toe was.

Er werden haastig plannen gesmeed voor een bruiloft eind augustus, amper drie maanden nadat hij in ons leven was gekomen. George regelde de financiële kant; ik zag in Papa's boekhouding dat het jonge paar vijfduizend pond zou krijgen, met een jaarlijkse wedde van vierhonderd pond. Dat bedrag zou hen in staat stellen een geriefelijk leven te leiden, hoorde ik Papa zeggen, want Litchfield had een functie aanvaard in de Ecclesiastical Commission. Papa zei tegen George dat hij niet geloofde dat Litchfield met Etty trouwde om haar geld.

Ik ontmoette hem nog één keer. Om dat te bewerkstelligen ging ik voor het eerst sinds jaren naar de kerk en bleef ik na afloop van de dienst achter terwijl de anderen al naar huis liepen. Toen ik hem om een verklaring vroeg, had hij althans de beleefdheid zich beschaamd te tonen. Hij had geruime tijd met Papa gesproken om een van ons beiden het hof te maken, vertelde hij. Papa had uiteindelijk beslist dat hij om Etty's hand moest vragen, omdat zij de oudste was. Toen hij me zo onverwacht in Grasmere had ontmoet, had hij zich laten meeslepen door zijn emoties, zei hij. Maar al spoedig was hij tot het besef gekomen dat zijn gedrag verwerpelijk was en had hij besloten een eind te maken aan onze ontmoetingen. Ik zou hem altijd dierbaar blijven, als een zuster.

Ik ging niet naar het huwelijk, want tegen half augustus werd ik me bewust van mijn toestand. Ik vertelde aan Mama wat er aan de hand was. Ze kon aanvankelijk niet geloven wat ik had gedaan, en toen het besef eindelijk doordrong, was ze hevig van streek en erg boos. Ze sloeg me meer dan eens hard in mijn gezicht, maar ik gaf geen kik. Ze wist wie verantwoordelijk was voor mijn toestand, zei ze, maar daar mocht ik nooit over praten, met niemand. Al helemaal niet met Papa. In plaats van de werkelijke toedracht te vertellen verzon ze een verhaal over de zoon van een landeigenaar in het Lake District, en ze liet me beloven dat ik daaraan zou vasthouden. Papa was er kapot van. Hij riep me bij zich in zijn studeerkamer. Daar zat hij, in zijn leren stoel waarin ik hem honderden keren had zien zitten. Hij sloeg me niet, maar zag er plotseling oud en breekbaar uit, alsof hem een dodelijke klap was toegebracht, waardoor ik me nog drie keer zo ellendig voelde. Hij vroeg me niet naar de naam van de vader. Mama had hem verteld dat het ging om een getrouwde man, dus dat zou geen enkel doel dienen. Hoezeer ik mijn handelwijze ook betreurde, het zou me niet meevallen zijn respect te herwinnen, zei hij, en ik was veroordeeld de rest van mijn dagen te slijten als ouwe vrijster. Hij zou er nooit mee instemmen een bruidsschat te betalen, maar hij zou me ook niet dwingen het huis te verlaten. Daar kon ik tot mijn dood blijven wonen.

Het kind zou ik echter niet kunnen houden. Om voor een oplossing te zorgen en de goede naam van onze familie te beschermen zou hij contact opnemen met zijn vriend, Charles Loring Brace, de Amerikaan die de Children's Aid Society had opgericht. Die wist wel raad met zulke situaties, aldus mijn vader. Een week later werd ik op voorstel van meneer Brace, voordat mijn toestand zichtbaar werd, naar Zürich gestuurd, en inmiddels ben ik hier al acht maanden.

Mijn kindje was een klein meisje. Ik kreeg nauwelijks de kans om dat te ontdekken. Ze lieten me haar maar heel even vasthouden, tot de navelstreng was doorgesneden en de dokter haar had onderzocht. Toen werd ze bij me weggehaald. Er is me verteld dat ze een tijdje hier in Zürich blijft tot ze sterk genoeg is om te reizen. Dan wordt ze bij een liefhebbend gezin geplaatst.

Soms is het alsof ik haar nog steeds voel, ook al is het inmiddels tien dagen geleden. Dan is het alsof ik haar weer in mijn armen houd. Haar gezichtje was roze en gerimpeld, haar huidje bedekt met een zachte substantie die bij de geboorte hoort, en ze had een dikke bos zwart haar. Volgens de dokter was ze een prachtig, kerngezond meisje.

Ik vertrek morgen. Dan ga ik weer naar huis. Tegen die tijd heeft Papa de brief ontvangen die ik hem vorige week heb geschreven en waarin ik mijn oprechte spijt heb betuigd, maar waarin ik ook heb opgemerkt dat we allemaal ernstige fouten maken in ons leven. Hij is wel de laatste die mij mag aanspreken op zaken de ethiek betref- fende, heb ik hem geschreven. En ik heb eraan toegevoegd dat ik weet dat hij niet zo recht door zee is als hij zich voorgeeft, omdat ik heb ontdekt wat hij dertig jaar geleden heeft gedaan, tijdens zijn reis naar Zuid-Amerika.

Terwijl ik hier op de veranda zit, zoals ik dat elke dag uren doe, zonder ook maar iets om me af te leiden, anders dan mijn eigen sombere gedachten, brengen ze me citroenlimonade, alsof mijn probleem niet ernstiger is dan een uitgedroogde keel.

Lieve Mary Ann, wees zo goed om niet te hard over me te oordelen en voor me te bidden dat ik vrede mag vinden.

In dankbare herinnering, voor altijd de jouwe,

Bessie

20 april 1872

Lieve Mary Ann,

Ik ontving je brief slechts enkele momenten voordat ik uit Zürich vertrok. Je hebt geen idee hoe dankbaar ik je daarvoor ben. Zonder je steun en je troostende woorden weet ik niet of ik dit alles zou kunnen dragen.

Je vroeg me naar mijn thuiskomst. Die was niet zo verschrikkelijk als ik had gevreesd. Parslow kwam me in Orpington halen en ver- telde onderweg al het nieuws over de familie. Het was zonde dat ik niet bij Etty's huwelijk was geweest, zei hij, en dat zei hij zo onbe- vangen dat ik niet geloof dat hij ook maar iets vermoedt over de reden van mijn afwezigheid. Ik zei dat ik vanwege mijn slechte gezondheid het advies had gekregen om rust te nemen in de Zwitserse bergen. Papa was ook niet goed geweest de laatste tijd, zei hij. Sterker nog, Papa had nauwelijks de kracht gehad om de bruid weg te geven in de kerk. Het was een korte plechtigheid geweest, nauwelijks gevolgd door festiviteiten, hoewel Parslow zich verrast toonde door de aanwezigheid van een groep mannen die hij helemaal niet kende. Het bleek te gaan om vrienden van Richard, die net als hij waren aangesloten bij het Working Men's College.

Papa was boven op zijn slaapkamer toen ik arriveerde en hij kwam niet naar beneden om me te begroeten. Hij liet zich de hele middag niet zien en voegde zich pas voor het avondeten bij het gezin. Toen hij me zag, knikte hij slechts. Dat was alles. De maaltijd zou grotendeels in stilte hebben plaatsgevonden, ware het niet dat Horace thuis was van Trinity, en mijn broer toonde zich als enige spraakzaam. Ik informeerde naar Etty (waarop Mama me een duistere blik toewierp) en Horace vertelde dat de jonggehuwden allebei ziek waren geworden tijdens hun huwelijksreis door Europa. 'Vertel Bessie eens wat Etty uit Cannes schreef,' vroeg hij aan Mama, die met de grootste tegenzin een passage citeerde uit een brief van Etty, waarin mijn zuster schreef dat ze zich erg getrouwd voelden, ieder in hun eigen ziekbed, alsof ze al dertig jaar samen waren, net als Papa en Mama. Ik kon het nauwelijks aanhoren.

Sinds mijn terugkeer zijn er inmiddels twee dagen verstreken, en Papa heeft met geen woord gerept over de brief die ik hem vanuit Zürich heb gestuurd. Ik besloot hem een kans te geven deze ter sprake te brengen als hij dat wilde. Dus vanmiddag, toen hij zich gereedmaakte voor zijn gezondheidswandeling op de Sandwalk, vroeg ik of ik hem mocht vergezellen.

Hij toonde zich verrast maar stemde toe, en we gingen op pad. Nadat we het weer hadden besproken en nog wat andere vrijblijvende zaken, vervielen we in stilzwijgen. Ik besefte dat Papa er geen behoefte aan had het onderwerp ter sprake te brengen dat ons beiden bezighield, en dat hij ook niet wilde dat ik dat zou doen. Als ik namens mezelf spreek, moet ik zeggen dat ik er vrede mee heb om het verleden te laten rusten.

Hoe langer ik hier woon met mijn ouders, hoe meer ik merk dat ik wegzak in een vertrouwd soort lethargie. Omdat ik volledig van hen afhankelijk ben, heb ik het gevoel alsof ik mezelf begin te verliezen, mijn greep op het leven; alsof ik bezig ben onstoffelijk te worden, als de ochtendmist in de tuin. Mijn toestand doet me denken aan een passage in *Middlemarch*, waarin je een vrouw beschrijft die heel erg aan mij doet denken, *een vrouw die wordt gekortwiekt en onderdrukt, zoals dat alleenstaande vrouwen overkomt die hun leven lang afhankelijk zijn van ouderen.*

Ik mis je zo, Mary Ann, en ik zou je zo graag zien. Niemand anders kan de volle omvang begrijpen van mijn lijdensweg.

Voor altijd de jouwe, in eeuwige vriendschap,
Bessie

1 januari 1873

Lieve Mary Ann,
Een nieuw jaar is aangebroken, en ik gebruik deze dag om je te schrijven en je op de hoogte te brengen van mijn wedervaren. Het is nauwelijks te geloven dat er al meer dan een halfjaar is verstreken sinds die verdrietige dag in Zwitserland. Ik heb gezworen dat ik me op het leven zal storten als brave dochter en oude vrijster, hoezeer ik dat woord ook verafschuw. Hier op Down House leiden we een rustig bestaan. Alle andere kinderen zijn inmiddels vertrokken: William bankiert in Southampton, George studeert rechten, Francis medicijnen en houdt zich daarnaast bezig met zijn geliefde planten, Leonard zit bij de Royal Engineers en Horace is terug naar de universiteit. Mama en Papa en ik slijten onze dagen gedrieën, en er is weinig dat onze dagelijkse routine verstoort.

Papa speelt niet langer biljart met Parslow, maar nog wel elke avond na het eten backgammon met Mama. Hij houdt al jaren zorgvuldig bij wie van hen beiden wint en verliest. 'Deksels, vrouw!' roept hij bulderend wanneer hij haar stand moet verhogen. Of 'Dat laat ik niet op me zitten!' Daarna leest ze hem romans voor terwijl hij op de bank ligt.

Zoals je weet heeft hij eindelijk zijn boek afgemaakt over het uitdrukken van emoties bij mens en dier. Hetgeen betekent dat we ook eindelijk zijn verlost van al die gruwelijke foto's van grauwende

279

dieren en van mensen die gekke gezichten trekken. Inmiddels is hij in de kas bezig, een of ander experiment met orchideeën en erwtenplanten, en met zonnedauw, het plantje dat insecten vangt. Hij heeft het er de laatste tijd steeds vaker over dat hij zijn autobiografie wil gaan schrijven, voornamelijk als vermaak voor zijn kleinkinderen, en mogelijk bij wijze van instructie aan anderen, aldus Papa. Ik probeer niet te denken aan mijn kleine meisje en soms slaag ik er door pure wilskracht in haar dagen achtereen uit mijn herinnering te bannen. Zodra de gedachte aan haar ook maar even de kop opsteekt, verdring ik die heel bewust door haastig op zoek te gaan naar iemand om mee te praten, of door iets te lezen te zoeken. Deze strategie werkt echter niet altijd, vooral niet wanneer ik tijdens een wandeling een jong kind zie, ongeveer van haar leeftijd. Dan gaat de sluisdeur open. Op zulke momenten kan ik er niets aan doen dat er tientallen vragen bij me opkomen: Hoe groot zou ze nu zijn? Wat voor kleur haar zou ze hebben? Lijkt ze uiterlijk op haar vader of op mij? Is ze snel van geest, net als ik, of traag zoals Horace? Nadat ik mezelf met dergelijke vragen heb gekweld, zink ik weg in een periode van zwaarmoedigheid die weken kan duren.

Voor altijd de jouwe,
Bessie

6 juli 1873

Lieve Mary Ann,
Vandaag ben ik tevreden en dat gevoel wil ik graag met je delen. Op deze zomerse zondag hadden we een stoet aan bezoekers. Er kwamen ongeveer zeventig mannen en vrouwen van het Working Men's College. Daarnaast kregen we bezoek van de Huxleys en hun kinderen, en van een aantal plaatselijke gasten. Het weer was schitterend, de zon scheen, de rozen stonden in volle bloei. We hadden lange tafels in de tuin opgezet, om thee te drinken en aardbeien te eten. Er werd gedanst op het gazon, anderen ontspanden zich in de schaduw van de nieuwe veranda. De kinderen rolden in het pas gemaaide hooi en speelden indiaantje op de Sandwalk, waarbij ze hazelaarstakken uit de schuur van de tuinman als speren gebruikten.

Ik ben gewend om hevig van streek te raken door Richards bezoeken. Wanneer ik weet dat hij komt, slaat mijn hart bij voorbaat al tegen mijn ribben en mijn ademhaling wordt zo oppervlakkig dat ik bang ben dat ik flauwval. De eerste keer dat ik hen als getrouwd stel zag, negeerde Richard me, alsof ik onderdeel was van het meubilair. Etty omhelsde me hartelijk, pakte me bij de hand en liep met me de tuin in, waardoor ik een stuk kalmer werd... want ik was bang geweest dat hij tijdens hun huwelijksreis de dwang had gevoeld onze overtreding op te biechten. Wat ken ik hem slecht! Toch was ik me van tijd tot tijd bewust van een lichte jaloezie van haar kant. Dan zat ze me op onbewaakte momenten taxerend op te nemen, alsof ze probeerde me mijn geheim te ontfutselen. Toen ik in de salon een keer toevallig dicht bij Richard zat en hij haastig opstond om ergens anders te gaan zitten, zag ik dat er een ijzige blik over haar gezicht trok terwijl ze naar hem keek, zo duidelijk alsof er een wolk langs de zon schoof.

Vandaag was het echter anders. Iedereen leek te genieten van het uitje. Terwijl de mannen zich onder de lindebomen verzamelden om te gaan zingen, haalde Richard zijn concertina tevoorschijn. Er was een moment waarop ik zijn diepe bas boven de stemmen van de anderen hoorde uitstijgen, en ik nam hem aandachtig op, blij dat ik hem kon observeren zonder zelf te worden gezien. Mijn meneer X. Hij is wat zwaarder geworden. Ik dacht aan de tijd toen hij en ik de mannen nog meenamen in de trein, op excursie naar het platteland. Dat waren de gelukkigste dagen van mijn leven. En toch, terwijl ik eraan terugdacht, voelde ik geen pijn meer omdat die dagen voorgoed voorbij zijn. In plaats daarvan was ik me bewust van een rustige vreugde omdat ik ze heb gekend. Ik ging in de schaduw van een lindeboom staan en keek naar Richard, die zijn hoofd naar achteren helde om te zingen. Ineens besefte ik dat mijn gevoelens voor hem zijn veranderd. Dat mijn passie is weggeëbd, of misschien heeft plaatsgemaakt voor iets anders, een gevoel dat rustiger is, niet meer zoveel pijn doet. Misschien is het allemaal nog slechts een herinnering.

Ik denk dat ik vandaag ben begonnen aan mijn reis naar herstel.

Voor altijd de jouwe,

Bessie

10 januari 1874

Lieve Mary Ann,

Je vroeg me de seance te beschrijven die we laatst beiden hebben bijgewoond in het huis van oom Ras, zodat we onze ervaringen kunnen vergelijken. Zoals je misschien niet weet, was Papa daar alleen op aandrang van mijn neef Hensleigh; doorgaans wil hij niets te maken hebben met gebeurtenissen die draaien om mystiek en spiritisme.

Zoals je aan het begin van de avond al opmerkte is Londen op dit moment in de ban van mesmerisme, mediums, geestgidsen, tafelkloppers en foto's waarop geesten te zien zouden zijn. In honderden verduisterde salons verzamelen de mensen zich rond de tafel om te communiceren met de doden, of ze amuseren zich met het vooruitzicht. Papa kan niets anders dan hoon opbrengen voor de gedachte alleen al, en daarin wordt hij gesteund door de altijd trouwe meneer Huxley.

De 'geestverschijning' was georganiseerd door George. Hij was het die Charles Williams als medium koos. Ik was verrast te zien dat, naast Papa en Mama, mensen van allerlei slag zich bij ons voegden voor de sessie, zoals Etty en Richard, Hensleigh, en Fanny en Francis Galton. Het deed me het meeste plezier jou en meneer Lewes te zien, want ik ervaar je aanwezigheid altijd als geruststellend. Ik vraag me af of je de man hebt gezien die op het laatste moment binnenglipte. Volgens mij was het Huxley. Daar ben ik eigenlijk van overtuigd. Hij had zich vermomd om niet te worden herkend, ongetwijfeld om zijn aanwezigheid een dramatisch cachet te geven.

Hoe dan ook, ik vond de hele opzet geweldig leuk. Ik begon te giechelen toen de deuren werden gesloten, de gordijnen dichtgetrokken en George en Hensleigh de handen en voeten van meneer Williams vastbonden, terwijl we allemaal in het donker zaten te wachten tot de voorstelling zou beginnen. Het duurde niet lang of het werd verschrikkelijk benauwd, en omdat het zo aardedonker was in de kamer, begon zelfs ik me te verbeelden dat ik allerlei vormen en gedaanten zag. Het was allemaal erg spookachtig, want om ons heen hoorden we elkaar ademhalen, maar er klonken ook allerlei andere geluiden, waarvan het onmogelijk te zeggen was van wie ze afkomstig waren. Inmiddels was de hitte bijna ondraaglijk. Toen begon de voorstelling met het rinkelen van een bel, en er klonk een geluid alsof er een windvlaag door de kamer raasde. Iemand slaakte een kreet en stond op, ik hoorde de poten van een stoel over de grond schrapen. De stoel viel om, ik hoorde hijgen, het geluid van iemand die hevig was geschrokken. Het licht ging aan, en je kunt je mijn verrassing voorstellen toen bleek dat Papa amper lucht kon krijgen. Dat moet je hebben gemerkt. Hij zei dat hij moest gaan liggen en werd naar boven gebracht, naar een van de slaapkamers. Vervolgens werd de seance hervat, met nog meer geluiden, met vonken die door de kamer schoten, en met de tafel die tot boven onze hoofden van de grond opsteeg.

Toen het voorbij was, leken de meeste aanwezigen duizelig van opwinding. Papa was weer wat bijgekomen en verklaarde dat het allemaal 'onzin' was, hoewel ik me niet aan de indruk kon onttrekken dat hij oprecht van streek was. George, die gelooft in de geestenwereld, had zijn gezicht gezien toen hij de trap af kwam. 'Als ik niet beter wist, zou ik hebben gedacht dat hij terugdeinsde voor een afrekening met iemand in de wereld die hierna komt,' vertelde hij me fluisterend.

Ik was geroerd toen je mijn handen in de jouwe nam, ze drukte en verwees naar wat je mijn 'beproevingen' noemde. 'Ach kindje,' zei je. 'Wij vrouwen zijn degenen die het leed van de wereld met ons meedragen. Dat is altijd al zo geweest en het zal wel altijd zo zijn. Laten we ons troosten met de gedachte dat de mannen zich weliswaar wassen met onze tranen, maar dat wij het zijn die diep van de bron van het leven drinken.' Terwijl je dat zei zag ik dat er een traan over je gezicht liep. Toen je je naar me toeboog om afscheid van me te nemen, voelde ik die traan op mijn wang, en dat deed me denken aan het gedicht dat ik jaren geleden heb gelezen. Aan de zuster uit *Goblin Market* en het sap dat over haar gezicht droop en zich nestelde in de kuiltjes in haar wangen.

Ik zal nooit vergeten hoe je me hebt gesteund tijdens mijn beproeving.

Voor altijd de jouwe,
Bessie

18 november 1877

Lieve Mary Ann,
Te bedenken dat ik je bijna vier jaar niet heb gezien! Er is in die tijd zoveel gebeurd, en tegelijkertijd zo weinig. Zoals je weet hebben we Bernard, de zoon van Francis, in huis genomen na de dood van die arme Amy in het kraambed. Hoewel ik vurig zou wensen dat het nooit was gebeurd, moet ik bekennen dat het kleine ventje – hij is pas een – het oude huis tot leven heeft gewekt. Het is alsof zijn stemmetje het stof van de dakspanten verjaagt en de takken van de moerbeiboom voor het raam van de kinderkamer doet schudden. Ik vermoed dat het niet lang zal duren of het oude speelgoed wordt tevoorschijn gehaald, inclusief de glijplank voor op de trap. Mama zegt dat Bernard zo ernstig is als een Grote Lama. Voor mij is het natuurlijk een bitterzoete ervaring weer een klein kind in mijn armen te houden. Soms vullen mijn ogen zich met tranen, van vreugde of verdriet, dat weet ik niet.

Papa is geïnteresseerd geraakt in aardwormen, wat niet meer dan gepast is voor iemand die zich 'geestelijk moet gaan voorbereiden op het graf', aldus meneer Huxley. Hoe dan ook, Papa heeft een molensteen in de tuin laten plaatsen, verbonden met een apparaat dat kan meten hoe ver hij wegzinkt, om de ondergrondse activiteit van de aardwormen vast te stellen. Hij is ervan overtuigd dat het intelligente wezens zijn en laat Mama op de vleugel spelen en Francis op de fagot, om hun reacties te testen, ondanks het feit dat ze – zoals Mama opmerkte – geen oren hebben.

Parslow is twee jaar geleden met pensioen gegaan; hij woont in het huisje hier op het terrein en heeft zich ontpopt tot een uitstekend tuinier, die al twee opeenvolgende jaren de eerste prijs heeft gewonnen voor zijn aardappels op de landbouwtentoonstelling van het dorp.

Zoals je ongetwijfel weet, blijft Papa's roem groeien. Gisteren ontving hij in Cambridge een eredoctoraat in de rechten. Mama was bang dat hij niet sterk genoeg zou zijn om de plechtigheid uit te zitten, maar alles ging goed. Bovendien was er sprake van een paar vrolijke momenten. Het Senate House zat stampvol, luidruchtige studenten stonden zelfs in de ramen en zaten op standbeelden. Even voordat Papa in zijn vuurrode gewaad verscheen, werd er een aap in toga en met een baret op zijn kop over de reling van de galerij gehangen. Hij werd onmiddellijk in beslag genomen door een proctor, tot grote teleurstelling van het publiek, maar de studenten deden opnieuw van zich spreken toen ze een voorwerp dat de 'ontbrekende schakel' moest voorstellen, naar beneden lieten zakken en net boven Papa's hoofd lieten bungelen. Hij leek het niet te merken. De menigte juichte en gaf uiting aan haar afkeuring, maar het voltrok zich duidelijk in alle welwillendheid. Het Latijn was voor het grootste deel onbegrijpelijk, behalve de laatste verklaring van de Orator dat de mens en de aap in moreel opzicht van elkaar verschillen.

Ondanks alles werd ik vervuld van trots. Er zijn heel veel dingen waarover ik met niemand heb gesproken, zelfs niet met jou. Maar misschien blijkt mijn vader uiteindelijk toch over de kenmerken van een groot man te beschikken, ondanks het feit dat zijn onderzoek en zijn geschriften stoelen op een gebeurtenis die buitengewoon laakbaar is. Hij is in elk geval de brenger van een groots idee. Ik troost me door hem te beschouwen als de Engel Gabriël van de natuurwetenschappen.

Nu ik het ergste van hem weet, kan de vergeving een aanvang nemen.

Voor altijd de jouwe,
Bessie

21

Hugh leunde tegen de reling op de South Bank, bij de ingang van het National Theatre, en keek op zijn horloge. Neville was veertig minuten te laat... tweeënveertig minuten, om precies te zijn. Hugh begon zich zorgen te maken dat hij niet meer zou komen. Hij had zich tenslotte niet bepaald gretig getoond hem nogmaals te ontmoeten. Anderzijds, hij zou toch geen tijd en plaats hebben afgesproken als hij van meet af aan niet van plan was geweest te komen?

Hugh besloot wat heen en weer te lopen. IJsberend langs het Embankment liep hij elke keer een stukje verder. Toen hij ten slotte bijna honderd meter van de theateringang was gekomen, ontdekte hij Neville op een bank, verdiept in de *Financial Times*.

Toen Hugh naar hem toe kwam, keek Neville op, hij keek nog eens, vouwde haastig de krant op, kwam overeind en stak zijn hand uit, bijna alsof het toeval was dat ze elkaar ontmoetten. 'Ik was al bang dat ik je was misgelopen,' zei hij.

'Ik stond daar.' Hugh wees naar de ingang.

'O. Nou weet je, er is nog een ingang, net om de hoek. Mijn fout. Dat had ik moeten zeggen.'

'Maakt niet uit. We hebben elkaar gevonden, daar gaat het om.'

Ze begonnen langzaam langs het Embankment te lopen. Neville, in dezelfde wijdvallende trui als de vorige keer, keek naar de grond. Het ontging Hugh niet dat hij nerveus was. Trouwens, dat gold ook voor hem.

'Zullen we een ritje maken? Dat heb ik altijd al gewild.' Hugh gebaarde naar de London Eye, hoog oprijzend naar de hemel.

Tot zijn verrassing ging Neville akkoord. Hugh kocht kaartjes voor het heel langzaam draaiende reuzenrad en enkele minuten later zaten ze in een cabine, die zacht wiegend omhoog begon te bewegen.

Het bleef even stil, ten slotte haalde Hugh diep adem en stak van wal. 'Hoor eens, ik besef dat dit moeilijk voor je is...'

'Dat kun je wel zeggen, ja.'

'Maar ik hoop dat je me althans íets kunt vertellen. Iedereen doet zo geheimzinnig. Bridget suggereert voortdurend dat er dingen zijn gebeurd waarvan ik nooit iets heb geweten. Dat Cal ergens mee worstelde. En jij... Ik weet niet hoe ik het moet zeggen... Jij doet ook al zo geheimzinnig. Alsof je iets belangrijks weet, maar het me niet wil vertellen.'

'O. Oké. Dus dat is de indruk die je aan ons gesprek hebt overgehouden?'

'Ja. Je zei dat zijn dood een enorme schok voor jullie was geweest...'

'Dat was ook zo. Daar lijkt me niks geheimzinnigs aan.'

'Nee, maar je suggereerde dat er iets was gebeurd. Je had het erover dat je alles opnieuw de revue had laten passeren; dat je hier en daar tot andere conclusies was gekomen. Wat bedoelde je daar precies mee?'

Het reuzenrad bewoog gestaag omhoog. Ze konden de bruggen over de Theems zien liggen en de twee torens van Westminster Abbey. Neville gaf geen antwoord.

Hugh besloot het hem iets gemakkelijker te maken door voor een minder directe aanpak te kiezen. 'Wat deden jullie eigenlijk in het lab? Ik bedoel, wat voor werk?'

'Tja,' zei Neville, en hij verviel meteen weer in stilzwijgen. Uit het raam turend wreef hij met de mouw van zijn trui over het glas, om alles beter te kunnen zien. Toen hij zich weer naar Hugh keerde, keek hij hem voor het eerst recht aan. 'Ik kan je net zo goed meteen vertellen wat ik weet. Maar alles wat ik ga zeggen, is strikt vertrouwelijk. Je moet beloven dat je je mond erover houdt.'

'Dat beloof ik. Ik zal er met geen mens over praten.'

Neville keek Hugh doordringend aan. 'Ik neem aan dat je weleens gehoord hebt van boviene spongiforme encefalopathie?'

'Is dat niet de gekkekoeienziekte?'

'Precies.'

'Daar hebben we in Amerika ook een paar gevallen van gehad... door een koe uit Canada, als ik me goed herinner.'

'Dat klopt. Er is een verband gelegd tussen gekkekoeienziekte en de ziekte van Creutzfeldt-Jakob, die bij mensen voorkomt. Het komt erop neer dat afwijkende proteïnen je hersens wegvreten; ze maken er gatenkaas van. Je wordt gek, de pijn is martelend, en je sterft een gruwelijke dood. Alles bij elkaar genomen is het echt een afschuwelijke ziekte.'

'En daar deden jullie onderzoek naar?'

'Sterker nog, we waren de koplopers bij de research. De grote vraag was of de ziekte kon overslaan van de ene soort naar de andere. Dat was al gebeurd, hadden we ontdekt. Het was begonnen met scrapie bij schapen, en omdat het slachtafval van die schapen aan koeien was gevoerd, kregen die het ook. Het is algemeen bekend dat slachthuizen zich niet aan de voorschriften houden, met als gevolg dat er koeienhersens en -ruggenmerg terechtkomen in het rundvlees dat we eten.

Misschien weet je dat niet meer, maar in 1996, toen het verband officieel was vastgesteld, brak hier een soort hysterie uit. De Europese Unie boycotte Brits rundvlees. Wimpy's, Burger King, McDonald's, ze weigerden allemaal het te gebruiken. Zelfs British Airways. Het leidde tot een regeringscrisis voor John Major. De Tory-regering voerde jarenlang een pr-offensief. Ik herinner me nog dat er een minister op televisie verscheen, terwijl hij zijn dochter van vier trakteerde op een hamburger. Cordelia heette dat kind. Zulke dingen vergeet je niet.'

'Nee, dat zal wel. Maar waarom vertel je me dit allemaal?'

'Om je enig idee te geven van de druk waaronder we stonden. Er werden links en rechts complete bedrijven geruimd. In de rundvleesindustrie gaat tien miljard om, en de hele zaak was in een soort vrije val geraakt. De fokkers protesteerden uit alle macht, er werden demonstraties georganiseerd. Het was een compleet circus, echt ongelooflijk.'

'Dus jullie lab stond onder druk om... om wat precies te doen? Om met een geneesmiddel te komen?'

'Nee, er was nog geen kijk op dat we een geneesmiddel konden ontwikkelen. We probeerden alleen antwoord te geven op de cruciale vraag of het vlees van zieke koeien de mens via zijn voedselketen kon besmetten. Een politiek uiterst beladen kwestie, dat kan ik je wel vertellen.'

'Maar dat konden jullie bewijzen?'

'Ja, uiteindelijk wel. Maar de oplossing bij dit soort wetenschappelijke kwesties is nooit zo eensluidend. Nooit zwart-wit. Er zijn altijd diverse interpretaties mogelijk, diverse statistische analyses, er is sprake van allerlei variabelen. En dus een enorme marge.'

Het reuzenrad stond even stil. Ze bevonden zich op het hoogste punt. Heel Londen lag voor hen uitgestrekt; de parken zagen eruit als grillige groene vlekken. Hugh keerde zich weer naar Neville. 'Als ik het goed begrijp, heeft mijn broer iets gedaan wat niet kon. Iets onethisch. Klopt dat?'

Neville fronste zijn wenkbrauwen bij wijze van bevestiging.

'Wat heeft hij gedaan? Is hij gezwicht voor overheidsdruk?'

'Nee, nee, dat was het niet. Integendeel. Jij hebt hem beter gekend dan wij allemaal, dus je weet ongetwijfeld dat hij zoiets nooit zou doen. Hij was iemand van de radicale lijn, een geboren beeldenstormer, tegen de multinationals en het grote zakenleven. En dat was dan ook precies wat er gebeurde: hij liet zich in zijn werk beïnvloeden door zijn persoonlijke opvattingen.'

'In hoeverre? Wat is er gebeurd?'

'Hij deed onderzoek met muizen. Muizen die zodanig genetisch gemanipuleerd waren dat ze een menselijke reactie vertoonden wanneer ze werden blootgesteld aan gekkekoeienziekte. De resultaten die je broer bij dat onderzoek bereikte... Nou ja, laten we maar zeggen dat die behoorlijk overtuigend waren. Ze toonden duidelijk aan dat mensen vatbaar waren voor de ziekte.'

'Ja, en?'

'Nou, ze waren wat al te overtuigend. Er was niemand die het voor elkaar kreeg dezelfde resultaten te bereiken. Het hoofd van het lab vertrouwde het zaakje niet – een ongelooflijke klootzak, trouwens – en hij eiste dat het onderzoek opnieuw werd uitgevoerd, voordat de resultaten werden gepubliceerd. Toen werd duidelijk dat er was geknoeid met een aantal van Calvins datasheets.' Neville haalde diep adem, toen gooide hij het eruit: 'Het komt erop neer dat je broer zijn resultaten had vervalst.'

Hugh kon zijn oren niet geloven, maar voordat hij kon reageren sprak Neville al verder.

'Ik heb geprobeerd hem te begrijpen en ik kom een heel eind. We waren er allemaal van overtuigd dat het ging om een heel reëel gevaar voor de mensheid. De incubatietijd van die rotziekte is tien jaar. Dus we hadden geen idee hoeveel mensen er al mee rondliepen. Ging het om duizenden gevallen, misschien zelfs honderdduizenden? Het had kunnen uitlopen op een enorme ramp. En de regering liet het afweten, nam een positie in waarbij het hele probleem min of meer werd ontkend... 'pleegde obstructie', zoals je broer het noemde. De politici speelden met mensenlevens door de gevaren te onderschatten. Tenminste, zo zag hij het. Hij vond dat hij niet werkeloos kon toezien en de zaak maar op z'n beloop laten.'

'Allemaal tot je dienst, maar onderzoekresultaten vervàlsen... Weet je dat zeker? En hoe kun je dat zeker weten?'

'Omdat het zo klaar was als een klontje. Het viel niet te ontkennen. Iedereen kon zien dat er met die datasheets was geknoeid. Hij had het niet echt handig gedaan. Bovendien heeft hij het zelf toegegeven. We mogen blij zijn dat er nog niks gepubliceerd was, dat zou anders een paar weken later zijn gebeurd.'

Hugh schudde zijn hoofd. Het reuzenrad draaide weer, en ze zakten heel langzaam naar beneden.

'Dus er zat niets anders op dan hem te laten gaan,' vervolgde Neville. 'Hoe bedoel je, "hem te laten gaan"? Is hij ontslágen?'

'Nou ja, ik zal niet in details treden, maar het komt erop neer dat hij werd ontslagen. Knoeien met je resultaten is een ernstige inbreuk op de ethiek van elk laboratorium. Ongeacht het motief...'

Neville weidde uit over de onaantastbaarheid van wetenschappelijke gegevens, maar Hugh luisterde niet meer. Hij dacht aan Cal en besefte hoe hard de klap bij zijn broer moest zijn aangekomen. Cal, die altijd zo trots was geweest op zijn werk, op zijn carrière.

'Wanneer speelde dit?' vroeg Hugh abrupt.

'Een maand of twee voordat hij terugging naar de VS. Misschien drie.'

Ze waren weer beneden, het deurtje van de cabine sprong open. Zwijgend stapten ze uit en liepen ze terug naar de bank.

Daar schudde Hugh Neville de hand. 'Ik ben blij dat je me het hele verhaal hebt verteld... Hoewel, nou ja, je begrijpt me wel.'

'Val hem niet te zwaar. Echt, je weet pas wat het is om onder druk te worden gezet, als je te maken krijgt met een minister die zijn baan op de tocht ziet staan.' Neville glimlachte vluchtig. 'En nogmaals, ik weet dat ik 't al tig keer heb gezegd...'

'Maak je geen zorgen. Ik hou mijn mond.'

Hugh besefte dat hij Neville dankbaar hoorde te zijn, maar hij kon zich er niet toe brengen hem te bedanken. Sterker nog, hij begon een hekel aan hem te krijgen, hoe onredelijk dat ook was. Nu was híj het die een verder gesprek wilde ontlopen.

Neville praatte echter maar door. 'Weet je, in een situatie als deze, iemand die veel te jong sterft... Dan krijg je soms wat nieuwe informatie en dan komt het allemaal in een ander licht te staan. Zo gaat het met alles in het leven: als je een stap terug doet wordt je gezichtsveld breder, en dan kan het zijn dat je dingen anders gaat zien.'

Hugh knikte om niet onbeleefd te zijn.

'Dat gold ook voor Darwin, de man van je project. Dat was zijn specialiteit, een brede kijk op de dingen.'

'Ik moet er nu echt vandoor,' zei Hugh, en hij begon al weg te lopen. Op dat moment kon Darwin hem geen moer schelen, en hetzelfde gold voor Lizzie en hun inspanningen om het mysterie van de reis van de *Beagle* te ontsluieren. Het enige waaraan hij kon denken, was de martelende periode die Cal moest hebben doorgemaakt, en dat hij dat helemaal alleen had moeten doen.

Later, in de trein terug naar Cambridge, zag hij het allemaal duidelijker. Neville had hem tenslotte willen helpen; hij had een risico genomen, in elk geval in zijn eigen ogen, door geheimen van het lab prijs te geven. Trouwens, hetzelfde gold voor Bridget, hoewel die weinig anders had gehad om op af te gaan dan haar intuïtie. Ze probeerden allemáál hem te helpen. Nu moest hij nog zien dat hij Simon te pakken kreeg, Cals kamergenoot, om te kijken of er nog meer geheimen waren.

Hij dacht aan Beth, aan de manier waarop ze zich tot zijn gids had ontwikkeld, niet alleen bij de onthullingen over Darwin, maar ook bij de nieuwe informatie over Cal. In gedachten zag hij de twee zoektochten bij elkaar komen, zich verweven tot een enkele draad. Hij glimlachte terwijl hij eraan terugdacht hoe opgewonden ze was teruggekomen uit Nuneaton, met kopieën van de brieven van George Eliot. Ze had een picknick klaargemaakt, en daarmee waren ze in Parker's Piece gaan zitten. Met dramatische intonatie had ze hem de brieven voorgelezen, af en toe nippend van haar wijn en met haar vingers door haar haar kammend. De laatste brief was onuitsprekelijk verdrietig, had ze gezegd, en die had ze hem meegegeven om later op zijn kamer te lezen.

Eenmaal terug in het pension voelde Hugh opnieuw een overweldigende bewondering voor Darwin; het was die bewondering waardoor hij had volgehouden in die afschuwelijke maanden op de Galápagos, voordat hij Lizzies dagboek onder ogen had gekregen. Neville had gelijk. Darwins talent – zijn genie – was meer dan alleen doorzettingsvermogen, vasthoudendheid; het was dat bijzondere vermogen om een stap terug te doen, om de dingen vanuit een zo breed mogelijk perspectief te zien en verbanden te leggen die anderen niet zagen, zodat er een patróón zichtbaar werd. Hij vond zijn antwoorden door dedúctie, door het trekken van logische conclusies: hoe bergen ontstonden, hoe schepselen evolueerden, hoe de wereld zoals hij die kende, in ontelbare eonen was ontstaan. Hij was in staat zich onder te dompelen in de tijd. Hoe deed hij dat? Hoe kwam dat uiteindelijke patroon tot stand? Hoe was het mogelijk dat het als een volledig gevormd beeld op zijn netvlies verscheen, wanneer de verbanden plotseling duidelijk werden?

Misschien lag de genialiteit elders; misschien kwam die naar buiten uit het werk zelf, uit de geobsedeerdheid door de kleinste bijzonderheden. Hoe was het anders mogelijk dat een man acht jaar lang volledig in beslag was genomen door zeepokken, terwijl er in zijn hoofd een wereldschokkende theorie broeide? Bovendien was de aard van het werk ook veelzeggend. Roland had gelijk: de zeepokken die Darwin zo diepgaand had bestudeerd, waren hermafrodiet geweest; de allereerste hadden twee kleine oranje penissen gehad. Darwin had geïntrigeerd – en misschien ook vervuld van afschuw – beseft dat seksuele identiteit iets was wat heel langzaam evolueerde en geen vast gegeven, zoals de Kerk ons wilde doen geloven. Zou God volgens een dergelijk plan te werk gaan? De microkosmos en de macrokosmos. Want zo ontstond het patroon. Niet alleen door de puntjes met elkaar te verbinden, maar door de puntjes ook daadwerkelijk te zíén.

Hugh deed de la van zijn bureau open en haalde er wat schetsen uit van de *Beagle* die hij van het internet had uitgeprint. Het waren tekeningen van de bemanning, mensen die hem inmiddels maar al te vertrouwd waren: kapitein FitzRoy, een dapper, maar gekweld mens; luitenant-ter-zee Wickham, zwierig met een marinepet; Philip Gidley King, in een Byronachtige pose; Jemmy Button, met een ondoorgrondelijke uitdrukking op zijn ronde gezicht; Matthews, de piepjonge missionaris, met lang, piekerig haar en een vollemaansgezicht.

Hij bestudeerde een paar aquarellen van het schip, gemaakt door Conrad Martens. Op een daarvan lag de *Beagle* voor anker bij Papeete, op Tahiti, een kleine streep bruin in een vredige haven omringd door palmen. Op de andere was een groepje schepen te zien, voor anker bij Dawes Point, Sydney, sommige met de zeilen gehesen, klaar om te bollen in de wind.

En ineens wist hij het. Hij dacht aan de tekening van Darwin en McCormick, aan weerskanten van de boom. Plotseling begreep hij de betekenis van die tekening. Natuurlijk! Dat was het geheim. Dat was wat Lizzie meteen had begrepen. Wat stom dat hij daar niet meteen op was gekomen!

Hij haalde de tekening uit de la. Het ging er niet om wáár die was gemaakt; de aanwijzing zat in wíé hem had gemaakt. Conrad Martens, niet Augustus Earle, en Martens was pas halverwege de reis, in Montevideo, aan boord gekomen.

Dus dat was het belang van de tekening! Die was het duidelijke bewijs dat McCormick uiteindelijk toch niet in Rio van boord was gegaan. Hij was gebleven, Darwins eeuwige rivaal; jaloers, ambitieus, gewetenloos. En Darwin had over zijn aanwezigheid gelogen. Lizzie had gelijk: haar vader had zich, om welke reden dan ook, schuldig gemaakt aan een afschuwelijke vorm van bedrog. Maar waarom?

22

De laatste dag op de Galápagoseilanden zou – voor Charles en Fitz-Roy – het tragische dieptepunt van de hele reis worden. Er was echter niemand van de bemanning die wist wat er werkelijk gebeurde, of kon hebben vermoed hoe cruciaal die dag voor de toekomst van alle betrokkenen zou blijken te zijn.

Die ochtend gingen Charles, FitzRoy en McCormick met de sloep naar Albemarle, het grootste eiland, om onderzoek te doen naar de daar aanwezige vulkanen. Ze hadden ze van een afstand geobserveerd en waren gefascineerd geraakt door de zuilen van rook die opstegen naar de hemel en door de periodieke uitbarstingen waarbij vuur te zien was.

Albemarle telde vijf vulkanen, en de grootste daarvan – de Wolf – was actief. Al dagen lang klonk er gerommel en beefde de grond. Die ochtend hadden de drie mannen geboeid toegekeken terwijl er een wervelende, witte wolk opsteeg uit de vulkaan, naar een hoogte van bij benadering tienduizend meter klom en zich vervolgens als een enorme, inzakkende tent uitspreidde aan de hemel. Een zachte bries voerde fijne as met zich mee, zodat de *Beagle* met een dun laagje wit poeder werd bedekt.

Charles wilde proberen zo dicht mogelijk bij een vulkanische krater te komen, om rotsmonsters te kunnen nemen die boeiender informatie zouden bevatten dan het gewone tufsteen waarmee de grond aan de voet van de kegelvormige bergen bezaaid lag. FitzRoy, nog niet helemaal hersteld van zijn zenuwinzinking, wilde graag een daad stellen om te laten zien wat hij waard was; en McCormick was niet van plan Charles de kans te geven als enige roem te vergaren. Daar moest hij bij zijn.

Vier bemanningsleden roeiden het drietal naar het eiland, waar ze de boot op het strand trokken en strikte orders kregen te blijven wachten. Het was hun aan te zien dat ze het liefst meteen rechtsomkeert zouden hebben gemaakt. De talloze rimpelingen op het water van de baai, alsof de zee elk moment het kookpunt kon bereiken, trokken een zware wissel op hun toch al gespannen zenuwen.

Op het moment dat Charles aan land stapte, besefte hij dat er iets merkwaardigs aan de hand was. Pas toen hij de bomenrij bereikte en achterom keek, kon hij er de vinger op leggen: er lagen geen zeerobben op het strand. Sterker nog, er was geen enkele vorm van dierlijk leven te bekennen, zelfs de vogels ontbraken. Het was doodstil op het eiland, het enige geluid was het gerommel dat af en toe diep in het hart van de vulkaan weerklonk.

Ze gingen op zoek naar een pad omhoog en besloten uiteindelijk een droge rivierbedding te volgen. Door de talloze rotsblokken viel het niet mee een plek te vinden om hun voeten neer te zetten, maar er waren in elk geval geen takken en klimranken die hun voortgang belemmerden. Na ongeveer een uur was de bedding helemaal overwoekerd door varens en kleine lantana-struiken, waarvan de witte bloemen bruin waren geschroeid door de hitte.

FitzRoy ging voorop en hield er stevig de pas in. Daarachter kwam Charles, gewapend met zijn gebruikelijke instrumenten: een zakmicroscoop, een kompas, een geologische hamer, en achter zijn riem had hij zijn ploertendoder geklemd. McCormick, die het middagmaal bij zich had, sloot de rij en hijgde als een pakpaard.

Ten slotte kwamen ze bij een open plek op de helling. Diep beneden zich konden ze een lagune zien, aan de zeekant omsloten door gestolde, zwarte lava. Daarachter lag de oceaan, en heel ver weg konden ze – piepklein – de *Beagle* onderscheiden.

Charles beweerde dat de lagune zelf ooit de krater van een vulkaan was geweest. 'Kijk nou toch eens!' voegde hij eraan toe. Hij had zijn kompas tevoorschijn gehaald en op een steen gelegd. De naald bewoog wild heen en weer en draaide alle kanten uit, in plaats van het noorden aan te geven. 'De vulkaan verstoort het magnetisch veld,' legde Charles uit.

'Voelt u dat? Die trillingen?' vroeg McCormick, die was gaan zitten en zijn handen plat op de grond drukte. Hij klonk nerveus.

Charles volgde zijn voorbeeld, en onmiddellijk werd hij zich bewust van de trillingen, hoewel hij vrijwel meteen besefte dat ze niet afkomstig waren uit de aarde, maar zich in de lucht om hen heen bevonden. Een dergelijke vorm van atmosferische storing was een teken dat er een vulkanische eruptie dreigde, had hij eens gelezen.

FitzRoy haalde een dikke plak gezouten rundvlees uit de rugzak van McCormick, sneed die met zijn jachtmes in repen en deelde ze rond, samen met een brood waar ze stukken af scheurden. 'Ik ben bang dat we ons wat moed in moeten drinken,' voegde hij er lachend aan toe, terwijl hij de glazen royaal volschonk met rode wijn.

Moe als ze waren, hadden ze geen energie om hun tocht meteen na het middagmaal voort te zetten. Bovendien hield FitzRoy de glazen gevuld, tot ze uiteindelijk twee flessen soldaat hadden gemaakt. Daarop leunde de kapitein achterover, hij legde zijn hoofd op een stuk hout en trok zijn hoed over zijn gezicht.

Nadat ze enige tijd hadden gerust, deed Charles zijn ogen open. FitzRoy en McCormick lagen nog in diepe rust, zag hij. Het leek wel alsof de trillingen krachtiger waren geworden. Bovendien was hij zich bewust van een geur van brandende zwavel. Op de helling achter zich ontdekte hij een stroom gestolde lava. Haastig krabbelde hij overeind, hij begon de lava met zijn hamer te bewerken en ontdekte een ader van gladde, donkere obsidiaan. Hij hakte er een stuk af en stopte dat in zijn zak.

Toen hij terugkeerde bij de anderen, zag hij dat McCormick inmiddels wakker was. De twee keken elkaar aan, Charles gebaarde met zijn hand naar de top, en zonder een woord te zeggen stond McCormick op en knikte. Samen gingen ze op pad, de slapende FitzRoy achterlatend. Om hen heen werden de trillingen in de lucht steeds krachtiger.

Na een uur bereikten ze de top van de krater. De hitte steeg in trillende golven naar de hemel, hun gezicht begon te gloeien en ze zagen zich gedwongen oppervlakkig adem te halen. Verbaasd keken ze naar beneden, langs een zuil van groengele rook, vermengd met as, in de diepe, schotelvormige krater. Langs de rand liep een golvende, glimmend zwarte korst. In het midden borrelde een meer van gesmolten rode en gele lava, die af en toe een zuil rook uitbraakte, afgewisseld met een diep gerommel.

Een meter of zeven beneden hen bevond zich een richel met brokken steen die er anders uitzagen dan Charles ooit had gezien: diepzwart andesiet, de steensoort die in de klassieke oudheid in de Vesuvius moest zijn aangetroffen. Hij besefte dat het mogelijk was naar de richel te klauteren. De binnenwand van de krater liep niet loodrecht naar beneden. Het eerste stuk zou hij gewoon kunnen lopen, en daarna zag hij meer dan genoeg punten van houvast voor zijn handen en voeten. Dus het moest te doen zijn.

En welke verkenner had ooit de moed gehad om aan zo'n gewaagd avontuur te beginnen?

De zeelieden op het strand waren al vrij snel hun angst kwijtgeraakt en begonnen zich te vervelen. Ze zwierven over het strand heen en weer, waarbij ze ervoor waakten niet te ver van de boot weg te lopen, en bedachten van alles om de tijd te doden, zoals een wedstrijd speerwerpen met lange stukken drijfhout. Uiteindelijk gingen ze in de schaduw van de sloep liggen, in afwachting van wat komen ging. Bij de eerste knal schoten ze overeind. Het klonk alsof er een kanon werd afgeschoten, alleen luider en heel dichtbij. Nerveus keerden ze zich naar de horizon, waar de *Beagle* nog altijd voor anker lag, even buiten de ingang van de baai.

Toen voelden ze de trillingen, een verontrustende sensatie alsof de grond onder hun voeten zich elk moment kon openen. Weer klonk er een weergalmende knal, ergens boven hen, vergezeld van een explosie van rook. De vulkaan braakte een fontein van puimsteen uit, die als hagelstenen op het strand neerdaalde, gevolgd door wolken as, zodat alles werd bedekt met een grauwwitte laag.

De bemanningsleden overlegden wat hun te doen stond. Het was ondenkbaar dat ze hun kapitein in de steek lieten, maar ze maakten de boot wel vast gereed voor vertrek en duwden hem het water in. Drie van de zeelui gingen erin zitten, de vierde bleef aan land, hield het touw vast. Zo wachtten ze geruime tijd, niet wetend wat anders te doen.

Ten slotte zagen ze twee gedaanten in grote haast de helling afkomen, het strand bereiken en over het zand naar hen toe rennen: de kapitein en Filos. De zeelieden keken verbouwereerd toe, maar er kwam geen derde.

Op het moment dat het tweetal de boot bereikte, klonk er opnieuw een enorme knal hoog in de lucht, als voorbode van de volgende uitbarsting.

Terwijl ze over de rand klommen en zich in de boot lieten vallen, bulderde de kapitein – in paniek en buiten adem – de opdracht om te vertrekken. 'Nu! Meteen!'

Ze waren halverwege op de terugweg naar de *Beagle* toen een van de zeelieden de vraag durfde te stellen: 'Wat is er met McCormick gebeurd?'

De anderen bogen zich voorover om het antwoord van Charles te kunnen horen.

Hij sprak zo zacht, dat ze hem nauwelijks konden verstaan, zeker met het gerommel van de vulkaan op de achtergrond. 'Verongelukt.'

Die avond, tijdens het diner in de hut van de kapitein, deden Charles en FitzRoy er gedurende het grootste deel van de maaltijd het zwijgen toe.

Ten slotte gooide Charles, nog altijd te zeer van streek om ook maar een hap door zijn keel te kunnen krijgen, zijn servet op tafel. 'Ik zie niet in welk belang ermee gediend zou zijn wanneer we vertelden wat er vandaag is gebeurd,' zei hij met een kalmte die niet overtuigend klonk. 'Hij is op een gruwelijke manier om het leven gekomen, en zijn familie zou buitengewoon van streek zijn daar tot in de bijzonderheden over te lezen... wanneer het tijd wordt ons verslag van deze reis op schrift te stellen. Ik neem aan dat u dat met me eens bent.'

FitzRoy keek hem doordringend, onderzoekend aan.

'In het licht van de geschiedenis en van deze hele onderneming is het incident nauwelijks meer dan een voetnoot,' vervolgde Charles. 'Wat de Admiraliteit betreft, die zult u natuurlijk moeten inlichten. Maar dat kan ook heel... terughoudend gebeuren.'

FitzRoy zei niets. Hij besefte dat zijn tafelgenoot een gezag uitstraalde dat deze daarvoor niet had bezeten.

'Ik neem aan dat u de Admiraliteit hebt laten weten dat hij in Rio zijn congé heeft gekregen?'

'Dat klopt.'

'En dat het besluit werd herroepen?'

'Inderdaad.'

'Hoe dan ook, het was een gruwelijke manier om dit leven te verlaten. Ik kan er niets aan doen dat ik me verantwoordelijk voel.'

'Dat is ten onrechte. U moet uzelf geen verwijten maken,' antwoordde de kapitein. 'Ik ben ervan overtuigd dat u hebt gedaan wat u kon.'

De volgende morgen hees de *Beagle* al vroeg de zeilen en zette in volle vaart koers naar het westen, waarbij het schip honderdvijftig zeemijlen per dag aflegde. De rest van de tocht om de wereld verliep zonder incidenten.

Na veel omzwervingen voer het schip op een regenachtige zondag het Kanaal in en legde aan in Falmouth. FitzRoy gaf opdracht tot een laatste dienst aan boord, om dank te zeggen voor de behouden terugkeer. Vanwege het slechte weer moest de dienst benedendeks worden gehouden. De regen beukte op de planken boven de hoofden van de bemanning, terwijl de kapitein passages las uit Genesis, onder andere over Adam en Eva, en over Gods wraak toen Hij hun zonde ontdekte: *Wat hebt gij gedaan?*
Het was 2 oktober 1836.

23

Lieve Mary Ann,

Ik heb je heel lang niet geschreven, waarvoor mijn verontschuldigingen. Een excuus heb ik niet; in elk geval niet dat ik het te druk heb gehad. Integendeel, er is maar weinig om mijn dagen mee te vullen. Ik ben gestopt met het voorlezen aan de vrouwen in Highgate en blijf tegenwoordig dicht bij huis. Papa, Mama en ik zijn in een soort vaste routine terechtgekomen die altijd dezelfde is. Tegenstrijdig als dat mag klinken, lijken de dagen daardoor niet alleen langzamer te gaan, maar het is tegelijkertijd alsof de tijd vliegt. We staan om zeven uur op, gebruiken de warme maaltijd op het middaguur. Elke avond om halfelf, na twee partijen backgammon en een snuif tabak, snuit Papa zijn neus; je zou de klok erop gelijk kunnen zetten. Dan loopt hij langzaam de trap op, en we gaan allemaal naar bed. Ik ontleen plezier aan kleine dingen en kan uren achtereen doorbrengen met mijmeren. Ik zal je een voorbeeld geven.

Vandaag, even voor het middaguur, vergezelde ik Papa op zijn wandeling over de Sandwalk. Het was alweer enige tijd geleden dat ik dat voor het laatst had gedaan. Zoals altijd liepen we door de tuin naar de achterkant van ons bezit. Voorbij de houten deur in de hoge haag sloegen we links af, en we begonnen het pad op en neer te lopen. Ik weet niet waarom, maar ik was in een buitengewoon nostalgische bui en begon terug te denken aan het verre verleden. Misschien was er iets in het spel van de zonnestralen door de boomtakken wat aanleiding gaf tot die gedachten.

Het pad ziet er nog net zo uit als ik het me uit mijn jeugd herinner. Het eerste stuk ligt in de zon, volgt de bosrand en biedt uitzicht op de vallei. De wei was al tot leven gewekt door het seizoen en bood een zomerse aanblik dankzij de talloze grasklokjes en margrieten. Aan het eind van het pad kwamen we bij het verlaten zomerhuis, waar we vroeger uren speelden; een denkbeeldig koninkrijk waar we veranderden in dappere prinsen en schone jonkvrouwen. Ik kon de draken die we met krijt op de muren hadden getekend nog vaag onderscheiden. Daar aangekomen maakten Papa en ik rechtsomkeert en liepen we over de andere kant van het pad terug, nu onder het dichte baldakijn van boomtakken, zo donker als een tunnel. Ik weet nog dat we het daar vroeger altijd griezelig vonden. Wanneer we nog laat buiten waren, tegen het vallen van de avond, veranderden de vertrouwde bomen in monsters: de holle es leek een mensenetende reus, de olifantboom met zijn knoestige takken een groteske gigant. Ik rende er altijd met een grote boog langs, terwijl mijn hart bonsde, uit angst dat de bomen hun takken zouden uitstrekken en me bij mijn haren zouden grijpen.

Nadat Papa en ik weer op het beginpunt waren aangekomen, besloten we nog een ronde te maken. In mijn herinnering zag ik een – willekeurige – stoet beelden langstrekken. In gedachten hoorde ik het geblaat van de pasgeboren lammetjes in de lente, het geluid van de zeisen die werden gewet in augustus, wanneer het tijd was om te maaien. Ik herinnerde me dat we langs de deuren gingen met kersentakken, om geld in te zamelen voor de Meiboom, en dat we ons tijdens de oogst verstopten in de hooiwagens. Ik verbeeldde me het holle geluid – *plok!* – te horen van croquetballen die op het gazon tegen elkaar botsten, en het gesis van aardappels die werden geroosterd in de as van een open vuur. Op een keer nam Papa me mee naar een tentoonstelling aan Regent Street, waar ik voor het eerst een duikerklok zag en op een machine ging staan die wist te vertellen hoeveel ik woog. Er was ook een glasblazer, die ik vol bewondering gadesloeg. Hij gaf me een volmaakt, kristalhelder paardje, en toen tijdens de rit in het rijtuig naar huis zijn beentje brak, barstte ik in snikken uit. Papa sloeg zijn armen om me heen en probeerde – tevergeefs – me te troosten. Ik dacht aan die keer dat hij met me naar de fotostudio ging, waar een daguerreotypie van me werd gemaakt, in een witte jurk met een kanten kraag, en in mijn haar een zwart fluwelen band die zo strak om mijn hoofd zat dat het pijn deed. Ik weet nog dat de zon scheen en dat ik mijn best deed geen vin te verroeren, terwijl de fotograaf bezig was. Ik herinnerde me ook dat Mama ons voorlas uit John Bunyan; dat we ons verzamelden om haar wijde rokken en luisterden naar de belevenissen van de christenen die de Stad der Verwoesting ontvluchtten en de Hemelse Stad bereikten, waar de straten met goud geplaveid waren en waar gekroonde mannen op gouden harpen tokkelden om Gods lof te zingen.

Ik herinnerde me dat we verstoppertje speelden, waarbij ik altijd als laatste werd gevonden. En hoe ik me onzichtbaar maakte in de biljartkamer, om de gesprekken van de grote mensen af te luisteren. In gedachten zag ik me weer de kamer van de kleine Horace binnen lopen, waar hij met Camilla, onze Duitse gouvernante, in bed lag, onder de dekens. Ik herinnerde me dat ze verward en geschrokken rechtop gingen zitten en me lieten beloven dat ik tegen niemand iets zou zeggen. En ik dacht aan de jongen van Lubbock die ik had gekust in de holle walnotenboom. Aan hoe het was als ik ziek was en Mama zich over me heen boog, zodat ik haar heerlijke geur kon ruiken, terwijl Papa aan het voeteneind van mijn bed stond, met rimpels van bezorgheid op zijn voorhoofd.

Al lopend keek ik naar Papa, die verdiept leek in zijn eigen gedachten. Toen we langs een bergje vuurstenen kwamen, dacht ik eraan hoe hij ze vroeger, in de tijd dat hij aan zijn theorie werkte, had weggetikt met zijn stok, een voor elke ronde, om bij te houden hoeveel hij had gelopen. Die charmante gewoonte heeft hij afgezworen. En terwijl hij enigszins onvast over het vertrouwde pad tussen het kreupelhout liep, leek hij me ineens heel oud en verdrietig, zo diep voorover gebogen dat zijn witte baard zijn borst raakte en zijn mantel veel te wijd leek voor zijn afhangende schouders. Het getik van zijn stok op het pad klonk als het geluid van de tijd die verstreek, als het tikken van de grote staande klok in de hal, die de dagen aftelt tot de Dood zijn oogst komt binnenhalen.

Toen we jong waren, stuurde hij ons altijd op pad om kevers te zoeken. Dan waaierden we uit over de weiden en modderbanken, joelend als indianenverkenners. We keken onder stenen en inspecteerden oude, verrotte boomstammen op zoek naar insecten, en ik was altijd degene die hem de grootste schat wist te brengen. Dan noemde hij me Diana, de snelvoetige en lieftallige, zijn eigen godin van de jacht.

Ik moet ervan blozen dat ik je dit allemaal vertel, en dat ik zo langdurig over mezelf aan het woord ben.

Voor altijd de jouwe,
Bessie

24

Beth was er eindelijk in geslaagd het bolwerk van Spenser, Jenkins & Hutchinson binnen te dringen en werd toegelaten tot het heilige der heiligen: het met hout gelambriseerde kantoor van de oude Alfred P. Jenkins zelf. Nadat ze een stapel documenten had overgelegd waarmee haar identiteit werd bewezen, kreeg ze eindelijk het pakket van Lizzie overhandigd, dat al sinds 1882 in de kluis van de advocatenfirma lag. Het werd haar aangereikt op twee uitgestoken handen, alsof het de kroonjuwelen betrof.

Ze belde Hugh, omdat ze dit moment met hem wilde delen. 'Het laatste stukje van de puzzel,' zei ze ademloos door de telefoon. 'Ik zie je over een uur in Christ's College.' Op zijn vraag waarom ze die locatie had gekozen, zei ze grinnikend: 'Omdat een geslaagde zoektocht naar een schat een fraaie uitsmijter verdient.'

Vanaf Hobson Street liep Hugh de zuilengang binnen onder de vijfhoekige torens. Het ronde gazon op de binnenplaats was zo stralend groen dat het bijna pijn deed aan zijn ogen. Eromheen liep een pad van gladde stenen. Aan alle kanten verhieven de eeuwenoude muren van het bouwwerk zich drie verdiepingen hoog. In elke muur bevonden zich vier afzonderlijke ingangen en volmaakt geproportioneerde, rechthoekige ramen, waarvan sommige waren voorzien van bloembakken met een waterval van roze en witte bloemen.

Tegen een van de muren was een wapen aangebracht, met daaronder de spreuk Souvent Me Souvient, die hij bijna zonder nadenken vertaalde: 'Gedenk Mij Veelvuldig'. Daaronder stond – hoe toepasselijk – Beth. Ze had een mand bij zich.

Zodra ze hem zag, kwam ze met een duivelse grijns op haar gezicht naar hem toe. 'Kom mee.' Ze schoof haar arm door de zijne. Ze ging hem voor naar de verre muur, naar de ingang met de letter G erboven. Het trappenhuis daarachter was blauw geschilderd. Ze beklommen de trap naar de eerste verdieping. Daar haalde ze een sleutel tevoorschijn, ze deed een deur aan hun rechterhand open en stapte opzij om hem voor te laten gaan. 'Herken je het?' vroeg ze.

'Herken ik het? Hoe zou ik het kunnen herkennen? Ik ben hier nog nooit geweest.'

'En ik dacht nog wel dat je zo'n Darwin-deskundige was.'

'O, ik snap het al! Dit is zijn oude kamer.'

Hij keek om zich heen. De kamer bezat een zekere sjofele voornaamheid, zoals de meeste studentenkamers in Cambridge. De bakstenen haard was voorzien van een marmeren schoorsteenmantel, het kussen van de nis in het raam was versleten, de mahoniehouten lambrisering gekrast en gebutst. Een kleine kristallen luchter hing tussen twee balken die diep in het pleisterwerk waren ingebed. De vloer was van eiken planken, eeuwenoud en hard als staal. Merkwaardig, hoe het besef dat Darwin hier als jongeman had gewoond, de kamer een ander aanzien gaf.

'Wordt hij niet gebruikt?'

'Het trimester is net afgelopen, dus de meeste studenten zijn naar huis.'

'Hoe ben je aan de sleutel gekomen?'

'Van de portier. Het is hem al zo vaak gevraagd dat hij hem gewoon geeft. De fooi is ook gezakt: die is inmiddels nog maar vijf pond.'

Ze gingen naast elkaar op een smoezelige bank vol kuilen en bulten zitten.

Beth reikte in de mand en haalde er een dikke, groene fles uit met een etiket in de vorm van een schild – *Dom Pérignon* – en twee flutes. 'Die is voor straks,' zei ze. Toen haalde ze een dunne aktetas tevoorschijn, deed de rits open en hield een pakketje omhoog, gewikkeld in verbleekt bruin papier en dichtgebonden met twijndraad.

'Je wil me toch niet vertellen dat je er nog niet in hebt gekeken?' vroeg hij. 'Je kan niet eens van andermans dagboeken afblijven!'

'Ik heb er nog niet in gekeken, want ik vond het leuker om dat samen te doen. Het enige wat ik heb gelezen, is de bijgevoegde brief.' Met die woorden deed ze een plastic map open waaruit ze verschillende vellen briefpapier haalde, teer als de vleugels van een nachtuil. 'Dit is een brief van Lizzie aan haar dochter. Ga rustig zitten, dan lees ik je hem voor.' Ze begon op enigszins theatrale toon, maar werd al spoedig ernstig; bijna alsof de echo van Lizzies denkbeeldige stem zich vermengde met de hare, dacht Hugh.

26 april 1882

Down House
Downe, Kent
Engeland

Mijn allerliefste Emma,
Ik schrijf je als degene die je ter wereld heeft gebracht en die je
dierbaarder zou zijn geweest dan wie ook in dit leven, ware het
niet dat zich een rampzalige reeks gebeurtenissen heeft voorgedaan, die zo verdrietig zijn dat ik er niet over kan praten. Toen je
nog maar een zuigeling was, amper een dag oud, werd je uit mijn
armen gerukt, omdat je was verwekt in een roekeloze passie die
zich niet liet verloochenen, en omdat je buiten het huwelijk werd
geboren. Daarvan kan ik alleen mezelf de schuld geven, en dus
smeek ik je om vergiffenis voor deze ongelukkige stand van zaken
en voor alles wat daaruit is voortgevloeid. Omdat het onvermijdelijk is dat je althans iets van mijn temperament hebt geërfd, kan ik
alleen maar bidden dat compassie je oordeel over mijn beschamende handelwijze zal verzachten en dat je, naarmate de tijd ver-
strijkt, misschien niet echt begrip zult kunnen opbrengen voor mijn
daden, maar in elk geval mild genoeg zult zijn om niet met afschuw
aan me te denken.
Ik heb niet de garantie dat deze brief je zal bereiken. Ik stuur hem
via het kantoor van de Children's Aid Society, het bureau dat je
plaatsing heeft geregeld. Hoewel me te verstaan is gegeven dat het
bureau geen contact toestaat tussen de geadopteerde kinderen en
de moeders die afstand hebben gedaan van hun rechten – een
noodzakelijk beleid, schijnt het, om de kinderen in staat te stellen
een nieuw leven te beginnen, zonder nog met ketenen aan het verleden te zijn gebonden – koester ik de hoop dat er in dit geval misschien een uitzondering wordt gemaakt, omdat meneer Charles
Loring Brace een goede bekende is van mijn vader. Dat zou betekenen dat deze brief uiteindelijk toch zijn weg vindt naar jou.
Mocht de Society besluiten hem je níét toe te zenden, dan blijft
deze brief in het bezit van hun advocaten, die vervolgens zullen
beslissen wat ermee gebeurt, zoals me is verzekerd.
Ik schrijf je om je iets te vertellen over je gerenommeerde afkomst

en om je een bijzonder document te schenken. Je zult het belang daarvan meteen inzien wanneer ik je vertel wie het heeft geschreven en onder welke omstandigheden. Ik heb niet kunnen besluiten wat ik ermee aan moest, want ik werd heen en weer geslingerd tussen twee mogelijkheden die elkaars tegenpool waren: het document openbaar maken of het vernietigen; in beide gevallen waren er argumenten die zowel voor als tegen pleitten. Mocht deze brief – en daarmee het document – je bereiken, dan is mijn opdracht aan jou dat je het gedurende een lange periode bewaart. Pas wanneer de tijd de hartstochten heeft afgevlakt en het geheugen van de betrokkenen heeft versluierd, is het aan jou om een gepast besluit te nemen wat ermee te doen, mogelijk met de afstand van een jong continent en met de wijsheid die een nieuwe tijd aan je overwegingen verleent. Kort gezegd, ik geef je een geschenk, maar ik belast je ook met een zware verantwoordelijkheid.

Via mijn ouders, je grootmoeder en grootvader, die neef en nicht waren, stam je van voorname familie. De Darwins hebben generaties lang doktoren en geleerden voortgebracht, en de Wedgwoods hebben naam gemaakt als fabrikanten van porselein. Erasmus Darwin, de grootvader van je grootvader, was de beroemde dichter en filosoof; een van de eerste geleerden die de theorie omhelsde van wat tegenwoordig de evolutie wordt genoemd, ook al deed hij dat zonder enig begrip van het mechanisme daarvan. Die cruciale ontdekking kwam op naam te staan van je grootvader, Charles Darwin, de beroemde naturalist. Zoals je ongetwijfeld weet, komt hem de eer toe van de conclusie dat de natuur zelf, geconfronteerd met een variëteit aan schepselen, die vaak slechts minimale onderlinge verschillen vertonen, zorgt voor een selectie waardoor de meest geschikte overleven, op die manier de omstandigheden creërend voor het ontstaan van nieuwe soorten. Deze theorie heeft hem beroemd gemaakt, omdat daarmee het bijbelse verhaal, volgens welk God alle soorten zou hebben geschapen, die vervolgens tot het eind der tijden onveranderd bleven, werd tegengesproken. Naarmate zijn leer in steeds bredere kringen werd aanvaard, mede dankzij de inspanningen van een handvol welsprekende pleitbezorgers, verwierf je grootvader een gewaardeerde en gerespecteerde positie in de Engelse samenleving.

Vandaag is Papa (zoals ik hem bijna al mijn vierendertig jaar heb genoemd) ter ruste gelegd in Westminster Abbey, vandaar mijn behoefte je te schrijven. Het is een grote eer daar te worden bijgezet, vooral voor een vrijdenker (een dierbare vriendin van me, Mary Ann Evans, werd dat voorrecht nog maar twee jaar geleden ontzegd). Papa wilde vlak bij huis begraven worden, op het kerkhof in Downe, Kent, bij St. Mary's. Na zijn dood werd er echter met zijn wens geen rekening gehouden en werd Papa overstemd door zijn bewonderaars, onder wie Thomas Henry Huxley, zijn jarenlange voorvechter, die vonden dat bijzetting in de Abbey Papa's recht was en dat daardoor – niet toevallig natuurlijk! – de wetenschap aan status zou winnen. Ze voerden een campagne waarin machtige figuren een goed woordje deden bij de Kerk, en hun petitie werd aangenomen in de Houses of Parliament.

Laat me je de plechtigheid van vandaag beschrijven. Ik hoop dat mijn beschrijving een fundament van respect voor je grootvader zal leggen, en dat dit fundament ondanks de hierna volgende onthullingen niet volledig zal worden ondermijnd. Je grootvader was een man die in brede kring werd vereerd. Gisteren trokken vier paarden de lijkkoets van Downe naar Westminster, een reis die de hele dag duurde. Ondanks de afschuwelijke motregen stond er langs de hele weg publiek. Voorname heren namen hun hoed af, om je grootvader hun respect te betuigen. Vannacht werd er een wake gehouden in de schemerig verlichte Chapel of St. Faith en vanmorgen stroomden mensen uit alle windstreken de Abbey binnen. De koningin was er niet, en meneer Gladstone evenmin, maar talloze andere notabelen vulden de kerkbanken: rechters in rouwkledij, leden van het parlement, ambassadeurs van diverse landen, vertegenwoordigers van wetenschappelijke sociëteiten en vele anderen. Onze familie was er natuurlijk ook, behalve Mama, die thuisbleef. Ze ging te zeer gebukt onder haar verdriet om aanwezig te kunnen zijn. Het deed me goed om te zien dat zich onder de menigte, die zo groot was dat de belangstellenden tot buiten op de treden stonden, ook veel gewone mensen bevonden, zoals Parslow, onze vroegere butler. Op het middaguur liepen de hoogwaardigheidsbekleders – onder het luiden van de klok – langs de kist, die was bedekt met zwart fluweel met daarop een witte bloesemtak. Het koor zong een hymne uit het boek Spreuken, die begon met de woorden 'Welzalig de mens die wijsheid vindt, de mens die verstandigheid krijgt'.

De dienst was kort en niet overdreven religieus, wat Papa gepast zou hebben gevonden. Daarna droegen de baardragers, onder wie Alfred Russel Wallace, de man die eervol wordt genoemd als mede-ontdekker van de theorie (en die meneer Huxley was vergeten uit te nodigen, een nalatigheid die hij pas op het allerlaatst besefte) de kist naar de noordoosthoek van het schip, waar hij werd bijgezet onder het monument voor sir Isaac Newton.

Ik wil je graag iets vertellen over de omstandigheden waaronder je grootvader is overleden, en ik smeek je daar kennis van te willen nemen. Het helpt je misschien hem te begrijpen wanneer ik een zo volledig mogelijk beeld van hem schets. Je grootvader – mijn Papa – was al enige jaren sterk verzwakt. Eigenlijk zou je kunnen zeggen dat zijn gezondheid zijn hele leven, sinds zijn terugkeer van de reis met de *Beagle*, slecht is geweest. Dat blijkt uit de omvangrijke, bijna dagelijkse verslagen die hij maakte. Zijn laatste jaren verliepen in het comfort van een dagelijkse routine die altijd en tot in de kleinste bijzonderheden dezelfde was, ook al kenden die jaren, zoals je zult ontdekken, wel degelijk hun innerlijke tumult.

Acht maanden voor zijn dood werd hem een zware slag toegebracht door het overlijden van Erasmus, zijn dierbare oudere broer. Daarop geraakte je grootvader in het drijfzand van een depressie, ervan overtuigd dat hij een dodelijke ziekte onder de leden had. Vorige maand, om precies te zijn op zeven maart, kreeg hij een aanval terwijl hij alleen zijn gezondheidswandeling maakte op een speciaal daarvoor aangelegd pad in onze tuin. Hij slaagde er amper in terug te keren naar het huis en lag vervolgens dagenlang op de bank. Een jonge arts wist hem er echter van te overtuigen dat zijn hart hem niet in de steek had gelaten, en uiteindelijk krabbelde hij weer op. Hij ging zelfs af en toe een luchtje scheppen in de tuin, waar de lente zich inmiddels aandiende. Je tante Henrietta kwam op bezoek en bleef verscheidene weken, en diverse doktoren – vier in totaal – liepen in en uit. Het merkwaardige was dat ze alle vier andere medicijnen voorschreven en prognoses deden die met elkaar in strijd waren.

Afgelopen dinsdag, achttien april, begon het slechter met Papa te gaan. Even voor middernacht kreeg hij hevige pijn aan zijn hart. Hij maakte Mama wakker, die uit haar slaapkamer kwam toesnellen. Haastig ging ze de amyl halen, maar in haar paniek raakte ze verward, dus ze riep mij om hulp. Tegen de tijd dat we zijn medicijnen hadden gevonden – in de studeerkamer – en terugkwamen in zijn slaapkamer, lag hij in elkaar gezakt dwars over het bed, en hij zag eruit alsof het elk moment afgelopen kon zijn. Mama schreeuwde het uit, waardoor de bedienden werden gewaarschuwd. We slaagden erin hem de capsules te geven en probeerden hem wat cognac te laten drinken. Het meeste kwam op zijn baard en zijn nachthemd terecht, maar hij leefde weer een beetje op. Plotseling sperde hij zijn ogen wijd open, hij braakte in een kom, en hoewel hij hevig trilde, was hij eindelijk in staat iets te zeggen. Toen deed hij iets wat ik nooit zou hebben verwacht van een verstokt atheïst: nadat hij Mama dicht naar zich toe had getrokken, fluisterde hij haar dringend, bijna smekend in het oor een priester te laten halen. Ik vond de gretigheid waarmee ze aan zijn wens gehoor gaf, hartverscheurend. Want het bleek dat Papa's smeekbede een list was, zij het geen kwaadaardige; hij wilde eenvoudigweg even met mij alleen zijn. Hij had me iets belangrijks te vertellen, iets wat hij alleen tegen mij kon zeggen.

Ik moet nu even teruggaan in de tijd, om je te vertellen dat Papa en ik gedurende een lange tijd een nogal stormachtige relatie hadden... eigenlijk al sinds ik nog maar een klein meisje was. De oorzaak kan hebben gelegen in het feit dat we erg verschillend van aard waren (iets waarover ik in dit bestek niet verder zal uitweiden), maar daarnaast waren verschillende feiten omtrent Papa's werk die ik boven tafel had weten te krijgen een belangrijke reden. Ik had aanwijzingen gevonden dat er iets onbetamelijks was gebeurd tijdens de vijf jaar dat mijn vader met de *Beagle* om de wereld reisde. Ik zal hier niet alle bijzonderheden vermelden; laat ik volstaan met te zeggen dat ik – niet zo lang voordat jij werd geboren – het bewijs in handen kreeg dat hij niet de grote, diepzinnige denker was die de wereld in hem zag, maar iemand van een andere morele orde. Ik confronteerde mijn vader met dit bewijs in een brief, verstuurd vanuit de kliniek in Zürich waar ik werd gedwongen afstand van jou te doen.

In de vele jaren die sindsdien zijn verstreken, hebben mijn vader en ik de kwestie nooit besproken. Tot de nacht van zijn dood. Toen hij Mama zijn verzoek had gedaan en hij de bedienden de kamer uit had gestuurd, trok hij me naar zich toe, zoals hij dat eerder met

Mama had gedaan. Hijgend en met schorre stem verklaarde hij dat hij weliswaar niet religieus was en niet in God geloofde, maar dat hij de overweldigende behoefte had een onrecht te bekennen. En ik was de enige tegenover wie hij zich kon ontlasten, omdat ik de enige was die zijn geheim kende. Maar – en mijn bloed veranderde in ijswater – hij had nog meer te zeggen. Hij richtte zich op en klampte zich vast aan de hals van mijn nachthemd met een kracht waartoe ik hem niet meer in staat zou hebben geacht.

'Je beseft dat ik al enige jaren bezig ben met het schrijven van mijn autobiografie.'

Ik knikte en toen ik zag dat hij me vragend bleef aankijken, antwoordde ik hardop, om zeker te weten dat hij me begreep: 'Ja, Papa. Dat weet ik.'

Daarop liet hij me los, hij liet zich terugvallen op het kussen en zei, met een klank van uitputting in zijn stem: 'Maar je weet niet dat ik een hoofdstuk heb overgeslagen. Of liever gezegd, ik heb het wel geschreven, maar daarna heb ik het verborgen, omdat ik niet wil dat iemand het leest. Ik dacht dat het schrijven een kalmerende invloed zou hebben op mijn geweten, maar dat heeft niet zo mogen zijn.' Ik staarde hem aan, niet wetend wat te zeggen. Minutenlang keek hij zwijgend naar het plafond, alsof hij nog altijd niet had besloten wat hem te doen stond. Toen slaakte hij een zucht, en hij gaf me een opdracht die me verraste: ik moest de ploertendoder uit zijn studeerkamer gaan halen.

Dat deed ik, en toen ik terugkwam en hem het stuk ijzer voorhield, pakte hij het van me aan en omklemde het krampachtig. Ten slotte zei hij, gesmoord en met een brok in zijn keel, dat ik nadat hij was gestorven – niet eerder – de kist moest openmaken die onder zijn bureau stond. De sleutel zou ik vinden in de bovenste la van de kast in zijn slaapkamer. Hij keek toe terwijl ik naar de kast liep, de la opendeed en daar de sleutel van een geldkist uithaalde. Ik voelde me in verwarring gebracht terwijl ik terugliep naar het bed. Hij omklemde nog altijd krampachtig de ploertendoder, en ik moest me beheersen om hem het ding niet uit handen te nemen. Toen zei hij iets wat ik nooit zal vergeten. 'Van hen allen ben jij de enige die weet wie ik ben.' Daarop sloot hij zijn ogen, ten prooi aan een aanval van zwakte die zijn laatste krachten sloopte, zodat hij doodsbleek werd.

Even later kwam Mama de kamer weer binnen, gevolgd door een priester. Ik zei dat Papa te zwak was om te praten. Ze negeerde me en er verscheen een verraste uitdrukking op haar gezicht toen ze zag dat Papa de ploertendoder nog in zijn handen hield. Ik voelde niet de behoefte uitleg te verschaffen en liep de kamer uit, zonder nog een blik achterom te werpen. Om twee uur die nacht kwam de dokter. Hij legde mosterdpleisters op Papa's borst, waarvan Papa moest braken. 'Kon ik maar sterven,' hoorden we hem zeggen, en hij begon bloed op te geven. Zijn huid werd grijs. We voerden hem lepels whisky, en die hele nacht en de volgende morgen viel hij af en toe in slaap, waarna hij door de pijn weer wakker schrok. Tegen de middag verloor hij het bewustzijn, zijn ademhaling werd steeds oppervlakkiger, en uiteindelijk stierf hij om vier uur 's middags, op woensdag 19 april, 1882.

Ik hield me aan mijn belofte: ik opende de kist pas na zijn dood; vanmiddag, na mijn terugkeer uit de Abbey. De kist bevatte een verzegeld pakketje met daarin een stapel papier. Op de buitenwikkel stond in Papa's handschrift een citaat uit een boek dat hij jaren geleden regelmatig las, *Het paradijs verloren*, van Milton. Ik besloot het pakketje niet open te maken – tenslotte ken ik het geheim van mijn vader al jaren – en in plaats daarvan geef ik het ontbrekende hoofdstuk van zijn leven aan jou. Doe ermee wat je wilt; ik vertrouw erop dat je zult weten wat het beste is.

Weet, liefste Emma, dat er geen dag voorbijgaat zonder dat ik mezelf de grootste verwijten maak omdat ik je ben kwijtgeraakt; geen dag waarop ik niet denk dat mijn leven en het jouwe heel anders zouden zijn verlopen als ik wijzer en rechtschapener was geweest. Dan had ik je in mijn armen kunnen nemen, niet slechts gedurende die korte, vluchtige momenten, maar altijd wanneer ik daarnaar verlangde. Er gaat nauwelijks een dag voorbij waarop ik niet probeer me voor te stellen hoe je bent, hoe je eruitziet, hoe je denkt en doet. Je bent nu tien – een mijlpaal die je net deze maand hebt bereikt. In gedachten zie ik je als een sterk, gezond meisje, net zoals ik dat was, maar oneindig veel mooier.

Ik weet niets van je situatie, alleen dat je opgroeit bij een 'liefhebbend gezin' ergens in het Midwesten van de Verenigde Staten, een land dat ik alleen maar ken uit platenboeken en dat – althans bij mij – beelden oproept van wilde indianen op rooftocht. Vandaar dat ik me zorgen maak om je veiligheid, maar ik ben ervan overtuigd dat die bezorgdheid onterecht is. Ik heb een onverzadigbare honger ontwikkeld als het gaat om informatie over Amerika. Ik heb me zelfs voorgesteld dat ik het land ooit zou bezoeken, ware het niet dat ik zou worden verteerd door de gedachte aan jou en dat ik je overal zou gaan zoeken, ook al wist ik dat zo'n zoektocht gedoemd was te mislukken.

In gedachten zul je altijd bij me zijn en blijf je altijd mijn dochter.
Je liefhebbende moeder,
Lizzie

Nadat Beth de brief had gelezen, schoof ze hem weer in de plastic map, die ze zorgvuldig verzegelde. Toen keek ze Hugh aan.
'Ziehier het bewijs – als we dat nog nodig hadden – hoe wreed die Victorianen konden zijn,' zei ze met opgetrokken wenkbrauwen. 'Hoe puriteinser, hoe schijnheiliger, waar of niet?'
'Ja. En diezelfde mensen vonden dat de poten van een piano aanstoot gaven, en hingen er dus rokjes omheen. Maar die brief... heeft die al die jaren bij de een of andere advocaat in de kluis gelegen? Heeft Emma hem nooit gekregen?'
'Nee, ze heeft hem nooit gekregen. Trouwens, ze heette helemaal geen Emma. Haar nieuwe ouders noemden haar Filipa. Ik heb de bloedlijn nu helemaal uitgevogeld. Ze was mijn overgrootmoeder; volgens alle bronnen een aantrekkelijke, sterke vrouw.'
'Zitten er ook nog mannen in die bloedlijn?'
'Maar één. Haar zoon. Benjamin. Zijn dochter was mijn moeder. En zij was, zoals je weet, de eerste die te horen kreeg over de connectie met Darwin.'
'Heeft ze je daarom Elizabeth genoemd?'
'Nee, dat was puur toeval. Ik was al geboren voordat ze bericht kreeg van de advocaten. Zal ik je eens iets hartverscheurends laten zien? Kijk.' Ze gaf Hugh de map. 'Kijk hoe ze die brief heeft ondertekend.'
'Met Lizzie. Terwijl ze zich al... hoe lang... twintig jaar Bessie liet noemen. Wat zegt dat, volgens jou?'
'Ik weet het niet. Maar ik zou denken dat ze nogal wat psychische ballast meedroeg. Dat is trouwens ook geen wonder met zo'n fami-

lie; een beroemde vader die een oplichter blijkt te zijn, een moeder die lééft voor die vader, en een zuster die was overtuigd van haar eigen goedheid, ieders lieveling en oogappel.'

'En een zwager die haar verleidt en haar vervolgens laat barsten.'

'Precies.'

Hughs oog viel op het pakje. Hij pakte het op en las het citaat, in Darwins handschrift, zo lang geleden opgeschreven dat de zwarte inkt begon te bladderen.

> *Beschuldig dan niet de Natuur, zij heeft haar deel gedaan;*
> *Doet gij het uwe.*

Hij woog het pakje op zijn palm, zijn hand als een weegschaal op en neer bewegend. Het was niet zwaar.

'Wat vind je?' vroeg hij. 'Zullen we het openmaken?'

25

Down House

Ik ben erg aangedaan door de dood van mijn oudere broer, Erasmus, eerder deze maand. Als jonge knaap keek ik naar hem op, zag ik in hem mijn grote voorbeeld, en nu wens ik dat ik dat voorbeeld trouw was gebleven. Want hij was een goed mens en bleef dat tot het eind van zijn leven. Hij trouwde niet, stichtte geen gezin, noch viel hem de maatschappelijke erkenning ten deel waarop hij gezien zijn capaciteiten en aangeboren talenten recht zou hebben gehad. Toch kon hij aan het eind van zijn leven daarop terugkijken en zeggen dat hij het in alle eerzaamheid had geleid. Ik kan helaas niet hetzelfde zeggen. Meer dan vijftig jaar heb ik niet kunnen reizen, heb ik 's nachts niet kunnen slapen, heb ik geen week in volle gezondheid doorgebracht. Want het grootste deel van mijn leven rust op de tweelingpilaren van lafheid en bedrog. Ze zijn de Scylla en Charybdis waar ik al deze jaren tussendoor heb gelaveerd, op een reis van roem en fortuin. Ik heb alles bereikt wat ik wilde, zelfs meer – ik word geraadpleegd door wijze mannen van over de hele wereld die mijn woord beschouwen als het evangelie – maar ik heb geen rust voor mijn ziel kunnen vinden. Want hoe de wereld ook over me denkt, hoeveel eer me ook ten deel is gevallen, het is allemaal onverdiend. Ik ben een schurk, een bandiet, erger nog. Mijn leven is verworden tot een berg sintels, slakken. Geloofde ik in Hemel en Hel, dan zou ik, gelijk Lucifer, mijn eeuwigheid in duistere krochten slijten.

Ik wens niet te blijven stilstaan bij de bijzonderheden van mijn schande, dus ik zal mijn verhaal kort maken. Onder mijn scheepsmaten op de *Beagle* bevond zich een zekere Robert McCormick, de scheepsarts, die zich al meteen bij het begin van de reis opstelde als mijn rivaal wanneer het ging om het verzamelen van specimens. Op een gegeven moment kwamen we te spreken over de theorie van de natuurlijke selectie en de verandering van de soorten. De grootsheid van de theorie schuilt daarin dat deze inzicht geeft in de

Natuur met al haar schitterende variëteiten en het bestaan verklaart van de afzonderlijke soorten, zonder haar toevlucht te nemen tot een geloof in een Opperwezen. Ik besefte dat meneer McCormick de kern van de theorie had begrepen en ik wist dat degene die deze als eerste aan de beschaafde wereld zou presenteren, blijvende wetenschappelijke roem zou oogsten.

Ik verdrong mijn gevoelens ten aanzien van meneer McCormick echter en was niet van plan hem te schaden, ondanks diverse aanwijzingen dat hij er niet voor terugdeinsde mijn leven in gevaar te brengen. Om maar één voorbeeld te noemen: op de Galápagos-eilanden verleidde hij me tot het duiken in water waar haaien zwommen. Gelukkig zijn de dieren op die geïsoleerde eilanden niet zo bekend met de mens, dat ze een instinct hebben ontwikkeld om ons te doden. Ik kwam echter spoedig tot het besef dat meneer McCormick erin zou kunnen slagen zich van me te ontdoen, als ik niet uiterst waakzaam bleef.

Het lot zou ons echter op gruwelijke wijze bij de neus nemen toen we samen een expeditie ondernamen, vergezeld door kapitein FitzRoy. Ons doel was een vulkaan te onderzoeken, die zelfs bij ons vertrek van de *Beagle* al tekenen van activiteit vertoonde. Na een inspannende klim hielden we stil om te eten. Dankzij de twee flessen wijn die we daarbij dronken, vielen we alle drie in slaap. Ik werd na korte tijd echter weer wakker, net als meneer McCormick. Alleen kapitein FitzRoy bleef in diepe rust. McCormick en ik besloten gezamenlijk verder te gaan. Toen we de top bereikten, stelde ik voor af te dalen in de krater. Dat lukte zonder noemenswaardige problemen, doordat we ons lieten zakken aan een touw dat we op de rand aan een rots bevestigden. De hitte was verstikkend, de geur van zwavelhoudende gassen overweldigend en het geluid van borrelende lava ontmoedigend, maar we waren allebei euforisch door het vooruitzicht een natuurverschijnsel te onderzoeken dat nog volstrekt onbekend was. We daalden af tot ongeveer drie meter onder de rand van de krater. Daar bevond zich een richel die uitermate geschikt zou zijn om ons werk te doen. Toen ik na enkele minuten mijn rug naar McCormick keerde, om een brok steen los te hakken, hoorde ik hem roepen. Ik draaide me om en zag dat hij naar het midden van de krater gebaarde. Daar steeg rook op, en de zinderend hete magma borrelde als een kwaadaardige rood-met-gele zee. Er trokken inmiddels zulke krachtige schokken door de berg, dat we beseften dat de vulkaan elk moment tot uitbarsting kon komen. Dus we renden naar het touw, maar ontdekten tot onze ontsteltenis dat het door de enorme hitte was vergaan.

McCormick schreeuwde boven het gerommel uit dat we een manier moesten zien te vinden om weg te komen uit dit helse oord. Vanuit de krater steeg rook en vuur op, en van pure angst klampten we ons aan elkaar vast. Op dat moment ontdekte ik een smallere richel, een eind boven ons, ongeveer tien meter verderop. Met onze rug tegen de wand van de krater gedrukt schuifelden we erheen. Eenmaal daar waren we wel dichter bij ons doel, maar het leed was nog niet geleden. De richel bevond zich ongeveer tweeënhalve meter boven ons. Ik riep naar meneer McCormick dat hij me een voetje moest geven, omdat hij aanzienlijk kleiner was dan ik. Zonder ook maar een moment te aarzelen maakte hij een kommetje van zijn handen, dat ik als stijgbeugel gebruikte. Ik zwaaide mijn volle gewicht omhoog, zette me met één hand af op zijn schouder, en slaagde erin met mijn andere hand een uitstekende rotspunt te grijpen. Op die manier – en ongetwijfeld geholpen door pure doodsangst – wist ik me op te trekken met een kracht waarvan ik zelf niet wist dat ik die bezat. Zo belandde ik op de richel. Hijgend, maar ik leefde nog.

Daarop was het mijn beurt om meneer McCormick te helpen. Ik kon hem horen schreeuwen, terwijl hij me in niet mis te verstane bewoordingen aanspoorde geen tijd te verspillen. Ik haastte me naar het resterende stuk touw, maar dat was te kort om nog van nut te kunnen zijn. Bij terugkomst liet ik me op mijn buik vallen, ik spreidde mijn benen om meer kracht te kunnen zetten, en ik boog me over de rand. Toen McCormick me weer zag verschijnen, kwam er een hoopvolle uitdrukking op zijn gezicht. Het schokken werd steeds erger, en ik zag dat de lava in de krater begon te stijgen als in een kokende ketel. Ik nam mijn ploertendoder van mijn riem, boog me over de rand en reikte zo ver als ik kon naar beneden, terwijl ik me met mijn andere hand vastklampte aan de rand. Door omhoog te springen kon hij er net bij. Hij kreeg hem te pakken, maar hij was te klein, hij moest zich te ver uitrekken om zich nog omhoog te kunnen werken. Ik besefte dat ik nog twaalf, misschien vijftien centimeter zou moeten zakken, ook al zou mijn eigen positie daardoor aanzienlijk wankeler worden.

Toen ik op meneer McCormick neerkeek, zag ik dat hij me taxerend opnam. Zijn gezicht was verwrongen, hij zweette hevig. Hij had beide handen om de ploertendoder geslagen en klampte zich wanhopig vast. Ik liet het metaal een paar centimeter zakken, en hij probeerde omhoog te klauteren, met zijn laarzen wanhopig houvast zoekend tegen de kraterwand, maar hij boekte weinig vooruitgang. Op enig moment hoorde ik een geluid achter me, en ik besefte dat kapitein FitzRoy eraan kwam. Hij was nog niet voldoende dichtbij om me te helpen, en hij kon niet goed zien wat er aan de hand was, hoewel hij ons duidelijk kon horen. Ik weet niet wat er toen gebeurde. Plotseling steeg er een reusachtige zuil rook op uit de buik van de vulkaan. Ik gaf een ruk aan de ploertendoder. Meneer McCormick hield nog steeds vast. Misschien moet ik hem nog iets verder laten zakken, dacht ik. Er was nog ruimte. Hoewel, misschien ook niet. Ik aarzelde, begon te twijfelen. Hoe dieper ik reikte, des te hachelijker werd mijn eigen positie, omdat ik dreigde mijn evenwicht te verliezen. Toen ik me weer op de figuur beneden me concentreerde, zag ik dat zijn handen begonnen weg te glijden door het zweet. Hij keek me recht aan, met een doordringende, dreigende blik in zijn ogen. Zijn stem drong tot me door, ijl maar glashelder, en wat hij zei zal ik nooit vergeten: 'Dus zo werkt het, meneer Darwin? Overleving van de sterkste!' En met die woorden liet hij de ploertendoder los, of ik gaf er zo'n harde ruk aan dat hij zijn houvast verloor. Wat er ook gebeurde, ik zag hem achterover vallen, langzaam om zijn as draaien en in de kolkende lava storten. Hij schreeuwde tijdens de lange weg naar beneden.

Ik weet niet meer hoe ik zelf boven ben gekomen, hoewel ik vermoed dat kapitein FitzRoy me heeft geholpen. Met ons tweeën renden we de helling af, naar de mannen die stonden te wachten bij de boot. In vliegende vaart roeiden ze ons naar het schip, en we lichtten meteen het anker.

Ik heb vaak gedacht dat die middag het beslissende moment in mijn leven is geweest. Toen ik eenmaal voor een koers had gekozen, of toen die koers me was opgedrongen, was alles wat daarna volgde onvermijdelijk. Ik werd onoprecht, ik maakte me schuldig aan manipulatie. Veel van wat ik heb gedaan, doet me blozen tot onder mijn haarwortels. Niet alleen omdat ik het heb gedaan, maar ook omdat ik er zo bedreven in was. Niets was te groot of te klein om aan mijn aandacht te ontsnappen wanneer het erom ging mijn bedrog te vervolmaken. Vandaar dat ik het verhaal de wereld in stuurde dat meneer McCormick al veel eerder tijdens onze reis van boord was gegaan. Ik wurgde zelfs zijn papegaai en voegde hem toe aan mijn verzameling specimens. Toen we wegvoeren van de Galápagoseilanden deed ik met opzet alle vinken die ik op de afzonderlijke eilanden had verzameld bij elkaar, om te kunnen volhouden dat mijn theorie van de natuurlijke selectie pas veel later tot ontwikkeling was gekomen. Ik las mijn aantekeningen door, bracht wijzigingen aan, schrapte bepaalde passages, om te zorgen dat de tekst klopte met mijn verhaal. Als verklaring voor mijn talloze kwalen, die ik beschouw als een reactie op en een vergelding voor die verschrikkelijke gebeurtenis, verzon ik het incident waarbij ik werd gebeten door een benchuca. Ik kocht kapitein FitzRoy om, de arme ziel, die tot het laatst wantrouwend bleef wat betreft mijn inspanningen om McCormick te redden. Omdat hij niets kon bewijzen, omhelsde hij zijn geloof met nog fanatiekere gedrevenheid... naar mijn stellige overtuiging als gevolg van de gebeurtenissen op die noodlottige middag.

Een enkeling heeft misschien vermoed dat de last die ik droeg, werd veroorzaakt door schuldbesef, maar er is er maar één die mijn geheim heeft ontdekt, en dat is mijn dochter Elizabeth. Ze heeft mijn sluwheid geërfd. We hebben er nooit over gesproken. Ik besef dat ik haar onrecht heb gedaan, maar mijn daden in dat opzicht verbleken bij wat ik elders heb misdaan. Talloze malen heb ik de gebeurtenissen in de vulkaan herleefd en me afgevraagd of ik meer had kunnen doen om die arme man te redden. Hoewel hij dood is, vrees ik hem nog steeds. Ik ben zelfs ooit weggelopen van een seance, uit angst voor een ontmoeting met zijn geest.

Soms, wanneer ik met Elizabeth over de Sandwalk loop, denk ik hoezeer het pad lijkt op mijn leven. Het begint in het volle licht en de zon, vol hoop en belofte, maar dan neemt het een wending, de duisternis tegemoet, en met de duisternis komt de wanhoop.

De *Beagle* was het schip dat me die fatale bocht deed ronden. Het enige wat ik ooit heb gewild, is ergens in uitblinken, zodat mijn vader trots op me kon zijn. Nu is alles verloren. Net als Faust heb ik een pact gesloten met de Duivel, en ik kan niets anders meer doen dan afwachten, in de avond van mijn leven, tot hij komt opeisen wat hem toekomt.

Charles Darwin
Dit heb ik eigenhandig geschreven, op
30 augustus 1881

26

De belletjes in de champagne werden minder.

Aanvankelijk dronken ze gretig, vol overgave, helemaal opgewonden door hun ongelooflijke vondst.

'Dit is een onschatbaar stuk geschiedenis,' zei Beth, plotseling ernstig. 'Het is onvoorstelbaar. Een bekentenis die na al die jaren aan het licht komt: Darwin en McCormick, bittere rivalen, een worsteling op een vulkaan, Darwin die probeert hem te redden...'

'Of misschien juist niet. Zo kan je het ook lezen. Waarom heeft hij zich anders zijn hele verdere leven schuldig gevoeld?'

'Omdat hij er, ook al had hij zijn uiterste best gedaan, niet in was geslaagd hem te redden. Omdat hij in zijn hart een goed mens was. En omdat hij weliswaar atheïst was geworden, maar de christelijke ethiek altijd trouw is gebleven. McCormicks dood was een ongeluk.'

'Waarschijnlijk heb je gelijk.'

'Het hele verhaal is zó ongelooflijk... maar het is Darwins eigen handschrift. Goddank.'

'En hij geeft toe dat McCormick het begrip evolutie ook al doorhad. Dat is waar het om gaat. Als het allemaal anders was gelopen, had McCormick de geschiedenis in kunnen gaan als de medeontdekker. De arme man. Er is bijna niemand meer die hem nog kent.'

Ze hieven hun glazen en dronken op het verleden, op het hele stel: Darwin, FitzRoy, McCormick, Jemmy Button, en natuurlijk op die arme Lizzie.

'Uiteindelijk is ze gerehabiliteerd,' zei Hugh. 'Haar vader heeft toegegeven dat zij hem doorhad. Dat zij de enige was die hem zijn geheim had weten te ontfutselen.'

'Dat is een schrale troost,' zei Beth verontwaardigd. 'In mijn ogen is haar hele leven eigenlijk voor niets geweest.'

'Ik vraag me af waarom ze het ontbrekende hoofdstuk nooit heeft gelezen. Uit alles blijkt dat ze over een gezonde dosis nieuwsgierigheid beschikte. Misschien was ze bang voor wat ze zou ontdekken.'

'Dat zou kunnen. Anderzijds, ze kende het geheim al. Dus ze nam – terecht – aan dat haar vader in dat hoofdstuk de waarheid vertelde over zijn rol bij de dood van McCormick. En dus hoefde ze het niet meer te lezen. Ze kon zich er niet toe brengen het te vernietigen – tenslotte was haar Papa wereldberoemd – en toch wilde zij niet degene zijn die het in de openbaarheid bracht. Vandaar dat ze het naar haar dochter stuurde, in de Nieuwe Wereld. Daarmee gaf ze de verantwoordelijkheid door... of ze liet het aan het lot over wat ermee gebeurde.'

'Tja.'

'Je klinkt alsof je twijfelt,' zei ze.

'Dat is ook zo.'

Ze sloeg een arm om hem heen en drukte zich tegen hem aan. Dat was het moment waarop de belletjes in de champagne ineens minder werden en de euforie verdween.

'Er is nog iets wat me dwarszit,' zei hij. 'Is het je opgevallen hoe Darwin over zichzelf praat? Hij zegt ergens dat zijn leven is verworden tot een berg sintels, slakken. En pratend over het fortuin en de roem die hij heeft vergaard, zegt hij: "het is allemaal onverdiend". Dat is wel erg sterk uitgedrukt, vind je ook niet? Als McCormicks dood echt een ongeluk was. Want Darwin heeft wel dégelijk iets verdiend. Tenslotte is hij met die theorie op de proppen gekomen.'

'Ja, en toch werd hij gekweld door schuld. Een goed mens tilt zwaarder aan zijn zonden dan iemand met een zwarte ziel. En als hij eerlijk was, moest hij toegeven dat hij McCormick dood had gewenst. Bovendien, vergeet dat niet, McCormick had geprobeerd hem te vermoorden!'

'En net zei je nog dat Darwin zijn uiterste best had gedaan om hem te redden.'

'Misschien is het niet zo duidelijk. In elk geval niet voor Darwin. Misschien is hij bang dat hij het als het ware heeft laten gebeuren; een zonde heeft begaan door iets na te laten, in plaats van door iets te doen.'

Hugh schonk hun glazen nog eens vol. Hij herinnerde zich dat iemand had opgemerkt dat Darwin weigerde zich bezig te houden met de menselijke geest. Onwillekeurig kreeg hij het gevoel dat ze Darwins geheimen nog niet volledig hadden doorgrond.

'En hij zegt nergens wanneer de theorie voor het eerst bij hem opkwam,' vervolgde hij. 'Hij wekt de indruk alsof McCormick en hij er toevallig op stuitten.'

'Dat is niets nieuws. Die toon hanteert hij in alles wat hij heeft geschreven. Hij heeft nooit nauwkeurig een moment aangegeven. Dit bewijst alleen maar dat hij de theorie al eerder onder woorden had gebracht dan iedereen altijd heeft gedacht.'

'Maar waarom wilde hij er niet voor uitkomen wannéér het idee bij hem opkwam? Waarom dat gerommel met die vinken? Waarom dat hele gedoe met die insectenbeet? Welk doel diende dat?'

'Tja, het is inderdaad nogal merkwaardig.'

'Zeg dat wel. En dan nog iets: al die mensen die proberen hem te chanteren. Vlak dat ook niet uit. En waarom moesten Huxley en al die anderen hem beschermen?'

'Ze beschermen hém niet. Ze beschermen de theorie. Ze weten dat die te belangrijk is om door de reputatie van één man onderuit te laten halen.'

'Maar hoe wisten ze wat Darwin had gedaan? Hoe hebben ze over de dood van McCormick gehoord?'

'Dat heeft FitzRoy ze verteld.'

'Maar FitzRoy heeft niet gezien wat er op die vulkaan is gebeurd. Hij koesterde een verdenking, meer niet.'

'Misschien heeft Darwin hem in vertrouwen genomen.'

'Maar hij zegt zelf dat Lizzie de enige was die zijn geheim kende.'

'De enige die het ontdékte,' antwoordde Beth, zonder overtuiging. Ze begon zich gefrustreerd te voelen.

'En Wallace, die zat aan de andere kant van de wereld,' zei Hugh. 'Je gaat me toch niet vertellen dat Darwin hém in vertrouwen heeft genomen.'

'Hij kwam uiteindelijk naar Londen. Misschien heeft hij het verhaal toen gehoord, van iemand uit Darwins naaste omgeving.'

'Maar Wallace had de theorie zelf al bedacht. Denk je ook niet dat hij alle eer zou hebben opgeëist, als hij had gedacht dat Darwin een potentiële moordenaar was?'

'Misschien had hij het geld nodig.'

'Dat zou kunnen. Maar als hij Darwin had ontmaskerd, zou alle eer voor de theorie naar hem zijn gegaan, met al het geld en alle roem die daaruit zouden zijn voortgevloeid. Bovendien, als je Wallace ook bij de samenzweerders rekent – als dat het juiste woord is – dan wordt de kring steeds groter.'

Ze trok haar arm terug.

'Geef het nou maar toe, Beth. Het klopt gewoon niet. Er zijn te veel dingen die geen hout snijden.'

'Ik geef toe dat je vragen lastig te beantwoorden zijn.'

Hij stond plotseling op. 'Ik bedenk ineens iets. Hoe is het mogelijk dat we daar niet eerder aan hebben gedacht?' Hij zette zijn glas op tafel. 'Er is nog een vraag, en die is zelfs nog moeilijker te beantwoorden.'

'Namelijk?'

'Laten we er even van uitgaan dat je gelijk hebt; dat Lizzie zich tegen haar vader heeft gekeerd door wat er op die vulkaan is gebeurd.'

'Ja?'

'En dat ze dat wist door de brief die McCormick aan zijn familie heeft geschreven.'

'Ja?'

'Hoe kan hij die brief hebben geschreven? Hij was dood.'

'Shit!'

'Ik heb een vraag,' zei Hugh tegen Roland, toen ze die avond gedrieën de bibliotheek uit kwamen en de deuren achter hen dichtgingen. 'Jij weet altijd zoveel,' vervolgde hij terwijl ze over Burrell's Walk naar Garret Hostel Lane liepen.

'Bedankt,' antwoordde Roland. 'En inderdaad, je vangt meer vliegen met stroop dan met azijn.'

'Zegt de uitdrukking *"nuit de feu"* je iets?'

'Dat roept diverse beelden bij me op, maar ik weet niet of ik het daar in gemengd gezelschap wel over kan hebben.'

'Nee, even serieus.'

'Mag ik vragen wat er achter die merkwaardige vraag zit?'

'Het gaat om ons onderzoek naar Darwin,' zei Beth. 'We zitten een beetje op een dood spoor.'

'Jullie willen me zeker niet vertellen waar jullie op uit zijn? Het is duidelijk dat ik niet in het intieme netwerk zit. Hoe noemen jullie, Amerikanen, dat ook alweer? Ik zit niet *in the loop?*'

'We zouden het je best willen vertellen, maar we weten zelf nog niet wat we eigenlijk hebben,' antwoordde Hugh. 'Tot dusverre hebben we het ene mysterie ingeruild tegen het andere. En het tweede is zo mogelijk nog mysterieuzer dan het eerste.'

'Het is wat Churchill ooit over Rusland heeft gezegd,' voegde Beth

eraan toe. 'Een mysterie, in een enigma, gewikkeld in een raadsel.'
Roland trok een lelijk gezicht. 'Je bedoelt een raadsel, gehuld in een mysterie, binnen een enigma.'
'Oké, jij je zin. Dat is hetzelfde.'
'Nee, dat is níét hetzelfde. Je kunt niet iets verpakken in een raadsel.'
'En wel in een enigma?'
'Nee, ik zal er niet al te veel woorden aan vuil maken, maar het ráádsel werd verpakt; in het mysterie. En vervolgens ging de hele handel in het enigma.'
'Doe me een lol, zeg! Schei uit!' riep Hugh. Ze liepen op de brug over de Cam. De zwanen hadden zich voor de nacht teruggetrokken achter de wilgentakken. 'Darwin gebruikt de uitdrukking *"nuit de feu"*,' legde hij uit. 'En we proberen erachter te komen wat hij daarmee bedoelde.'
Roland bleef met een ruk staan. 'Daar kan ik me helemaal niets van herinneren.'
'Het staat in Lizzies dagboek.'
'Aha. Het boek dat je hebt gevonden toen ik je het depot binnen had gesmokkeld.'
'Precies,' zei Beth. 'En we dachten dat we wisten wat hij met dat *nuit de feu* bedoelde, maar het blijkt niet helemaal te kloppen.'
'Al was het maar omdat de gebeurtenis die wij op het oog hadden, zich niet 's nachts voordeed,' zei Hugh.
'Ook al kwam er wel een hoop vuur aan te pas,' voegde Beth eraan toe.
Ze kwamen bij de smalle laan achter Trinity College.
'Er is wel een naam die naar boven komt bij die uitdrukking,' zei Roland. 'Iemand die dezelfde woorden gebruikte, ook in het Frans. Maar dat was twee eeuwen eerder.'
'Ga door,' drong Hugh aan.
'Ik heb het over Blaise Pascal, de Franse wiskundige en filosoof. Hij gebruikte die uitdrukking om een ongelooflijke nacht te beschrijven waarin hij een diep-religieuze ervaring had, een bekering. Hij geloofde oprecht dat hij God zag. Daarna is hij in een jansenistenklooster gegaan en heeft hij nooit meer iets onder zijn eigen naam gepubliceerd.'
'En denk je dat Darwin dat verhaal kende?' vroeg Hugh.
'Natuurlijk.'

Nu was het Beth die sceptisch reageerde. 'Maar dat klopt ook niet. Je gaat me toch niet vertellen dat Darwin uiteindelijk weer in God ging geloven?'

'Nee,' antwoordde Roland. 'En zonder de context heb ik natuurlijk geen idee waar hij het over had. Maar het kan zijn dat hij de uitdrukking in algemene zin heeft gebruikt. Die suggereert een vorm van bekering, zoals dat de heilige Paulus overkwam op weg naar Damascus, of Archimedes in het bad. Een plotseling inzicht, een openbaring, als een bliksemschicht... een moment waarop alles ineens duidelijk wordt.'

'Aha,' zei Hugh.

Ze kwamen op Market Hill. Het was druk in de winkels, en op het trottoir heerste spitsuur. Ze zochten hun weg tussen wetenschappelijk medewerkers op de fiets, toeristen die met rode hoofden weer in de bus werden geladen en groepjes studenten, op weg naar de pub. Voor een boekhandel bleef Roland staan. 'Ik ben zo terug,' zei hij en hij verdween naar binnen.

Hugh keerde zich naar Beth. 'Een openbaring, dat is één ding, moord is iets heel anders. Als jij iemand had vermoord – of dacht dat je iemand had vermoord – zou je dat geen *nuit de feu* noemen.'

Ze wachtten bij de deur. Er kwam een jongeman naar buiten met een stapel boeken onder de arm. Met zijn frisse gezicht en lange, zijdezachte, blonde haar leek hij bijna te jong om al te studeren. Diep in gedachten verzonken keek Hugh hem na.

'Wat is er?' vroeg Beth.

'O, niks. Die jongen doet me aan iemand denken... iemand die ik op een tekening heb gezien.' Hij zweeg abrupt, stond als verlamd. 'Beth! Dat is het!'

'Wat?'

'We hebben de verkeerde R.M. bij de kop. Het was niet Robert McCormick. Het was die piepjonge missionaris: Richard Matthews.'

27

Twee uur later kwam het telefoontje. Ze waren inmiddels in Hughs pension. Toen hij ophing en de kamer weer binnen kwam, waar Beth op het bed lag, vertelde hij dat hij geen andere keus had dan te gaan. Hij zou de volgende dag de trein nemen naar Oxford, en zij zou in de bibliotheek proberen de familie van Matthews op te sporen.

De volgende morgen stond hij vroeg op, nam de trein naar Londen en stapte daar over op de trein naar de bestemming die hij zo lang had gevreesd. Londen was één ding, daar lagen slechts wat fragmentarische herinneringen. Cambridge was ook geen probleem: dat was veilige grond. Maar Oxford... daar speelden de geesten en demonen een thuiswedstrijd. En inderdaad, daar waren ze, terwijl hij door de oude universiteitsstad liep, langs de gothische colleges met hun torens en muren, bekroond met kantelen.

Hij passeerde de bocht in de Isis waar Cal en hij ooit samen waren gaan punteren. Daar was het boothuis, nog altijd wit geschilderd, en de drijvende steiger.

De stok van Hugh was in de modder blijven steken, en toen hij zich eraan had vastgeklampt, hing hij ten slotte boven het water; tot zijn krachten het begaven en hij in de rivier viel. Cal had zich doodgelachen.

Op High Street kwam hij langs de pub waar Cal hem had opgebiecht dat hij had geprobeerd een van Hughs vriendinnen te versieren... met succes, bleek achteraf. Hugh had dagenlang gedaan alsof hij kwaad was. Een eindje verderop was de bioscoop waar ze op een regenachtige zondagmiddag *La Dolce Vita* hadden gezien. Dat was het probleem met Engeland: het boothuis, de pub, de bioscoop... allemaal aanknopingspunten die niet veranderden.

Hij kwam langs All Souls, het college waar Cal en hij soms de maaltijd hadden gebruikt op uitnodiging van een vriend, een historicus die opschepte dat de wijnkelder zich kon meten met die van de koningin. Hugh dacht terug aan de diners, waarbij de studenten van de ene ruimte naar de andere liepen om diverse gangen te nuttigen, hun toga's beurtelings aan- en weer uittrekkend volgens eeuwenoude regels waar Hugh niets van begreep. Beneveld door alcohol had hij de gesprekken altijd buitengewoon diepzinnig en educatief gevonden, maar hij kon zich er de volgende dag nooit meer iets van herinneren. Nu was hij op weg naar een afspraak met Simon, die er – net als Neville – mee had ingestemd hem te ontmoeten, zonder ook maar enige moeite te doen zijn tegenzin te verbergen.

'Ik weet eigenlijk niet welk doel ermee gediend is als we elkaar ontmoeten,' had hij met ijle, hoge stem door de telefoon gezegd.

Hugh had echter volgehouden. 'Je zat met Cal op één kamer. Dus ik denk dat het nuttig zou kunnen zijn om met je te praten. En dat denkt Bridget ook. Sterker nog, het idee is van haar afkomstig.'

'En wat is het doel?'

'Ik probeer wat dingen op een rijtje te krijgen.' Hugh was bang dat zijn antwoord te veel als psychologisch geneuzel klonk, iets waar Britten allergisch voor waren.

De reactie was echter positief. 'Oké, misschien heb je gelijk. Mij best.'

Ze hadden om één uur afgesproken in de kloostergangen van het New College. Simon zou de volgende morgen al vroeg naar Frankrijk vertrekken.

'Trouwens, ik hoop dat je dat niet vervelend vindt,' had hij nog gezegd, vlak voordat hij ophing. 'Maar je stem lijkt erg op die van je broer. Ik zal het je nog sterker vertellen, het is alsof ik Cal aan de telefoon heb.'

Het New College lag in het hart van de stad, op een steenworp van de drukke, levendige High Street, maar het leek een andere wereld. Hugh sloeg af op Queens Lane, een smalle straat, niet breder dan een ossenkar, geplaveid met kinderhoofdjes. Hij liep zigzag langs de eeuwenoude muren naar de poort van het college. Voorbij de portierswoning kwam hij op een middeleeuwse binnenplaats, en aan zijn linkerhand lagen de kloostergangen. Bij elke bocht waren de geluiden van de stad zwakker geworden. Toen hij de laatste poort door ging, werd het volmaakt stil om hem heen. De schaduwen die op het met gras begroeide vierkant van de binnenplaats vielen, waren al sinds de veertiende eeuw onveranderd.

Hugh kwam langs de toegang tot de kapel. De zuilengang was boven zijn hoofd afgewerkt met planken, samengevoegd volgens een patroon als de romp van een schip. Langs de wandelpaden waren gedenkplaquettes aangebracht, en de van middenstijlen voorziene ramen, die uitkeken op de binnenplaats, waren versierd met gotisch maaswerk.

Behalve Simon was er niemand. Hij liep nerveus te ijsberen, met in zijn ene hand een attachékoffer. Toen hij Hugh zag, wuifde hij enigszins onbeholpen en kwam hij met uitgestoken hand naar hem toe. Een magere, benige verschijning, met een hoekig gezicht en een stalen brilletje. Ondanks het warme weer droeg hij een jasje van winterse tweed; zijn strak geknoopte das zat een beetje scheef.

'Fijn dat je kon komen,' zei Hugh met Britse hoffelijkheid om hem op zijn gemak te stellen. 'Ik besef dat het nogal op korte termijn was.'

'Dat geeft niet. Het is wel het minste wat ik kan doen.'

'Zullen we een eindje lopen?' vroeg Hugh. Dat deden ze al. Ze volgden de zuilengang. Simon bewoog zich als een vogel, met kleine stapjes, waarbij zijn hoofd licht op en neer deinde.

'Ik hoop dat ik je niet te veel overlast heb bezorgd,' vervolgde Hugh. 'Ik ben hier om research te doen en... Nou ja, ik wilde je gewoon graag spreken.'

'Je doet onderzoek naar Darwin, hè?'

'Dat klopt. Hoe weet je dat?'

'Van Bridget. Ze belde me vlak nadat jij had gebeld... na die eerste keer dat je een boodschap had ingesproken.'

Hugh verkeerde in de verleiding om te vragen waarom hij dan niet eerder had teruggebeld, of waarom hij had gedaan alsof hij niet wist wat de bedoeling was van hun gesprek, maar hij besloot het te laten rusten. 'Wat voor werk doe je?' vroeg hij.

'Aha, de vraag die alle Amerikanen stellen.'

Hugh reageerde enigszins geërgerd. 'Je hoeft er geen antwoord op te geven als je dat niet wil. Ik probeer gewoon het gesprek op gang te brengen.'

'En dat waardeer ik. Trouwens, het is geen geheim wat ik doe.' Simon was landbouwkundige en specialiseerde zich in oogstmethodes en het overdragen van land aan arme boeren in de Derde Wereld, in het bijzonder in Zuid-Afrika. Dat sneed hout, dacht Hugh. Cal zou zijn vrienden bij voorkeur hebben gezocht in beroepen met een sociale invalshoek.

Bij een hoek van de kloostergang sloegen ze links af, de schaduw tegemoet.

'Hoe heb je Cal leren kennen?'

Simon keek hem vluchtig aan voordat hij antwoord gaf. 'Op een feestje. Cal zat op dat moment in de laatste fase van zijn studie. Het was hier in New College. Een behoorlijk wilde aangelegenheid, trouwens. We zijn stomdronken geworden. En we mochten elkaar meteen. Toevallig was er bij mij in huis een kamer vrij, dus dat zei ik, en hij nam mijn aanbod meteen aan.'

Hij zweeg even, duidelijk niet goed wetend hoe hij verder moest gaan.

'Dit valt niet mee,' zei hij enigszins abrupt. 'Ik weet niet goed waar ik moet beginnen. Maar ja, Bridget... Allemachtig, wat een stoomwals is dat! Het leek haar een goed idee als ik je het een en ander over Cal vertelde.'

De gedachte dat ze het achter zijn rug over hem hadden gehad, stoorde Hugh. Het idee dat anderen uitmaakten wat hem verteld moest worden.

'En wat vindt ze precies dat je me zou moeten vertellen?'

'Dat is moeilijk met zoveel woorden te zeggen. Ik wil niet klinken alsof ik de wijsheid in pacht heb, maar er zijn dingen waar zelfs zij geen idee van heeft.'

'Ik wil alles weten. Daarom heb ik ook gevraagd om dit gesprek.'

'Tja, waar zal ik beginnen? We waren dik bevriend, Cal en ik. Je kent dat wel, we voerden diepzinnige, intieme gesprekken. Trouwens, hij had het vaak over jou.'

'Wij waren ook dikke vrienden.' En die vriendschap ging veel dieper dan die van jullie, dacht Hugh erachteraan.

'Dat geloof ik graag. Hoe dan ook, doordat we zo veel met elkaar optrokken, leerden we elkaar goed kennen. We aten samen. We gingen af en toe naar de pub. In een bepaald opzicht was ik vertrouwder met hem dan met wie dan ook, mijn familie daargelaten. En oude jeugdvrienden. Daar kan niets tegenop.' Hij zweeg weer even, maakte nog altijd een onzekere indruk.

'Waarom zeg je niet gewoon wat je wil zeggen?'

'Hm, tja. Ik neem aan dat ik je niet alles hoef te vertellen; het is tenslotte al een tijdje geleden. En ik neem ook aan dat je geen behoefte hebt aan een minutieus verslag van ons leven, anders dan dat we het prima konden vinden samen. Dat is waar het om gaat. We werden vrienden voor het leven... Tenminste, ik denk dat we dat zouden zijn geweest. Ik vertel je dit omdat ik wil dat je beseft dat we oprecht om Cal gaven. Dat we... eh... probeerden hem te helpen.'

'Helpen? Hoezo?'

'Eh, ik neem aan dat Neville het met je heeft gehad over die kwestie op het lab?'

Hugh knikte. Dus ze hadden contact met elkaar gehad. Het leek wel een samenzwering!

'Dat was erg, heel erg. Aanvankelijk besefte ik niet hoe ernstig die zaak was, maar we hebben het hier over wetenschappers. Die zich bezighielden met overheidsprojecten. Daar wordt geen enkele afwijking van de geaccepteerde gang van zaken getolereerd.'

'Dat is begrijpelijk,' zei Hugh, die hoe langer hoe meer geïrriteerd raakte.

'Zelfs Bridget weet niet dat hij werd ontslagen. Volgens mij denkt ze tot op de dag van vandaag dat hij vakantie had opgenomen, of verlof.'

'O. Oké.'

'Zoals te verwachten was, raakte Cal in een depressie. Een diepe depressie.' Simon keek Hugh aan, benieuwd naar zijn reactie, toen vervolgde hij: 'Hij wilde dagenlang zijn bed niet uit komen. Hij wilde niet eten. Hij wilde helemaal niks. En uiteindelijk – ik weet niet hoe ik het anders moet zeggen – uiteindelijk wilde hij niet meer verder.'

'Niet meer verder?'

'Met zijn leven.'

'Wat wil je daarmee te zeggen?'

'Dat eh... dat ik geloof dat hij heeft geprobeerd zichzelf van kant te maken... Tot twee keer toe zelfs. Een keer met pillen en een keer met de auto. De eerste keer kwam ik net op tijd thuis. Hij lag bewusteloos op de grond, en ik heb hem als de sodemieter naar het ziekenhuis gebracht. Daar hebben ze zijn maag leeggepompt. De tweede keer... dat is minder duidelijk. Hij werd gevonden langs de ringweg, de auto was total loss. Er waren geen andere auto's bij betrokken. De politie kon het niet met zekerheid zeggen, maar de voorzichtige conclusie was dat hij met opzet een boom had geramd. Gezien die eerste poging dachten we dat de politie weleens gelijk kon hebben.'

'Waarom dachten ze dat het opzet was?'

'Nou, er waren wel wat aanwijzingen. Hij droeg geen gordel, anders wel altijd. Hij had gedronken. Er waren geen remsporen. Dat soort dingen.'

'Wat hebben jullie toen gedaan?'

'Je bedoelt of we genoeg hebben gedaan. Ik hoop het. En dat denk ik ook eigenlijk wel. We hebben hem zoveel mogelijk gesteund. Zo goed als we konden. En we hebben ervoor gezorgd dat hij professionele hulp zocht. Hij ging drie, vier keer in de week. De diagnose luidde dat hij leed aan een klinische depressie, en daar kreeg hij pillen voor. Trouwens, hij zei dat het hem al eerder was overkomen. Toen hij nog thuis woonde.'

Hugh wist niet wat hij moest zeggen. Misschien waren dat die keren geweest, lang geleden, dat Cal nauwelijks zijn kamer uit kwam. Zijn vader had er nooit iets over gezegd, en het was natuurlijk geen onderwerp waarover werd gesproken.

'Daar weet ik niets van,' zei hij.

'Hoe dan ook, het leek weer een beetje beter te gaan,' vervolgde Simon. 'Met soms een lichte terugval, maar dat hoort erbij. Toen hij aankondigde dat hij terugging naar Connecticut, leek ons dat een goed idee, omdat Oxford was verbonden met zulke pijnlijke herinneringen. Het leek ons het beste wanneer hij een nieuwe start maakte. Dus hij vertrok.'

Ze waren inmiddels al een paar keer door de zuilengalerij om de binnenplaats gelopen.

'Heb jij het er ooit met hem over gehad?' vroeg Hugh. 'Heb je hem ooit gevraagd wat eraan scheelde? Jullie waren tenslotte zulke goede vrienden.'

'Niet met zoveel woorden. En hij wist wat eraan scheelde, of in elk geval waardoor het was veroorzaakt. Dat was die kwestie op het lab.'

'Waarom krijg ik dit nu pas te horen? Waarom heeft nooit iemand iets gezegd?'

'Zoals ik al zei, dat Neville en ik nu met je praten, komt door Bridget. En die heeft hier ook geen idee van. Ze heeft nooit geweten dat hij antidepressiva slikte, ook al had ze volgens mij wel een vermoeden dat er iets mis was. Maar het eerste wat wij dachten toen we hoorden dat Cal dood was... nou ja, dat was toch dat hij zichzelf van kant had gemaakt. En toen we hoorden onder welke omstandigheden het was gebeurd, wisten we het zo goed als zeker.'

'Waarom?'

'Nou, het was nogal merkwaardig in die zin dat... Hij stond daar boven die waterval, en hij is naar beneden gesprongen, terwijl hij wist hoe gevaarlijk het was; dat hij het niet zou overleven. Dat is toch een beetje al te toevallig? Natuurlijk, het kan zijn dat hij is gevallen. Maar de kans lijkt me minstens zo groot dat het geen ongeluk was; dat hij is gesprongen.'

Hugh was zo geschokt dat hij even geen woord kon uitbrengen.

'Ik vermoed dat jij vóór hem liep. Dus je hebt niet gezien dat hij zijn evenwicht verloor of zoiets, hè?'

'Nee.'

Hugh ging in gedachten terug naar wat er die middag was gebeurd: de rotsen, de waterval, het vallende lichaam, de fatale poel met luchtbellen.

'Dat hebben we tenminste van Bridget gehoord. Trouwens, ze houdt van je. Daar hoef je niet aan te twijfelen. Het is goed als je dat weet. Dat is ook de reden dat ze erop stond dat we met je zouden praten. Ze denkt dat jij jezelf de dood van Cal verwijt, en misschien dat deze nieuwe informatie je zou kunnen helpen.'

Hugh bromde iets, niet wetend wat hij moest zeggen. Hij voelde zich net als bij de hereniging met Bridget; het liefst was hij hard weggerend. Simon probeerde hem te helpen, maar Hugh voelde niets anders dan een hevige antipathie. Hij bleef staan en keerde zich naar Simon. 'Dank je wel.'

'Ach, het is niets,' zei Simon. 'Of liever gezegd, het is natuurlijk wel iets. Sterker nog, het is heel belangrijk, en ik zou willen dat je het eerder had geweten.' Hij deed zijn attachékoffer open. 'Hier. Ik heb een brief die je moet lezen. Maar ik wil hem wel terug.'

Het was een enkel velletje papier, en Simon wachtte enigszins rusteloos en nerveus, terwijl Hugh de brief las. Die was afkomstig van Cal en verstuurd vanuit Connecticut. Een paar regels slechts. Cal schreef dat hij zich beter voelde, niet veel uitvoerde en probeerde te ontspannen. Bovendien bedankte hij Simon voor alles wat die voor hem had gedaan. Hugh was opgelucht dat hijzelf niet in de brief werd genoemd.

Ten slotte schudden ze elkaar de hand, en Simon haastte zich weg, de binnenplaats over, met in één hand de haveloze attachékoffer. Zijn vogelachtige tred werd benadrukt door zijn haast.

Hugh liep terug naar High Street. Kon het waar zijn? Kon je, wanneer je er vanuit een andere invalshoek naar keek, tot de conclusie komen dat Cals dood geen ongeluk was geweest? Weer ging hij in gedachten terug in de tijd. Cal had zich de laatste paar weken voor zijn dood vreemd gedragen. In de auto, op weg naar Devil's Den, had hij zich uitgeput in verontschuldigingen: het speet hem dat zijn vrienden en hij Hugh vroeger niet altijd hadden laten meedoen, hij had spijt van alle keren dat hij hem verdriet had gedaan, en het speet hem dat hij naar Europa was vertrokken toen het leven thuis, met de ouweheer, bepaald geen pretje was.

Eraan terugdenkend besefte Hugh dat Cal blijkbaar had willen praten. Hij had een paar keer een aanloop genomen, maar Hugh was in de war geweest. Dit was niet wat hij van zijn broer verwachtte. Cal was de oudste, hij was de wegbereider, degene met de goede raadgevingen. Het was Hugh die op drift was geraakt. Het feit dat de rollen ineens omgedraaid leken, had hem een merkwaardig gevoel gegeven.

'Heb je zin in een biertje?' Cal had zijn jas al aan, klaar om de deur uit te gaan.

Een zweem van schuldgevoel. 'Ik zou dolgraag willen, maar ik kom in tijdnood. Ik heb nog zoveel te doen. Misschien een andere keer... morgen of zo.'

Cal begon langzaam zijn jas weer los te knopen. 'Oké. Prima.'

Op het pad langs de waterval had Hugh zijn broer voor de zoveelste keer gewaarschuwd voor het gevaar. Cal had er alleen maar om gelachen.

'Je denkt toch niet dat ik die arme Billy Crowther ooit zou kunnen vergeten? Hij was mijn eerste dooie. In de rouwkamer huilde zijn moeder haar ogen uit haar hoofd. Ik weet nog dat we altijd takken en stukken hout in het water gooiden, en dan keken hoe ze naar beneden werden gezogen. Of die keer dat we de gympen van Jimmy Stern naar beneden hadden gegooid. Hij heeft de hele weg naar huis lopen janken. Het was een van de plekken die het meest tot onze verbeelding spraken toen we nog pubers waren. Ach ja, Devil's Den.'

Hugh probeerde zich alles over die middag te herinneren. Hij had voorop gelopen, verlangend om te gaan zwemmen. Waar bleef Cal

333

zo lang? Hij draaide zich om... Had hij hem toen gezien? Had hij gezien dat hij zijn evenwicht verloor? Of had hij hem zien springen? En had Cal iets geroepen? Of was het stil gebleven terwijl hij loodrecht naar beneden viel, midden in de kolkende poel aan de voet van de waterval?

En toen kwam het lastigste deel: Moest hij achter hem aan springen of niet? Zou hij dan niet ook verdrinken? De tijd verstreek terwijl hij probeerde een besluit te nemen. En toen verstreek er nog meer tijd. Je geheugen kan rare streken met je uithalen, dacht hij. Elke keer dat hij de gebeurtenissen de revue liet passeren, zag hij ze anders, duidelijker. Tenminste, zo leek het. Een ongeluk! Nee, het was geen ongeluk geweest. Of wel?

En toen kwam er ineens een reeks van gevoelens bij hem op die nieuw voor hem waren. Hij was boos op Cal, omdat hij met de onderzoeksresultaten had geknoeid en zijn leven had verknald en toen dood was gegaan en Hugh had laten verzuipen in schuldgevoel. De boosheid maakte plaats voor verdriet; het was verdrietig dat Cal zich zo wanhopig en alleen had gevoeld, en dat niemand in zijn omgeving hem had kunnen helpen. Maar hoe langer hij erover nadacht, hoe meer hij het gevoel kreeg dat hij van een enorme afstand keek naar wat er was gebeurd.

Uiteindelijk verdween ook het verdriet. Ervoor in de plaats kwam een gevoel van rust dat geleidelijk aan bezit nam van zijn hele wezen. En toen voelde Hugh ineens een onverklaarbare lichtheid... Er was geen ander woord voor. Hij liep de straat uit met lichtere tred, keek met nieuwe intensiteit naar de mensen, de winkels, de auto's.

Het was een aangename middag, hoewel het fris begon te worden. Op de stoep heerste grote drukte. Hij zou de bus nemen naar het station, in Londen overstappen op de trein naar Cambridge, en dan zou hij die avond met Beth uit eten gaan. In een rustige gelegenheid. Om haar te vertellen wat hij te weten was gekomen. Maar eerst moest hij Bridget bellen.

Hij ontdekte een telefooncel en viste een telefoonkaart uit zijn zak. Ze nam meteen op, bijna alsof ze op zijn telefoontje had zitten wachten. Hij vertelde haar wat hij had gehoord: dat het waarschijnlijk was dat Cal zichzelf van het leven had beroofd. Ze leek niet verrast, ook al bleef het even stil. Toen zei ze dat ze van hem hield, meer niet, en ze hing haastig op.

Hij had nog meer dan genoeg minuten op zijn kaart, dus waarom niet? Opnieuw nam hij de hoorn van de haak, en hij draaide het nummer dat hij uit zijn hoofd kende. Vreemd, maar hij verlangde er plotseling naar de stem van zijn vader te horen.

28

Tijdens het diner in een klein Frans restaurant – ze hadden besloten het er eens goed van te nemen – luisterde Beth aandachtig terwijl Hugh verslag deed van zijn ontmoeting met Simon en van wat hij te weten was gekomen over Cals dood.

'Ik heb voor het eerst het gevoel alsof ik me die middag duidelijk herinner.' Hij vertelde haar alles, kalm en in zorgvuldig gekozen bewoordingen, inclusief het merkwaardige gevoel van rust dat bezit van hem had genomen toen hij de kloostergangen van het New College achter zich liet.

'Dat is volgens mij heel natuurlijk,' zei ze. 'Je geeft jezelf eindelijk de ruimte te erkennen wat er werkelijk is gebeurd en wat je echt voelde. En daarmee kun je het ook eindelijk achter je laten.'

Hij vertelde ook dat hij zijn vader had gebeld en dat ze elkaar geruime tijd hadden gesproken; dat ze voor het eerst in jaren een ontspannen gesprek hadden gevoerd.

Ze bestelden een tweede fles wijn en praatten ontspannen verder. Beth vertelde trots dat ze erin was geslaagd verwanten van Matthews op te sporen in Blackburn, in het noorden van het land. Ze had voor de volgende dag een auto gehuurd om erheen te rijden, met aansluitend een uitstapje naar het Lake District… tenminste, als ze iets te vieren hadden.

'Hoe heb je zijn familie gevonden?' vroeg Hugh.

'Dat was niet zo moeilijk toen jij eenmaal in de gaten had dat de R.M. over wie Lizzie schreef, Richard Matthews was. Dat verklaarde alles. Degene aan wie Matthews zijn brieven stuurde, was niet zijn vrouw. Hij was tenslotte nog jong, een groot kind. Het was zijn moeder. Ze had nog een zoon, Richards oudere broer, en geen van beide jongens is ooit naar Engeland teruggekeerd. Dus toen zij stierf, ging het huis naar een neef en een nicht. Precies zoals Lizzie in haar dagboek schreef.

Ik heb het stuk herlezen waarin ze haar reis naar de familie van R.M. beschrijft. Ze nam de trein naar het zuidoosten, stapte in Kendal over, en de reis duurde een uur of twee. Dat gaf ongeveer aan wat haar bestemming moet zijn geweest. Daarna heb ik gekeken hoeveel ze kwijt was voor de reis; het dagboek is tenslotte ook rekening- boek. Het bleek dat ze op de bewuste dag een pond en een shilling had uitgegeven. Dus ik heb het British Rail Museum gebeld. Het blijkt dat ze daar oude dienstroosters en tarievenlijsten hebben be- waard. Een vriendelijke meneer heeft voor me uitgezocht dat ze met een pond en een shilling naar Blackburn kon reizen. En de reistijd klopte, ongeveer twee uur.

Dus ik heb me geconcentreerd op Blackburn. En daar wonen inder- daad nog altijd verschillende mensen die Matthews heten, gespeld met twee *t*'s. Ik ben aan het bellen geslagen, er vielen er vijf af, en toen had ik ze te pakken, afstammelingen van de bewuste neef en nicht van Richard. Via de telefoon toonden ze zich allervriendelijkst, en ze waren meer dan bereid hun medewerking te verlenen.'

Een uur later bracht Hugh haar thuis. Het hele huis was in duister- nis gehuld, maar Alice had het buitenlicht aan gelaten. Beth pakte zijn hand, trok hem mee naar binnen, en heel zachtjes klommen ze de trap op. Toen hij haar, eenmaal in haar kamer, begon uit te kleden, kuste ze hem, maar trok zich toen plotseling terug. Hij keek haar vragend aan, waarop ze hem met een ondeugende glimlach weer naar zich toe trok en fluisterde: 'Kom, koop het ooft van onze gaard, kom koop, kom koop…'

De volgende morgen reden ze, nog een beetje duf van de vorige avond, naar Blackburn. Het duurde niet lang of ze hadden het huis gevonden. Vanbuiten zag het er sjofel uit, maar binnen was het warm en gezellig: meubels bekleed met sits, gebloemde gordijnen en tafel- tjes vol met familiefoto's.

De bewoners, een vrolijk, kwiek echtpaar van ergens in de zeventig, was verrukt te horen dat het bezoek geïnteresseerd was in de brieven die op zolder lagen. Hugh en Beth kregen het hele pakket moeite- loos mee – 'Lees ze op uw gemak, maak zoveel kopieën als u wil, en als u ermee klaar bent, stuurt u ze terug' – maar ze moesten wel een hele pot thee leegdrinken en alles horen over de familie, tot en met de allerjongste generatie, die was uitgevlogen over de hele wereld. Dat plezier deden Beth en Hugh hun gastheer en gastvrouw maar al te graag.

Ze besloten het pakje niet meteen open te maken. In plaats daarvan namen ze het mee in de auto, ze stopten aan de buitenrand van Blackburn om een broodje te eten en reden toen verder naar het noorden, naar het Lake District.

Het was al over tienen toen ze bij de bed-and-breakfast in Ambleside arriveerden, maar ze waren te opgewonden om te gaan slapen. Beth deed de openslaande deuren open en stapte het piepkleine balkonnetje op. Beneden haar strekte zich zo ver als het oog reikte een meer uit, omzoomd door bossen en weiden. De volle maan schilderde een glanzend gouden baan op het stille water. De lucht was koel en verkwikkend. Ze ging weer naar binnen.

Omdat ze eerder op de avond hadden gebeld om te zeggen dat ze pas laat aankwamen, had de eigenaar van Ambleside Lake Cottage, voor het naar bed gaan, de voordeur opengelaten en twee broodjes ham met twee flessen lauw bier op hun kamer gezet. Ze waren uitgehongerd en tastten gretig toe. Het was tenslotte een lange dag geweest. Hugh haalde het pakje uit zijn rugzak. Het was dichtgebonden met een blauw lint dat eruitzag alsof het al oud was... misschien wel hetzelfde lint dat Lizzie in haar dagboek had genoemd. Hij spreidde de brieven uit op het bed, sorteerde ze op datum en begon ze in chronologische volgorde te lezen.

Na drie kwartier was het raak. 'Bingo!' zei hij al na het lezen van de eerste paar regels.

Daarop gaf hij de brief aan Beth. Ze bekeek hem aandachtig. Het handschrift was moeilijk te ontcijferen, de regels liepen in toenemende mate aan het eind naar beneden, maar ze kon duidelijk lezen wat er stond.

De brief was verstuurd vanuit de Bay of Islands, in Nieuw-Zeeland, en gedateerd op eerste kerstdag, 1835. De schrijver begon met te zeggen hoezeer hij op deze bijzondere feestdag naar huis verlangde; hoezeer hij zijn moeder miste. Zijn *toekomstverwachtingen* waren *aanzienlijk beter*, schreef hij, nu hij de *Beagle* had verlaten en spoedig zijn intrek zou nemen bij zijn broer, om Gods werk te doen onder de Maori's aan de zuidkust. Hij repte met geen woord over de gruwelijke week toen hij alleen was achtergelaten bij de indianen van Vuurland, hetgeen Beth deed concluderen dat hij daarvan in een eerdere brief verslag moest hebben gedaan.

Hij schreef wel dat hij een ongelooflijke nacht had meegemaakt in het dorp van Jemmy Button; een nacht die, zoals hij zei, *een onuit-*

338

wisbare indruk leek te hebben gemaakt op alle aanwezigen; sterker nog, die hen heeft veranderd op een manier die moeilijk onder woorden is te brengen en waar moeilijk de vinger op valt te leggen.
'Je hebt gelijk,' zei Beth. 'Dit is het. Ik zal hem hardop voorlezen.'

We vertrokken onder een dreigende hemel, bijna pal naar het noorden, over een veelgebruikt pad. Na enkele uren maakte de inmiddels vertrouwde verlatenheid plaats voor een verrassend weelderig landschap. Overal om ons heen groeiden reusachtige varens en hoog gras, en uiteindelijk ook struiken en zelfs bomen. Uit het feit dat we regelmatig moesten stilhouden om te rusten, leidde ik af dat we aan hoogte wonnen, hetgeen betekende dat we dichter bij de zon kwamen, wat het warmere klimaat verklaarde. In elk geval was al het groen dat ons omringde een feest voor het oog.

We waren met ons vieren: behalve ikzelf, meneer Darwin (of Filos, zoals we hem noemden), meneer McCormick, de scheepsarts, en natuurlijk Jemmy Button, over wie ik u eerder heb geschreven. En meneer Darwin zult u zich ook nog herinneren uit mijn vorige brieven. Hij is een echte heer, hij spreekt met het accent van de hogere klassen, maar hij heeft het respect van mijn scheepsmaten veroverd door de dappere wijze waarop hij alle ontberingen heeft verdragen en door zijn bereidheid aan elk avontuur deel te nemen. Het was geen geheim dat het niet boterde tussen hem en meneer McCormick, die een rancuneuze indruk maakte (net als veel andere kleine mannen die ik ken). De twee waren in een voortdurende rivaliteit gewikkeld om de gunst van kapitein FitzRoy, en omdat Filos zijn maaltijden met de kapitein gebruikte, had hij onvermijdelijk een voorsprong. Ik ben blij dat de kapitein zich niet bij ons gezelschap had aangesloten, want dat zou spoedig tot onenigheid hebben geleid. Bovendien is hij de laatste tijd zo veranderlijk, dat nooit duidelijk is of hij welwillend gestemd is, dan wel geneigd tot verzengende heethoofdigheid.

Onder het lopen hield ik onze gids, Jemmy, nauwlettend in de gaten. Hij was erg met zichzelf ingenomen en gedroeg zich alsof hij een soort koninklijk verkenner was, voor het jachtgezelschap van koning William. Zijn gedrag was werkelijk uiterst merkwaardig. Hij sprong in het rond als een duiveltje in een doosje, rende voor ons uit het pad af, kwam dan weer teruggalopperen, onder het roepen van: 'Mij land, mij dorp!' Zoals ik van meneer Darwin had begrepen, was hij zo uitbundig gestemd omdat hij eindelijk in staat zou zijn ons zijn dorp te laten zien en ons voor te stellen aan de stamoudsten. Ik heb al eerder geschreven dat hij zich met zoveel zorg kleedt; voor deze gelegenheid had hij nog meer aandacht aan zijn uitmonstering besteed dan gebruikelijk. Met zijn lange rokkostuum bood hij een lachwekkende aanblik in het bos. Bovendien leidde zijn warme kleding tot bovenmatig transpireren.

Nadat we een uur of drie stevig hadden doorgelopen, stopten we bij een stroompje voor een haastig maal. Het was een buitengewoon schilderachtige plek, waar het water langs lieflijke aardwallen stroomde. Maar op het moment dat we ons maal beëindigden, opende de hemel zich voor een stortvloed zoals ik die nog maar zelden heb meegemaakt. Bliksemschichten volgden elkaar in snel tempo op, en het gerommel van de donder leek de grond onder onze voeten te doen schudden. We kropen bij elkaar om te schuilen onder het bladerdak, maar het duurde niet lang of we waren doorweekt. We hadden geen andere keus dan af te wachten, terwijl we steeds natter werden. Dat maakte de stemming er bepaald niet beter op, en de spanningen tussen Filos en McCormick namen ook toe, omdat ze onenigheid hadden gehad over de vraag waar we het noodweer het best konden afwachten, en of het raadzaam was voor de bliksem beschutting te zoeken onder een boom, of juist niet. Jemmy was hevig bedroefd over het uitstel. Maar ten slotte hield het op met regenen, en zo waar als God mijn getuige is, de zon kwam onmiddellijk weer tevoorschijn. Zo grillig is het weer in dit deel van de wereld.

Toen we onze tocht hervatten, ging het regelrecht bergopwaarts. Jemmy draafde vooruit als een aap, sprong over rotsblokken, klauterde over bergspleten. We moesten alles op alles zetten om hem bij te houden, en telkens wanneer we te ver achterop raakten, keek hij woedend op ons neer, alsof hij ons op die manier tot nog grotere spoed kon aanzetten. Na ongeveer een uur, toen de rotsgrond door de zon was gedroogd, werd het klimmen gemakkelijker. Het begon me op te vallen dat er paden liepen over de bergachtige richels, ook al wist ik natuurlijk niet of die door mensen of dieren waren gemaakt. Ik had het gevoel dat we in bewoond gebied kwamen, en het duurde niet lang of mijn vermoeden werd bevestigd. We kwamen bij een kleine, kegelvormige hut, opgetrokken uit op elkaar gestapelde stenen. Uit wat Jemmy zei, maakten we op dat er voedsel in werd opgeslagen. De hut had een houten deur van amper een meter hoog, versierd met houtsnijwerk dat menselijke figuren uitbeeldde.

Filos deed hem open, stak zijn hoofd naar binnen en meldde dat de hut vol lag met graan. 'Allemachtig, deze stam kent een hoger ontwikkelingsniveau dan de wilden die we tot nu toe hebben gezien,' verklaarde hij. 'Ze doen aan landbouw en slaan hun oogsten op.'

Bij die woorden begon Jemmy te stralen en zei: 'Net als Enghelan' (de manier waarop hij de naam van ons land uitsprak, bracht me aanvankelijk in verwarring).

Daarop hervatten we onze tocht bergopwaarts, en het duurde niet lang of we kwamen langs kleine terrassen, afgezet met rotsblokken, waarop rijen groene scheuten groeiden; een soort groente, veronderstelde ik.

Vanaf dat punt kregen we eindelijk mensen te zien. Vanuit het niets verscheen er een kleine jongen, die ons brutaal aankeek, rechtsomkeert maakte en de berg weer op rende. Spoedig kwam hij terug met een handvol oudere mensen, die ons nieuwsgierig opnamen, maar voor zover ik kon zien zonder angst. Ze waren beter gekleed dan de indianen in het zuiden, met een mantel om hun schouders, een lendendoek en uiterst primitieve sandalen. Jemmy kon zich niet beheersen, maar begon wild op en neer te springen, terwijl hij een taal sprak die anders klonk dan de taal van de wilden die we tot op dat moment hadden ontmoet. Hij begroette zijn vrienden door hen bij de onderarm te grijpen en die krachtig te drukken. Na de eerste verbazing beantwoordden ze het gebaar op soortgelijke wijze. Toen ze in de gaten hadden wie hij was, werd hun belangstelling pas goed gewekt. Ze namen hem onderzoekend op, raakten zijn voorname kleren aan en begonnen onderling opgewonden te praten. Daarop namen ze hem tussen zich in en ze sleurden hem min of meer de berg op. Wij volgden op korte afstand, terwijl langs het pad steeds meer kinderen verschenen die ons met grote, ronde ogen gadesloegen.

Na enkele minuten bereikten we de top van de berg. Hier lag het dorp. Het werd omsloten door een muur van rotsen. We werden door een smalle spleet binnengelaten, en eenmaal daar besefte ik dat de rotsformatie fungeerde als een natuurlijk fort. De huizen – het waren er enkele tientallen – waren aanzienlijk uitgebreider dan de hutten die we elders hadden gezien; ze waren gemaakt van sterk materiaal – een combinatie van gras, hout en aangestampte modder – en hadden zelfs ramen. Een groot aantal bestond uit twee verdiepingen, met ladders om de bovenste laag te bereiken, die de laag daaronder als balkon gebruikte. Alles bij elkaar genomen bood het dorp een opmerkelijke aanblik; het ontwerp maakte het volmaakt geschikt voor gemeenschappelijke bewoning en, zoals ik al zei, voor verdediging.

Inmiddels was de hele bevolking komen opdraven. We werden naar het midden van het dorp geloodst, rond een kring van as en zwartgeblakerde rotsblokken. Vlakbij stonden een stuk of vijf, zes zelfs nog grotere huizen, waarvan ik veronderstelde dat ze toebehoorden aan de dorpsoudsten. Een huis was het grootste van allemaal. Ernaast verhief zich een enorme boom, met een stam zo breed als een stoomlocomotief en takken die tot hoog in de lucht reikten.

Het duurde niet lang of de oudsten kwamen naar buiten om ons te ontmoeten. Ze onderscheidden zich duidelijk van de rest, niet alleen omdat ze andere mantels droegen, geverfd in een dieprode kleur, maar ook door hun voorname houding; de meesten hadden dun, wit haar en ze onthielden zich – anders dan de rest van de wilden in dit deel van de wereld – niet van snorren en baarden.

Jemmy sprak diverse malen een woord dat ik niet begreep. Meneer McCormick legde uit dat hij riep om het Opperhoofd van het dorp, een zekere Okanicutt, of iets wat daarop leek. Blijkbaar ging het om de medicijnman, wat betekent dat hij doet aan kwakzalverij met verschillende soorten zwarte magie en andere vormen van dwaasheid. Deze medicijnman, of het Opperhoofd, zoals hij werd genoemd, liet zich niet meteen zien. Het viel me op dat meneer McCormick een nerveuze indruk maakte. Hij vertelde dat hij een ontmoedigende ervaring had opgedaan: op weg naar boven, amper zeven meter van de plek waar we stonden, had hij toevallig een blik kunnen werpen in een hut en gezien dat de vloer bezaaid lag met botten. 'Ik durf me nauwelijks af te vragen wat de herkomst daarvan is,' fluisterde hij.

Al spoedig werd er allerlei voedsel naar buiten gebracht, en er werd hout opgestapeld voor een vuur. Filos reikte in zijn zak en haalde er een pakje lucifers uit om het vuur aan te steken (een kunstje dat hij tijdens onze reis al vaker had vertoond), maar tot zijn grote teleurstelling wilden ze niet branden doordat ze drijfnat waren. Een jong meisje bracht wat gloeiende sintels om het vuur aan te krijgen. Ondertussen mengde Jemmy zich onder zijn mensen. Hij had vooral aandacht voor een oude vrouw, van wie ik veronderstelde dat het zijn moeder was, en een stel jongere mannen, ongetwijfeld zijn broers. Ze waren uitgelaten, praatten levendig en luidruchtig, sloegen elkaar op de rug en knepen in elkaars onderarmen. Plotseling, als op een teken, werden de wilden echter stil en gingen rond het vuur zitten. De deur van het grootste huis ging open, en er kwam een oude man naar buiten. Het grote Opperhoofd zelf, nam ik aan, Okanicutt.

Op datzelfde moment – en ik weet dat het bijna bovennatuurlijk klinkt – klonk er een gerommel alsof het onweerde, waardoor de verschijning nog vreemder leek. Ik aarzel niet toe te geven dat het Opperhoofd een indrukwekkende aanblik bood. Hij was groot en liep ondanks zijn leeftijd kaarsrecht, gehuld in rode gewaden. Zijn sneeuwwitte baard viel tot op zijn borst. Hij begroette Jemmy hartelijk – althans, die indruk kreeg ik – en kwam toen naar ons toe, om ons ieder afzonderlijk welkom te heten. De manier waarop hij Filos begroette, zou ik in onze beschaafde wereld eerbiedig noemen. Hier hield het in dat hij geruime tijd zijn onderarmen omklemde en met gebogen hoofd voor hem bleef staan. Toen het mijn beurt was en ik hem in de ogen keek, zag ik daarin zo'n vurige intelligentie branden dat ik mezelf eraan moest herinneren dat hij een indiaan was. Hij was echter duidelijk niet verheven boven de primitieve vormen van bijgeloof die bij dat soort volkeren gebruikelijk zijn. Sterker nog, hij was er de voornaamste verspreider van, zoals bleek uit de staf die hij droeg, een lange houten paal versierd met tekens en dierenhuiden.

U kunt zich voorstellen, Moeder, hoe geschokt ik was toen hij ons in het Engels aansprak. Hij legde uit dat hij als jonge knaap door piraten was meegenomen en jarenlang met hen op zee had rondgezworven. Hij deed ook nog een poging tot wat Spaans en Portugees, maar dat konden we geen van allen verstaan. Dus hij ging opnieuw over in onze taal en vertelde ons het verhaal van zijn stam, die ooit ver naar het noorden had gewoond, maar door de wildernis van Patagonië naar het zuiden was gedreven, helemaal tot dit onherbergzame land. Ik nam aan dat hij bedoelde dat vijandige stammen hen van hun geboortegrond hadden verdreven, maar Filos fluisterde dat het misschien het werk was geweest van generaal Rosas en zijn bandieten.

Er volgde een feestmaal. Bij wijze van bord kregen we een uitgeholde kalebas, en daarin werd ons allerlei eetbaars opgediend, waarvan ik het meeste niet kon thuisbrengen; sommige dingen smaakten verrassend goed, andere legde ik onaangeroerd opzij na eraan te hebben geroken. Het eten werd weggespoeld met een brouwsel dat rijkelijk werd geschonken; de aanvankelijk bittere smaak werd beter naarmate men er meer van dronk, en ik merkte dat het een licht benevelend effect had.

De bijeenkomst was anders dan al wat ik ooit heb meegemaakt. Opperhoofd Okanicutt zat op een hoge rots die wel iets van een troon had. Zijn gewaden vielen wijd en golvend langs zijn lichaam, en om hem heen zaten Engelsen en inboorlingen, die hun best deden door gebaren en tekens met elkaar te communiceren. Dat alles werd in een spookachtig reliëf geplaatst door de weerkaatsing van het vuur en het gerommel van de donder dat af en toe om ons heen weerklonk.

Ik zat een heel eind bij het Opperhoofd vandaan, dus ik kon niet horen wat hij zei. Maar Jemmy was mijn buurman. Op een gegeven moment boog hij zich naar me toe en nam hij me in vertrouwen. Wijzend op Okanicutt zei hij: 'Mij vader.' Jemmy's ware naam was Orundellico, vertelde hij (ik moet gissen naar de spelling), en er volgde een lang verhaal waarvan ik niet alle bijzonderheden begreep, maar dat in grote trekken ongeveer hierop neerkwam: De stam verkeerde wanhopig in moeilijkheden en werd met uitsterven bedreigd. Na Jemmy's avonturen in het land van de witte mensen, hoopte hij dat wij, westerlingen, iets van onze wijsheid met zijn stam wilden delen, om mogelijk uitkomst te bieden in deze moeilijke situatie.

'Bedoel je dat je wilt dat wij je stam redden?' vroeg ik. Jemmy knikte heftig en schonk me een stralende glimlach.

Na het maal ruimden de vrouwen de kalebassen weg. Er werd meer hout op het vuur gegooid, zodat het hoog en bulderend oplaaide, want met het vallen van de avond waren wij, Engelsen, ons bewust geworden van de kilte in de lucht. We schoven dichter naar het vuur, terwijl de zwetende indianen juist verder naar achteren gingen zitten. Opperhoofd Okanicutt liet een soort primitieve sigaren komen, die onder de mannen werden rondgedeeld nadat de vrouwen waren vertrokken (dit bracht meneer McCormick ertoe op te merken dat het hier niet anders toeging dan in de salons in Engeland). De rook leek echter een vreemd effect op ons te hebben; we voelden ons als het ware verdoofd, neigden aanvankelijk tot lichtzinnigheid en werden vervolgens overdreven serieus. De donder klonk ons plotseling schitterend in de oren.

Ten slotte gebaarde Okanicutt Jemmy om aan zijn voeten te komen zitten. Dit scheen het teken te zijn dat er zaken moesten worden gedaan; in dit geval, dat het tijd werd voor een uitwisseling van opvattingen over belangrijke onderwerpen. Ik vrees dat ik me het begin van de daaropvolgende dialoog niet kan herinneren – het vreemde eten en de rook waren me naar het hoofd gestegen – maar ik weet nog wel dat het Opperhoofd zijn armen spreidde, als om ons allen in te sluiten, en vroeg naar de principes die ten grondslag lagen aan onze beschaving, ook al formuleerde hij het natuurlijk niet zo. Hoe graag zou ik me zijn exacte woorden herinneren, want ze klonken krachtig en gepassioneerd.

Op dit verzoek, dat ons trof door zijn eenvoud, nam Filos het woord. Hij stak zonder aarzelen van wal met een verhandeling over het christendom, waarbij hij begon met het Oude Testament en vertelde hoe God de aarde en de hemelen in zes dagen had geschapen, en op zondag had gerust. Daarop vervolgde hij met grote welsprekendheid met de schepping van Adam, en hoe God Eva had geschapen uit een van zijn ribben (er ontstond wat verwarring over dit deel van de anatomie; ten slotte boog Filos zich naar voren om de buik van het Opperhoofd aan te raken. Okanicutt schrok daar in niet geringe mate van). Aansluitend sprak Filos over de Hof van Eden en vertelde hij hoe de kwaadaardige slang Eva verleidde, die voor de verlokking bezweek en Adam met haar vrouwelijke listen tot de zondeval wist te brengen, waarop God zo boos werd dat Hij hen uit het paradijs verdreef. Bij het zien van de verbazing van het Opperhoofd, verschafte Filos meer toelichting en legde hij uit dat de slang werkte voor de Duivel. Dit bracht hem op het verhaal van

Lucifer en de andere engelen die uit de hemel waren geworpen. Om zijn woorden kracht bij te zetten en meer kleur te geven, doorspekte Filos zijn verhaal met citaten uit het grote verhalende dichtwerk van Milton, ook al zou ik niet kunnen zeggen hoeveel van wat Filos zei, letterlijk afkomstig was van de dichter.

Daarop ging hij verder met andere lessen die de Bijbel ons leert. Hij sprak over Kaïn die zijn broer Abel doodde, over Job en diens vele beproevingen, en over Abraham die van God de opdracht kreeg zijn geliefde zoon Isaak te doden (op dat punt in het verhaal zag ik dat het Opperhoofd een arm om Jemmy heen sloeg). Filos vertelde buitengewoon beeldend over Noach en de Zondvloed, en over Mozes die de wateren scheidde om het uitverkoren volk uit Egypte te leiden; een historische gebeurtenis waarvan ik me voorstelde dat die het Opperhoofd zou aanspreken, gezien de geschiedenis van zijn stam.

Het was moeilijk te zeggen wat het Opperhoofd van dit alles dacht. Zijn ogen leken steeds groter te worden naarmate de avond vorderde. Op diverse punten in het verhaal stelde hij vragen – bijvoorbeeld hoe de dieren op de Ark hadden overleefd zonder elkaar op te eten – die een zekere fantasieloze naïviteit suggereerden. Daarop nam meneer McCormick het woord, en hij betrok zijn lessen uit het Nieuwe Testament. Hij vertelde dat God een zoon had gehad die Jezus heette, en dat die zoon het Lam werd genoemd. Hij was ter wereld gekomen als kind van Maria, die zwanger werd zonder met een man te zijn geweest. Dit leidde opnieuw tot verwarring en levendige discussie, en ik weet niet zeker of we de idee van de maagdelijke geboorte daadwerkelijk hebben weten over te brengen. Uiteindelijk hervatte meneer McCormick zijn verhaal. Hij vertelde dat Maria wist dat ze het kind van God droeg, omdat de Engel Gabriël haar had bezocht om haar die blijde boodschap te brengen. Daarop moest hij alles uitleggen over engelen en de welwillendheid waarmee ze over de mensheid waakten. Het Opperhoofd was in verwarring gebracht omdat hij zich herinnerde dat Filos eerder over Lucifer had gesproken, die door hem ook een engel was genoemd.

Ten slotte keerde meneer McCormick terug naar de rode draad van het verhaal. Hij vertelde dat er een ster aan de hemel verscheen en dat drie kruidenkooplieden deze volgden tot ze in Bethlehem kwamen, waar het kind was geboren in een stal, omdat er nergens meer een kamer te krijgen was. Hij deed verslag van enkele van de spectaculaire daden van Christus: hoe hij over een meer had gelopen zonder te verdrinken, hoe hij een glas water alleen maar had hoeven aanraken om te zorgen dat er genoeg wijn was voor een menigte, hoe hij een dode tot leven had gewekt. Het verhaal werkte uiteindelijk toe naar het Laatste Avondmaal en de Kruisiging. Veel leek het begrip van het Opperhoofd te boven te gaan, maar – en dat pleit voor hem – hij leek oprecht vervuld van afschuw bij de beschrijving van het Lam dat aan het Kruis werd genageld.

Toen meneer McCormick zei dat Christus niet echt was gestorven – of dat hij wel was gestorven, maar uit de dood was opgestaan nadat hij dagenlang in een graftombe had gelegen – had u de uitdrukking op het gezicht van het Opperhoofd moeten zien. Hij wilde weten wat daarmee werd bedoeld. Liep Christus inmiddels weer gewoon rond, praatte hij weer met zijn medemensen, enzovoort? Dus meneer McCormick legde met grenzeloos geduld uit dat Hij ten Hemel was gevaren, waar hij troonde aan Gods rechterhand. Vervolgens begon hij uit te weiden over het Boek Openbaring, en de Zeven Zegels, en de naderende strijd tussen Christus en Satan die zou leiden tot een duizendjarige vrede, maar het Opperhoofd keek zo verward, dat meneer McCormick er niet verder op doorging. In plaats daarvan merkte hij eenvoudig op dat de dood van Christus waarachtig een zegen was geweest, omdat daarmee was bewezen dat God de mens zo liefhad dat Hij bereid was Zijn eniggeboren zoon te offeren om ons schoon te wassen van de zonde die lang geleden was begaan. Welke zonde was dat, vroeg het Opperhoofd. Daarop nam Filos opnieuw het woord. De zonde was het feit dat Adam van de appel had gegeten, legde hij uit. Dat bracht het Opperhoofd zelfs nog meer in verwarring, omdat bleek dat Filos aan het begin van zijn verhaal had nagelaten te vertellen dat de zondeval het eten van die speciale vrucht betrof. Daarmee was de cirkel echter rond.

Op dit punt leek de belangstelling van Okanicutt te tanen, en hij verviel in stilzwijgen. Toen vroeg hij plotseling vanuit het niets: 'Hoe ziet uw god eruit?' Filos legde uit dat niemand dat wist, omdat niemand hem ooit echt had gezien, waarbij hij eraan toevoegde dat kleine kinderen hem zagen als een wijze, oude man met een witte baard. Na die woorden keek het Opperhoofd naar zijn eigen baard, en hij begon bulderend te lachen. Vanaf dat moment leek hij niet langer te luisteren naar wat er werd verteld.

Ik was nog altijd duizelig van de drank en de rook en ik verlangde hevig te gaan slapen, maar op dat moment begonnen de inboorlingen opnieuw met het ronddelen van die intrigerende sigaren.

'Het is niet te geloven!' zei Beth, terwijl ze de brief even liet zakken. 'Ik heb nog nooit zoiets verbijsterends gelezen.'

'Ga door,' drong Hugh aan.

29

De rook maakte me slaperig, en uiteindelijk kon ik mijn ogen niet langer openhouden. Mijn rust was echter van korte duur, want ik werd gewekt door een plotselinge donderslag, zo hard dat ik bijna van het rotsblok viel waarop ik zat.

Ik keek naar Okanicutt. Hij leek somber gestemd, ook al is dat bij inboorlingen moeilijk te zien. Ik leidde zijn stemming af uit de manier waarop hij onderuitgezakt op zijn troon zat, met zijn hand onder zijn kin, zijn blik in de verte gericht. Het is ongetwijfeld zwaar om met gezag te zijn bekleed, al is het maar over een povere groep indianen op een onherbergzame plek als deze, kon ik niet nalaten te denken.

Meneer McCormick leek de veranderde stemming van onze gastheer ook op te merken, en maakte zelf eveneens een zwaarmoedige indruk. Hij was waarschijnlijk teleurgesteld in de reactie van het Opperhoofd op zijn verhandeling over het christendom, die ondanks zijn welsprekendheid aan dovemansoren gericht bleek te zijn geweest, zoals ze dat zeggen. Hij deed echter een dappere poging het gesprek gaande te houden. 'Opperhoofd Okanicutt,' hoorde ik hem zeggen, luid en duidelijk sprekend, opdat de indiaan hem zou begrijpen. 'Wees zo goed althans iets van het geloof van uw stam met ons te delen. Kent u bijvoorbeeld boeiende mythen? Gelooft u in een vuurgod, een regengod, enzovoort? Doet u aan voorouderaanbidding?'

Het Opperhoofd gebaarde dat er een sigaar aan hem moest worden doorgegeven. Hij nam een krachtige trek, hield de rook enige tijd vast en blies die toen uit, terwijl hij om het vuur heen naar ons drieen keek. Hij leek te overwegen of hij meneer McCormicks vraag al dan niet met een antwoord zou honoreren. Ik begreep zijn weigerachtigheid maar al te goed, nadat hij de complexiteiten en de luister van de anglicaanse Kerk zo overtuigend had horen aanprijzen. Uiteindelijk schraapte hij zijn keel en ging rechtop zitten. 'We geloven niet in zo'n machtige god als u,' zei hij langzaam, alsof hij zorgvuldig zijn woorden koos. 'Onze geloofsopvattingen zijn simpel en vloeien voort uit wat we ervaren. Zoals ik al zei, we zijn als stam uit ons land verdreven. In het noorden hadden we uitgestrekte velden om te beplanten, beschenen door de zon. Hier is het koud en nat en kunnen we ons nauwelijks in leven houden. Sterker nog, hier is overleven elke dag weer een worsteling.'

Hij aarzelde en schonk ons een merkwaardige blik. Misschien vroeg hij zich af – net als ik – hoe het mogelijk was dat drie Engelsen naar dit duistere oord op het uiterste puntje van het enorme continent waren gekomen om zijn verhaal te horen.

'Toch bewaren we herinneringen aan betere tijden,' vervolgde hij. 'Tijden waarin er voedsel was in overvloed en we in de zon konden zitten. Dus wat we geloven, komt overeen met wat we weten: dat het leven goed kan zijn en dat onze aantallen kunnen groeien, maar dat het leven ook hard kan zijn en dat onze aantallen dan zullen slinken.'

'Inderdaad, aan de ene kant overvloedig, wreed aan de andere kant!' riep Filos uit. 'Een overvloedig verleden, net als in het christelijk geloof. Bij de goden, dat is de Hof van Eden, en vandaag leven we in een corrupte wereld, omdat de mens uit de Hof is verdreven. Onze gezangenbundels verschillen, maar we zitten op dezelfde bladzijde. Beseft u dat niet?'

'Misschien,' antwoordde het Opperhoofd. 'Maar wij zijn niet door een god uit onze hof verdreven. Dat was het werk van mensen.'

'Maar begrijpt u dat dan niet? Dat was de wil van God,' zei meneer McCormick. 'Uw vijanden voerden Zijn wil uit.'

'Waarom zou de mens kiezen voor een verklaring die hij niet kan zien, wanneer er een is die wel zichtbaar is?' antwoordde het Opperhoofd. 'Als een man een speer naar me gooit, dan zeg ik dat; dan zeg ik dat een man een speer naar me heeft gegooid.' Hij zweeg even en vervolgde ten slotte: 'We geloven niet in een wezen zoals de god over wie u spreekt. We geloven niet dat de wereld in zes dagen werd geschapen. Dat is een erg korte tijd voor zo'n groot werk. We geloven dat de wereld heel lang geleden is ontstaan.'

'Maar hoe zou dat mogelijk zijn zonder een god?' protesteerde Filos. 'Hoe is de wereld volgens u dan geschapen?'

'Dat weten we niet, en omdat we het niet weten, stellen we de vraag niet.' Het Opperhoofd was duidelijk geërgerd door de onderbreking en keek Filos met gefronste wenkbrauwen aan, alsof hij hem op die manier het zwijgen wilde opleggen. 'Het is gebeurd, daar gaat het om. En dat was heel lang geleden. Zo lang geleden dat we ons er geen voorstelling van kunnen maken. Met het verstrijken van de tijd kan er heel veel gebeuren. Er kunnen zeeën ontstaan. Er kunnen bergen ontstaan. Er kunnen eilanden ontstaan. Zelfs deze verschrikkelijke plek, die we het eind van de wereld noemen, is ontstaan. Met het verglijden der jaren maken vele korrels zand het strand.'

Precies op dat moment schoot er een bliksemschicht langs de hemel, Moeder. En er klonk een donderslag, zo dicht bij de bergtop, dat die me een ware doodsschrik bezorgde. Ik schaam me er niet voor dat toe te geven. Onwillekeurig vroeg ik me af of God aanstoot nam aan de ketterse taal die hier werd uitgeslagen. Maar het oude Opperhoofd bleef volmaakt kalm en praatte rustig door.

'We geloven niet dat een god de planten en de dieren heeft gemaakt. Noch dat hij de man heeft geschapen en' – hij legde even een hand op zijn ribben – 'de vrouw. Wij geloven dat het allemaal heel eenvoudig is begonnen. Met een enkel klein… iets, waaruit alles is voortgekomen. Dat heeft heel lang geduurd, en tijdens dat proces hebben zich talloze veranderingen voorgedaan. Wanneer de tijd maar lang genoeg is, kunnen zich heel veel kleine veranderingen voordoen, en wanneer die allemaal worden samengevoegd, leiden ze tot een dramatische, ingrijpende verandering.'

Ik hoorde meneer McCormick op gedempte toon iets mompelen wat ik niet begreep: 'Erasmus Darwin,' meende ik te verstaan. Het Opperhoofd scheen hem niet te horen en sprak verder.

'Dat ene, kleine, eenvoudige iets ontwikkelde zich, werd steeds complexer, er traden veranderingen op, en het werd allemaal nog complexer, enzovoort. Zo gaat het in het leven. Aanvankelijk waren er de kleine dieren, zoals u ze in een poel water ziet. Daarna kwamen de grotere, de dieren van het land. Ze kregen poten. Ogen. Daarom lijken zoveel dieren op elkaar. In aanleg zijn ze allemaal hetzelfde. Wij zijn allemaal hetzelfde. We stammen allemaal af van dat kleine, prille begin.'

'Maar hoe dan?' Deze keer was het meneer McCormick die hem onderbrak. 'Hoe kon zoiets in 's hemelsnaam zijn gebeurd zonder God?'

Het Opperhoofd keerde zich naar hem toe, en vervolgens naar

Filos, wiens oogleden zwaar begonnen te worden van vermoeidheid. Het was alsof het Opperhoofd zich afvroeg of hij zou doorgaan.

'*Temaukl*,' antwoordde hij ten slotte.

'Wat zegt u?'

Zoals u zich kunt voorstellen, plaatste dit antwoord ons voor een raadsel. Er werd een hoop heen en weer gepraat, terwijl Jemmy probeerde de Engelse woorden te vinden om het begrip uit te drukken, en terwijl wij vragen stelden om de aard daarvan duidelijk te krijgen. Misschien geloofde het Opperhoofd uiteindelijk toch in een soort Opperwezen, dacht ik, maar dan in een meer elementaire godheid. Hoe langer hij praatte, hoe meer datgene waarin hij geloofde, klonk als een soort dwaallicht, een hersenschim.

Ten slotte gebaarde het Opperhoofd weids met zijn arm, alsof hij het dorp, de berg, de dreigende wolken, de avondhemel... alsof hij alles in het gebaar wilde insluiten. '*Temaukl* is dit alles,' zei hij. 'Het is alles wat u om u heen ziet, en ook wat u niet kunt zien. Het is de vogel, en de worm die de vogel eet, en het nest dat de vogel maakt, en de tak waar het nest op rust.'

Even waren we met stomheid geslagen, toen begonnen we te gissen. Ik kreeg er plezier in – het deed me denken aan de spellen die we vroeger thuis in de salon speelden – tot meneer McCormick opsprong. 'De Natuur!' riep hij uit. 'Dat is wat hij bedoelt. De Natuur!' Nu er een manier was gevonden om het begrip onder woorden te brengen, voelden we ons allemaal een stuk geruster, alsof we nu beter begrepen wat hij ons probeerde duidelijk te maken. Toen meneer McCormick zag dat het Opperhoofd zich er niet langer aan leek te storen dat hij werd onderbroken, stelde hij opnieuw een vraag. 'Maar hoe werkt dat dan? Hoe werkt die "tee-mak-kul" waar u het over hebt?'

'Die werkt niet. Het gebeurt gewoon. Veel schepselen worden geboren, maar daarvan sterven er ook weer vele. *Temaukl* zorgt ervoor dat wat het beste is, blijft leven. De rest sterft. En de schepselen die blijven leven, krijgen nakomelingen die op hun beurt ook weer de beste zullen zijn. Zo gaat het door, steeds maar door, sinds onheuglijke tijden.'

Turend door de duisternis en de rook zag ik dat meneer McCormick zijn blik van het Opperhoofd had afgewend en naar Filos keek, alsof hij diens reactie wilde peilen. Maar voor zover ik dat kon zien, scheelde het niet veel of die beste brave meneer Darwin was in slaap gevallen. Van tijd tot tijd zakte zijn kin op zijn borst, en dan tilde hij met een ruk zijn hoofd op en keek verward om zich heen, alsof de vreemde omgeving hem verraste. Ik veronderstel dat hij ook last had van die krachtige sigaren. Mijn blik gleed weer naar meneer McCormick. Zelden heb ik zoveel emotie op iemands gezicht gezien. Ik stel me voor dat hij, net als ik, diep geschokt was door een dergelijk geraaskal, dat rechtstreeks voortvloeide uit ketterij.

In de verte schoten opnieuw bliksemschichten langs de hemel, en weer kraakte de donder.

'Weet u dan niet dat de zeeschildpad zijn eieren op de kust legt?' vroeg het Opperhoofd. 'En wanneer ze uitkomen, spoeden honderden kleine schildpadden zich naar het water. Veel worden onderweg doodgepikt door vogels. Alleen de sterkste weten de veilige zee te bereiken. Zij zijn het die de volgende generatie leveren. Dat is *Temaukl*.

Hebt u dan niet gehoord van de giraf, wiens lange nek hem in staat stelt van hoge bomen te eten? Of van de landschildpad die zijn schild meedraagt als bescherming? Of van het stinkdier wiens geur andere dieren op een afstand houdt? Dat is *Temaukl*.'

'Als u het bij het rechte eind hebt, is elk levend wezen een voortvloeisel van een mindere uitvoering van zichzelf,' zei meneer McCormick. 'En dan is alles familie van elkaar. De zebra van het paard, de wolf van de hond, en de mens… wij zijn familie van…'

'De apen!' riep ik uit, want ik kon me niet langer beheersen. 'Dat wordt toch werkelijk te gortig,' voegde ik eraan toe.

Omdat ik had gesproken vanuit mijn hart, zonder over mijn woorden te hebben nagedacht, keek ik om me heen, en mijn oog viel toevallig op een ladder die tegen de muur van een van de huizen stond.

'Kijk eens naar die ladder.' Ik wees ernaar. 'De ladder stelt als het ware de wereld voor zoals God die heeft geschapen. Er zijn hogere en lagere soorten, en die liggen voor de eeuwigheid vast. Wij staan helemaal bovenaan. De apen bevinden zich op een lagere sport en uw stinkdieren en schildpadden en wat al niet meer, die staan op nog lagere sporten.'

Het Opperhoofd glimlachte, en ik moet eerlijk bekennen dat de zelfgenoegzame uitdrukking op zijn gezicht me helemaal niet beviel. Ik had al nota genomen van het feit dat hij tijdens zijn verhandeling nauwelijks het woord tot mij had gericht. 'Die ladder is gemaakt door de mens,' sprak hij. Daarop wees hij naar de hoge boom. 'Dat is de wereld zoals wij die zien. Elke blad is een dier, elke tak een groep dieren. Ziet u hoe ze van elkaar weg groeien, en hoe ze allemaal voortkomen uit dezelfde stam?'

Ik week geen duimbreed en hield vol dat alle soorten door God waren geschapen en dat ze tot in lengte der tijden hetzelfde bleven, onveranderlijk in alle eeuwigheid. Ik zei dat ik niet geloofde dat zich toevalligheden konden voordoen, waardoor het kroost plotseling verschilde van de ouders.

Zonder daarop rechtstreeks antwoord te geven, stond het Opperhoofd op en gebaarde ons hem te volgen. Filos werd gewekt. De grond was glibberig, maar het Opperhoofd bewoog zich sneller en soepeler dan ik had verwacht. Zijn staf was slechts een gewone wandelstok, viel me op, omwikkeld met dierenhuid zodat hij er meer greep op had.

Hij leidde ons naar een hut; de hut waarvan de inhoud meneer McCormick op weg naar boven zo diep had geschokt. Daar hield hij een vlammende toorts omhoog, die hij van een knaap kreeg aangereikt, zodat we konden zien wat zich daarbinnen bevond. Er lag een stapel beenderen, een enorme berg, oud en gebleekt en gelegd in patronen die mijn begrip te boven gingen.

Terwijl hij een bot omhooghield dat eruitzag als een groot dijbeen, zei het Opperhoofd dat het dier waaraan dit bot ooit had toebehoord, niet meer op aarde rondliep. Dat leek me nogal voor de hand liggend, merkte ik op. Waarop hij zei dat ik hem niet begreep; het had toebehoord aan een dier dat ooit op aarde had rondgelopen maar dat inmiddels was uitgestorven. Alle botten in de hut waren van dieren die lang geleden hadden geleefd en die van de aardbodem waren verdwenen, vertelde hij.

Hoe was dat mogelijk als – zoals wij beweerden – alle soorten door God waren geschapen en nooit veranderden, vroeg hij.

Ik moet toegeven dat het niet meeviel om die vraag te beantwoorden. Mijn geest was nog altijd beneveld door de sigarenrook die ik had binnengekregen, en ik vond de donder en bliksem in de verte erg ontmoedigend. Al met al begon ik er spijt van te krijgen dat we ooit naar deze plek waren gekomen.

Toen deed het Opperhoofd iets wat ik nooit zal vergeten, zolang als ik leef. Hij ging ons voor naar een huis met vrouwen en zuigelingen. Een soort gemeenschappelijke kinderkamer, stel ik me voor. Vanuit het voornaamste vertrek kwamen we in een aangrenzende ruimte, met daarin slechts één moeder die met haar kind op een mat op de grond lag. Het vertrek was bijna te klein om ruimte te bieden aan ons allemaal.

De zuigeling had een rood gezichtje en hield zijn vuistjes gebald, alsof hij probeerde niet te huilen. Het Opperhoofd vroeg de moeder iets te doen waarvoor ze duidelijk terugschrok. Jemmy vertelde dat hij haar had gezegd het kind van zijn windsels te ontdoen. De moeder verroerde zich niet, tot het Opperhoofd op harde toon een commando blafte. Tenminste, dat nam ik aan.

We hoorden dat het buiten weer begon te regenen, de druppels roffelden op het dak.

Toen de windsels van de zuigeling afvielen, keken we naar het kind. God is mijn getuige dat de ruimte op dat moment werd verlicht door een felle bliksemflits, waardoor de ontstellende aanblik ons in al zijn gruwelijkheid werd onthuld. Filos hield geschokt zijn adem in, meneer McCormick wendde zich af, vervuld van afschuw. Ik kon mijn ogen niet geloven, want zelfs in mijn stoutste dromen zou ik niet hebben gedacht dat zoiets kon bestaan. Het kind was mismaakt en had zowel mannelijke als vrouwelijke geslachtsdelen. '*Temaukl* werkt op manieren die wij niet kunnen begrijpen,' zei het Opperhoofd toen we zwijgend vertrokken.

Na alles wat er was gebeurd en met het onweer dat nog lang niet was uitgewoed, hadden we een slechte nacht. De volgende morgen vertrokken we al vroeg, zonder afscheid te nemen. Het Opperhoofd bleef in zijn huis en liet zich niet zien. Misschien sliep hij uit. Jemmy was onze gids op de terugweg naar het schip, want de route was moeilijk te volgen. De tocht leek korter te duren dan de heenweg, maar werd voor het grootste deel zwijgend afgelegd. Filos en McCormick spraken de hele weg geen woord. Toen we bij de haven aankwamen en daar de *Beagle*, ons trouwe, vertrouwde schip, voor anker zagen liggen, slaakte ik een zucht van verlichting. Ik schaam me niet om dat te bekennen.

Jemmy liep echter te mokken op een manier zoals ik dat nog nooit van hem had meegemaakt. Het was alsof zijn boosheid met elke stap die de terugweg had geduurd, was gegroeid, en tegen de tijd dat we de baai bereikten, barstte hij los in een driftbui zonder weerga. Hij rukte zich de kleren van het lijf, gooide het rokkostuum op de grond, en zei dat hij niet langer Jemmy Button genoemd wenste te worden. Van nu af aan heette hij Orundellico, en hij wilde niets meer met ons te maken hebben.

Wat vindt u daarvan, Moeder? Na alles wat we voor hem hadden gedaan! Ik ben tot de slotsom gekomen dat ik de geest van dit soort primitieve schepselen nooit zal kunnen doorgronden.

Er is nog één ding dat het vermelden waard is. Die avond, toen we allemaal weer veilig aan boord van de *Beagle* waren, ving ik toevallig een gesprek op tussen meneer McCormick en Filos. Meneer McCormick praatte bijzonder geanimeerd. Voor zover ik dat kon zeggen, somde hij op wat het Opperhoofd allemaal had gezegd: hoe al wat leefde was voortgekomen uit dat enkele, simpele 'iets' waarmee alles was begonnen. Hij gaf zelfs een beschrijving van de 'boom van het leven', zoals hij hem noemde.

'Dat kan allemaal wel zo zijn, maar hoe werkt het,' luidde de reactie van Filos.

'De vraag is niet wát er gebeurt, maar hóé het gebeurt. Hoe kan een geheel nieuwe soort ontstaan?' Daarop raakte meneer McCormick zelfs nog meer op dreef. Hij zei dat hij de hele avond over bijna niets anders had gedacht en dat hij tot een antwoord was gekomen (dat ik opschreef, omdat ik het wilde kunnen reproduceren), namelijk dat de Natuur, 'gezien de enorme worsteling om te overleven, aan die schepselen de voorkeur geeft waarvan de variaties, hoe klein ook, hun een voordeel geven boven andere schepselen.' Verder zei hij dat 'dieren zodanig veranderen dat ze hun eigen plek kunnen innemen in het grote geheel. Ze evolueren, omdat ze anders het risico lopen uit te sterven en in fossielen te veranderen, zoals de beenderen die het Opperhoofd ons liet zien, bewijzen.' En hij zei ook nog: 'De Natuur werpt soms een obstakel op, zoals een woestijn of een oceaan, met als gevolg dat dieren die ooit gelijk waren, worden gescheiden en zich verschillend ontwikkelen.' Als voorbeeld noemde hij de twee varianten van de struisvogel in Zuid-Amerika, de grotere soort in het noorden en de kleinere in het zuiden; van die laatste soort had Filos de beenderen verzameld als specimens.

Ik moet zeggen dat ik slechts flarden heb opgevangen, maar wat ik hoorde klonk me als volstrekt belachelijk in de oren. Om een voorbeeld te nemen: ik word, zoals u maar al te goed weet, door de halve wereld van mijn broer gescheiden. De tijd dat we elkaar niet hebben gezien, ben ik me blijven ontwikkelen. Toch heb ik er alle vertrouwen in dat hij zal merken dat ik niet ingrijpend ben veranderd wanneer we elkaar eindelijk weerzien.

Filos leek echter te onderschrijven wat meneer McCormick betoogde, en ook hij raakte in een staat van opwinding, wreef in zijn handen en begon over het dek te ijsberen. 'Bij de goden, beseft u wel wat hiervan de implicaties zijn?' vroeg hij ten slotte heel ernstig.

'Zeker,' antwoordde meneer McCormick, al net zo ernstig. 'Ik heb zojuist de grondbeginselen van de Kerk een vernietigende slag toegebracht.'

Waarop Filos verklaarde: 'Het is nog erger. U hebt de Schepper Zelf in het gezicht geslagen!'

'Godslasteraar!' klonk plotseling een donderende stem. 'U hebt Onze Heer wederom aan het Kruis genageld! Daar zult u zwaar voor boeten!' Kapitein FitzRoy deed een stap naar voren. Hij had blijkbaar in de schaduw gestaan en alles gehoord. Streng gebood hij de twee mannen benedendeks te komen, en ze gehoorzaamden als kinderen die waren betrapt op het plunderen van de provisiekast.

Ik moet zeggen, Moeder, dat ik blij was met de tussenkomst van de kapitein. Want hoewel ik de strekking van het gesprek van die avond niet volledig had begrepen, stond het me helemaal niet aan. Er kan niets goeds uit voortkomen wanneer we ons afgeven met wilden, heb ik vaak gedacht.

Dat is wat er gebeurde tijdens dat uitzonderlijke bezoek aan het dorp van Jemmy Button. Wanneer ik eraan terugdenk, lijkt het me soms allemaal een droom. Misschien komt dat door die vreemde sigaren.

Uw liefhebbende zoon,
Richard

30

Hugh en Beth sliepen lang uit. Eenmaal opgestaan liepen ze naar beneden, naar een terras dat uitkeek over het meer. Daar trakteerden ze zichzelf op een ouderwets Engels ontbijt: eieren, worstjes, bacon, tomaten en gebakken witte bonen. Beth gimlachte, rekte zich uit in de warme zon; als een tevreden kat, dacht Hugh. Hij had ook heerlijk geslapen en kon zich niet herinneren wanneer hij zich voor het laatst zo goed had gevoeld, zo bruisend van leven, maar ook zo ontspannen.

Ze besloten de rest van de dag door het Lake District te toeren en stapten in de auto. Vóór hen liep de weg stijgend en dalend in de richting van de horizon, kronkelde zich langs hagen, leidde hen beboste valleien binnen, waarna ze het volgende moment weer tegen een heuvel op klommen vanwaar ze uitkeken over groen grasland, met hier en daar een dorpje. Witte wolken dreven langs de blauwe hemel.

Ze hadden zich hersteld van de schok die Matthews' brief had betekend, maar in het nuchtere daglicht beseften ze dat ze meer hadden ontdekt dan waarop ze hadden gerekend.

'Denk je dat ze ons geloven?' vroeg Hugh.

'Ik zou niet weten waarom niet. We hebben keiharde bewijzen. Ook al moet ik toegeven dat het wel erg veel is om in één keer te verwerken.'

Ze bespraken de bewijzen die ze hadden: Lizzies dagboek, het ontbrekende hoofdstuk van Darwins autobiografie, de brief van Matthews. Stuk voor stuk vertelden ze hun eigen deel van het verhaal, en stuk voor stuk versterkten ze elkaar.

Bij een pub langs de weg in het stadje Hawkshead stopten ze om te lunchen. Ze gingen aan een tafeltje buiten zitten, op amper een armlengte van de kronkelende straatweg die door het plaatsje liep.

De boerenlunch – brood met kaas – ging erin als koek, en ze deelden ook nog een *shepherd's pie*. Toen Hugh binnen nog een biertje voor hen had gehaald, zag hij dat Beth voor zich uit in de verte zat te staren. 'Waar denk je aan?'

'Aan Lizzie. Die arme Lizzie. Haar vader was nog erger dan ze dacht.'

'Zeg dat wel. Het lukte hem niet alleen zich te ontdoen van zijn rivaal – al dan niet met opzet – en hem uit de geschiedenisboekjes te schrappen, maar nu blijkt ook nog dat hij zijn beroemde theorie van hem had gestolen.'

'Is het niet merkwaardig dat hij daar nooit iets van heeft opgebiecht, zelfs niet in dat ontbrekende hoofdstuk? Denk je dat hij zich te diep schaamde voor de diefstal, of vond hij die misschien niet zo ernstig, in vergelijking met de dood van McCormick?'

'Hij dacht waarschijnlijk dat McCormick het volste recht had die van de indianen te stelen,' antwoordde Hugh. 'Dat was typisch iets voor de Victorianen. Zij waren de hoogontwikkelde Britten, het superieure blanke ras. Net zoals lord Elgin zonder ook maar een sikkepitje gewetenswroeging die standbeelden uit het Parthenon kon roven, en Cecil Rhodes treinen vol diamanten uit Zuid-Afrika heeft gehaald, zo eigende McCormick zich wat gefilosofeer rond het kampvuur toe.

Maar McCormick stal niet de volledige theorie van de sjamaan. Wat de sjamaan zei over de evolutie – dat de ene soort voortkomt uit de andere – was ook al eerder door een aantal westerlingen beweerd. Onder andere door Darwins grootvader, Erasmus. Het nieuwe en cruciale element dat aan McCormick moet worden toegeschreven, was de manier waarop het gebeurde... door natuurlijke selectie. Dat was het geniale. En dat heeft Darwin gestolen, inderdaad, maar hij stal het van een blanke, een landgenoot.'

Beth zuchtte. 'En toen ze dat eenmaal hadden bedacht, beseften ze dat degene die er als de gesmeerde bliksem mee in Engeland zou weten te komen en het als eerste zou publiceren, alle eer zou opstrijken. Alle rijkdom, alle roem. Geen wonder dat de *Beagle* te klein was voor hen allebei. En geen wonder dat Darwin gek werd van schuldgevoel over de dood van McCormick. Diep vanbinnen wilde hij natuurlijk dat de scheepsarts in dat inferno zou storten. Uiteindelijk oogst hij alle roem, maar het gevolg is een leven van ziekte en paranoia. Je zou bijna medelijden met hem krijgen.'

'Het kan niet anders of McCormicks laatste woorden zijn hem blijven achtervolgen. Darwin geloofde dan misschien niet in God, maar ik wed dat hij weer in de duivel is gaan geloven.'

Beth knikte. 'Weet je met wie ik echt medelijden heb? Met Jemmy Button.'

'Hij leefde in twee werelden en kreeg van beide het slechtste.'

'En dat Opperhoofd dan? Hij hoopte op verlichting en het enige wat hij kreeg, was zinloos Brits gebral en geleuter. Dat moet toch een enorme teleurstelling zijn geweest.'

'Ach, het verklaart in elk geval het briefje dat ik in Schotland heb gevonden. Dat ben ik nog vergeten je te vertellen. Het was afkomstig van Jemmy. Hij had het aan Darwin geschreven, lang na de reis. *Mij zien uw schepen. Mij zien uw steden. Mij zien uw kerken. Mij zien uw koningin. Maar jullie Enghels... jullie dood... jullie levend al dood. Wij Yamana arm, maar onze wereld rijk en vol leven,*' citeerde Hugh de brief.

'Dat is absoluut waar. Zeker in die tijd waren ze al dood terwijl ze nog leefden. Dus de Yamana waren rijker, wisten meer van het leven. Denk je dat Jemmy de aanstichter is geweest van dat bloedbad?'

'Ja, dat denk ik.'

'En waarom denk je dat hij zo woedend was? Zo verschrikkelijk kwaad dat hij tot zulke wreedheden in staat was?'

'Volgens mij niet omdat de almachtige Engelsen niet in staat bleken zijn stam te redden. Ik denk eerder omdat hij besefte dat zijn Opperhoofd de wereld en het leven dieper doorgrondde, wat de Engelsen, arrogant als ze waren, weigerden te erkennen... behalve McCormick en, toen het hem eenmaal was uitgelegd, Darwin. Maar dat wist Jemmy niet.'

'Wat is er eigenlijk met de stam gebeurd?'

'Volledig uitgeroeid.'

Ze dronken dorstig van hun bier.

'Nog één ding,' zei Beth. 'Naar mijn mening betekent dit alles dat Alfred Russel Wallace de theorie als eerste heeft geformuleerd. Dat heeft Darwin zelf toegeven. Dus dan zou Wallace alle eer moeten krijgen.'

'Nee, dat ben ik niet met je eens.'

'Waarom niet? En trouwens, wat was dat gedoe met Huxley en de anderen, die Wallace zwijggeld zouden hebben betaald? Waar kan hij hen mee gechanteerd hebben?'

Hugh haalde een velletje papier uit zijn zak. 'Hier is nog een brief van Matthews. Aan zijn neef en nicht. Hij heeft hem ergens begin 1858 geschreven, lang na de dood van zijn moeder.'

'Wat staat erin?'

'Hij vertelt over zijn reizen na de *Beagle*. Blijkbaar heeft hij nog een hele tijd rondgezworven. Trouwens, hij heeft zijn geloof uiteindelijk afgezworen en – dat lees ik tussen de regels – hij sloot zich aan bij de inheemse bevolking. Ook al weet ik niet precies wat ik me daar in die tijd bij moet voorstellen. Hij kwam uiteindelijk in Sarawak terecht.'

'Waar ligt dat?'

'Sarawak is een ministaatje op de noordkust van Borneo. In die tijd was James Brooke, een excentrieke Engelsman, er gouverneur. Hij had een brede vriendenkring, tot wie hij ook de Dajakkers rekende, de beruchte koppensnellers.'

'Ja, en?'

'Ach, Brooke was een grootmoedig man. Iedereen was welkom en kon op onderdak rekenen... vooropgesteld dat je blank was, natuurlijk. Dus Matthews klopt bij hem aan en blijft een tijdje hangen. Wie denk je dat er nog meer te gast was?'

'Nee! Wallace?'

'Ja. Druk bezig met het verzamelen van torren, waarmee hij zich kostelijk vermaakte. Op een avond zetten ze het samen op een zuipen, ze beginnen sterke verhalen te vertellen en Matthews komt op de proppen met zijn belevenissen in de bergen van Vuurland.'

'Het is niet te geloven!'

'Matthews, die nog altijd geen flauw benul heeft, beschouwt het gewoon als een boeiend verhaal. Hij heeft geen idee dat hij daarmee een van de grootste theoretische doorbraken aller tijden doorgeeft. En Wallace is net zo'n overtuigend leugenaar als de rest van het stel. Hij komt met zijn verhaal dat de theorie ineens bij hem opkwam tijdens een koortsaanval als gevolg van malaria; hij schrijft Darwin, die – dat weet hij – over dezelfde informatie beschikt maar daar om welke reden dan ook nog niet over heeft gepubliceerd. Dan komt hij erachter dat Darwin de theorie als uitsluitend zijn eigen vondst wil presenteren. Dus hij besluit er een slaatje uit te slaan en dreigt alles openbaar te maken tenzij de X Club hem zwijggeld betaalt. FitzRoy moesten ze ook al afkopen, want die had net genoeg gehoord om voor problemen te kunnen zorgen. De rest is bekend.'

'Dus de ware ontdekker is een kleine Schot van wie we amper meer iets hebben gehoord. En hij werd geïnspireerd door een sjamaan, een wilde, wiens botten ergens aan het eind van de wereld begraven liggen.'

'Inderdaad.'

Beth zweeg even.

'Denk je dat ze ons geloven?' vroeg ze toen.

'We hebben bewijzen. Vergeet dat niet. Dat heb je net zelf gezegd.'

Ze verlieten de pub en slenterden door Hawkshead tot ze bij een oud gebouw kwamen, witgepleisterd, met houten vakwerk. Boven de deur hing een zonnewijzer, op een plaquette werd de stichter vermeld: de aartsbisschop van York. Op een bord stond *Hawkshead Grammar School*, met de vermelding dat de voortgezette lagere school in 1909 haar deuren had gesloten.

'Dat is ook toevallig,' zei Hugh. 'Laten we naar binnen gaan.'

Het lokaal op de begane grond was nog precies zoals het er vroeger moest hebben uitgezien. De houten bureaus waren aan de vloer geschroefd, aan de muur hingen zwarte schoolborden, het pleisterwerk was bezig te vergelen en had hier en daar vochtblazen. Hugh vond al snel wat hij zocht: een langgerekt bureau, rechts van de deur. Op de hoek vooraan was een glasplaatje bevestigd. Eronder stond met grote letters een naam in het hout gekerfd: W. WORDSWORTH.

Een bordje vermeldde dat de dichter de school had bezocht van 1778 tot 1787. Daaronder volgden enkele woorden uit *Lines Composed a Few Miles Above Tintern Abbey*:

... nooit verried de natuur
Het hart dat haar liefhad

Hugh las ze glimlachend. Toen sloeg hij zijn arm om de schouders van Beth, en samen verlieten ze de school.

'Ik weet niet zeker of hij het bij het rechte eind had,' merkte hij op.

Ze liepen door het stadje, stapten in de auto en reden terug naar de bed-and-breakfast. Hugh zette de radio aan en draaide aan de knoppen tot hij een zender met goede muziek had gevonden. De Beatles klonken door de auto. Hij had de raampjes opengedraaid, en de wind die langs zijn gezicht streek, deed zijn ogen tranen. Beth keek hem aan en glimlachte. Morgen was vroeg genoeg om met schrijven te beginnen.

Nawoord

Thomas Carlyle, Darwins tijdgenoot, noemde geschiedenis 'een destillaat van geruchten'. Die uitspraak is mijn leidraad geweest bij het schrijven van dit boek. Het gaat hier om fictie. De historische figuren zijn inderdaad historisch – in die zin dat ze daadwerkelijk hebben geleefd – en bijna al hun daden komen overeen met wat de archieven ons over hen vertellen.

Ik heb me echter op diverse terreinen aanzienlijke vrijheden veroorloofd. Bijvoorbeeld met de dood van Robert McCormick, Darwins jaloerse rivaal aan boord van de *Beagle*. Maar ook met de beschrijving van Elizabeth Darwin, over wie weinig bekend is. Dat lege doek heb ik gebruikt om een portret te schilderen dat paste in mijn 'alternatieve geschiedenis', compleet met een dochter die in werkelijkheid nooit heeft bestaan.

De hedendaagse figuren zijn volstrekt fictief. Er is onderzoek gedaan naar de evolutionaire veranderingen bij de vinken op de Galápagoseilanden. De resultaten van dit langlopende project zijn in boekvorm verschenen onder de titel *The Beak of the Finch*, waarvoor de auteur, Jonathan Weiner, de Pulitzer-prijs heeft gekregen. Uit dit boek heb ik inspiratie geput voor situatiebeschrijvingen. Bovendien was het een bron van informatie omtrent de theorie van de natuurlijke selectie. Elke overeenkomst met bestaande personen is echter onbedoeld en zuiver toevallig.

Dankbetuiging

Darwin-deskundigen en instellingen die onderdak bieden aan zijn werk en de aandacht daarvoor levend houden, blijken buitengewoon genereus te zijn in het verlenen van assistentie aan een schrijver; zelfs wanneer die schrijver toegeeft de grens tussen wetenschap en fictie te overschrijden. Van degenen die ik wil bedanken, noem ik in de eerste plaats Frederick Burkhardt en zijn collega's, die met *The Correspondence of Charles Darwin* een omvangrijk en langdurig researchproject onder handen hebben, en Adam Perkins van de Cambridge University Library, die zo vriendelijk was materiaal uit de Darwin-archieven ter beschikking te stellen. Verder ben ik dank verschuldigd aan John Murray, Darwins uitgever; de Linnean Society of London; het Darwin Centre in het Natural History Museum in Londen; en Down House in County Kent. De uitgebreide rondleidingen en uitleg over Darwins leven, werk en publicaties zijn van grote waarde geweest bij het schrijven van dit boek. Dank ook aan John W. McCarter Jr. en Donald Stewart van het Field Museum voor het sponsoren van een cruciale en onvergetelijke reis naar de Galápagoseilanden in juli 2002.

Er is zoveel over Darwin geschreven dat er een hele vleugel van een bibliotheek mee gevuld zou kunnen worden. Onder de talloze boeken zijn sommige voor mij bijzonder nuttig gebleken. Janet Brownes tweedelige biografie – *Voyaging* en *The Power of Place* – was onmisbaar. Ik heb ook royaal geput uit Alan Mooreheads buitengewoon leesbare *Darwin and the Beagle*. Bijzonderheden over het leven in Down House heb ik gehaald uit *Annie's Box* en *Period Piece*; over Darwin-aanhangers en -tegenstanders uit *Apes, Angels and Victorians*; over de reis rond de wereld uit *HMS* Beagle; en over het tragische verhaal van kapitein FitzRoy uit *Evolution's Captain*. *The Beak of the Finch* van Jonathan Weiner, dat verslag doet van het baanbrekende evolutionaire onderzoek op het eiland Daphne Major in de Galápagos, leverde essentiële informatie op (tot en met de bijnaam van de aanlegplaats, die de 'deurmat' werd genoemd) die ik heb gebruikt voor mijn fictieve tegenhanger, Sin Nombre.

Op het persoonlijke vlak wil ik Phyllis Grann bedanken, mijn redacteur, voor haar advies en begeleiding bij het schrijven; Sonny Mehta, mijn uitgever, voor de wijzigingen die hij voorstelde en die altijd verbeteringen waren; en Kathy Robbins, mijn agent, voor haar suggesties en haar enthousiasme. Dankbaar ben ik ook Bill Keller, hoofdredacteur van *The New York Times*, die zo goed was me drie maanden verlof te geven, en Marion Underhill van de Londense redactie van de *Times*, die me heeft geholpen met het opsporen van informatie. Ten slotte bedank ik mijn familie – mijn broer, Bob, en mijn kinderen, Kyra, Liza en James – voor hun grondige bestudering van het manuscript. Mijn vrouw, Nina, heeft elk woord gelezen. Ik heb elk idee aan haar voorgelegd. Ze heeft me geholpen met het creeren van al mijn personages. En ondanks dat heeft ze me nooit, met geen woord, de indruk gegeven dat ze schoon genoeg had van het hele project.

Bibliografie

Barrett, Andrea. *Ship Fever.* New York: W.W. Norton, 1996.

Bowlby, John. *Charles Darwin, A New Life.* New York: W.W. Norton, 1991.

Browne, Janet. *Charles Darwin, Voyaging.* New York: Knopf, 1995.

Charles Darwin, *The Power of Place.* New York: Knopf, 2002.

Darwin, Charles R. *The Voyage of the* Beagle. New York: Penguin Books, 1989. First published in 1839 by Henry Colburn.

–. *Charles Darwin's Letters: A Selection, 1825-1859.* Edited by Frederick Burkhardt. Cambridge: Cambridge University Press, 1996.

–. *Charles Darwins* Beagle *Diary.* Edited by R. D. Keynes. Cambridge: Cambridge University Press, 1988.

–. *The Origin of Species.* New York: Penguin Classics, 1985. First published in 1859 by John Murray.

Desmond, Adrian, and Moore, James. *Darwin.* London: Michael Joseph, 1991.

Ferguson, Niall. *Empire.* New York: Basic Books, 2003.

Harlan, John. *Seamanship in the Age of Sail.* Annapolis: Naval Institute Press, 1984.

Hart-Davis, Adam. *What the Victorians Did for Us.* London: Headline, 2002.

Hazlewood, Nick. *Savage: The Life and Times of Jemmy Button.* New York: St. Martin's Press, 2001.

Irvine, William. *Apes, Angels and Victorians.* New York: Time-Life Books, 1963.

Jackson, Michael H. *Galápagos, A Natural History Guide.* Alberta, Canada: University of Calgary Press, 1985.

Keynes, Randal. *Annie's Box: Charles Darwin, His Daughter, and Human Evolution.* London: Fourth Estate, 2001.

Marks, Richard Lee. *Three Men of the* Beagle. New York: Knopf, 1991.

McDonald, Roger. *Mr. Darwin's Shooter.* New York: Atlantic Monthly Press, 1998.

Moorehead, Alan. *Darwin and the* Beagle. London: Hamilton, 1969.

Morgan, Kenneth O. *The Oxford Illustrated History of Britain.* Oxford: Oxford University Press, 1984.

Nichols, Peter. *Evolution's Captain.* New York: Harper Collins, 2003.

O'Connor, Stephen. *Orphan Trains.* Boston: Houghton Mifflin, 2001.

Perkin, Joan. *Victorian Women.* New York: New York University Press, 1995.

Raverat, Gwen. *Period Piece: A Cambridge Childhood.* London: Faber and Faber, 1952.

St. George, E.A.W. *The Descent of Manners: Etiquette, Rules, and the Victorians.* London: Chatto & Windus, 1993.

Thomson, Keith Stewart. *HMS* Beagle: *The Story of Darwin's Ship.* New York: W.W.Norton, 1995.

Tort, Patrick. *Charles Darwin: The Scholar Who Changed Human History.* London: Thames & Hudson, 2001.

Weiner, Jonathan. *The Beak of the Finch.* New York: Knopf, 1994.

White, Michael, and Gribbin, John. *Darwin: A Life in Science.* New York: Dutton, 1995.

Wilson, A.N. *The Victorians.* London: Hutchinson, 2002.

Winchester, Simon. *Krakatoa.* New York: HarperCollins, 2003.